IMPÉRIO
DE
TEMPESTADES

SARAH J. MAAS

IMPÉRIO
DE
TEMPESTADES

Tradução
Mariana Kohnert

26ª edição

— **Galera** —

RIO DE JANEIRO

2025

CIP-BRASIL. CATALOGAÇÃO NA PUBLICAÇÃO
SINDICATO NACIONAL DOS EDITORES DE LIVROS, RJ

Maas, Sarah J.

M11i   Império de tempestades: Volume único / Sarah J. Maas; tradução Mariana
26ª ed. Kohnert. – 26ª ed. – Rio de Janeiro: Galera Record, 2025.
         (Trono de vidro; 5)

         Tradução de: Empire of Storms
         ISBN: 978-85-01-11260-6

         1. Ficção juvenil americana. I. Kohnert, Mariana. II. Título III. Série.

                                        CDD: 028.5
17-45186   CDU: 087.5

Título original:
Empire of Storms

Leitura sensível:
Lorena Ribeiro

Revisão:
Liane Motta
Geórgia Kallenbach

Esta tradução de *Empire of Storms* foi publicada mediante acordo com Bloomsbury
Publishing Inc.

Texto revisado segundo o novo Acordo Ortográfico da Língua Portuguesa.

Direitos exclusivos de publicação em língua portuguesa somente para o Brasil
adquiridos pela
EDITORA GALERA RECORD LTDA.
Rua Argentina, 120 – Rio de Janeiro, RJ – 20921-380 – Tel.: (21) 2585-2000,
que se reserva a propriedade literária desta tradução.

Impresso no Brasil

ISBN 978-85-01-11260-6

Seja um leitor preferencial Record.
Cadastre-se no site www.record.com.br
e receba informações sobre
nossos lançamentos e nossas promoções.

Atendimento e venda direta ao leitor:
sac@record.com.br

Para Tamar
Minha campeã, fada madrinha e cavaleira no cavalo branco.
Obrigada por acreditar nesta série desde a primeira página.

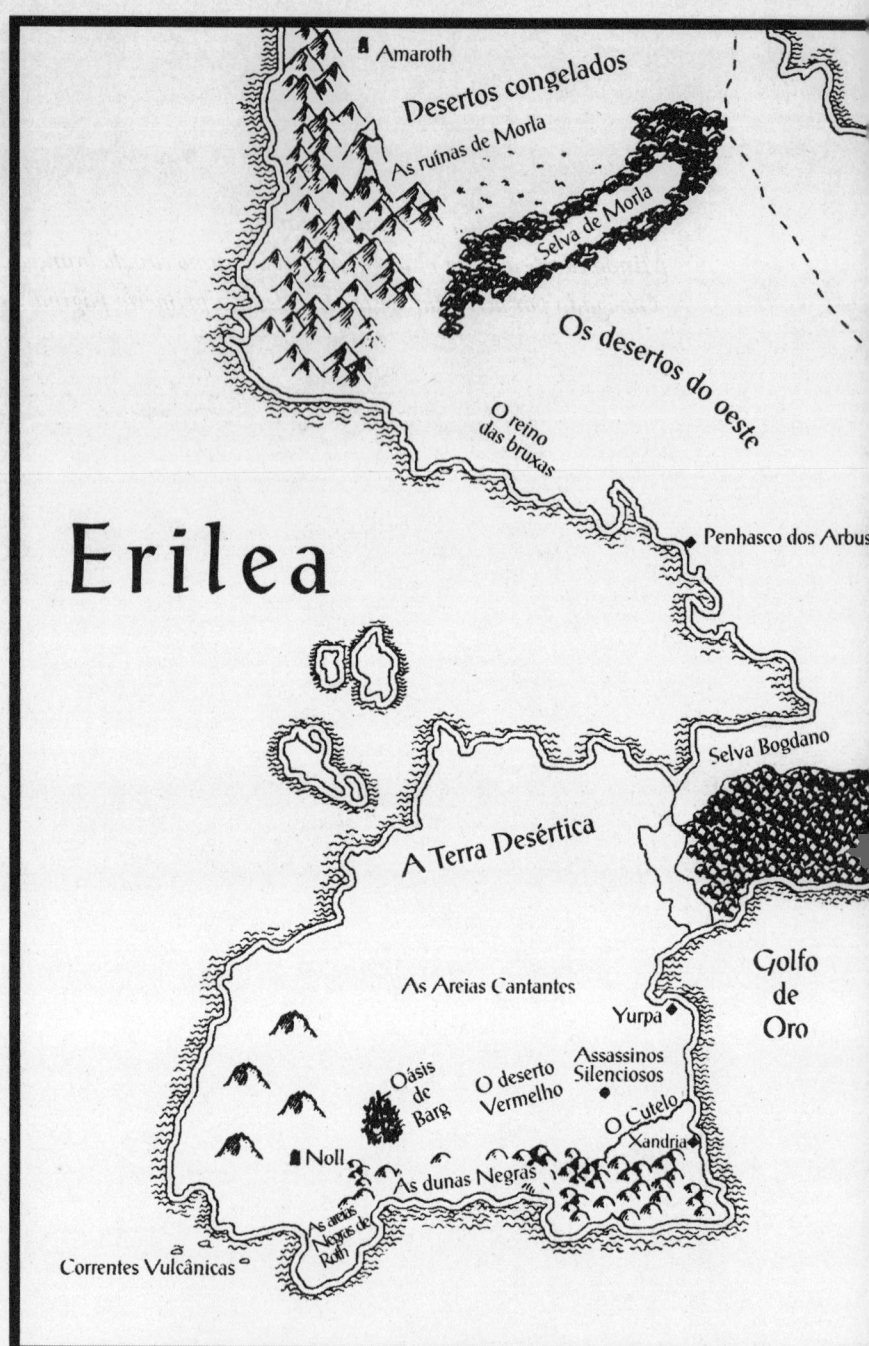

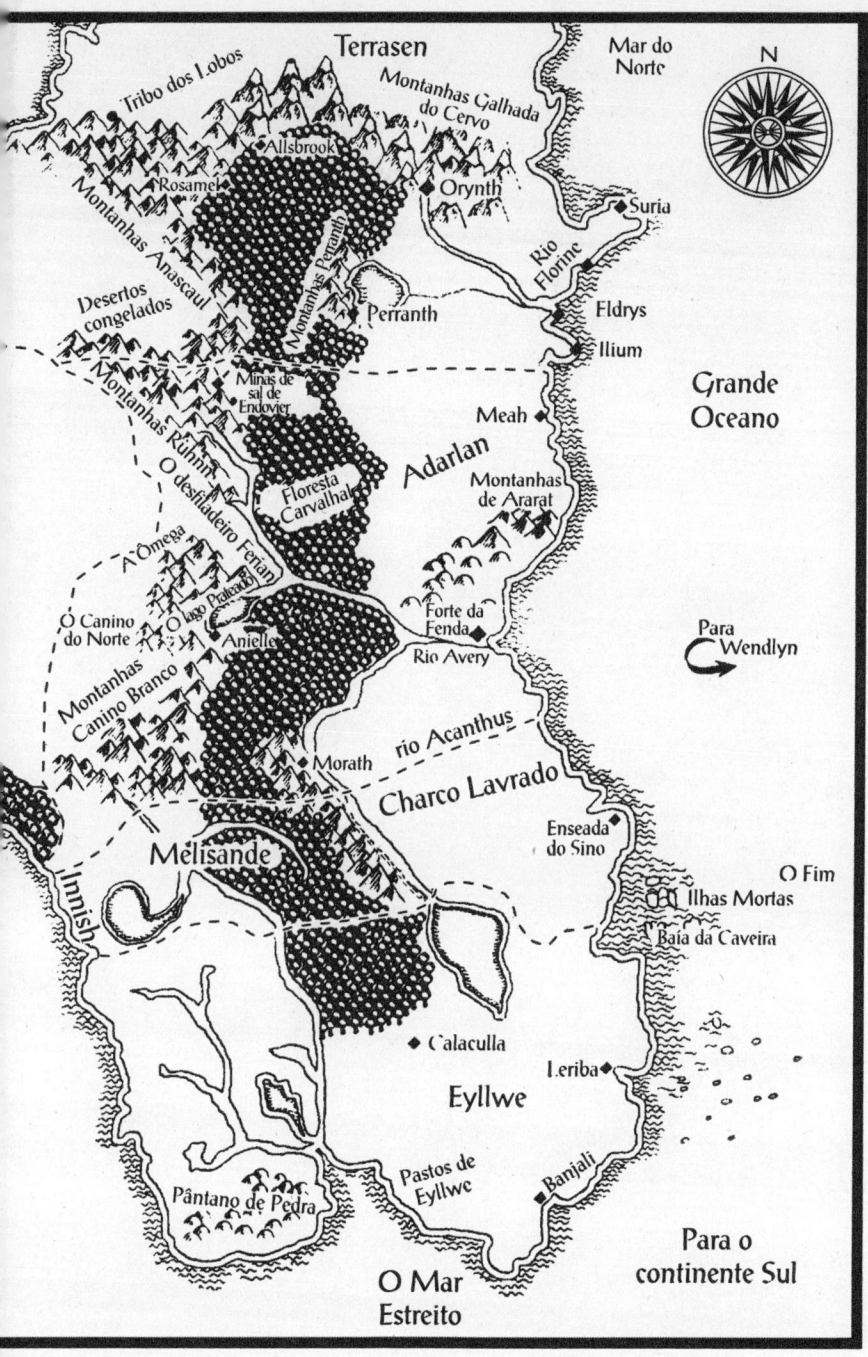

⊰ ANOITECER ⊱

Os tambores de ossos batucavam ao longo das inclinações irregulares das montanhas Sombrias desde o pôr do sol.

Da elevação rochosa sobre a qual sua tenda de guerra gemia contra o vento seco, a princesa Elena Galathynius monitorara o exército do senhor do medo a tarde inteira conforme este varria as montanhas em ondas de ébano. E agora que o sol havia muito sumira, as fogueiras inimigas tremeluziam diante das montanhas e do vale abaixo, como um cobertor de estrelas.

Tantas fogueiras... tantas, em comparação com aquelas que queimavam do lado do vale que ela ocupava.

A princesa não precisava do dom de ouvidos feéricos para escutar as orações de seu exército humano, tanto as proferidas quanto as silenciosas. Repetira várias, ela mesma, nas últimas horas, embora soubesse que não seriam atendidas.

Elena jamais considerara onde poderia morrer; jamais considerara que poderia ser tão longe do verde rochoso de Terrasen. Que seu corpo talvez não acabasse cremado, mas sim devorado pelas bestas do senhor do medo.

Não haveria lápide para dizer ao mundo onde caíra uma princesa de Terrasen. Não haveria lápide para nenhum deles.

— Você precisa descansar — disse uma grave voz masculina da entrada da tenda atrás de Elena.

Ela olhou para trás, os cabelos prateados despontando, soltos, pelas camadas intricadas da armadura de couro. Mas o olhar sombrio de Gavin já estava nos dois exércitos que se estendiam abaixo deles. Naquela estreita faixa escura limítrofe, que muito em breve seria ultrapassada.

Apesar de falar em descanso, Gavin também não removera a própria armadura ao entrar na tenda horas atrás. Seus líderes de guerra haviam finalmente saído dali apenas minutos antes, carregando mapas nas mãos e nenhuma esperança nos corações. Elena podia sentir o cheiro neles — de medo. De desespero.

Os passos de Gavin mal ressoavam na terra seca e rochosa conforme ele se aproximava da vigília solitária de Elena, quase silencioso, graças aos anos perambulando pelas florestas do sul. Elena, de novo, encarou aquelas incontáveis fogueiras inimigas.

Com rouquidão, Gavin disse:

— As forças de seu pai ainda podem chegar.

A esperança de um tolo. A audição imortal de Elena captara cada palavra das muitas horas do intenso debate que acontecera na tenda atrás de ambos.

— Esse vale é agora uma armadilha mortal — afirmou ela.

E ela os levara até lá.

Gavin não respondeu.

— Quando amanhecer — continuou a princesa —, estará banhado em sangue.

O líder de guerra ao lado da princesa permaneceu em silêncio. Aquilo era tão raro para Gavin, aquele silêncio. Não havia um lampejo da bravura indomável nos olhos puxados para cima, e os bagunçados cabelos castanhos pendiam sem vida. Elena não conseguia se lembrar da última vez que qualquer um dos dois se banhara.

Gavin se voltou para ela com aquela avaliação sincera que a tinha desarmado desde o momento que o conhecera no salão de seu pai, há quase um ano. Vidas atrás.

Uma época tão diferente, um mundo diferente — quando as terras ainda se enchiam de música e luz, quando a magia não tinha começado a se extinguir à sombra crescente de Erawan e de seus soldados-demônio. Elena se perguntou por quanto tempo Orynth aguentaria depois que a carnificina no sul tivesse terminado. Imaginou se Erawan primeiro destruiria o reluzente palácio de seu pai no alto da montanha, ou se ele queimaria a biblioteca real... queimaria o coração e o conhecimento de uma era. E então queimaria o povo.

— O alvorecer ainda vai demorar — declarou Gavin, engolindo em seco. — Tempo o bastante para que fuja.

— Eles nos destruiriam antes que conseguíssemos cruzar as passagens...

— Não nós. Você. — A luz da fogueira projetou um alívio hesitante no rosto queimado de sol de Gavin. — Você apenas.

— Não abandonarei essas pessoas. — Os dedos de Elena tocaram os do guerreiro. — Ou você.

A expressão de Gavin não se alterou.

— Não há como evitar o amanhã. Ou o derramamento de sangue. Você ouviu o que o mensageiro disse, sei que ouviu. Anielle é um abatedouro. Nossos aliados do norte se foram. O exército de seu pai está muito atrasado. Todos morreremos antes de o sol finalmente nascer.

— Todos morreremos um dia.

— Não. — Gavin apertou a mão dela. — Eu morrerei. Aquelas pessoas ali embaixo... elas morrerão. Pela espada ou pelo tempo. Mas você... — O olhar de Gavin se voltou para as orelhas delicadamente pontiagudas de Elena, herança do pai. — Poderia viver por séculos. Milênios. Não abra mão disso por uma batalha perdida.

— Prefiro morrer amanhã a viver mil anos com a vergonha de uma covarde.

Mas Gavin observou o vale de novo. Seu povo, a última linha de defesa contra a horda de Erawan.

— Vá para trás das fileiras do exército de seu pai — disse, áspero — e continue a luta dali.

A princesa engoliu em seco.

— Seria inútil.

Devagar, Gavin a olhou. E depois de todos aqueles meses, todo aquele tempo, Elena confessou:

— O poder de meu pai começa a falhar. Ele está próximo, décadas, do desvanecimento. A luz de Mala se apaga dentro dele a cada dia que passa. Não há como enfrentar Erawan e vencer. — Meses atrás, antes de ela partir naquela malfadada aventura, as últimas palavras do pai haviam sido: *Meu sol está se pondo, Elena. Você precisa encontrar uma forma de garantir que o seu ainda nasça.*

O rosto de Gavin perdeu a cor.

— Você escolheu este momento para me contar?

— Escolho este momento, Gavin, porque também não há esperança para mim... se eu fugir esta noite ou lutar amanhã. O continente cairá.

O guerreiro voltou o olhar para as dezenas de tendas na elevação. Amigos dele.

Amigos dela.

— Nenhum de nós fugirá amanhã — garantiu ele.

E foi a forma como as palavras soaram, a forma como os olhos de Gavin brilharam, que fez com que Elena lhe estendesse a mão mais uma vez. Nunca — nenhuma vez durante todas as suas aventuras, em todos os horrores que haviam suportado juntos — Elena o vira chorar.

— Erawan vencerá e governará esta terra, e todas as outras, por toda a eternidade — sussurrou Gavin.

Soldados se agitaram no acampamento abaixo. Homens e mulheres, murmurando, xingando, chorando. Elena rastreou a fonte de seu terror; do outro lado do vale.

Uma a uma, como se uma grande mão de escuridão as varresse, as fogueiras do acampamento do senhor nefasto se extinguiram. Os tambores de ossos tocaram mais alto.

Ele chegara, por fim.

Erawan em pessoa fora supervisionar a última resistência do exército de Gavin.

— Não esperarão até o amanhecer — comentou Gavin, levando uma das mãos ao flanco, onde Damaris estava embainhada.

Mas Elena segurou seu braço, o músculo duro como granito sob a armadura de couro.

Erawan viera.

Talvez os deuses ainda estivessem ouvindo. Talvez a alma determinada da mãe de Elena os tivesse convencido.

Ela observou o rosto severo e selvagem do guerreiro; o rosto que passara a adorar mais que todos os outros. Então disse:

— Não venceremos esta batalha. E não venceremos esta guerra.

Gavin sentiu uma vontade enorme de interromper seus líderes de guerra, mas fez um esforço de ser paciente e ouvi-la com respeito. Os dois se deviam isso, tinham aprendido do modo mais difícil.

Com a mão livre, Elena ergueu os dedos no ar entre os dois. A magia pura em suas veias dançava, tornando-se chama, depois água, então gavinhas trançadas e gelo estalando. Não era um abismo infinito como a de seu pai, mas era um dom de magia ágil e versátil. Concedido pela mãe.

— Não venceremos esta guerra — repetiu ela, o rosto de Gavin iluminado pela luz do poder bruto de Elena. — Mas podemos atrasá-la um pouco mais. Posso atravessar aquele vale em uma ou duas horas. — Elena fechou os dedos, formando um punho, e extinguiu a magia.

Gavin franziu o cenho.

— O que está dizendo é absurdo, Elena. Suicídio. Os tenentes a pegarão antes que sequer passe pelas fileiras do exército.

— Exatamente. Me levarão direto para Erawan, agora que está aqui. Me considerarão uma prisioneira valiosa, não uma possível assassina.

— Não. — Uma ordem e uma súplica.

— Mate Erawan e suas bestas entrarão em pânico. Por tempo suficiente para que as forças de meu pai cheguem, se unam com o que quer que reste das nossas e esmaguem as legiões inimigas.

— Você diz "mate Erawan" como se fosse uma tarefa simples. Ele é um *rei* valg, Elena. Mesmo que a levem até ele, Erawan a colocará em uma coleira antes que possa agir.

Elena sentiu um aperto no peito, mas obrigou as palavras a saírem:

— Por isso... — Elena não conseguiu conter os lábios trêmulos. — Por isso preciso que venha comigo em vez de lutar com seus homens.

Gavin apenas a encarou.

— Porque preciso... — Lágrimas escorriam pelo rosto dela. — Preciso de você como distração. Preciso ganhar tempo para ultrapassar as defesas internas de Erawan. — Assim como a batalha do dia seguinte lhes garantiria tempo.

Porque Erawan iria atrás de Gavin primeiro. O guerreiro humano que fora um bastião contra as forças do Senhor Sombrio há tanto tempo, que lutara contra ele quando nenhum outro o faria... O ódio de Erawan pelo príncipe humano se comparava apenas ao seu ódio pelo pai de Elena.

Gavin a observou por um longo momento, então estendeu a mão para limpar as lágrimas de Elena.

— Ele não pode ser morto, Elena. Ouviu o que o oráculo de seu pai sussurrou.

Ela assentiu.

— Eu sei.

— E mesmo se conseguirmos contê-lo, prendê-lo... — Gavin considerou as palavras de Elena. — Sabe que apenas impingiremos a guerra a outra pessoa... a quem quer que um dia governe estas terras.

— Esta guerra — disse Elena, em voz baixa — é apenas o segundo movimento de um jogo que vem sendo apostado desde aqueles dias antigos, do outro lado do oceano.

— Nós a adiaremos para que outra pessoa a herde caso ele seja libertado. E isso não salvará aqueles soldados lá embaixo do massacre amanhã.

— Se não agirmos, não haverá ninguém para herdar esta guerra — argumentou Elena. Dúvida brilhou nos olhos de Gavin. — Mesmo agora — insistiu ela — nossa magia está falhando, nossos deuses nos abandonam. Fogem de nós. Não temos aliados feéricos além daqueles no exército de meu pai. E o poder deles, como o de meu pai, está se esvaindo. Mas, talvez, quando aquele terceiro movimento vier... talvez os jogadores em nosso jogo inacabado sejam diferentes. Talvez seja um futuro no qual feéricos e humanos lutem lado a lado, impregnados de poder. Talvez encontremos uma forma de acabar com isso. Então perderemos esta batalha, Gavin — decidiu Elena. — Nossos amigos morrerão naquele campo de batalha ao alvorecer, e usaremos isso como nossa distração para conter Erawan de forma que Erilea possa ter um futuro.

Os lábios de Gavin se contraíram, os olhos de safira se arregalaram.

— Ninguém pode saber — disse Elena, a voz falhando. — Mesmo que sejamos bem-sucedidos, ninguém pode saber o que faremos.

Dúvida vincou o rosto de Gavin. Elena lhe segurou a mão com mais força.

— *Ninguém*, Gavin.

As feições de Gavin se contorceram em agonia. Mas ele assentiu.

De mãos dadas, os dois encararam a escuridão que cobria as montanhas, os tambores de ossos do senhor do medo soavam como martelos sobre ferro. Muito em breve, aqueles tambores seriam abafados pelos gritos de soldados agonizantes. Muito em breve, os campos do vale estariam tomados com rios de sangue.

— Se vamos fazer isso, precisamos partir agora — falou Gavin, a atenção mais uma vez passou para as tendas próximas. Nenhum adeus. Nenhuma última palavra. — Darei a Holdren a ordem para que lidere amanhã. Ele saberá o que dizer aos demais.

Elena assentiu, e foi confirmação suficiente. Gavin a soltou, seguiu para a tenda mais próxima da de ambos, onde o mais caro amigo e mais leal líder de guerra provavelmente aproveitava ao máximo as horas finais com a nova esposa.

Elena afastou o olhar antes de os ombros largos de Gavin abrirem caminho pelas abas pesadas da tenda.

Ela olhou para as fogueiras, pelo vale, até a escuridão assente do outro lado. Podia jurar que a escuridão encarou de volta, jurar que ouvira milhares de pedras de amolar conforme as bestas do senhor do medo afiavam as garras embebidas em veneno.

Elena ergueu o olhar para o céu manchado de fumaça, a névoa se abrindo por um segundo para revelar uma noite estrelada.

O Senhor do Norte brilhou para Elena. Talvez o último presente de Mala para aquelas terras — naquela era, ao menos. Talvez um agradecimento à própria Elena, e um adeus.

Porque, por Terrasen, por Erilea, Elena caminharia até a escuridão eterna à espreita além do vale e garantiria a todos uma chance.

No pilar de fumaça que se erguia do terreno ao longe, Elena lançou uma última oração aos céus a fim de que os filhos não nascidos e distantes daquela noite, herdeiros de um fardo que condenaria ou salvaria Erilea, a perdoassem pelo que estava prestes a fazer.

PARTE UM

A Portadora do Fogo

⊰ 1 ⊱

A garganta de Elide Lochan queimava a cada inalação ofegante conforme ela subia, com dificuldade, a íngreme colina da floresta.

Sob a cobertura de folhas encharcadas no chão da floresta Carvalhal, pedras cinza soltas tornavam a encosta traiçoeira; os altos carvalhos se estendiam muito acima, impedindo que Elide alcançasse qualquer galho no caso de um tropeço. Arriscando uma potencial queda em favor da velocidade, a jovem passou aos trancos sobre a beirada do cume rochoso, e a perna latejou de dor quando ela caiu de joelhos.

Colinas florestadas se estendiam em todas as direções, as árvores como barras de uma jaula infinita.

Semanas. Fazia semanas desde que Manon Bico Negro e as Treze a haviam deixado na floresta, a Líder Alada ordenando que Elide rumasse para o norte. A fim de encontrar sua rainha perdida, agora crescida e poderosa — e também a fim de encontrar Celaena Sardothien, quem quer que fosse, para que então pudesse pagar a dívida de vida contraída com Kaltain Rompier.

Mesmo semanas depois, seus sonhos eram assombrados por aqueles momentos finais em Morath: os guardas a arrastando para que fosse implantada com crias dos valg, o massacre total perpetrado pela Líder Alada, e o último ato de Kaltain Rompier — escavar a curiosa pedra preta de onde tinha sido costurada em seu braço e ordenar que Elide a levasse a Celaena Sardothien.

Logo antes de Kaltain transformar Morath em uma ruína incandescente.

Elide levou a mão suja, quase trêmula, à dura protuberância enfiada no bolso do traje de voo que ela ainda vestia. Podia ter jurado que um leve latejar ecoava pela pele, uma batida de resposta ao próprio coração acelerado.

Elide estremeceu à luz fraca do sol, filtrada pelo dossel verde das árvores. O verão parecia intenso sobre o mundo, o calor era tão opressor que a água tinha se tornado seu bem mais precioso.

Como fora desde o início, mas, no momento, todo o seu dia, a *vida* girava em torno de água.

Felizmente, a floresta de Carvalhal transbordava em córregos depois que a última neve da montanha derretera, serpenteando dos picos. Infelizmente, Elide havia aprendido do modo mais difícil qual água podia beber.

Por três dias, estivera perto da morte, vomitando e com febre após engolir a água de um lago parado. Por três dias, tremera a ponto de achar que os ossos se partiriam. Por três dias, tinha chorado silenciosamente, sentindo um desespero deplorável e temendo morrer ali, sozinha naquela floresta infinita sem o conhecimento de ninguém.

E, durante todo o tempo, aquela pedra no bolso pulsara e latejara. Nos delírios febris, Elide podia ter jurado que a pedra sussurrara para ela, que cantara cantigas de ninar em idiomas que a jovem acreditava improferíveis pela língua humana.

Ela não a ouvira mais desde então, mas mesmo assim se perguntava. Se perguntava se a maioria dos humanos teria morrido.

Se perguntava se levava ao norte um presente ou uma maldição. E se a tal Celaena Sardothien saberia o que fazer com a pedra.

Diga que é possível *abrir qualquer porta se tiver a chave*, revelara Kaltain. Elide costumava estudar a iridescente pedra preta sempre que parava para o necessário descanso. Certamente não parecia uma chave: exibia um polimento tosco, como se tivesse sido partida de um pedaço maior de pedra. Talvez as palavras de Kaltain fossem uma charada destinada apenas a sua receptora.

Ela soltou a bolsa, agora leve demais, dos ombros e abriu a aba de lona. A comida acabara havia uma semana, e ela passara a catar frutinhas. Eram todas estranhas, mas um sussurro de lembrança dos anos com sua enfermeira, Finnula, alertara Elide para que esfregasse as frutinhas primeiro no pulso em busca de alguma reação.

Na maior parte das vezes, tantas vezes, elas aconteciam.

Mas, de vez em quando, Elide tropeçava em um arbusto carregado das frutinhas certas e se empanturrava antes de encher a bolsa. Examinando o interior da lona manchada de rosa e azul, Elide pegou o último bocado de frutas, envolto na camisa sobressalente, o tecido branco agora manchado de vermelho e roxo.

Um punhado... para durar até Elide encontrar a próxima refeição.

A fome a corroía, mas Elide comeu apenas metade. Talvez encontrasse mais antes de parar por aquela noite.

Ela não sabia caçar; e pensar em aprisionar outra coisa viva, de quebrar o pescoço ou estourar o crânio do animal com uma rocha... Elide ainda não estava tão desesperada.

Talvez aquilo não a fizesse uma Bico Negro, no fim das contas, apesar da linhagem oculta da mãe.

Elide lambeu os dedos e sorveu o suco das frutas, com terra e tudo, sibilando ao se levantar, as pernas enrijecidas e doloridas. Não aguentaria muito sem comida, mas não podia arriscar se aventurar em uma aldeia com o dinheiro que Manon lhe dera, ou na direção de qualquer uma das fogueiras de caçadores que havia visto nas últimas semanas.

Não... vira o suficiente da bondade e da piedade dos homens. Jamais se esqueceria de como aqueles guardas tinham olhado com luxúria para seu corpo nu, do porquê o tio a vendera ao duque Perrington.

Encolhendo o corpo, Elide passou a mochila por cima dos ombros e cuidadosamente desceu a extensa encosta da colina, desviando de rochas e raízes.

Talvez tivesse tomado um desvio errado. Como saberia quando atravessasse a fronteira de Terrasen?

E como encontraria a rainha... a corte?

Elide afastou esses pensamentos, mantendo-se às sombras lúgubres e evitando os feixes de luz do sol. Apenas a deixaria com mais sede e calor.

Encontrar água, talvez mais importante que encontrar frutas, antes que a escuridão caísse.

Elide chegou ao pé da encosta e conteve um gemido ao ver o labirinto de madeira e pedras.

Parecia que ela agora caíra em um córrego seco que seguia entre as montanhas. O córrego fazia uma curva acentuada adiante... para o norte. Um suspiro escapou, trêmulo, de Elide. Graças a Anneith. Pelo menos a Senhora das Coisas Sábias não a abandonara ainda.

Elide seguiria o riacho pelo tempo que conseguisse, rumo ao norte, então...

A jovem não soube exatamente qual sentido captou aquilo. Não foi o olfato, nem a visão e nem a audição, pois nada além da podridão da lama e da luz do sol e das pedras e do sussurro das folhas no alto parecia fora do comum.

Mas... ali. Como se um fio de uma enorme tapeçaria tivesse sido puxado, o corpo de Elide travou.

O murmurar e o farfalhar da floresta ficou quieto um segundo depois.

Elide verificou as colinas, o riacho seco. As raízes de um carvalho sobre a colina mais próxima se projetavam da lateral gramada da encosta, fornecendo uma extensão de madeira e musgo acima do rio morto. Perfeito.

Ela caminhou com dificuldade até as raízes, a perna ruim reclamando, rochas se soltando e lhe acertando os tornozelos. Elide quase conseguiu tocar a ponta das raízes quando o primeiro *boom* oco soou.

Não era trovão. Não, Elide jamais se esqueceria daquele som específico... pois ele também lhe assombrava os sonhos, tanto acordada quanto dormindo.

O bater de poderosas asas encouraçadas. Serpentes aladas.

E talvez mais mortais: suas montadoras, as bruxas Dentes de Ferro, com os sentidos tão aguçados e atentos quanto os das montarias.

Elide correu para a densa projeção de raízes conforme as batidas de asas se aproximavam, a floresta parecia tão silenciosa como um cemitério. Pedras e paus lhe arranharam as mãos nuas, os joelhos se chocaram contra a terra rochosa quando Elide pressionou o corpo contra a encosta e olhou pelo dossel entremeado de raízes.

Uma batida; então outra, nem mesmo um segundo depois. Sincronizadas o suficiente para que qualquer um na floresta pensasse que era apenas um eco, mas Elide sabia: duas bruxas.

Entreouvira bastante durante o tempo em Morath para saber que as Dentes de Ferro tinham ordens de ocultar seus números. Voavam em formação perfeita e espelhada, de modo que quem estivesse ouvindo relatasse apenas uma serpente alada.

Mas aquelas duas, quem quer que fossem, eram descuidadas. Ou tão descuidadas quanto bruxas imortais e letais poderiam ser. Membros inferiores da aliança, talvez. Em uma missão de reconhecimento.

Ou caçando alguém, sussurrou uma voz baixa e petrificada na cabeça de Elide.

Ela pressionou o corpo com mais força contra o solo; raízes se enterraram em suas costas conforme monitorava o baldaquim.

E *ali*. O borrão de uma imensa forma ágil, deslizando logo acima da cobertura, chacoalhando as folhas. Uma membranosa asa encouraçada, a ponta virada em uma garra curva e venenosa, reluziu ao sol.

Raramente — muito raramente — saíam à luz do dia. O que quer que caçassem... era sem dúvida importante.

Elide não ousou respirar até que as batidas de asas sumissem, velejando para o norte.

Na direção do desfiladeiro Ferian; onde Manon mencionara que a segunda metade do regimento estava acampada.

Elide se moveu apenas quando os zunidos e os chilreios da floresta retornaram. Ficar parada por tanto tempo lhe deixara com cãibras nos músculos, e ela gemeu ao esticar as pernas, então os braços, girando em seguida os ombros.

Interminável; aquela jornada era interminável. A jovem daria qualquer coisa por um teto seguro. E uma refeição quente. Talvez procurar aquilo, ao menos por uma noite, valesse o risco.

Abrindo caminho pelo rio seco, Elide conseguiu dar dois passos antes de aquela sensação que não era uma sensação pulsar de novo, como se a mão quente de uma mulher segurasse seu ombro para que parasse.

A floresta emaranhada rangia cheia de vida. No entanto, Elide conseguia sentir, podia sentir algo lá.

Não eram bruxas ou serpentes aladas ou bestas. Mas alguém... alguém a observava.

Alguém a seguia.

Ela casualmente desembainhou a faca de luta que Manon lhe dera ao deixar a floresta miserável.

E desejou que a bruxa a tivesse ensinado a matar.

Lorcan Salvaterre estava fugindo daquelas malditas bestas havia dois dias.

Ele não as culpava. As bruxas tinham ficado possessas porque o semifeérico entrara sorrateiramente em seu acampamento na floresta, sob o véu da noite, e massacrara três das sentinelas sem que as bruxas ou as montarias reparassem, depois arrastara uma quarta bruxa para as árvores a fim de interrogá-la.

Precisara de duas horas até conseguir que a bruxa Pernas Amarelas falasse, escondido tão profundamente em uma caverna que mesmo os gritos foram abafados. Duas horas, então a bruxa começou a cantar para Lorcan.

Havia exércitos gêmeos de bruxas a postos naquele instante para tomar o continente: um em Morath, um no desfiladeiro Ferian. As Pernas Amarelas não sabiam nada sobre o poder que o duque Perrington empunhava; não sabiam nada sobre o que Lorcan caçava: as outras duas chaves de Wyrd, irmãs da que usava em uma longa corrente ao redor do pescoço. Três lascas de pedra retiradas de um maligno portal de Wyrd, cada chave capaz de um poder tremendo e terrível. E quando todas as três chaves de Wyrd fossem unidas... poderiam abrir aquele portal entre os mundos. Destruir aqueles mundos — ou conjurar seus exércitos. E coisas muito, muito piores.

Lorcan dera à bruxa a dádiva de uma morte rápida.

Desde então, suas irmãs o caçavam.

Agachado em um arbusto enfiado na lateral de uma encosta, o guerreiro observou enquanto a garota saía do esconderijo entre as raízes. Ele tinha se refugiado ali primeiro, prestando atenção ao clamor de sua aproximação atrapalhada, e a observara tropeçar e caminhar com dificuldade ao ouvir finalmente o que disparava na direção de ambos.

A jovem tinha feições delicadas; era pequena o suficiente para que Lorcan achasse que mal passara do primeiro sangramento se não fosse pelos seios fartos sob a roupa de couro justa.

Aquelas roupas lhe atiçaram o interesse imediatamente. As Pernas Amarelas vestiam roupas semelhantes — assim como todas as bruxas. Mas aquela menina era humana.

E, ao se virar em sua direção, os olhos escuros avaliaram a floresta com uma atenção antiga demais, experiente demais para pertencer a uma criança. Tinha pelo menos 18 anos; talvez fosse mais velha. O rosto pálido parecia sujo, magro. Provavelmente vagava naquele lugar havia um tempo, lutando para encontrar comida. E a faca em suas mãos tremia tanto que sugeria uma provável ignorância sobre o que fazer com a arma.

Lorcan permaneceu escondido, observando-a avaliar as colinas, o córrego, o dossel.

Ela sentia a presença do guerreiro, de alguma forma.

Interessante. Quando ele queria permanecer escondido, poucos conseguiam encontrá-lo.

Cada músculo do corpo da jovem estava tenso, mas ela terminou de vasculhar a vala, forçando uma respiração suave entre os lábios contraídos, e seguiu em frente. Afastando-se dele.

Ela caminhava com dificuldade a cada passo; provavelmente tinha se ferido ao cair pelas árvores.

A longa trança batia contra a bolsa, e os cabelos sedosos eram escuros como os de Lorcan. Mais escuros. Pretos como uma noite sem estrelas.

O vento mudou, soprando o cheiro da garota em sua direção, e Lorcan inspirou, permitindo que os sentidos feéricos — aqueles herdados do pai canalha — avaliassem, analisassem, como tinham feito por mais de cinco séculos.

Humana. Definitivamente humana, mas...

Ele conhecia aquele cheiro.

Durante os últimos meses, matara muitas e muitas criaturas que carregavam aquele fedor.

Ora, não era conveniente? Talvez uma dádiva dos deuses: alguém útil para interrogar. Contudo, faria aquilo mais tarde; depois que tivesse a chance de estudá-la. Aprender suas fraquezas.

O guerreiro deixou os arbustos devagar, sem que sequer um galho farfalhasse.

A garota possuída por um demônio cambaleou rio acima, com aquela faca inútil ainda em punho e a mão sobre o cabo parecendo completamente ineficaz. Que bom.

Então Lorcan começou sua caçada.

⚜ 2 ⚜

O gotejar da chuva nas folhas e as névoas baixas da floresta de Carvalhal quase abafavam o gorgolejo do caudaloso rio que serpenteava entre saliências e cavidades.

Agachada ao lado do córrego, com cantis vazios esquecidos na margem coberta de musgo, Aelin Ashryver Galathynius estendeu a mão cheia de cicatrizes sobre a água corrente e deixou que a canção da tempestade do início da manhã a lavasse.

O gemido de estrondosos trovões e a resposta incandescente dos raios tinham criado um ritmo violento e agitado desde antes do alvorecer — e naquele momento se espaçavam mais, acalmando a fúria, conforme Aelin tranquilizava o próprio núcleo de magia.

Ela inspirou a névoa fria e a chuva fresca, puxando-as profundamente para os pulmões. A magia tremeluziu em resposta, como se bocejasse bom-dia e voltasse a dormir aos tropeços.

De fato, no acampamento logo à vista, os companheiros de Aelin ainda dormiam, protegidos da tempestade por um escudo invisível feito por Rowan, e aquecidos do frio do norte, que persistia mesmo no alto verão, por uma agradável chama rubi que ela mantivera acesa a noite toda. A chama fora a coisa mais difícil de trabalhar... como mantê-la crepitando enquanto, ao mesmo tempo, conjurava o pequeno dom da água concedido pela mãe.

Aelin flexionou os dedos sobre o córrego.

Do outro lado do rio, no alto de uma rocha coberta de musgo e aninhada nos braços de um carvalho retorcido, um par de dedos brancos como ossos se flexionava e estalava, espelhando os movimentos da jovem.

A jovem sorriu e disse, tão baixinho que mal se podia ouvir por cima do ruído do rio e da chuva:

— Se tiver alguma dica, amigo, eu adoraria ouvir.

Os dedos esguios dispararam de volta para trás do cume da rocha que, como tantas naquela floresta, fora entalhada com símbolos e espirais.

O Povo Pequenino os vinha seguindo desde que atravessaram a fronteira para Terrasen. *Escoltando*, insistira Aedion, sempre que viam grandes olhos infinitos piscando de um emaranhado de galhos, ou olhando por um aglomerado de folhas no alto de uma das famosas árvores da floresta de Carvalhal. Não haviam se aproximado o suficiente para que Aelin sequer os discernisse.

Mas deixavam pequenos presentes do lado de fora dos escudos noturnos de Rowan, de alguma forma depositados sem alertar quem quer que estivesse de vigia.

Certa manhã fora uma coroa de violetas da floresta. Aelin dera o presente a Evangeline, que o usara sobre os cabelos vermelho-dourados até que se desfizesse. Na manhã seguinte, duas coroas os aguardavam: uma para Aelin e uma menor para a garota marcada pela cicatriz. Outro dia, o Povo Pequenino tinha deixado uma réplica da forma de gavião de Rowan, feita com penas de pardal, bolotas dos carvalhos e cascas de besouros. Seu príncipe feérico sorrira um pouco ao encontrar o presente... e passara a carregar a réplica no alforje desde então.

A própria Aelin sorriu ao se lembrar daquilo. Embora saber que o Povo Pequenino os acompanhava a cada passo, ouvindo e observando, tornara as coisas... difíceis. Não por algo particularmente vital, mas porque fugir com Rowan para as árvores era, com certeza, menos romântico quando se sabia que tinham uma plateia. Ainda mais quando Aedion e Lysandra ficavam tão cheios dos olhares silenciosos e apaixonados de ambos que inventavam desculpas esfarrapadas para mandá-los para longe da vista e do olfato por um tempo: a dama tinha deixado cair o lenço inexistente na trilha inexistente lá atrás; precisavam de mais troncos para uma fogueira que não precisava de lenha para queimar.

E quanto à plateia atual...

Aelin abriu os dedos sobre o córrego, permitindo que seu coração se tornasse tão imóvel como um lago florestal aquecido pelo sol, deixando que a mente se desvencilhasse dos limites habituais.

Um fiapo de água flutuou para cima do córrego, cinza e transparente, e Aelin o entremeou pelos dedos abertos, como se tecesse.

Ela virou o pulso, admirando a forma como podia ver a pele através da água, deixando que deslizasse pela mão e se enroscasse no punho. Aelin disse, então, ao feérico que observava do outro lado da rocha:

— Não há muito que relatar a seus companheiros, não é?

Folhas ensopadas estalaram atrás da jovem, e Aelin sabia que era apenas porque Rowan queria que ela ouvisse sua aproximação.

— Cuidado, ou deixarão algo molhado e frio em sua cama da próxima vez.

Aelin deixou a água fluir para o córrego antes de olhar por cima de um ombro.

— Acha que aceitam pedidos? Porque eu entregaria meu reino por um banho quente agora.

Os olhos de Rowan dançavam conforme a jovem se colocava de pé. Ela abaixou o escudo que erguera ao redor do corpo para se manter seca — a fumaça da chama invisível se misturou à névoa ao redor. O príncipe feérico ergueu uma sobrancelha.

— Eu deveria me preocupar por você estar tagarela assim tão cedo?

Aelin revirou os olhos e se voltou na direção da rocha em que o feérico lhe observava as tentativas fracassadas de dominar a água. Mas apenas restavam folhas escorregadias pela chuva e névoa serpenteante.

Mãos fortes deslizaram para a cintura da jovem, puxando-a para seu calor conforme os lábios de Rowan roçaram o pescoço de Aelin, logo abaixo da orelha.

Ela arqueou o corpo na direção do príncipe enquanto a boca de Rowan passeava por seu pescoço, aquecendo a pele resfriada pela névoa.

— Bom dia para você — sussurrou ela.

O gemido de resposta do guerreiro feérico fez os dedos dos pés de Aelin se contraírem.

Eles não ousaram parar em uma estalagem, mesmo depois de terem atravessado a fronteira para Terrasen três dias antes, não quando ainda havia tantos olhos inimigos fixos nas estradas e nos bares. Não quando ainda havia regimentos constantes de soldados de Adarlan finalmente marchando para fora da droga de seu território — graças aos decretos de Dorian.

Principalmente quando esses soldados poderiam muito bem retornar, escolhendo se aliar ao monstro que estava em Morath em vez de se juntar ao seu verdadeiro rei.

— Se quer tanto tomar um banho — murmurou Rowan contra o pescoço de Aelin —, vi um lago uns 400 metros para trás. Poderia aquecê-lo... para nós dois.

Ela passou as unhas pelo dorso das mãos do feérico, pelos antebraços.

— Eu ferveria todos os peixes e sapos lá dentro. Duvido que seria muito agradável então.

— Pelo menos aprontaríamos o café da manhã.

Aelin riu baixinho, e os caninos de Rowan roçaram o ponto sensível no qual o pescoço e o ombro da jovem se encontravam. Ela enterrou os dedos nos poderosos músculos dos antebraços do feérico, deliciando-se com a rigidez.

— Os lordes só chegarão ao pôr do sol. Temos tempo. — As palavras de Aelin saíram sem fôlego, mal passavam de um sussurro.

Ao cruzarem a fronteira, Aedion enviara mensagens aos poucos lordes em quem confiava, coordenando o encontro que deveria acontecer naquele dia... naquela clareira, a qual o próprio Aedion tinha usado para reuniões secretas de rebeldes durante aqueles longos anos.

Haviam chegado cedo para reconhecer o terreno, os riscos e as vantagens. Não restava nenhum vestígio de humanos: Aedion e a Devastação sempre se certificaram de que qualquer evidência fosse varrida dos olhos inimigos. O primo de Aelin e sua lendária legião já tinham feito tanto para garantir a segurança de Terrasen na última década. Mas, ainda assim, ela não podia arriscar, mesmo com lordes que um dia carregaram a flâmula de seu tio.

— Por mais que seja tentador — disse Rowan, mordiscando a orelha da jovem de uma forma que tornava difícil pensar —, preciso partir em uma hora. — Para reconhecer o terreno mais à frente em busca de ameaças. Beijos como penas acariciaram o maxilar de Aelin, a bochecha. — E o que eu disse ainda está de pé. Não vou tomá-la contra uma árvore na primeira vez.

— Não seria contra uma árvore, seria em um lago. — Uma risada sombria soou contra a pele agora incandescente de Aelin. Foi difícil não pegar uma das mãos de Rowan e levá-la até os seios, implorar para que ele a tocasse, tomasse, provasse. — Sabe, estou começando a achar que você é sádico.

— Confie em mim, também não acho fácil. — Rowan pressionou Aelin com um pouco mais de força contra si, deixando que ela sentisse a prova da afirmação moldada com impressionante atrevimento às suas costas. Aelin quase gemeu ao sentir aquilo.

Então Rowan se afastou, e Aelin franziu a testa quando perdeu seu calor, quando perdeu aquelas mãos, aquele corpo e aquela boca. Ela se virou e viu os olhos verdes como pinho do feérico fixos nela, então uma agitação incendiou o sangue de Aelin, mais forte que qualquer magia.

— Por que você *está* tão coerente cedo assim? — perguntou Rowan então. Aelin mostrou a língua.

— Assumi o turno de Aedion, pois Lysandra e Ligeirinha estavam roncando tão alto que podiam acordar os mortos. — A boca de Rowan se contraiu para cima, mas Aelin fez um gesto de ombros. — Não estava conseguindo dormir mesmo.

O maxilar de Rowan ficou tenso quando ele olhou para onde o amuleto permanecia escondido, sob a blusa de Aelin, a escura jaqueta de couro por cima.

— A chave de Wyrd continua a perturbando?

— Não, não é isso. — Aelin passara a usar o amuleto depois que Evangeline saqueara suas bolsas e colocara o cordão. Só descobriram porque a criança tinha voltado do banho com o Amuleto de Orynth orgulhosamente estampado sobre as roupas de viagem. Graças aos deuses estavam nas profundezas da floresta de Carvalhal no momento, mas... Aelin não arriscaria de novo.

Principalmente porque Lorcan ainda acreditava que tinha o verdadeiro.

Não haviam recebido notícias do guerreiro imortal desde que ele deixara Forte da Fenda, e Aelin costumava se perguntar quanto ao sul teria chegado — se já teria percebido que carregava uma falsa chave de Wyrd dentro de um igualmente falso Amuleto de Orynth. Se descobrira onde as outras duas foram escondidas pelo rei de Adarlan e pelo duque Perrington.

Não Perrington... Erawan.

Um calafrio percorreu as costas de Aelin, como se a sombra de Morath tivesse tomado forma e lhe passado um dedo com garra pela coluna.

— É só... essa reunião — explicou Aelin, gesticulando com a mão. — Deveríamos ter feito em Orynth? Assim, no bosque, parece tão... escuso.

Os olhos de Rowan se voltaram novamente para o horizonte norte. Havia pelo menos mais uma semana entre eles e a cidade; o coração um dia glorioso do reino de Aelin. Do continente. E, quando chegassem lá, haveria uma cadeia interminável de conselhos e preparações e decisões que apenas ela poderia tomar. A reunião que Aedion arranjara seria apenas o começo.

— Melhor entrar na cidade com aliados estabelecidos que entrar sem saber o que se pode encontrar — argumentou Rowan, por fim. Ele lhe lançou um sorriso irônico e olhou significativamente para Goldryn, embainhada às costas da jovem, e para as várias facas presas a Aelin. — E além disso: achei que "escuso" fosse seu segundo nome.

Ela respondeu com um gesto vulgar.

Aedion tivera tanto cuidado com as mensagens enquanto organizava a reunião — selecionara aquele ponto longe de qualquer possível imprevisto ou de olhos espiões. E, embora confiasse nos lordes com os quais familiarizara Aelin durante as últimas semanas, ainda não os havia informado de quantos viajavam com eles... que talentos possuíam. Apenas como garantia.

Não importava que Aelin portasse uma arma capaz de devastar aquele vale inteiro, junto das cinzentas montanhas Galhada do Cervo que os vigiavam. E isso era apenas a magia de sua rainha.

Rowan brincou com uma mecha do cabelo de Aelin... quase na altura dos seios de novo.

— Está preocupada porque Erawan ainda não agiu.

Ela inspirou entre dentes.

— O que ele está esperando? Somos tolos por aguardar um convite para marchar contra ele? Ou está nos deixando reunir forças, permitindo que *eu* retorne com Aedion a fim de nos unirmos à Devastação e levantarmos um exército maior a partir daí, somente para que Erawan possa ter um gostinho do nosso total desespero quando fracassarmos?

Os dedos de Rowan se detiveram nos cabelos de Aelin.

— Você ouviu o mensageiro de Aedion. Aquela explosão comprometeu grande parte de Morath. Ele pode estar reconstruindo também.

— Ninguém reivindicou autoria por aquela explosão. Não confio nisso.

— Você não confia em nada.

Aelin o encarou.

— Confio em você.

Rowan acariciou a bochecha de Aelin com o dedo. A chuva ficou pesada de novo, o gotejar baixinho, o único ruído em quilômetros.

Aelin ficou na ponta dos pés. Sentiu os olhos de Rowan sobre si o tempo todo, sentiu-lhe o corpo ficar imóvel com uma concentração predatória conforme beijava o canto da boca do guerreiro, o arco dos lábios, o outro canto.

Beijos suaves, provocadores. Para ver qual dos dois cederia primeiro.

Foi Rowan.

Com uma inspiração profunda, ele segurou os quadris de Aelin, puxando-a contra si, conforme inclinava a boca sobre a dela, intensificando o beijo até que os joelhos de Aelin ameaçassem ceder. A língua de Rowan roçou a de Aelin; carícias preguiçosas e hábeis que diziam a Aelin exatamente o que ele era capaz de fazer em outras partes.

Brasas se acenderam no sangue de Aelin, e o musgo sob os dois chiou quando a chuva se transformou em névoa.

Aelin interrompeu o beijo, a respiração irregular, satisfeita ao ver o peito do próprio Rowan se inflando e esvaziando em um ritmo instável. Tão nova; aquela coisa entre eles ainda era tão nova, tão... crua. Completamente extenuante. O desejo era apenas o começo.

O feérico fazia a magia de Aelin cantar. E talvez fosse o laço *carranam* entre os dois, mas... a magia de Aelin queria dançar com a de Rowan. E, pelo gelo que reluzia nos olhos do guerreiro, Aelin sabia que a magia dele exigia o mesmo.

Rowan inclinou o corpo para a frente até que as testas se tocassem.

— Logo — prometeu ele, a voz áspera e grave. — Vamos chegar a um lugar seguro... algum lugar defensável.

Porque a segurança de Aelin sempre viria primeiro. Para Rowan, mantê-la protegida, mantê-la viva, sempre seria prioridade. Ele aprendera do modo mais difícil.

O coração de Aelin pesou, e ela se afastou para erguer a mão na altura do rosto de Rowan. Ele observou a suavidade nos olhos de Aelin, em seu corpo, e a própria determinação inerente de Rowan assumiu uma tranquilidade que poucos jamais veriam. A garganta de Aelin doía devido ao esforço de conter as palavras.

Amava Rowan havia um tempo. Mais tempo do que queria admitir.

Aelin tentou não pensar naquilo, se ele sentia o mesmo. Aquelas coisas — aqueles desejos — estavam no fim de uma lista de prioridades muito, muito longa e sangrenta.

Então ela o beijou carinhosamente, as mãos do guerreiro novamente se fechando em volta de seu quadril.

— Coração de Fogo — disse Rowan contra a boca de Aelin.

— Busardo — sussurrou ela de volta.

Rowan gargalhou, e o estrondo ecoou pelo peito da jovem.

Do acampamento, a voz doce de Evangeline cantarolou através da chuva:

— Está na hora do café?

Aelin riu com escárnio. Certamente, Ligeirinha e Evangeline estavam cutucando a pobre Lysandra, que dormia estatelada na forma de um leopardo-fantasma ao lado da fogueira imortal. Aedion, deitado do outro lado das chamas, parecia tão imóvel quanto uma rocha. A cadela provavelmente saltaria sobre ele a seguir.

— Isso não vai acabar bem — murmurou Rowan.

— *Comiiiiiiiida!* — gritou Evangeline.

O uivo em resposta de Ligeirinha seguiu um segundo depois.

Então Lysandra soltou um grunhido na direção de ambas, silenciando menina e cão.

Rowan riu de novo... e Aelin pensou que jamais se cansaria daquela risada. Daquele sorriso.

— Deveríamos fazer o café da manhã — sugeriu ele, virando-se na direção do acampamento. — Antes que Evangeline e Ligeirinha saqueiem todo o acampamento.

Aelin riu, mas olhou por cima do ombro para a floresta que se estendia na direção das montanhas Galhada do Cervo. Na direção dos lordes que, com esperança, seguiam para o sul — a fim de decidir como prosseguiriam com a guerra... e com a reconstrução do reino arrasado.

Ao olhar para trás, viu que o feérico estava a meio caminho do acampamento, e os cabelos vermelho-dourados de Evangeline reluziam enquanto ela saltitava entre as árvores, implorando ao príncipe por torrada e ovos.

Sua família... e seu reino.

Dois sonhos que havia muito acreditava perdidos, percebeu Aelin conforme o vento norte soprou seus cabelos. Sonhos que a jovem arriscaria tudo — ruína, princípios — para proteger.

Aelin estava prestes a seguir para o acampamento a fim de poupar Evangeline da comida de Rowan quando percebeu o objeto sobre a rocha do outro lado do rio.

Ela atravessou o riacho com um salto e, cuidadosamente, estudou o que a criatura do Povo Pequenino havia deixado.

Feita de galhos, teias de aranha e escamas de peixe, a minúscula serpente alada era perturbadoramente precisa, as asas abertas em meio a um rugido, a boca cheia de presas espinhentas.

Aelin deixou a réplica onde estava, mas voltou os olhos para o sul, na direção do antigo curso da floresta de Carvalhal, para Morath que se erguia muito além desta. Para Erawan renascido, esperando por Aelin com a esquadrilha de Dentes de Ferro e a infantaria de soldados valg.

E Aelin Galathynius, rainha de Terrasen, soube que em breve chegaria o tempo de provar exatamente o quanto sangraria por Erilea.

∽

Era útil, pensou Aedion Ashryver, viajar com dois habilidosos possuidores de magia. Principalmente com aquela porcaria de tempo.

As chuvas continuaram ao longo do dia conforme se preparavam para a reunião. Rowan já voara para o norte duas vezes, para acompanhar o progresso dos lordes, mas não os vira nem sentira o cheiro deles.

Ninguém se aventurava nas famigeradas estradas lamacentas de Terrasen com aquele tempo. Mas na companhia de Ren Allsbrook, Aedion tinha poucas dúvidas de que permaneceriam mesmo escondidos até o pôr do sol. A não ser que o clima os tivesse atrasado. O que era uma boa possibilidade.

O trovão ecoava tão perto que as árvores estremeciam. Relâmpagos brilhavam sem pausa para respirar, emoldurando de prata as folhas ensopadas, iluminando o mundo tão fortemente que seus sentidos feéricos eram ofuscados. Mas pelo menos estava seco. E aquecido.

Tinham evitado tanto a civilização que Aedion mal testemunhara, ou fora capaz de contar, quantos possuidores de magia haviam saído do anonimato — ou quem agora aproveitava o retorno dos dons. Aedion vira apenas uma garota, com não mais que 9 anos, tecendo gavinhas de água acima da única fonte da aldeia, para entretenimento e prazer de um grupo de crianças.

Adultos com expressões petrificadas e cobertos de cicatrizes espiavam das sombras, mas nenhum interferira, para o bem ou para o mal. Os mensageiros de Aedion já haviam confirmado que a maioria das pessoas sabia que o rei de Adarlan tinha usado seus poderes sombrios para reprimir a magia durante os últimos dez anos. Mas, mesmo assim, ele duvidava que aqueles que sofreram a perda da magia, e então o extermínio do próprio povo, se sentiriam confortáveis para revelar os poderes tão cedo.

Pelo menos não até que pessoas como seus companheiros e aquela menina na praça mostrassem ao mundo que era seguro fazê-lo. Que uma garota com um dom de água poderia garantir a prosperidade de sua aldeia e das fazendas ao redor.

Aedion franziu a testa para o céu que escurecia, girando distraidamente a Espada de Orynth entre as palmas das mãos. Mesmo antes de a magia sumir, havia um tipo temido acima de todos os outros, seus possuidores eram párias na melhor das hipóteses, mortos, na pior. Cortes em todas as terras os buscaram como espiões e assassinos durante séculos. Mas *sua* corte...

Um ronronar satisfeito ressoou pelo pequeno acampamento, Aedion voltou o olhar para o objeto de seus pensamentos. Evangeline estava ajoelhada sobre o saco de dormir, murmurando consigo mesma conforme gentilmente passava a escova do cavalo no pelo de Lysandra.

Ele levara dias para se acostumar com a forma de leopardo-fantasma. Anos nas montanhas Galhada do Cervo haviam lhe incutido o terror visceral. Mas lá estava ela, com as garras retraídas, estatelada de barriga para baixo enquanto sua protetora a penteava.

Espiã e assassina, de fato. Um sorriso repuxou os cantos dos lábios de Aedion ao notar os olhos verde-pálidos semicerrados de prazer. Aquela seria uma bela visão para os lordes quando chegassem.

A metamorfa usara aquelas semanas de viagem para experimentar novas formas: pássaros, bestas, insetos com tendência a zunir na orelha do general ou até mordê-lo. Raramente — muito raramente — Lysandra assumira a forma humana na qual Aedion a conhecera. Considerando tudo o que fora feito com ela e tudo o que fora obrigada a fazer naquele corpo humano, não a culpava.

No entanto, precisaria assumir sua forma humana em breve, quando fosse apresentada como uma dama na corte de Aelin. Aedion se perguntou se Lysandra usaria aquele belíssimo rosto, ou se encontraria outra pele humana que lhe conviesse.

Mais que isso, o general cogitava como seria mudar de rosto, pele, cor e osso — embora não tivesse perguntado. Até porque a metamorfa não assumira forma humana por tempo o bastante para que ele o fizesse.

Aedion olhou para Aelin, sentada diante da fogueira, brincando com as longas orelhas da cadela estirada em seu colo — esperando, como todos. A prima, no entanto, estava com a antiga lâmina — a espada do pai — que Aedion tão extrovertidamente girava e passava entre as mãos, cada centímetro do cabo de metal e do punho de osso rachado tão familiar para ele quanto o próprio rosto. Tristeza brilhou nos olhos da jovem, tão rápido quanto o relâmpago acima, então depois sumiu.

Aelin devolvera a espada a Aedion quando partiram de Forte da Fenda, escolhendo empunhar Goldryn. Ele tentara convencê-la a manter a sagrada lâmina de Terrasen, mas ela insistiu que a espada estava melhor nas mãos do primo, que ele merecia a honra acima de qualquer um, inclusive ela.

Conforme seguiam mais para o norte, Aelin ficava mais quieta. Talvez semanas na estrada a tivessem exaurido.

Depois daquela noite, dependendo do que os lordes relatassem, Aedion tentaria encontrar um lugar tranquilo para descansar por um dia ou dois antes que seguissem pelo último trecho do caminho até Orynth.

Aedion ficou de pé, embainhou a espada ao lado da faca que Rowan lhe dera e caminhou até Aelin. O rabo macio de Ligeirinha se agitou em cumprimento quando ele se sentou ao lado da rainha.

— Você precisa de um corte de cabelo — comentou Aelin. De fato, os cabelos de Aedion tinham ficado mais longos do que ele costumava usá-los. — Está quase do mesmo tamanho do meu. — Ela franziu a testa. — Parece até que combinamos os cortes.

Aedion riu com escárnio, acariciando a cabeça da cadela.

— E daí se o fizemos?

Aelin gesticulou com os ombros.

— Se quiser começar a coordenar roupas também, estou dentro.

Ele sorriu.

— A Devastação jamais me deixaria em paz.

A legião de Aedion agora acampava nos limites de Orynth, onde, por suas ordens, o grupo reforçava as defesas da cidade e esperava. Esperava para matar e morrer por Aelin.

E, com o dinheiro que o general reivindicara tramando e matando para o antigo mestre na primavera, podiam comprar um exército para seguir atrás da Devastação. Talvez mercenários também.

A faísca nos olhos de Aelin morreu um pouco, como se ela também considerasse o que comandar a legião de Aedion implicava. Os riscos e os custos — não em ouro, mas em vidas. O general podia ter jurado que a fogueira do acampamento também.

Aelin matara e lutara, e quase morrera, diversas vezes durante os últimos dez anos. Mas ele sabia que hesitaria em mandar soldados — em mandar *Aedion* — para batalha.

Acima de tudo, aquele seria o primeiro teste de Aelin como rainha.

Mas antes disso... essa reunião.

— Lembra-se de tudo que contei sobre eles?

Aelin lhe lançou um olhar inexpressivo.

— Sim, lembro de tudo, primo. — Ela o cutucou com força nas costelas, bem onde a tatuagem feita por Rowan três dias antes ainda cicatrizava. Os nomes de todos eles, entrelaçados em um complexo nó de Terrasen bem perto do coração de Aedion. Ele encolheu o corpo ao receber o golpe na pele dolorida, então afastou a mão da prima enquanto Aelin recitava: — Murtaugh era filho de um fazendeiro, mas se casou com a avó de Ren. Embora não tenha nascido na linhagem Allsbrook, ainda empunha o título, apesar da insistência para que Ren o assuma. — A jovem olhou para cima. — Darrow é o mais rico dono de terra, depois desta que vos fala, e, mais que isso, tem o respeito dos poucos lordes sobreviventes, em grande parte devido aos anos em que cautelosamente lidou com Adarlan durante a ocupação. — Aelin olhou com tanta irritação para Aedion que poderia ter lhe rasgado a pele.

Aedion ergueu as mãos.

— Pode me culpar por querer me certificar de que tudo correrá bem?

Aelin deu de ombros, mas não discutiu com o primo.

— Darrow foi amante de seu tio — acrescentou Aedion, alongando as pernas à frente. — Durante décadas. Ele jamais me falou sobre seu tio, mas... eram muito próximos, Aelin. Darrow não vestiu luto publicamente por Orlon além do que era esperado após a morte de um rei, mas se tornou um homem diferente depois da perda. É um desgraçado difícil, mas mesmo assim é justo. Muito do que fez foi devido ao amor por Orlon... e por Terrasen. Sua estratégia evitou que passássemos fome e ficássemos na miséria. Lembre-se disso. — Realmente, havia muito Darrow traçara uma linha entre servir ao rei de Adarlan e sabotá-lo.

— Eu. Sei — disse Aelin, contendo-se. Estava indo longe demais, aquele tom era provavelmente o primeiro e o último aviso de que Aedion começava a irritá-la. Ele passara muitos dos quilômetros viajados nos últimos dias contando a Aelin sobre Ren e Murtaugh e Darrow. Aedion sabia que a prima provavelmente conseguia agora recitar suas posses de terra, que plantações e animais de pasto e bens acumulavam, os ancestrais dos lordes, os familiares mortos e sobreviventes da última década. Mas insistir com Aelin sobre isso uma última vez, certificando-se de que ela lembrasse... Aedion não conseguia conter o instinto de assegurar que tudo correria bem. Não com tanto em jogo.

Do galho alto onde estava empoleirado para monitorar a floresta, Rowan emitiu um estalo com o bico e bateu as asas na direção da chuva, planando para além do próprio escudo, como se a barreira se abrisse para ele.

Aedion se levantou, observando a floresta, ouvindo-a. Apenas o gotejar da chuva nas folhas enchia seus ouvidos. Lysandra se alongou, exibindo os longos dentes ao fazê-lo, libertando as garras parecidas com agulhas, reluzentes à luz da fogueira.

Até que Rowan desse o aval — até que fossem apenas aqueles lordes e mais ninguém —, os protocolos de segurança estabelecidos seriam mantidos.

Evangeline, como lhe tinham ensinado, seguiu de fininho até a fogueira. As chamas se abriram como cortinas a fim de permitir que ela e Ligeirinha, a qual se aproximou ao sentir o medo da criança, passassem para um círculo interior que não as queimaria. Mas que derreteria os ossos de inimigos.

Aelin apenas olhou para Aedion com uma ordem silenciosa, e ele deu um passo para o lado oeste da fogueira, e Lysandra ocupou um lugar na ponta sul. Aelin assumiu o canto norte, mas olhava para oeste — na direção de onde Rowan tinha saído, batendo as asas.

Uma brisa seca e quente fluiu pela pequena bolha, e faíscas dançaram como vagalumes nos dedos de Aelin enquanto sua mão pendia casualmente na lateral do corpo. A outra mão pegou Goldryn, o rubi no cabo da espada parecia brilhante como uma brasa.

Folhas farfalharam, galhos se partiram, a Espada de Orynth reluziu dourada e vermelha à luz das chamas de Aelin quando Aedion sacou a arma. Na outra mão, ele inclinou a antiga adaga que Rowan lhe dera. O feérico estivera ensinando a Aedion — ensinando a todos, na verdade — a respeito dos Velhos Modos durante as últimas semanas. A respeito das tradições e dos códigos dos feéricos havia muito esquecidos, a maioria abandonada, mesmo na corte de Maeve. Mas renascidos ali, e praticados então, conforme o grupo assumia os papéis e os deveres que tinham decidido e escolhido para si.

Rowan surgiu da chuva na forma feérica, os cabelos prateados grudados à cabeça, a tatuagem ressaltada no rosto queimado de sol. Nenhum sinal dos lordes.

Mas o guerreiro segurava a faca de caça contra a garganta exposta de um homem de nariz fino, e o escoltava na direção da fogueira; as roupas do estranho, ensopadas e manchadas da viagem, estampavam o brasão de Darrow, com um texugo rampante.

— Um mensageiro — declarou Rowan.

Aelin decidiu, naquele momento, que não gostava muito de surpresas.

Os olhos azuis do mensageiro estavam arregalados, mas o rosto sardento, molhado de chuva, parecia calmo. Firme. Mesmo quando viu Lysandra, as presas reluzindo à luz da fogueira. Mesmo quando Rowan o empurrou para a frente, aquela lâmina cruel ainda colada em seu pescoço.

Aedion gesticulou com o queixo para Rowan.

— É difícil entregar a mensagem com uma faca nas cordas vocais.

Rowan abaixou a arma, mas o príncipe feérico não embainhou a faca. Não se afastou mais que 30 centímetros do homem.

— Onde estão? — perguntou Aedion.

O homem fez uma reverência rápida para o primo de Aelin.

— Em uma taverna, a 6 quilômetros daqui, general...

As palavras se dissolveram quando Aelin deu a volta na fogueira. Ela a manteve acesa, manteve Evangeline e Ligeirinha protegidas do lado de dentro. O mensageiro soltou um ruído baixo.

Ele sabia. Pela forma como olhava de Aelin para Aedion, notando os mesmos olhos, a mesma cor de cabelo... ele soube. E, como se a ideia acabasse de lhe ocorrer, o mensageiro se curvou.

Aelin observou a forma como o homem abaixou o olhar, observou a nuca exposta, a pele reluzindo com chuva. Sua magia fervilhou em resposta. E aquela coisa — aquele poder terrível pendente entre seus seios — pareceu abrir um antigo olho diante de toda a comoção.

O mensageiro enrijeceu o corpo, os olhos arregalados para a silenciosa aproximação de Lysandra, os bigodes da metamorfa estremecendo conforme farejava as roupas molhadas do homem. O mensageiro era inteligente o bastante para permanecer imóvel.

— A reunião está cancelada? — perguntou Aedion, tenso, observando a floresta de novo. O homem encolheu o corpo.

— Não, general... mas querem que seja na taverna onde estão hospedados. Por causa da chuva.

Aedion revirou os olhos.

— Diga a Darrow que arraste a carcaça até aqui. A água não irá matá-lo.

— Não é Lorde Darrow — retrucou o homem rapidamente. — Com todo respeito, Lorde Murtaugh ficou mais lento esse verão. Lorde Ren não queria que ficasse ao relento, na escuridão e na chuva.

Na primavera, o velho cavalgara por reinos como um demônio do inferno, lembrou-se Aelin. Talvez isso tivesse cobrado um preço.

Aedion suspirou.

— Sabe que precisaremos fazer um reconhecimento da taverna primeiro. A reunião será mais tarde do que desejam.

— É lógico, general. Esperarão por isso. — O mensageiro encolheu o corpo quando, por fim, viu Evangeline e Ligeirinha dentro do círculo de segurança das chamas. E apesar do príncipe feérico armado ao seu lado, apesar do leopardo-fantasma com garras expostas o farejando, foi a visão do fogo de Aelin que deixou o homem mortalmente pálido. — Mas estão esperando... e Lorde Darrow fica impaciente. Deixar as muralhas de Orynth o deixa ansioso. Deixa a todos ansiosos, ultimamente.

Aelin riu baixinho, com escárnio. *Realmente.*

⚜ 3 ⚜

Manon Bico Negro, em posição de sentido em uma das pontas da longa ponte escura para Morath, observava a aliança da avó descer das nuvens cinzentas.

Mesmo com a névoa e as torres de fumaça das inúmeras forjas, as volumosas vestes obsidiana da Grã-Bruxa do clã Bico Negro eram inconfundíveis. Nenhuma outra se vestia como a Matriarca. Sua aliança avançou da pesada cobertura de nuvens, mantendo uma distância respeitável da Matriarca e da montadora sobressalente que lhe flanqueava a imensa besta.

Manon, com as Treze em fileira atrás de si, não se moveu conforme as serpentes aladas e as montadoras aterrissaram nas pedras escuras do pátio diante da ponte. Bem abaixo, a correnteza de um rio imundo e destruído, rugia, competindo com o raspar de garras em pedra e o farfalhar de asas se acomodando.

A avó de Manon tinha ido até Morath.

Ou o que restara da fortaleza, já que um terço não passava de escombros.

Asterin sibilou quando a avó de Manon desceu da montaria com um movimento suave, olhando com irritação para a fortaleza escura que se erguia acima de Manon e das Treze. O duque Perrington já aguardava na câmara do conselho, e Manon não tinha dúvidas de que seu bicho de estimação, Lorde Vernon, faria o possível para enfraquecer e abalar Manon a cada oportunidade. Se Vernon fosse agir para se livrar dela, seria agora — quando a avó conferia com os próprios olhos o que Manon lograra.

E o que fracassara em fazer.

41

Manon mantinha as costas eretas conforme a avó caminhava sobre a larga ponte de pedra, os passos abafados pela correnteza do rio, pelo bater de asas distantes e por aquelas forjas trabalhando dia e noite para equipar o exército. Ao conseguir ver a parte branca dos olhos da Matriarca, a jovem bruxa se curvou.

O estalar do couro das roupas de voo disse a ela que as Treze a imitaram. Quando Manon ergueu a cabeça, a avó estava diante de si.

Morte, cruel e astuta, espreitava naquele olhar ônix, salpicado de dourado.

— Me leve até o duque — exigiu a Matriarca, à guisa de cumprimento.

Manon sentiu as Treze enrijecerem. Não diante das palavras, mas da aliança da Grã-Bruxa que agora seguia ao encalço. Raro... tão raro que elas a seguissem, que a vigiassem.

Mas aquela era uma cidadela de homens... e de demônios. E aquela seria uma estadia prolongada, se não permanente, a julgar pelo fato de que a avó levara consigo a linda e jovem bruxa de cabelos pretos que no momento lhe aquecia a cama. A Matriarca seria uma tola se não tomasse precauções a mais. Mesmo que as Treze sempre tivessem bastado. Deviam ter bastado.

Foi difícil não estender as unhas de ferro diante da ameaça imaginada.

Manon fez outra reverência e se virou para as altas portas, a entrada para Morath. As Treze abriram caminho para Manon e a Matriarca conforme as duas passaram, então fecharam a fileira, como um véu letal. Nenhuma chance; não quando se tratava da herdeira e da Matriarca.

Os passos de Manon eram quase silenciosos ao guiar a avó pelos corredores escuros. As Treze e a aliança da Matriarca as seguiam de perto; os criados, devido a espionagem ou algum instinto humano, não estavam à vista.

Conforme subiram a primeira de muitas escadas espiraladas na direção da nova câmara do conselho do duque, a Matriarca falou:

— Algo a reportar?

— Não, avó. — Manon controlou o anseio de olhar de esguelha para a bruxa, para os cabelos escuros manchados de prata, as feições pálidas entalhadas por um ódio antigo, os dentes enferrujados permanentemente à vista.

O rosto da Grã-Bruxa que marcara a imediata de Manon. Que atirara a bruxinha natimorta de Asterin ao fogo, negando a mãe o direito de segurar o bebê uma única vez. Que, então, espancara e destruíra a jovem bruxa, atirando-a à neve para que morresse, e escondera a verdade de Manon por quase um século.

Manon se perguntou que pensamentos agora passavam pela mente de Asterin enquanto caminhavam. Imaginou o que passava pelas mentes de Sorrel e Vesta, que tinham encontrado Asterin na neve, e então a curado.

E jamais contaram a Manon.

A criatura da avó; era o que Manon sempre fora. Nunca parecera algo odioso.

— Descobriu o que causou a explosão? — As vestes da Matriarca rodopiavam atrás da bruxa ao entrar no longo e estreito corredor em direção à câmara do conselho do duque.

— Não, avó.

Aqueles olhos pretos salpicados de dourado dispararam para Manon.

— Que conveniente, Líder Alada, que você reclame sobre os experimentos de procriação do duque, e as Pernas Amarelas sejam incineradas dias depois.

E já vão tarde, Manon quase disse. Apesar das alianças perdidas na explosão, maldito alívio pelo cessar da procriação daquelas bruxinhas Pernas Amarelas com os valg. Mas Manon sentiu, em vez de ver ou ouvir, a atenção das Treze fixa nas costas da avó.

E talvez algo como medo percorreu o corpo de Manon.

Diante da acusação da Matriarca... e do limite que as Treze traçavam. Vinham traçando havia um tempo.

Desafio. Era o que tinham sido os últimos meses. Se a Grã-Bruxa descobrisse, amarraria Manon a um poste e lhe açoitaria as costas até que a pele estivesse em flagelos. Faria com que as Treze assistissem, para provar que eram impotentes em defender a própria herdeira, então daria a elas o mesmo tratamento. Talvez atirasse água salgada nas feridas ao terminar. E depois faria de novo, dia após dia.

— Ouvi um boato de que foi o bicho de estimação do duque, aquela humana. Mas como a mulher foi incinerada na explosão, ninguém pôde confirmar. Não queria desperdiçar seu tempo com fofoca e teorias — disse Manon, friamente.

— Ela estava presa a ele.

— Parece que não era o caso do fogo de sombras. — Fogo escuro, o imenso poder que teria derretido seus inimigos em segundos quando combinado com as torres espelhadas que as três Matriarcas e suas alianças construíam no desfiladeiro Ferian. Mas com Kaltain morta... também se extinguia a ameaça de pura aniquilação.

Mesmo que o duque não se submetesse a outro mestre agora que seu rei estava morto. Ele rejeitara a reivindicação do príncipe herdeiro ao trono.

A avó de Manon não disse nada enquanto seguiam em frente.

A outra peça do tabuleiro; o príncipe de olhos de safira, que um dia também estivera acorrentado por um príncipe valg. Agora livre. E aliado àquela jovem rainha de cabelos dourados.

Elas chegaram às portas da sala do conselho, e Manon varreu os pensamentos da mente quando os guardas de rostos inexpressivos abriram a rocha escura para as bruxas.

Os sentidos de Manon se aguçaram até atingirem uma calmaria mortal assim que ela colocou os olhos na mesa de vidro ébano e em quem ali estava.

Vernon: alto, esguio, sempre sorridente, vestido com o verde de Terrasen.

E um homem de cabelos dourados e pele branca.

Nenhum sinal do duque. O estranho se virou na direção delas. Mesmo a avó de Manon parou.

Não diante da beleza do homem, não diante da força do corpo escultural ou das refinadas roupas pretas que usava. Mas diante daqueles olhos dourados. Idênticos aos de Manon.

Os olhos dos reis valg.

Manon avaliou as saídas, as janelas, as armas que usaria quando lutassem para escapar. O instinto a fez se colocar diante da avó; o treinamento a fez pegar em duas facas antes que o homem de olhos dourados sequer piscasse.

Mas o homem fixou aqueles olhos de valg em Manon. Ele sorriu.

— Líder Alada. — O homem olhou para a avó de Manon e inclinou a cabeça. — Matriarca.

A voz era carnal e amável e cruel. Mas o tom, a exigência implícita...

Algo no sorrisinho de Vernon agora parecia contido demais, a pele marrom-clara, pálida demais.

— Quem é você — disse Manon ao estranho, mais uma ordem que uma pergunta.

O homem indicou com o queixo os assentos desocupados à mesa.

— Sabe perfeitamente quem sou, Manon Bico Negro.

Perrington. Em outro corpo, de alguma forma. Porque...

Porque aquela desprezível coisa sobrenatural que Manon às vezes via de relance quando o encarava... Ali estava, encarnada.

O rosto tenso da Matriarca informou Manon que a avó já havia adivinhado.

— Fiquei cansado de usar aquela carne flácida — explicou ele, deslizando com graciosidade felina para a cadeira ao lado de Vernon. Uma onda de dedos longos e poderosos. — Meus inimigos sabem quem sou. Meus aliados podem muito bem saber também.

Vernon fez uma reverência com a cabeça e murmurou:

— Meu lorde Erawan, se lhe agradar, permita-me pegar algo para a Matriarca se refrescar. A viagem foi longa.

Manon observou o homem alto e nervoso. Dois presentes ele oferecera: respeito à avó de Manon e o conhecimento do verdadeiro nome do duque. Erawan.

Manon se perguntou o que Ghislaine, a postos no corredor do lado de fora, sabia sobre ele.

O rei valg assentiu em aprovação. O Lorde de Perranth se apressou até o pequeno bufê contra a parede, pegando uma jarra enquanto Manon e a Matriarca ocupavam os assentos diante do rei demônio.

Respeito; algo que Vernon sequer uma vez oferecera sem um sorriso debochado. Mas agora...

Talvez agora que o Lorde de Perranth percebia que tipo de monstro o encoleirara, ele estivesse desesperado por aliados. Talvez soubesse que Manon... que Manon poderia, de fato, ter participado da explosão.

Manon aceitou os copos de chifre que Vernon colocou diante de ambas, mas não bebeu a água. Nem a avó.

Do outro lado da mesa, Erawan sorriu de leve. Nenhuma sombriedade, nenhuma corrupção emanava do lorde — como se fosse poderoso o bastante para manter aquilo sob controle, imperceptível, exceto por aqueles olhos. Olhos de Manon.

Atrás deles, o restante das Treze e a aliança da Grã-Bruxa permaneciam no corredor, apenas as imediatas ficaram na sala quando as portas foram fechadas de novo.

Prendendo todos com o rei valg.

— Então — começou Erawan, examinando as bruxas de uma forma que fez Manon contrair os lábios para não exibir os dentes — as forças no desfiladeiro Ferian estão prontas?

A avó de Manon ofereceu um curto aceno de queixo.

— Elas agirão ao pôr do sol. Estarão em Forte da Fenda dois dias depois disso.

Manon não ousou se mover no assento.

— Estão enviando o esquadrão para Forte da Fenda?

O rei demônio lançou um olhar semicerrado para a bruxa.

— Estou enviando *você* a Forte da Fenda para retomar minha cidade. Quando tiver cumprido sua tarefa, a legião de Ferian será posicionada aqui sob o comando de Iskra Pernas Amarelas.

Para Forte da Fenda. Para finalmente, *finalmente*, lutar, ver o que as serpentes aladas podiam fazer em batalha...

— Suspeitam do ataque?

Um sorriso sem vida como resposta.

— Nossas forças se moverão rápido demais para que a notícia os alcance. — Sem dúvida o motivo pelo qual tal informação permanecera oculta até então.

Manon bateu com um pé no piso de pedra, já ansiosa para se mover, para comandar as demais nas preparações.

— Quantas das alianças de Morath levarei ao norte?

— Iskra voa com a segunda metade de nossa legião aérea. Acho que apenas algumas alianças de Morath serão necessárias. — Um desafio... e um teste.

Manon considerou.

— Voarei com minhas Treze, mais duas alianças como escolta. — Não havia necessidade de que os inimigos descobrissem quantas alianças voavam na legião aérea ou, até mesmo, de que esta voasse em sua totalidade quando Manon apostaria alto que as Treze já seriam suficientes para saquear a capital.

Erawan apenas inclinou a cabeça em concordância. A avó de Manon deu um aceno quase imperceptível para ela, o mais perto de aprovação que a herdeira receberia.

Mas Manon perguntou:

— E quanto ao príncipe? — Rei. Rei Dorian.

A avó de Manon lançou um olhar para ela, mas o demônio falou:

— Quero que o traga pessoalmente até mim. Se ele sobreviver ao ataque.

E, sem a rainha incandescente, Dorian Havilliard e sua cidade estavam indefesos.

Importava pouco para Manon. Era guerra.

Lutar naquela guerra e voltar para casa, para os desertos ao fim dela. Mesmo aquele homem, aquele rei demônio, poderia muito bem descumprir com a palavra.

Manon lidaria com isso depois. Mas primeiro... batalha declarada. Ela já conseguia ouvir a canção selvagem no sangue.

O rei demônio e a avó conversavam de novo, e Manon afastou a melodia de escudos se chocando e espadas tilintando por tempo suficiente para processar as palavras de ambos.

— Depois que a capital estiver tomada, quero aqueles barcos no Avery.

— Os homens do lago Prateado concordaram? — A avó de Manon estudou o mapa preso à mesa de vidro por pedras lisas. Manon acompanhou o olhar da Matriarca até o lago Prateado, na outra ponta do Avery, e até a cidade aninhada contra as montanhas Canino Branco: Anielle.

Perrington — Erawan — fez um gesto com os ombros largos.

— Seu senhor ainda não declarou lealdade a mim ou ao menino-rei. Suspeito que, quando chegar a notícia da queda de Forte da Fenda, encontraremos seus mensageiros prostrados a nossa porta. — Um lampejo de sorriso. — Sua fortaleza, ao longo das Cataratas Ocidentais do rio, ainda exibe cicatrizes da última vez que meus exércitos marcharam. Vi inúmeros monumentos àquela guerra em Anielle, o senhor local saberá que posso transformar a cidade em um mausoléu facilmente.

Manon estudou o mapa de novo, ignorando as perguntas.

Velho. O rei valg era tão velho que a fazia se sentir jovem. Fazia com que a avó de Manon parecesse uma criança também.

Tola; talvez a Matriarca tivesse sido uma tola ao vendê-las em uma aliança ignorante com aquela criatura. Manon se obrigou a encarar Erawan.

— Com fortes em Morath, Forte da Fenda e Anielle, isso cobre apenas a metade sul de Adarlan. E quanto ao norte do desfiladeiro Ferian? Ou ao sul de Adarlan?

— Enseada do Sino permanece sob meu controle, seus senhores e mercadores amam demais o ouro. Melisande... — Os olhos dourados do rei demônio se fixaram no país ocidental do outro lado das montanhas. — Eyllwe está arrasada abaixo dela, Charco Lavrado em ruínas a leste. Ainda é do interesse de Melisande continuar aliando suas forças com as minhas, principalmente quando Terrasen não tem uma moeda em seu nome. — O olhar do rei se voltou para o norte. — Aelin Galathynius deve ter alcançado seu trono a essa altura. E, quando Forte da Fenda se for, ela também descobrirá o quanto está isolada no norte. A herdeira de Brannon não tem aliados neste continente. Não mais.

No entanto, Manon reparou na forma como os olhos do rei demônio dispararam para Eyllwe... apenas por um segundo.

Ela se voltou para a Matriarca, silenciosamente observando Manon com uma expressão que prometia morte caso a neta insistisse demais.

— A capital é o coração de seu comércio. Se eu libertar minha legião sobre ela, terá poucos aliados humanos... — constatou Manon.

— Da última vez que verifiquei, Manon Bico Negro, era *minha* legião.

Manon sustentou o olhar incandescente de Erawan, mesmo que aquilo a expusesse por completo.

— Transforme Forte da Fenda em uma ruína completa — argumentou ela, simplesmente —, e governantes como o Lorde de Anielle ou a rainha de Melisande, ou os senhores de Charco Lavrado podem muito bem achar que vale a pena se unirem contra você, apesar do risco. Se destruir a própria capital, por que deveriam acreditar em sua alegação de aliança? Baixe um decreto antes de chegarmos, dizendo que o rei e a rainha são inimigos do continente. Estabeleça-nos como libertadoras de Forte da Fenda, não conquistadoras, e os demais governantes pensarão duas vezes antes de se aliarem a Terrasen. Saquearei a cidade o suficiente para exibir seu poder, mas evitarei que o esquadrão de Dentes de Ferro a deixe em escombros.

Aqueles olhos dourados se semicerraram, considerando.

Manon sabia que a avó estava a uma palavra de enterrar as unhas em sua bochecha, mas a jovem manteve sua posição. Não ligava para a cidade, para o povo. Mas aquela guerra poderia, de fato, se voltar contra elas se a aniquilação de Forte da Fenda unisse seus inimigos. E atrasaria ainda mais o retorno do clã Bico Negro aos desertos.

Os olhos de Vernon procuraram os de Manon. Medo... e cálculo.

— A Líder Alada tem razão, meu senhor — murmurou o lorde.

O que Vernon sabia que escapava a Manon?

Mas Erawan inclinou a cabeça, os cabelos dourados deslizando sobre a testa.

— Por isso é minha Líder Alada, Manon Bico Negro, e por isso Iskra Pernas Amarelas não conquistou o posto.

Nojo e orgulho se debatiam dentro de Manon, mas ela assentiu.

— Mais uma coisa.

Manon permaneceu parada, esperando.

O rei demônio relaxou no assento.

— Há uma muralha de vidro em Forte da Fenda. Impossível deixar de vê-la. — Manon sabia, tinha se empoleirado no alto da mesma. — Destrua a cidade o suficiente para instaurar o medo, mostre seu poder. Mas aquela muralha... Derrube-a.

— Por quê? — perguntou Manon simplesmente.

Aqueles olhos dourados arderam como carvão quente.

— Porque destruir um símbolo pode destruir a determinação dos homens tanto quanto sangue derramado.

Aquela muralha de vidro... o poder de Aelin Galathynius. E a misericórdia. Manon encarou aquele olhar por tempo suficiente para assentir. O rei indicou as portas fechadas com o queixo, em silenciosa dispensa.

Manon saiu da sala antes que o rei demônio se voltasse de novo para Vernon. Não ocorreu a ela, até muito depois de partir, que deveria ter ficado para proteger a Matriarca.

As Treze não se falaram até aterrissarem no arsenal pessoal no acampamento de batalha abaixo, nem mesmo arriscaram trocar palavras enquanto selavam as serpentes aladas no novo ninho.

Ao passar pela fumaça e pela escuridão que sempre envolviam Morath, as duas alianças de escolta que Manon escolhera — ambas Bicos Negros — viraram na direção dos próprios arsenais. Que bom.

Agora, de pé na lama do chão do vale do lado de fora do labirinto de forjas e tendas unido por paralelepípedos, Manon disse às Treze reunidas:

— Voamos em trinta minutos. — Atrás delas, ferreiros e cocheiros já corriam para jogar armaduras sobre as bestas acorrentadas.

Se fossem espertos, ou rápidos, não acabariam entre aquelas mandíbulas. A serpente azul-celeste de Asterin já avaliava o homem mais próximo.

Manon estava um pouco tentada a ver se a fêmea lhe arrancaria um pedaço, mas disse à aliança:

— Se tivermos sorte, chegaremos antes de Iskra e ditaremos como ocorrerá o saque. Se não, procuraremos Iskra e sua aliança e estancaremos o massacre. Deixem o príncipe comigo. — Manon não ousou olhar para Asterin ao dizer aquilo. — Não tenho dúvidas de que as Pernas Amarelas tentarão reivindicar sua cabeça. Impeçam qualquer uma que ouse tomá-la.

E quem sabe consigam dar um fim a Iskra também. Acidentes aconteciam o tempo todo na batalha.

As Treze se curvaram em reconhecimento. Manon indicou com a cabeça um lugar atrás do ombro, na direção do arsenal sob as surradas tendas de lona.

— Armaduras completas. — Ela lançou às bruxas um sorriso arrasador. — Não queremos fazer nossa grande entrada com nada menos que nossa melhor aparência.

Doze sorrisos iguais ecoaram o de Manon, e as bruxas se foram, dirigindo-se para as mesas e os manequins onde as armaduras tinham sido cuidadosa e meticulosamente elaboradas ao longo dos últimos meses.

Apenas Asterin permaneceu ao lado de Manon quando ela pegou Ghislaine por um braço assim que a sentinela de cabelos cacheados passou por ela.

— Conte-nos o que sabe sobre Erawan — murmurou Manon, acima dos ruídos de forjas e dos rugidos das serpentes aladas. Ghislaine abriu a boca, a pele negra subitamente pálida, mas, então, Manon acrescentou: — *Concisamente*.

Ghislaine engoliu em seco, assentindo conforme o restante das Treze se preparava. A guerreira-acadêmica sussurrou para que apenas Manon e Asterin pudessem ouvir.

— Ele era um dos três reis valg que invadiram este mundo no início dos tempos. Os outros foram mortos ou mandados de volta para seu mundo sombrio. Erawan ficou preso aqui, com um pequeno exército. Ele fugiu para este continente depois que Maeve e Brannon destruíram suas forças, e passou mil anos reconstruindo-as em segredo, muito além das montanhas Canino Branco. Quando estava pronto, quando percebeu que a chama do rei Brannon se extinguia, Erawan lançou o ataque para reivindicar esta terra. Diz a lenda que foi derrotado pela filha do próprio Brannon e seu parceiro humano.

Asterin riu com deboche.

— Tal lenda parece errada.

Manon soltou o braço de Ghislaine.

— Arrume-se. Conte às demais quando puder.

A sentinela fez uma reverência e saiu para o arsenal.

A Líder Alada ignorou o olhar semicerrado de Asterin. Não estava na hora de ter aquela conversa.

Ela encontrou o ferreiro calado na forja de sempre, o suor escorrendo pela testa suja de fuligem. Mas os olhos do homem estavam firmes e calmos, conforme retirava a lona da mesa de trabalho para revelar a armadura de Manon. Polida, pronta.

O traje de metal escuro copiava os intricados padrões das escamas de serpentes aladas. A bruxa passou o dedo pelas placas sobrepostas e ergueu a manopla do traje, perfeitamente ajustada à própria mão.

— Ficou lindo.

Terrível, mas lindo. Manon se perguntou o que o ferreiro achava de ter criado uma armadura para que ela vestisse enquanto acabava com a vida de seus compatriotas. O rosto rosado do homem não revelava nada.

A herdeira tirou o manto vermelho e começou a vestir o traje pouco a pouco. Ele deslizou sobre ela como uma segunda pele, flexível e maleável onde precisava ser, rígido onde a vida da bruxa dependia da armadura.

Quando terminou, o ferreiro olhou a bruxa de cima a baixo e assentiu, então levou a mão sob a mesa e colocou outro objeto na superfície. Por um segundo, Manon apenas encarou o capacete com a coroa.

Tinha sido forjado do mesmo metal escuro, as guardas do nariz e da testa elaboradas de forma que a maior parte do rosto ficasse em sombras — exceto a boca. E os dentes de ferro. As seis lanças da coroa se projetavam para cima, como pequenas espadas.

O elmo de um conquistador. O elmo de um demônio.

Manon sentiu o olhar das Treze, também armadas, ao enfiar a trança embaixo da pescoceira da armadura e erguer o capacete sobre a cabeça.

Ele coube com facilidade, o interior frio contra a pele quente de Manon. Mesmo com as sombras que ocultavam a maior parte do próprio rosto, a jovem bruxa conseguia ver o ferreiro com perfeita clareza enquanto ele assentia em aprovação.

Ela não fazia ideia de por que se importava, mas Manon se viu dizendo:

— Obrigada.

Outro aceno curto foi a única resposta do ferreiro antes de Manon sair de perto de sua estação de trabalho.

Soldados fugiam do caminho que ela abriu ao disparar e sinalizar para as Treze, montando Abraxos, sua serpente alada, que reluzia na nova armadura.

Manon não virou o rosto para Morath quando as Treze decolaram para os céus cinzentos.

❧ 4 ❧

Aedion e Rowan não deixaram que o mensageiro de Darrow seguisse à frente para avisar aos lordes de sua chegada. Se aquela fosse alguma ação para desestabilizá-los, apesar de tudo que Murtaugh e Ren tinham feito pelo grupo na primavera, então teriam vantagem da forma que pudessem.

Aelin supôs que deveria ter interpretado o tempo chuvoso como um mau agouro. Ou talvez a idade de Murtaugh fornecesse uma desculpa conveniente para que Darrow a testasse. A rainha conteve o temperamento ao pensar naquilo.

A taverna ficava em um cruzamento no limite da vegetação da floresta de Carvalhal. Com a chuva e a noite caindo, estava lotada, e precisaram pagar o dobro para guardar os cavalos no estábulo. Aelin tinha quase certeza de que com uma palavra, com uma faísca daquele fogo revelador, teria esvaziado não apenas os estábulos, mas também o estabelecimento.

Lysandra se apartara do grupo 700 metros antes e, quando chegaram, ela saiu dos arbustos como leopardo-fantasma e assentiu com a encharcada cabeça peluda para Aelin. Tudo limpo.

Dentro da estalagem não havia quartos vagos, e o próprio bar estava lotado, cheio de viajantes, caçadores, quem mais estivesse fugindo da tempestade. Alguns até se sentavam contra as paredes... e Aelin supôs que era assim que ela e os amigos passariam a noite depois que aquela reunião terminasse.

Algumas cabeças se viraram em sua direção quando entraram, mas capuzes e mantos pingando ocultavam os rostos e as armas, e aquelas cabeças rapidamente voltaram para as bebidas ou para as cartas ou para as melodias de bêbados.

Lysandra finalmente retornara à forma humana — e fiel ao juramento de meses antes, os seios um dia fartos estavam agora menores. Apesar do que os esperava no salão de jantar privado nos fundos da estalagem, Aelin encarou a metamorfa e sorriu.

— Melhor? — murmurou ela sobre a cabeça de Evangeline, quando o mensageiro de Darrow, com Aedion ao lado, atravessou a multidão.

O sorriso de Lysandra era semisselvagem.

— Ah, não faz ideia.

Atrás delas, Aelin podia jurar que Rowan deu um risinho.

O mensageiro e Aedion viraram em um corredor, a tênue luz de velas tremeluzia em meio às gotas de chuva que ainda deslizavam do escudo redondo e marcado preso às costas do primo. O Lobo do Norte, embora tivesse vencido batalhas com velocidade e força feéricas, conquistara o respeito e a lealdade da legião como um homem — como humano. Aelin, ainda na forma feérica, ficou se perguntando se também deveria ter se transformado.

Ren Allsbrook os esperava ali. Ren, outro amigo de infância, que Aelin quase matara, *tentara* matar, no último inverno, e que não fazia ideia de quem ela era de verdade. Que ficara no apartamento de Aelin sem perceber que pertencia a sua rainha perdida. E Murtaugh... Aelin tinha vagas lembranças do homem, a maioria o situava à mesa de seu tio, dando a ela tortinhas de amora extras.

Qualquer bondade que restasse, qualquer pingo de segurança, se devia a Aedion — os amassados e os arranhões que lhe manchavam o escudo eram a prova máxima — e aos três homens que a esperavam.

Os ombros de Aelin começaram a se curvar para dentro, mas Aedion e o mensageiro pararam diante de uma porta de madeira, batendo uma vez. Ligeirinha roçou contra sua panturrilha, agitando o rabo, e a jovem sorriu para a cadela, que se sacudiu de novo, lançando gotículas d'água. Lysandra riu com escárnio. Levar um cão molhado para uma reunião secreta... bastante digno de uma rainha.

Mas Aelin prometera a si mesma, meses e meses antes, não fingir ser nada além do que era. Havia rastejado na escuridão, no sangue e no desespero; havia sobrevivido. E mesmo que Lorde Darrow pudesse oferecer homens e custear uma guerra... Aelin também tinha ambos. Mais seria melhor, porém... não estava de mãos vazias. Fizera isso por si mesma. Por todos eles.

Ela empertigou os ombros quando Aedion entrou na sala, já falando com aqueles ali dentro:

— Típico de vocês, seus idiotas, nos fazerem chafurdar na chuva porque não querem se molhar. Ren, nervosinho como sempre. Murtaugh, sempre um prazer. Darrow, seu cabelo parece tão ruim quanto o meu.

Com a voz áspera e fria, alguém no interior disse:

— Considerando o modo sigiloso como organizou essa reunião, era de se pensar que invadia sorrateiramente o próprio reino, Aedion.

Aelin chegou à porta entreaberta, debatendo se valia a pena iniciar a conversa com uma ordem para que os tolos abaixassem a voz, mas...

Falavam baixo. Com a audição feérica, ela ouvia mais que o humano comum. A jovem se colocou à frente de Lysandra e Evangeline, deixando que as duas entrassem depois, e parou à porta para avaliar o salão privado de jantar.

Uma janela, aberta para minimizar o calor abafado da estalagem. Uma grande mesa retangular diante de uma lareira crepitante, cheia de pratos vazios, migalhas e bandejas gastas. Havia dois homens idosos sentados; o mensageiro sussurrou algo ao ouvido de um deles, baixo demais para a audição feérica de Aelin, antes de fazer uma reverência a todos e sair. Os dois idosos endireitaram o corpo ao olhar para além de onde Aedion estava, diante da mesa... para Aelin.

Mas ela se concentrou no jovem de cabelos pretos ao lado da lareira, com um dos braços apoiado no mantel; o rosto queimado de sol e cheio de cicatrizes estava inexpressivo.

Aelin se lembrava daquelas espadas gêmeas às costas do homem. Daqueles incandescentes olhos escuros.

Com a boca levemente seca, a jovem puxou o capuz. Ren Allsbrook se assustou.

Mas os homens idosos ficaram de pé. Aelin conhecia um deles.

Não sabia como não tinha reconhecido Murtaugh naquela noite em que fora ao armazém para matar tantos deles. Principalmente quando fora ele que interrompera o massacre.

O outro idoso, no entanto... embora enrugado, tinha o rosto forte... severo. Sem diversão, alegria ou acolhimento. Um homem acostumado a conseguir o que queria, a ser obedecido sem questionamento. O corpo era magro e esguio, a coluna ainda ereta. Não era um guerreiro da espada, mas da mente.

O tio-avô de Aelin, Orlon, fora ambos. E fora carinhoso; a jovem jamais ouvira dele uma palavra ríspida ou irritadiça. Aquele homem, no entanto... ela encarou os olhos cinzentos de Darrow, um predador reconhecendo outro.

— Lorde Darrow — disse ela, inclinando a cabeça. A jovem não conseguiu conter o sorriso torto. — Você parece confortável e aquecido.

O rosto inexpressivo permaneceu imóvel. Impassível.

OK, então.

Aelin o observou, esperando... recusando-se a deixar de encará-lo até que Darrow se curvasse.

Uma inclinação de cabeça foi tudo que ofereceu.

— Um pouco mais baixo — ronronou Aelin.

O olhar de Aedion se voltou para a prima, com o brilho da advertência. Darrow não fez o que ela pediu.

Foi Murtaugh quem se curvou mais profundamente, na altura da cintura, e falou:

— Majestade. Pedimos desculpas por mandar o mensageiro buscá-la... mas meu neto se preocupa com minha saúde. — Uma tentativa de sorriso. — Para minha tristeza.

Ren ignorou o avô e se afastou da lareira, as passadas das botas eram o único som conforme o jovem lorde circundava a mesa.

— Você sabia — sussurrou ele para Aedion.

Lysandra, sabiamente, fechou a porta e puxou Evangeline e Ligeirinha para que ficassem à janela... em busca de olhos curiosos. Aedion lançou a Ren um breve sorriso.

— Surpresa.

Antes que o jovem lorde pudesse responder, Rowan parou ao lado de Aelin e puxou o capuz.

Os homens enrijeceram o corpo quando o guerreiro feérico se revelou em sua magnífica glória; violência reluzente já nos olhos. Já concentrado em Lorde Darrow.

— Agora, isso é algo que não vejo há anos — murmurou Darrow.

Murtaugh controlou o choque — e talvez um pouco de medo — o suficiente para estender a mão para as cadeiras vazias diante deles.

— Por favor, sentem-se. Peço desculpas pela bagunça. Não julgávamos que o mensageiro pudesse buscá-los tão rapidamente. — Aelin não fez menção de sentar. Nem os companheiros. Murtaugh acrescentou: — Podemos oferecer comida fresca se quiserem. Devem estar famintos. — Ren lançou um olhar de incredulidade ao avô que disse a Aelin tudo que precisava saber sobre a opinião dos rebeldes a seu respeito.

Lorde Darrow a observava de novo. Avaliando.

Humildade... gratidão. Aelin deveria tentar; ela *poderia* tentar, maldição. Darrow fizera sacrifícios pelo reino; tinha homens e dinheiro a oferecer na batalha iminente contra Erawan. *Aelin* havia convocado a reunião; *ela* pedira aos senhores que os encontrassem. Quem se importava se era em outro local? Estavam todos ali. Bastava.

Aelin se obrigou a caminhar até a mesa. A reivindicar a cadeira diante de Darrow e Murtaugh.

Ren permaneceu de pé, monitorando Aelin com fogo sombrio nos olhos.

— Obrigada... por ajudar o capitão Westfall nesta primavera — disse ela baixinho a Ren.

Um músculo estremeceu no maxilar de Ren, mas ele perguntou:

— Como ele está? Aedion mencionou os ferimentos de Chaol na carta.

— A última coisa que ouvi foi que estava a caminho dos curandeiros em Antica. Para Torre Cesme.

— Que bom.

— Poderia explicar para mim como se conhecem, ou preciso adivinhar? — pediu Lorde Darrow.

Aelin começou a contar até dez ao ouvir o tom de voz. Mas foi Aedion quem respondeu quando ocupou um assento:

— Cuidado, Darrow.

Darrow entrelaçou os dedos retorcidos, porém de unhas feitas, e os apoiou à mesa.

— Ou o quê? Vai me queimar até virar cinzas, princesa? Derreter meus ossos?

Lysandra ocupou uma cadeira ao lado de Aedion e perguntou, com a educação meiga e inofensiva com que fora treinada:

— Sobrou alguma água na jarra? Viajar pela tempestade foi bem desgastante.

Aelin poderia ter beijado a amiga pela tentativa de diminuir a cortante tensão.

— Quem, pelos deuses, é você? — Darrow franziu a testa diante da beleza, os olhos puxados que não desviaram dos dele apesar das palavras doces. Certo... ele não sabia quem viajava com Aelin e Aedion. Ou que dons possuíam.

— Lysandra — respondeu Aedion, soltando o escudo e apoiando-o, com um ruído pesado, no chão atrás do grupo. — Lady de Caraverre.

— Não existe Caraverre — argumentou Darrow.

Aelin deu de ombros.

— Agora existe. — Lysandra tinha se decidido pelo nome havia uma semana, fosse qual fosse o significado, depois de se levantar de súbito no meio da noite e praticamente gritar para Aelin, depois se controlar tempo o suficiente a fim de voltar à forma humana. Aelin duvidava de que se esqueceria tão cedo da imagem de um leopardo-fantasma de olhos arregalados tentando falar. Ela sorriu um pouco para Ren, que ainda a observava como um gavião. — Tomei a liberdade de comprar a propriedade de que sua família abriu mão. Parece que serão vizinhos.

— E de que linhagem — perguntou Darrow, contraindo a boca ao ver a marca sobre a tatuagem de Lysandra, a marca que era visível não importava a forma que ela assumisse — se origina milady?

— Não organizamos esta reunião para discutir linhagens e ascendência — replicou Aelin, controladamente. Ela olhou para Rowan, que acenou, confirmando que a equipe da estalagem estava longe da sala e ninguém se encontrava ao alcance de suas vozes.

O príncipe feérico de Aelin caminhou até o bufê contra a parede para pegar a água que Lysandra pedira. Ele cheirou o conteúdo, e Aelin entendeu que a magia de Rowan percorria o líquido, analisando a água em busca de veneno ou droga, enquanto Rowan fez quatro copos flutuarem até eles com um vento fantasma.

Os três lordes observaram em silêncio e de olhos arregalados. Rowan se sentou e casualmente serviu a água, então conjurou um quinto copo, o encheu e fez com que flutuasse até Evangeline. A garota sorriu para a magia e voltou a encarar a janela molhada pela chuva. A ouvir enquanto fingia ser bonita, ser inútil e pequena, como Lysandra havia ensinado.

— Pelo menos seu guerreiro feérico serve para alguma coisa além de força bruta — alfinetou Lorde Darrow.

— Se essa reunião for interrompida por forças inimigas — retrucou Aelin, tranquilamente —, agradecerá por essa violência brutal, Lorde Darrow.

— E quanto a suas habilidades singulares? Também deveria agradecer por elas?

Para Aelin pouco importava como ele tinha descoberto. Ela inclinou a cabeça, escolhendo cada palavra, obrigando-se a pensar no que diria pelo menos uma vez.

— Tem alguma habilidade específica que preferiria que eu possuísse?

Darrow sorriu. O sorriso não chegou aos olhos.

— Algum controle faria bem a Vossa Alteza.

Rowan e Aedion, flanqueando Aelin, pareciam rígidos como cordas de arcos. Mas se *ela* conseguisse controlar o temperamento, então eles poderiam... *Vossa Alteza.* Não *Majestade.*

— Levarei isso em consideração — respondeu a jovem, também com um breve sorriso. — Quanto ao motivo de minha corte e eu desejarmos o encontro com vocês hoje...

— Corte? — Lorde Darrow ergueu as sobrancelhas prateadas, examinando vagarosamente Lysandra, Aedion e por fim Rowan. Ren encarava boquiaberto a todos, algo como anseio e descontentamento em sua expressão. — É isso o que considera uma corte?

— Obviamente a corte será expandida quando chegarmos a Orynth...

— E quanto a isso, não vejo como pode sequer *haver* uma corte, pois você ainda não é rainha.

Aelin manteve a cabeça erguida.

— Não tenho certeza de que estou entendendo o que quer dizer.

Darrow tomou um gole da caneca de cerveja. Quando a abaixou, o ruído ecoou pela sala. Ao lado dele, Murtaugh ficara mortalmente quieto.

— Qualquer governante de Terrasen deve ser aprovado pelas famílias governantes de cada território.

Gelo, frio e antigo, estalou nas veias de Aelin. Ela queria poder culpar a coisa que pendia de seu pescoço.

— Está me dizendo — falou a jovem, baixo demais, conforme o fogo crepitava em seu estômago, dançava pela língua — que embora eu seja a última Galathynius viva, meu trono ainda não me pertence?

Ela sentiu a atenção de Rowan fixa em seu rosto, mas não desviou o olhar de Lorde Darrow.

— Estou dizendo, princesa, que embora possa ser a última descendente viva de Brannon, há outras possibilidades, outras direções a tomar, caso seja considerada inadequada.

— Weylan, por favor — interrompeu Murtaugh. — Não aceitamos esse encontro para isso. Era para discutirmos a reconstrução, para *ajudá-la* e trabalhar com ela.

Todos o ignoraram.

— Outras possibilidades como você? — perguntou Aelin ao homem. Fumaça espiralou em sua boca, mas a jovem a engoliu, quase engasgando.

Darrow sequer piscou.

— Não espera, em sã consciência, que permitamos que uma assassina de 19 anos entre em nosso reino e comece a latir ordens, independentemente da linhagem.

Pense bem, respire fundo. Homens, dinheiro, apoio a seu povo já arrasado. É isso que Darrow oferece, o que pode ganhar, se apenas controlar seu maldito temperamento.

Aelin conteve o fogo nas veias, transformando-o em brasas sibilantes.

— Entendo que minha história pessoal possa ser considerada problemática...

— Acho que tudo a seu respeito, princesa, é problemático. A começar pela escolha de amigos e membros da *corte*. Pode me explicar por que uma prostituta comum está em sua companhia e se passando por uma dama? Ou por que um dos capachos de Maeve senta agora a seu lado? — Ele lançou um riso de deboche na direção de Rowan. — Príncipe Rowan, não é? — Devia ter juntado as peças pelo que o mensageiro lhe sussurrara ao ouvido quando chegaram. — Ah, sim, ouvimos falar a seu respeito. Que guinada interessante nos fatos. Justo quando nosso reino está mais enfraquecido e a herdeira é tão jovem, um dos guerreiros de maior confiança de Maeve consegue se estabelecer, depois de tantos anos olhando para nosso reino com tanto desejo. Ou talvez a pergunta mais adequada seja: por que servir aos pés de Maeve quando poderia governar ao lado da princesa Aelin?

Foi preciso esforço considerável para que Aelin evitasse que os dedos se fechassem em punhos.

— O príncipe Rowan é meu *carranam*. Está acima de qualquer dúvida.

— *Carranam*. Um termo há muito esquecido. Que outras coisas Maeve lhe ensinou em Doranelle na primavera?

A jovem conteve a resposta ao sentir a mão de Rowan roçar na dela sob a mesa, a expressão no rosto do guerreiro era de tédio, desinteresse. A calma de uma congelada tempestade feral. *Permissão para falar, Majestade?*

Aelin teve a sensação de que ele iria realmente gostar muito de destroçar Darrow em pedacinhos. E também teve a sensação de que ela gostaria muito, muito mesmo de se juntar a ele nisso.

A jovem deu um leve aceno de cabeça, pois ela mesma estava sem palavras enquanto lutava para manter as chamas sob controle.

Sinceramente, até se sentiu um pouco mal por Darrow quando o príncipe feérico lançou a ele um olhar imbuído de trezentos anos de violência fria.

— Está me acusando de fazer o juramento de sangue a minha rainha com desonra?

Não havia nada humano, nada piedoso naquelas palavras.

Para seu crédito, Darrow não se encolheu. Em vez disso, ergueu as sobrancelhas para Aedion, então se virou e balançou a cabeça para Aelin.

— Você entregou o juramento sagrado a este... macho?

Ren ficou levemente boquiaberto ao observar Aedion, aquela cicatriz contra a pele queimada de sol. Aelin não estivera lá para proteger Ren. Ou para lhes proteger as irmãs quando sua academia de magia se tornou um abatedouro durante a invasão de Adarlan. Percebendo a surpresa do jovem lorde, Aedion sutilmente balançou a cabeça, como se dissesse: *Explico depois.*

Mas Rowan se recostou na cadeira com um leve sorriso; e foi algo assustador e terrível.

— Conheci muitas princesas com reinos a herdar, Lorde Darrow, e posso dizer que nenhuma jamais foi burra o bastante para permitir que um macho a manipulasse dessa forma, muito menos minha rainha. Entretanto, se eu estivesse almejando um trono, escolheria um reino muito mais pacífico e próspero. — Ele deu de ombros. — Mas não acho que meu irmão e minha irmã nesta sala me permitiriam viver por muito tempo se suspeitassem de minhas intenções quanto a sua rainha ou a seu reino.

O general deu um aceno sombrio, e Lysandra, a seu lado, esticou o corpo; não por raiva ou surpresa, mas por orgulho. Aquilo partiu o coração de Aelin tanto quanto o iluminou.

Aelin sorriu devagar para Darrow, as chamas se contendo.

— Quanto tempo levou para pensar em uma lista de possíveis coisas com que me insultar e das quais me acusar durante esta reunião?

Darrow ignorou Aelin e indicou Aedion com o queixo.

— Está bastante quieto esta noite.

— Não acho que gostaria muito de ouvir meus pensamentos agora, Darrow — respondeu Aedion.

— Seu juramento de sangue foi roubado por um príncipe estrangeiro, sua rainha é uma assassina que designa prostitutas camponesas para servi-la, e você não tem nada a dizer?

A cadeira de Aedion rangeu, e Aelin ousou olhar... então o viu agarrado às laterais com tanta força que os nós dos dedos ficaram brancos.

Lysandra, embora com as costas rígidas, não deu a Darrow o prazer de corar de vergonha.

E bastava para ela. Faíscas dançaram nas pontas dos dedos de Aelin sob a mesa.

Mas Darrow continuou antes que Aelin pudesse falar ou incinerar a sala.

— Talvez, Aedion, se ainda espera ganhar uma posição oficial em Terrasen, pudesse ver se seus parentes em Wendlyn reconsiderariam a proposta de noivado de tantos anos. Veja se o reconhecem como família. Que diferença poderia ter feito, se você e sua amada princesa Aelin fossem prometidos; se Wendlyn não tivesse recusado a oferta de formalmente unir nossos reinos, provavelmente sob ordem de Maeve. — Um sorriso na direção de Rowan.

O mundo se agitou levemente. Até mesmo Aedion tinha empalidecido. Ninguém jamais indicara que houvera uma tentativa oficial de comprometer os dois. Ou que os Ashryver tinham realmente abandonado Terrasen à guerra e à destruição.

— O que dirão as massas idólatras da princesa salvadora — ponderou Darrow, colocando as mãos abertas na mesa — quando souberem como ela passou seu tempo enquanto outros sofriam? — Um tapa na cara, um após o outro. — Mas — acrescentou Darrow — você sempre foi bom em se prostituir, Aedion. Embora eu me pergunte se a princesa Aelin sabe o que...

Aelin avançou.

Não com chamas, mas com aço.

A adaga estremecendo entre os dedos de Darrow refletiu a crepitante luz da lareira.

Aelin grunhiu contra o rosto do velho, Rowan e Aedion estavam quase fora das cadeiras, Ren levou a mão à arma, mas parecia nauseado... nauseado ao ver o leopardo-fantasma agora sentado onde Lysandra se encontrava um momento antes.

61

Murtaugh olhou boquiaberto para a metamorfa. Mas Darrow olhou com raiva para Aelin, o rosto branco de ódio.

— Quer atirar insultos contra mim, Darrow, então vá em frente — sibilou Aelin, o nariz quase tocando o do lorde. — Mas, se insultar os meus de novo, não errarei da próxima vez. — Ela voltou o olhar para a adaga entre os dedos abertos do velho, um fio de cabelo separava a lâmina da pele sardenta.

— Vejo que herdou o temperamento de seu pai — disse Darrow, com escárnio. — É assim que planeja governar? Quando não gostar de alguém, ameaçará a pessoa? — Ele tirou a mão da lâmina e se afastou o suficiente para cruzar os braços. — O que Orlon pensaria desse comportamento, dessa truculência?

— Escolha as palavras com sabedoria, Darrow — avisou Aedion.

Darrow ergueu as sobrancelhas.

— Todo o trabalho que fiz, tudo o que sacrifiquei durante os últimos dez anos foi em nome de Orlon, para honrá-lo e salvar seu reino, *meu* reino. Não planejo deixar que uma criança mimada e arrogante destrua isso com chiliques temperamentais. Aproveitou as riquezas de Forte da Fenda durante esses anos, princesa? Foi muito fácil nos esquecer no norte enquanto comprava roupas e servia ao monstro que massacrou sua família e seus amigos?

Homens e dinheiro e uma Terrasen unificada.

— Mesmo seu primo, apesar da prostituição, nos ajudou no norte. E Ren Allsbrook. — Um gesto com a mão na direção de Ren. — Enquanto você vivia no luxo, sabia que Ren e o avô juntavam cada moeda que conseguiam, tudo para encontrar uma forma de manter vivo o esforço dos rebeldes? Que ocuparam barracos e dormiram sob cavalos?

— Basta! — exclamou Aedion.

— Deixe-o continuar — disse Aelin, sentando-se de novo na cadeira e cruzando os braços.

— O que mais há para ser dito, princesa? Acha que o povo de Terrasen ficará feliz por ter uma rainha que serviu ao inimigo? Que dividiu a cama com o filho do inimigo?

Lysandra grunhiu baixinho, agitando os copos.

Darrow não se abalou.

— E uma rainha que, sem dúvida, divide a cama com um príncipe feérico, peão do inimigo às nossas costas. O que acha que nosso povo vai pensar *disso*?

Ela não queria saber como Darrow tinha adivinhado, o que tinha captado entre os dois.

— Quem compartilha minha cama — rebateu Aelin — não é de sua conta.

— E por isso você não é digna de governar. Quem compartilha a cama da rainha é da conta de *todos*. Vai mentir para seu povo sobre seu passado, negar que serviu ao rei deposto, e que serviu ao filho também, de uma forma diferente?

Sob a mesa, a mão de Rowan disparou para pegar a de Aelin, os dedos cobertos de gelo para apaziguar o fogo que começava a faiscar nas unhas dela. Não em aviso ou como reprimenda, apenas para dizer a ela que ele também lutava para evitar usar a bandeja de latão para esmagar o rosto de Darrow.

Então Aelin não deixou de encarar Darrow, mesmo ao entrelaçar os dedos aos de Rowan.

— Direi a *meu* povo — falou Aelin, em voz baixa, mas não com fraqueza — a verdade completa. Mostrarei a eles as cicatrizes de Endovier em minhas costas, as cicatrizes em meu corpo dos anos como Celaena Sardothien, e direi a eles que o novo rei de Adarlan não é um monstro. Direi que temos um inimigo: o desgraçado em Morath. Dorian Havilliard é a única chance de sobrevivência e de paz futura entre nossos dois reinos.

— E se ele não for? Vai lhe destruir o castelo de pedra como destruiu o de vidro?

Chaol tinha mencionado aquilo... meses antes. Aelin deveria ter pensado melhor, que humanos comuns poderiam exigir salvaguardas contra seu poder. Contra o poder da corte que se reunia ao seu redor. Mas que Darrow pensasse que Aelin tinha destruído o castelo de vidro; que ele acreditasse que ela matara o rei. Melhor que a verdade potencialmente desastrosa.

— Se ainda quiser ser parte de Terrasen — continuou Darrow, quando nenhum deles respondeu —, tenho certeza de que Aedion pode encontrar alguma utilidade para você na Devastação. Mas não terá utilidade alguma em Orynth.

Aelin ergueu as sobrancelhas.

— Tem mais alguma coisa que deseja me dizer?

Os olhos cinzentos ficaram ríspidos.

— Não reconheço seu direito de governar; não a reconheço como verdadeira rainha de Terrasen. Assim como os Lordes Sloane, Ironwood e Gunnar, que compõem a maioria restante do que um dia foi a corte de seu tio. Mesmo que a família Allsbrook fique ao seu lado, ainda é um voto contra quatro. O general Ashryver não tem terras nem título aqui, e nenhum direito de voto como resultado disso. Quanto a *Lady* Lysandra, Caraverre não é um território reconhecido, e não reconhecemos sua linhagem nem sua *compra* daquelas terras. — Palavras formais para uma declaração formal. — Caso retorne a Orynth e tome seu trono sem nosso convite, será considerado um ato de guerra e traição. — Darrow tirou um pedaço de papel do casaco, muita escrita extravagante e quatro assinaturas diferentes no final. — A partir deste momento, até que seja decidido em contrário, você deverá permanecer uma princesa por sangue, mas não rainha.

❧ 5 ❧

Aelin encarou diversas vezes aquele pedaço de papel, os nomes que foram assinados muito antes daquela noite, os homens que decidiram contra ela sem a ter conhecido, os homens que haviam mudado o futuro de seu reino apenas com assinaturas.

Talvez devesse ter esperado para convocar aquela reunião até que estivesse em Orynth; até que o povo a visse retornar e fosse mais difícil chutá-la para a sarjeta do palácio.

— Nossa ruína reúne forças ao sul de Adarlan... mas é nisso que vocês se concentram? — sussurrou a jovem.

Darrow riu com escárnio.

— Quando precisarmos de suas... habilidades, avisaremos.

Nenhum fogo queimou dentro de si, nem mesmo uma brasa. Como se Darrow o tivesse esmagado com o punho, extinguindo-o.

— A Devastação — começou Aedion, com uma pontada daquela lendária insolência — só responderá a Aelin Galathynius.

— A Devastação — retrucou o homem — é agora nossa para que a comandemos. Caso não haja governante digno no trono, os lordes controlam os exércitos de Terrasen. — Mais uma vez, ele observou Aelin, como se lhe sentisse o vago plano de retornar publicamente à cidade, para dificultar que fosse banida, reluzindo conforme se formava. — Coloque os pés em Orynth, garota, e pagará.

— Isso é uma ameaça? — grunhiu Aedion, levando uma das mãos ao cabo da Espada de Orynth embainhada na lateral do corpo.

— É a lei — respondeu Darrow, simplesmente. — Que foi honrada por gerações de governantes Galathynius.

Havia um rugido alto demais na cabeça de Aelin e uma vastidão silenciosa demais no mundo além.

— Os valg marcham contra nós, um *rei* valg marcha contra nós — insistiu seu primo, o próprio general. — E *sua rainha*, Darrow, pode ser a única pessoa capaz de mantê-los afastados.

— A guerra é um jogo de números, não de magia. Sabe disso, Aedion. Lutou em Theralis. — A grande planície diante de Orynth, berço da última batalha sangrenta quando o império caiu sobre eles. A maioria das forças de Terrasen e dos comandantes não dera as costas ao banho de sangue, então rios correram vermelhos durante dias. Se Aedion tinha lutado... Pelos deuses, devia ter apenas 14 anos. O estômago de Aelin se revirou. Darrow concluiu: — A magia nos falhou uma vez. Não confiaremos nela de novo.

— Precisaremos de aliados... — disparou Aedion.

— Não há aliados — interrompeu o homem. — A não ser que Sua Alteza decida ser útil e nos trazer homens e armas por meio de um matrimônio — um olhar afiado na direção de Rowan —, estamos sozinhos.

Aelin considerou se devia revelar o que sabia, o dinheiro que conseguira matando e enganando, mas...

Algo frio e pegajoso lhe percorreu o corpo. Um casamento com um rei ou um príncipe ou um imperador estrangeiro.

Seria esse o custo? Não apenas em derramamento de sangue, mas em sonhos desfeitos? Ser eternamente uma princesa, nunca uma rainha? Lutar não apenas com magia, mas com o outro poder em seu sangue: a realeza.

Aelin não conseguia olhar para Rowan, não conseguia encarar aqueles olhos de cor verde-pinho sem se sentir enojada.

Ela rira certa vez de Dorian; *rira* e o censurara por admitir que a ideia de se casar com qualquer uma que não sua alma gêmea lhe era repugnante. Aelin fizera troça do amigo por escolher o amor à paz do reino.

Talvez os deuses a odiassem mesmo. Talvez aquele fosse seu teste. Escapar de uma forma de escravidão apenas para cair em outra. Talvez aquela fosse a punição pelos anos nas riquezas de Forte da Fenda.

Darrow deu um sorriso breve e satisfeito.

— Encontre-me aliados, Aelin Galathynius, e talvez possamos considerar seu papel no futuro de Terrasen. Pense nisso. Obrigado por nos chamar para uma reunião.

Silenciosamente, ela se levantou. Os outros também o fizeram. Exceto Darrow.

Aelin pegou o pedaço de papel assinado e examinou as palavras amaldiçoadas, as assinaturas rabiscadas. O fogo crepitante era o único ruído.

Ela o calou.

E as velas. E o candelabro de ferro forjado acima da mesa.

Escuridão; interrompida apenas por inspirações profundas — de Murtaugh e de Ren. A sala escura foi preenchida pelo som dos respingos de chuva.

Aelin falou para a escuridão, para onde Darrow estava sentado:

— Sugiro, Lorde Darrow, que se acostume com isso. Pois se perdermos esta guerra, a escuridão reinará para sempre.

Ouviu-se um arranhar, então um sibilo... em seguida um fósforo tremeluziu e uma vela se acendeu sobre a mesa. O rosto odioso e enrugado do homem se iluminou.

— Homens podem fazer a própria luz, herdeira de Brannon.

Aelin encarou a chama solitária que ele havia acendido. O papel em suas mãos se transformou em cinzas.

Antes que pudesse falar, Darrow disse:

— Essa é nossa lei... nosso direito. Se ignorar esse decreto, princesa, maculará tudo que sua família representava e pelo que morreu. Os lordes de Terrasen assim disseram.

A mão de Rowan parecia sólida contra a lombar de Aelin. Mas ela olhou para Ren cujo rosto estava tenso. E, por cima do rugido na mente, ela disse:

— Independentemente de votar ou não a meu favor, há um lugar para você nesta corte. Por ter ajudado Aedion e o capitão. Por Nehemia. — Nehemia, que trabalhara com Ren, lutara com ele. Algo como dor surgiu nos olhos do rapaz, e ele abriu a boca para falar, mas Darrow o interrompeu.

— Que desperdício de vida aquele — disparou o velho. — Uma princesa de fato dedicada ao povo, que lutou até o último suspiro por...

— Mais uma palavra — advertiu Rowan, baixinho — e não me importa quantos lordes o apoiem ou quais sejam suas leis. Mais uma palavra sobre isso e o estriparei antes que consiga levantar dessa cadeira. Entendeu?

Pela primeira vez, Darrow encarou os olhos do guerreiro feérico e empalideceu ao ver a morte à espera ali. Contudo, as palavras do lorde tinham atingido o alvo, deixando um tipo de torpor trêmulo em seu encalço.

Aedion retirou a adaga de sua prima da mesa.

— Levaremos o que disse em consideração. — Depois pegou o escudo e colocou a mão no ombro de Aelin, guiando-a para fora da sala. Somente ao ver aquele escudo amassado e arranhado, assim como a antiga espada pendurada à lateral do corpo de Aedion, Aelin despertou daquele torpor pesado e moveu os pés.

Ren se moveu para abrir a porta, passando para o corredor e verificando a área, dando amplo espaço a Lysandra, que passava na forma de leopardo-fantasma, Evangeline e Ligeirinha atrás do rabo felpudo, mandando o sigilo ao inferno.

Aelin encarou o jovem lorde e inspirou, prestes a dizer algo quando Lysandra grunhiu no fim do corredor.

Uma adaga imediatamente surgiu na mão de Aelin, inclinada e pronta.

Mas era o mensageiro de Darrow, disparando até eles.

— Forte da Fenda — disse ele, ao parar, ofegante e derrapando, e os salpicar de chuva. — Um dos batedores do desfiladeiro Ferian acaba de passar. O esquadrão das Dentes de Ferro está voando para Forte da Fenda. Pretendem saquear a cidade.

~

Aelin estava parada em uma clareira logo além da iluminação da estalagem; a chuva fria deixara seu cabelo grudado e lhe causava arrepios. Todos tinham ficado ensopados, porque Rowan prendia ao corpo as armas sobressalentes que ela lhe entregava, conservando cada gota de magia para o que faria a seguir.

Deixaram que o mensageiro cuspisse a informação que recebera — não era muito.

O esquadrão das Dentes de Ferro que ocupava o desfiladeiro Ferian se dirigia para Forte da Fenda. Dorian Havilliard seria o alvo. Morto ou vivo.

Chegariam à cidade na noite seguinte, e depois que Forte da Fenda fosse tomada... a rede de Erawan pelo interior do continente estaria completa. Nenhuma força de Melisande, Charco Lavrado ou Eyllwe poderia chegar até eles; e nenhuma das forças de Terrasen os alcançaria também. Não sem desperdiçar meses contornando as montanhas.

— Não há nada que possa ser feito pela cidade — declarou Aedion, cortando o som da chuva com sua voz. Os três permaneceram sob a proteção de um grande carvalho, todos de olho em Ren e Murtaugh, que falavam com

Evangeline e Lysandra, novamente na forma humana. O general continuou, a chuva pingando sobre o escudo a suas costas: — Se as bruxas voarem para Forte da Fenda, então Forte da Fenda cairá.

Aelin se perguntou se Manon Bico Negro lideraria o ataque... se seria uma vantagem. A Líder Alada já os salvara uma vez, mas apenas como pagamento por uma dívida de vida. Ela duvidava de que a bruxa fosse se sentir na obrigação de ajudá-los em algum outro momento do futuro próximo.

Aedion encarou Rowan.

— Dorian deve ser salvo a todo custo. Conheço o estilo de Perrington... Erawan. Não acredite em nenhuma promessa que fizerem e não deixe que Dorian seja pego de novo. — Ele passou a mão pelos cabelos ensopados de chuva e acrescentou: — Ou você, Rowan.

Eram as palavras mais terríveis que Aelin já ouvira. O aceno de confirmação do feérico fez seus joelhos fraquejarem. Ela tentou não pensar nos dois frascos de vidro que Aedion entregara ao príncipe momentos antes. O que continham. Nem mesmo sabia quando ou onde ele os comprara.

Qualquer coisa menos aquilo. Qualquer coisa menos...

A mão de Rowan tocou a dela.

— Vou salvá-lo — murmurou ele.

— Não pediria a você se não fosse... Dorian é vital. Se o perdermos, perderemos qualquer apoio em Adarlan. — E um dos poucos possuidores de magia que poderiam enfrentar Morath.

O aceno de Rowan foi austero.

— Sirvo a você, Aelin. Não peça desculpas por encontrar uma utilidade para mim.

Porque apenas ele, montando o vento com sua magia, poderia chegar a Forte da Fenda a tempo. Mesmo assim, poderia ser tarde demais. Aelin engoliu em seco, lutando contra a sensação de que o mundo sob seus pés lhe era arrancado.

Um lampejo de movimento perto do limite das árvores chamou a atenção da jovem cujo rosto não exibia nenhuma expressão ao reparar no que fora deixado por mãozinhas finas na base de um carvalho retorcido. Nenhum dos demais sequer piscou naquela direção.

Rowan terminou de prender as armas, olhando de Aelin para Aedion com a franqueza de um guerreiro.

— Onde os encontro depois que o príncipe estiver seguro?

— Corra para o norte. Fique longe do desfiladeiro Ferian... — respondeu Aedion.

Darrow surgiu na outra ponta da clareira, disparando uma ordem para que Murtaugh fosse até ele.

— Não — declarou Aelin. Então os dois guerreiros se viraram.

Ela encarou o norte através da chuva e do relâmpago turbulentos.

Não colocaria os pés em Orynth; não veria seu lar.

Encontre-me aliados, dissera Darrow com escárnio.

Aelin não ousou olhar para o que o Povo Pequenino deixara a poucos metros, na sombra daquela árvore castigada pela chuva.

— Se Ren é de confiança, diga a ele que vá até a Devastação e que esteja pronto para marchar e avançar do norte. Se não os lideraremos, então precisarão desviar das ordens de Darrow da melhor maneira possível — explicou ela a Aedion.

As sobrancelhas de seu primo se ergueram.

— O que tem em mente?

Aelin indicou Rowan com o queixo.

— Pegue um barco e viaje para o sul com Dorian. Por terra é arriscado demais, mas no mar seus ventos podem levá-los até lá em alguns dias. Para a baía da Caveira.

— Cacete — sussurrou Aedion.

Mas ela apontou com o polegar por cima do ombro para Ren e Murtaugh.

— Você me contou que eles se comunicavam com o capitão Rolfe. Peça que um deles escreva uma carta de recomendação para nós. Imediatamente — disse ao primo.

— Achei que *você* conhecia Rolfe — comentou Aedion.

Aelin abriu um sorriso sombrio.

— Ele e eu nos despedimos com... rancor, para dizer o mínimo. Mas se Rolfe puder ser trazido para nosso lado...

— Então teríamos uma pequena frota que poderia unir norte e sul, enfrentando assim os bloqueios. — Aedion terminou por ela.

Que bom Aelin ter pegado todo aquele ouro de Arobynn para pagar por aquilo.

— A baía da Caveira pode ser o único lugar seguro para nos escondermos... para entrarmos em contato com outros reinos. — A jovem não ousou contar a eles que, se ela fizesse a jogada certa, Rolfe poderia ter muito mais que uma frota salvadora para oferecer. Aelin disse a Rowan: — Espere por nós lá. Partiremos para a costa hoje à noite e velejaremos para as ilhas Mortas. Estaremos com a diferença de tempo de duas semanas.

Aedion apertou o ombro do feérico em despedida, então seguiu para Ren e Murtaugh. Um segundo depois, o velho andava com dificuldade para a estalagem, com Darrow a reboque, exigindo respostas.

Contanto que Murtaugh escrevesse a carta a Rolfe, Aelin não se importava. Sozinha com Rowan, ela falou:

— Darrow espera que eu obedeça de cabeça baixa. Mas, se conseguirmos reunir um esquadrão no sul, podemos forçar Erawan a cair bem nas lâminas da Devastação.

— Ainda assim, isso pode não convencer Darrow e os demais...

— Lidarei com isso depois — retrucou ela, espalhando água ao sacudir a cabeça. — Por ora, não tenho intenção alguma de perder esta guerra porque um velho desgraçado qualquer descobriu que gosta de bancar o rei.

Rowan deu um sorriso destemido, malicioso. Aproximando-se, roçou a boca contra a dela.

— Não tenho a intenção de deixar que ele fique com esse trono também, Aelin.

— Volte para mim — sussurrou ela, apenas. A ideia do que o aguardava em Forte da Fenda a atingiu de novo. Pelos deuses, ah, pelos deuses! Se algo acontecesse a ele...

Rowan lhe acariciou a bochecha molhada com o polegar, traçando sua boca. Aelin colocou a mão no peito musculoso, bem onde os dois frascos de veneno estavam escondidos. Por um segundo, considerou transformar o líquido mortal em vapor.

Mas se Rowan fosse pego, se Dorian fosse pego...

— Não posso... não posso deixá-lo ir...

— Pode — afirmou ele, sem abrir espaço para argumentação. A voz de seu príncipe-comandante. — E deixará. — O guerreiro tocou a boca de Aelin mais uma vez. — Quando me encontrar novamente, teremos aquela noite. Não importa onde nem quem estará por perto. — Ele lhe beijou o pescoço e confessou, contra a pele molhada de chuva: — Você é meu Coração de Fogo.

Aelin segurou-lhe o rosto com as duas mãos, puxando-o para baixo a fim de que a beijasse.

Rowan a abraçou, apertando-a contra si, as mãos percorrendo-a como se marcasse aquela sensação nas palmas. O beijo foi selvagem, gelo e fogo se entremeando. Até mesmo a chuva pareceu parar quando eles, por fim, se afastaram, ofegantes.

E, em meio à chuva, ao fogo e ao gelo, em meio à escuridão e aos relâmpagos e ao trovão, uma palavra tremeluziu na mente de Aelin, uma resposta e um desafio, e uma verdade que ela imediatamente negou, ignorou. Não por si, mas por ele; por *ele*...

Rowan se transformou com um clarão mais forte que relâmpago.

Quando a jovem terminou de piscar, um grande gavião já batia as asas pelas árvores, seguindo para a noite envolta em chuva. Rowan soltou um som agudo ao dobrar à direita — na direção da costa; o som de um adeus e uma promessa e um grito de guerra.

Aelin engoliu o nó na garganta quando Aedion se aproximou e lhe segurou o ombro.

— Lysandra quer que Murtaugh leve Evangeline. E a "treine para ser uma dama". Mas a garota se recusa a ir. Talvez você precise... ajudar.

A menina estava de fato agarrada a sua senhora, os ombros trêmulos devido à intensidade do choro. Murtaugh observava, impotente, após voltar da estalagem.

Aelin caminhou em meio à lama enquanto o chão emitia ruídos aquosos. Como aquela alegre manhã que tiveram parecia distante, séculos antes.

Ela tocou os cabelos ensopados de Evangeline, que se afastou tempo suficiente para que Aelin dissesse:

— Você é parte de minha corte. E, como tal, responde a mim. É sábia e corajosa e divertida... mas vamos para lugares sombrios e terríveis onde até eu temo andar.

O lábio de Evangeline estremeceu. Algo no peito de Aelin se apertou, mas ela soltou um assobio baixo e Ligeirinha, que estava se escondendo da chuva sob os cavalos, se aproximou.

— Preciso que cuide de Ligeirinha — pediu ela, acariciando a cabeça molhada da cadela, as longas orelhas. — Porque nesses lugares sombrios e terríveis, um cachorro estaria em perigo. Você é a única pessoa a quem confio sua segurança. Pode ficar com Ligeirinha por mim? — Ela deveria ter valorizado mais aqueles momentos felizes, calmos e entediantes na estrada. Deveria ter aproveitado cada segundo em que estavam todos juntos, todos em segurança.

Acima da menina, o rosto de Lysandra estava tenso — os olhos brilhavam com mais que apenas chuva. Mas ela assentiu para Aelin, mesmo enquanto observava Murtaugh mais uma vez, um atento predador.

— Fique com Lorde Murtaugh, aprenda sobre a corte e como as coisas funcionam, proteja minha amiga — disse Aelin para Evangeline, agachando--se para beijar a cabeça encharcada de Ligeirinha. Uma vez. Duas vezes. A cadela distraidamente lambeu a chuva do rosto da dona. — Pode fazer isso? — insistiu ela.

A menina encarou a cadela, depois sua senhora. Então assentiu.

Aelin beijou-lhe a bochecha e sussurrou ao ouvido de Evangeline:

— Aproveite e faça sua mágica com esses velhos coitados. — Ela se afastou para piscar um olho para a garota. — Conquiste meu reino de volta, Evangeline.

Mas a garota passara do ponto de sorrisos, então assentiu de novo.

Aelin beijou Ligeirinha uma última vez e se virou para Aedion, que a esperava, enquanto Lysandra se ajoelhou na lama diante da menina, afastando os cabelos úmidos de Evangeline do rosto e falando baixo demais até mesmo para os ouvidos feéricos da amiga.

A boca do general parecia uma linha severa quando ele afastou os olhos de Lysandra e da menina, indicando com a cabeça Ren e Murtaugh. Aelin caminhou ao seu lado, parando a poucos metros dos Lordes Allsbrook.

— Sua carta, Majestade — disse Murtaugh, lhe estendendo um tubo selado com cera.

Aelin pegou o tubo e fez uma reverência com a cabeça em agradecimento.

— A não ser que queira trocar um tirano por outro, sugiro que prepare a Devastação e quaisquer outros para avançar do norte — disse Aedion a Ren.

— Darrow é bem-intencionado... — respondeu Murtaugh pelo neto.

— Darrow — interrompeu Aedion — é agora um homem com os dias contados.

Todos olharam para Aelin, que observou a estalagem tremeluzindo entre as árvores e o velho que mais uma vez disparava em sua direção, uma força da natureza por si só, então disse:

— Não tocaremos em Darrow.

— O quê? — disparou o general.

— Apostaria todo meu dinheiro que ele já tomou providências para se certificar de que, caso se depare com uma morte precoce, jamais colocaremos os pés em Orynth de novo — explicou a jovem. Murtaugh lhe deu um aceno sombrio em confirmação. Aelin deu de ombros. — Então não tocaremos nele. Jogaremos o jogo de Darrow... obedeceremos as regras, as leis e os juramentos.

A vários metros de distância, Lysandra e Evangeline ainda conversavam baixinho; a menina chorava nos braços da senhora enquanto Ligeirinha ansiosamente dava focinhadas no quadril de Evangeline.

Aelin encarou Murtaugh.

— Não conheço você, lorde, mas foi leal a meu tio e a minha família durante esses longos anos. — Ela tirou uma adaga de uma bainha oculta na coxa. Os homens se encolheram quando Aelin cortou a palma da mão. Até mesmo Aedion se assustou. A jovem fechou a mão ensanguentada em punho, erguendo-a no espaço entre os dois. — Por causa dessa lealdade, entenderá o que promessas de sangue significam para *mim* quando digo que, se aquela menina sofrer algum mal, físico ou de outra natureza, não me importa que leis existam, que regras quebrarei. — Lysandra se voltou para o grupo, pois seus sentidos tinham detectado sangue. — Se Evangeline for ferida, você queimará. *Todos* vocês.

— Ameaçando sua leal corte? — perguntou com deboche uma voz fria, em seguida Darrow parou a poucos metros. Aelin o ignorou. Murtaugh estava de olhos arregalados, assim como Ren.

O sangue escorreu para a terra sagrada.

— Que este seja seu teste.

Aedion soltou um palavrão. Ele entendera. Se os lordes de Terrasen não conseguissem manter uma criança a salvo em seu reino, se não tivessem capacidade de salvar Evangeline, de cuidar de alguém que não lhes traria vantagem alguma, que não lhes garantiria riquezas ou posição... mereceriam perecer.

Murtaugh fez uma reverência de novo.

— Sua vontade é a minha, Majestade. — Então acrescentou baixinho: — Perdi minhas netas. Não perderei outra. — Com isso, o velho caminhou até onde Darrow esperava, puxando o lorde para o canto.

O coração de Aelin se apertou, mas ela disse a Ren, cuja cicatriz estava oculta pelas sombras do capuz ensopado de chuva:

— Gostaria que tivéssemos tempo de conversar. Tempo para me explicar.

— Acho que já está acostumada a deixar este reino para trás. Não vejo por que agora seria diferente.

Aedion soltou um grunhido, mas a prima o interrompeu.

— Pode me julgar o quanto quiser, Ren Allsbrook. Mas não falhe com este reino.

Ela viu a resposta não dita nos olhos do rapaz. *Como você fez durante dez anos.*

O golpe a atingiu baixo e profundamente, mas Aelin se virou. Quando o fez, reparou como os olhos de Ren recaíram sobre a menina... sobre as cicatrizes violentas no rosto de Evangeline. Quase idênticas às dele. Algo no olhar do jovem lorde se suavizou, apenas um pouco.

De repente Darrow disparou na direção de Aelin, empurrando Murtaugh, o rosto branco de ódio.

— Você... — começou ele.

A jovem ergueu a mão, chamas saltitavam na ponta dos dedos, transformando chuva em vapor. Sangue, intenso como o rubi de Goldryn, que despontava sobre seu ombro, lhe serpenteou pelo punho, saindo do corte profundo, idêntico ao da outra mão.

— Farei mais uma promessa — disse ela, fechando a mão ensanguentada em punho e abaixando-a diante do grupo. Darrow ficou tenso.

O sangue de Aelin pingou no solo sagrado de Terrasen, e o sorriso da jovem se tornou letal. Mesmo Aedion, a seu lado, prendeu o fôlego.

— Prometo a você que não importa o quanto eu me afaste, não importa o custo, quando pedir minha ajuda, virei. Juro por meu sangue, pelo nome de minha família, que não darei as costas a Terrasen como você me deu as costas. Prometo, Darrow, que ao chegar o dia em que rasteje por minha ajuda, colocarei meu reino diante de meu orgulho e não o matarei por causa disso. Acho que a verdadeira punição será me ver no trono pelo resto de sua droga de vida — disse ela.

O rosto do velho passara de branco a roxo.

Aelin apenas se virou de costas.

— Aonde pensa que vai? — demandou Darrow. Então Murtaugh não o tinha inteirado sobre o plano de Aelin de ir às ilhas Mortas. Interessante.

Ela olhou por cima do ombro.

— Estou indo cobrar velhas dívidas e promessas. Para levantar um exército de assassinos e ladrões e exilados e camponeses. Para terminar o que teve início há muito, muito tempo.

Silêncio foi a resposta do homem.

Então Aelin e Aedion caminharam até Lysandra, que os monitorava com o rosto sério na chuva. Enquanto isso, Ligeirinha permanecia encostada a Evangeline; a menina chorava baixinho, abraçada a si mesma.

— Partimos agora — disse Aelin à metamorfa e ao general, afastando a mágoa no coração, afastando a dor e a preocupação da mente.

E depois que se dispersaram para reunir os cavalos, Aedion deu um beijo na cabeça ensopada de Evangeline, antes de Murtaugh e Ren a levarem de volta à estalagem com um carinho considerável. Darrow caminhou à frente sem dar um adeus. Finalmente, quando estava sozinha, Aelin se aproximou da árvore retorcida nas sombras.

O Povo Pequenino soubera do ataque das serpentes aladas naquela manhã.

O que a fez supor que aquele bonequinho, já aos pedaços sob a chuva torrencial, era outro tipo de mensagem. Uma apenas para ela.

O templo de Brannon na costa fora cuidadosamente replicado — uma montagem inteligente de galhos e rochas para formar os pilares e o altar... E, na rocha sagrada no centro, haviam criado um cervo branco com lã crua de ovelhas, a galhada poderosa não passava de espinhos tortos.

Uma ordem; para onde ir, o que precisava obter. Aelin estava disposta a ouvir, a entrar no jogo. Mesmo que aquilo significasse contar aos demais apenas meia verdade.

Ela quebrou a reconstrução do templo, mas deixou o cervo na palma da mão, com a lã murchando na chuva.

Os cavalos relincharam ao se aproximarem, conduzidos por Aedion e Lysandra, mas Aelin o sentiu um segundo antes que emergisse entre as árvores distantes, envolto pela noite. Longe demais no bosque para ser qualquer coisa que não um fantasma, um fruto do sonho de um antigo deus.

Mal respirando, ela ousou observá-lo por algum tempo e, ao montar o cavalo, se perguntou se os companheiros podiam perceber que não era chuva reluzindo em seu rosto quando puxou o capuz preto.

Ela se perguntou se eles também tinham visto o Senhor do Norte, montando guarda nas profundezas da floresta, com o brilho imortal do cervo branco amortizado pela chuva enquanto se despedia de Aelin Galathynius.

❧ 6 ❧

Dorian Havilliard, rei de Adarlan, odiava o silêncio.

Ele se tornara seu companheiro; caminhava a seu lado pelos corredores quase vazios do castelo de pedra, agachava-se no canto do quarto atulhado da torre à noite, sentava-se diante do rapaz à mesa em cada refeição.

Dorian sempre soubera que um dia seria rei.

Mas jamais pensou em herdar um trono destruído e uma fortaleza vazia.

A mãe e o irmão mais novo ainda estavam entocados na residência na montanha, em Ararat. Ele não mandara buscá-los. Dera a ordem para que permanecessem lá, na verdade.

Ao menos porque evitaria a volta da corte enxerida de sua mãe, e Dorian facilmente escolheria o silêncio em vez das fofocas. Ao menos porque evitaria ter de olhar para o rosto da mãe, para o rosto do irmão e mentir sobre quem destruíra o castelo de vidro, quem massacrara a maioria dos cortesãos e quem matara o pai. Mentir sobre *o que* o pai fora — sobre o demônio que havia morado dentro dele.

Um demônio que se reproduzira com a mãe de Dorian; não uma, mas duas vezes.

Parado na pequena sacada de pedra no alto da torre particular, ele olhou para a extensão reluzente de Forte da Fenda à luz do sol poente, para a faixa reluzente formada pelo Avery, que serpenteava para dentro do continente, vindo do mar, curvando-se em torno da cidade, como uma cobra, então fluindo reto pelo interior do continente.

Dorian ergueu as mãos diante da vista; as palmas estavam calejadas devido aos exercícios e ao treino com espada que se obrigara a retomar. Seus guardas preferidos — os homens de Chaol — estavam todos mortos.

Torturados e assassinados.

As lembranças do período sob o domínio do colar de pedra de Wyrd eram confusas e embaçadas. Mas nos pesadelos ele às vezes se via de pé em um calabouço profundo, com sangue que não o seu cobrindo-lhe as mãos, e gritos que não os dele ecoando nos ouvidos, implorando por misericórdia.

Não fora ele, disse a si mesmo. O príncipe valg fizera aquilo. Seu *pai* fizera aquilo.

Dorian ainda tivera dificuldade em encarar o novo capitão da Guarda, um amigo de Nesryn Faliq, quando fora pedir ao homem que lhe mostrasse como lutar, que o ajudasse a se tornar mais forte, mais rápido.

Nunca mais. Nunca mais seria fraco e inútil e assustado.

O rapaz olhou para o sul, como se pudesse ver até Antica. Imaginou se Chaol e Nesryn tinham chegado até lá; se perguntou se o amigo já estava em Torre Cesme, e se o corpo destruído estava sendo curado pelos habilidosos mestres do local.

O demônio no corpo do pai de Dorian fizera também aquilo... partira a espinha de Chaol.

O homem que lutava dentro do pai evitara que o golpe fosse fatal.

Dorian não tinha tido tal controle, tal força, ao observar o demônio usando seu corpo — conforme o demônio torturava e matava e tomava o que quisesse. Talvez o pai de Dorian houvesse sido o homem mais forte no fim das contas. O homem superior.

Não que Dorian tivesse tido a chance de conhecer o pai como homem. Como humano.

O rapaz flexionou os dedos, fazendo gelo brotar na palma das mãos. Magia pura; contudo não havia ninguém ali para ensiná-lo. Ninguém a quem ousaria perguntar.

Ele se recostou contra a parede de pedra ao lado da porta da sacada.

Dorian ergueu a mão na direção da faixa pálida que marcava seu pescoço. Mesmo com as horas que passara ao ar livre, treinando, a pele onde o colar um dia estivera ainda não atingira um tom queimado de sol. Talvez fosse permanecer eternamente pálida.

Talvez seus sonhos fossem ser assombrados para sempre pela voz sibilante daquele príncipe demônio. Talvez acordasse eternamente com o suor parecendo o sangue de Sorscha sobre seu corpo, o sangue de Aelin ao esfaqueá-la.

Aelin. Nenhuma notícia da amiga... ou de qualquer um a respeito da volta da rainha ao reino. Dorian tentava não se preocupar nem contemplar por que havia tanto silêncio.

Tanto silêncio quando os batedores de Nesryn e Chaol traziam notícias de que Morath fervilhava.

Ele olhou para dentro, na direção da pilha de papéis sobre a mesa entulhada, e encolheu o corpo. Tinha uma quantidade absurda de papelada para cuidar antes de dormir: cartas para assinar, planos para ler...

Um trovão soou pela cidade.

Quem sabe não era um sinal de que Dorian deveria começar a trabalhar, a não ser que quisesse ficar acordado até o início da manhã de novo. Ele entrou, suspirando alto, e outro trovão ecoou.

Cedo demais, e o som foi breve demais.

Dorian verificou o horizonte. Nenhuma nuvem; nada além do céu vermelho, rosa e dourado.

Mas a cidade em repouso ao pé da colina do castelo pareceu parar. Até mesmo o lamacento Avery pareceu interromper o curso quando o *bum* soou novamente.

Dorian ouvira aquele som antes.

Magia se acumulou nas veias do rapaz, e ele se perguntou o que o poder teria sentido, pois gelo cobria a varanda contra sua vontade, tão ágil e frio que as pedras rangeram.

Dorian tentou fazê-la recuar — como se fosse um novelo de lã que saíra rolando de suas mãos —, mas a magia o ignorou, espalhando-se mais espessa, mais rápida sobre as pedras. Ao longo do arco da porta às suas costas, descendo pela face curva da torre...

Uma corneta soou a oeste. Uma nota aguda, estridente.

Que foi interrompida antes do fim.

Por causa do ângulo da varanda, Dorian não conseguia ver a fonte do som. Então correu para o quarto, deixando a magia para as pedras, e disparou até a janela aberta ao oeste. Estava a meio caminho das colunas de livros e papéis quando viu o horizonte. Quando a cidade começou a gritar.

Espalhando-se ao longe, cobrindo o pôr do sol como uma tempestade de morcegos, voava uma legião de serpentes aladas.

Cada besta carregava uma bruxa armada, que rugia seu grito de guerra para o céu manchado de cores.

꙰

Manon e as Treze seguiam sem parar, sem dormir. Tinham se separado das duas alianças de escolta no dia anterior, pois as serpentes aladas de ambas estavam exaustas demais para acompanhá-las. Principalmente porque as Treze fizeram todas aquelas corridas e patrulhas extras durante meses — e tinham silenciosa e consistentemente aumentado a própria resistência.

Elas voavam alto para se manter escondidas, mas, entre nuvens, viam o continente surgindo abaixo, com diferentes tons de verde verão, amarelo manteiga e safira reluzente. Aquele dia estava limpo o suficiente para que nenhuma nuvem as ocultasse enquanto disparavam para Forte da Fenda e o sol iniciava a descida final em direção ao oeste.

Em direção à perdida terra natal da bruxa.

Devido à altura e à distância, Manon teve uma vista limpa da carnificina quando a extensão da capital por fim se revelou no horizonte.

O ataque começara sem ela. A legião de Iskra ainda descia sobre a cidade, ainda disparava para o palácio e para a muralha de vidro que despontava acima do limite leste da cidade.

Manon cutucou Abraxos com os joelhos, um comando silencioso para que fosse mais rápido.

Ele foi... mas pouco. Estava exausto. Todos estavam.

Iskra queria a vitória para si. A Líder Alada não tinha dúvida de que a herdeira das Pernas Amarelas tinha recebido ordens para obedecer... mas apenas depois que Manon chegasse. Vadia. *Vadia* por ter chegado primeiro, por não ter esperado...

Mais e mais perto, disparavam para a cidade.

Os gritos logo chegaram a elas. Manon sentiu o fardo de sua capa vermelha.

Ela apontou Abraxos para o castelo de pedra no alto da colina, mal espreitando acima daquela muralha reluzente de vidro — a muralha que ela recebera ordens para derrubar —, com esperanças de não ter chegado tarde demais com relação a uma coisa.

Com esperanças de saber o que diabo estava fazendo.

❄ 7 ❄

Dorian soara o alarme, mas os guardas já sabiam. E, quando ele disparou pelas escadas, seu caminho foi bloqueado e pediram que permanecesse na torre. Ele tentou sair de novo para ajudar, mas imploraram que ficasse. *Imploraram*, para que não o perdessem.

Foi o desespero, o quanto as vozes pareciam *jovens*, que o manteve na torre. Mas não de forma inútil.

Dorian ficou no alto da sacada, a mão erguida diante do corpo.

De longe, não podia fazer nada conforme as serpentes aladas destruíam tudo para além da muralha de vidro. Destroçavam prédios, arrancando telhados com as garras, arrancando pessoas — *seu* povo — da rua.

Cobriam o céu, como um cobertor de presas e garras, e nem as flechas dos guardas da cidade impediam seu progresso.

Dorian reuniu a magia, querendo fazê-la obedecer, conjurando gelo e vento para a palma da mão, deixando que se acumulassem.

Devia ter treinado, devia ter pedido que Aelin lhe ensinasse *alguma coisa* enquanto estavam juntos.

As serpentes aladas se aproximaram do castelo e da muralha de vidro ainda de pé, como se, antes de alcançarem Dorian, quisessem lhe mostrar precisamente o quanto era impotente.

Que chegassem. Que viessem perto o suficiente para sua magia.

O rapaz podia não ter o alcance de Aelin, talvez não pudesse envolver a cidade com poder, mas caso se aproximassem o bastante...

Ele não seria fraco nem se acovardaria de novo.

Uma primeira serpente alada chegou ao topo da muralha de vidro. Imensa... muito maior que a bruxa de cabelos brancos e sua montaria coberta de cicatrizes. Seis voavam para o castelo de Dorian, para a torre. Para o rei.

Dorian daria a elas um rei.

Ele deixou que se aproximassem mais, fechando os dedos em punho, cavando mais e mais a magia. Muitas bruxas permaneceram na muralha de vidro, batendo as caudas das bestas contra ela, quebrando o vidro opaco pouco a pouco. Como se as seis que voavam para o castelo fossem o bastante para destruí-lo.

Dorian já conseguia ver as silhuetas; via a couraça coberta de ferro, pois o sol poente refletia nas imensas armaduras peitorais das bestas enquanto disparavam sobre a propriedade do castelo ainda dilapidada.

Então, ao ver os dentes de ferro sorrindo para ele, no momento em que os gritos dos guardas — que bravamente atiravam flechas das portas e janelas do castelo — se tornaram um estrondo em seus ouvidos, Dorian estendeu a mão na direção das bruxas.

Gelo e vento as golpearam, destruindo besta e montadora.

Os guardas gritaram, alarmados... depois caíram em um silêncio de espanto.

Dorian arquejou para tomar fôlego, arquejou para se lembrar do próprio nome e do que era ao sentir a magia se derramando de dentro de si. Tinha matado enquanto estivera escravizado, mas nunca por vontade própria.

Conforme o sangue das bruxas tingia o ar e a carne morta despencava como chuva, emitindo ruídos abafados ao bater no chão do castelo... *Mais*, gemia a magia de Dorian, espiralando simultaneamente para baixo e para cima, puxando-o de novo para seus limites gélidos.

Além da muralha de vidro rachada, a cidade sangrava. Gritava aterrorizada.

Mais quatro serpentes aladas cruzaram a muralha de vidro que se despedaçava, guinando quando as montadoras notaram as irmãs aos pedaços. Gritos soaram das gargantas imortais, e as pontas das faixas amarelas nas testas das bruxas açoitaram ao vento. Elas dispararam com as bestas para o céu, como se fossem subir e subir e depois mergulhar diretamente sobre Dorian.

Um sorriso dançou nos lábios do rapaz ao libertar a magia de novo, como um chicote de ponta dupla disparando para as serpentes aladas em ascensão.

Mais sangue e pedaços de animais e de bruxa caíram ao chão, todos cobertos de gelo tão espesso que se partiram sobre as pedras do pátio.

Dorian buscou mais profundamente. Se conseguisse ir até a cidade, talvez pudesse lançar uma rede mais ampla...

Foi quando outro ataque o atingiu. Não pela frente, pelo alto nem pelo lado. Mas por trás.

A torre de Dorian oscilou para o lado, e o rei foi atirado para a frente, chocando-se contra a sacada de pedra, por pouco evitando cair pela beirada.

Pedra rachou, e madeira se partiu, e Dorian foi poupado de um fragmento de rocha mortal apenas pela magia que projetou ao redor de si quando cobriu a cabeça.

Ele se virou na direção do quarto. Um buraco imenso fora aberto na lateral e no teto. E empoleirada na pedra quebrada, uma bruxa corpulenta agora sorria para ele com dentes de ferro capazes de dilacerar carne, uma faixa desbotada de couro amarelo na testa.

Dorian reuniu a magia, mas ela se extinguiu.

Cedo demais, rápido demais, percebeu ele. Muito inconstante. Não houve tempo suficiente para buscar nas profundezas seu poder. A cabeça da serpente alada deslizou para dentro da torre.

Atrás do rapaz, seis outras bestas voaram pela muralha, disparando para suas costas desprotegidas. E a própria muralha... A muralha de Aelin... Sob aquelas garras e caudas frenéticas, furiosas... desabou por inteiro.

Dorian olhou para a porta que se abria para as escadas da torre, onde os guardas já deveriam ter surgido. Havia apenas silêncio.

Tão perto... mas para alcançá-la teria de passar diante da boca da serpente. Era exatamente por isso que a bruxa sorria.

Uma chance... teria uma chance de fazer aquilo.

Ele fechou os dedos com força, sem conceder à bruxa mais tempo para avaliá-lo.

Dorian estendeu a mão, e gelo disparou para os olhos da criatura. Cambaleando para trás, o animal rugiu, e o rei correu.

Algo afiado raspou a orelha de Dorian, enterrando-se na parede à frente. Uma adaga.

O rapaz continuou correndo para a porta...

Então viu de soslaio a cauda do animal chicotear um segundo antes de se chocar contra a lateral de seu corpo.

A magia de Dorian parecia um filme em volta do próprio corpo, protegendo os ossos e o crânio, conforme ele foi jogado contra a parede de pedra. Com tanta força que as pedras racharam. Com tanta força que a maioria dos humanos teria morrido.

Estrelas e escuridão dançavam em sua vista. A porta estava tão perto.

Dorian tentou se levantar, mas as pernas não obedeciam.

Entorpecido; entorpecido por...

Um calor úmido lhe escorreu logo abaixo das costelas. Sangue. Não era um corte profundo, mas o bastante para doer, cortesia de um dos espinhos da cauda. Espinhos cobertos de um brilho esverdeado.

Veneno. Algum tipo de veneno que enfraquecia e paralisava antes de matar...

Não, ele não seria levado de novo, não para Morath, não para o duque e seus colares...

A magia se debateu contra o beijo paralisante e letal do veneno. Magia de cura. Mas lenta, enfraquecida pelos momentos anteriores de desperdício inconsequente.

Dorian tentou rastejar até a porta, ofegando entre dentes trincados.

A bruxa disparou um comando para a serpente alada, e o rapaz se concentrou o suficiente para erguer a cabeça. E ver a bruxa sacar as espadas e começar a desmontar.

Não, não, *não*...

A bruxa não chegou ao chão.

Em um segundo, estava empoleirada na sela, passando a perna para o lado.

No seguinte, a cabeça havia sumido e o sangue espirrara na besta, que rugia e se virava...

E que então foi derrubada da torre por outra serpente alada, menor. Cruel, coberta de cicatrizes e com asas reluzentes.

Dorian não esperou para ver o que ia acontecer, nem se questionou.

Ele rastejou até a porta enquanto a magia devorava o veneno que deveria tê-lo matado; era uma torrente enfurecida de luz que lutava com força considerável contra aquela sombra esverdeada.

A pele estava cortada, músculo e osso coçavam conforme eram remendados aos poucos... e aquela faísca se acendia e tremeluzia em suas veias.

Dorian estendia a mão para a porta quando a pequena serpente alada pousou no buraco da torre destruída; sangue pingava das enormes presas na papelada, agora espalhada, sobre a qual ele reclamara minutos antes. A esguia montadora armada desceu agilmente, as flechas na aljava às costas estalavam contra o cabo da poderosa espada que trazia embainhada no flanco.

A bruxa puxou o elmo coroado por espadas finas como lanças.

E Dorian reconheceu o rosto antes de se lembrar do nome.

Reconheceu o cabelo branco como luar na água, que cascateava sobre a armadura escura, parecida com escamas; reconheceu os olhos de ouro queimado.

Reconheceu aquele rosto impossivelmente lindo, cheio de uma fria sede por sangue e de uma esperteza maliciosa.

— Levante — grunhiu Manon Bico Negro.

~

Merda.

A palavra era como um cântico constante na cabeça de Manon conforme ela caminhava pelas ruínas da torre, em meio a papéis flutuando e livros espalhados, a armadura ressoando contra as pedras caídas.

Merda, merda, merda.

Iskra não estava em lugar algum — ao menos não perto do castelo. Mas sua aliança, sim.

E, quando vira aquela sentinela das Pernas Amarelas dentro da torre, preparando-se para reivindicar aquela morte para si... um século de treinamento e instinto se acumularam em Manon.

Foi preciso apenas um golpe de Ceifadora do Vento ao passar voando com Abraxos, e a sentinela de Iskra estava morta.

Merda, merda, merda.

Então Abraxos atacou a montaria restante, um macho de olhos apáticos que nem mesmo teve a chance de rugir antes que os dentes se fechassem sobre seu pescoço largo, fazendo sangue e carne voarem conforme os dois dispararam pelo ar.

Manon não poupou um segundo para se maravilhar por Abraxos não ter hesitado na luta, por não ter cedido. Sua serpente alada com coração de guerreiro. Merecia uma ração a mais de carne.

O casaco escuro e ensanguentado do jovem rei estava coberto de poeira e terra. No entanto, os olhos cor de safira pareciam nítidos, se não arregalados, quando Manon grunhiu de novo acima dos gritos da cidade:

— Levante.

Dorian levou a mão à maçaneta de ferro da porta. Não para gritar por ajuda ou fugir, percebeu ela, que se aproximara e estava a 30 centímetros, mas para se levantar.

A jovem bruxa observou as longas pernas do rei, mais musculosas que da última vez que o vira. Então reparou no ferimento que despontava pela lateral do casaco rasgado. Não era profundo e não jorrava sangue, mas...

Merda, merda, merda.

O veneno da cauda da serpente alada era mortal no pior dos casos, paralisante no melhor. Paralisante com apenas um arranhão. Ele deveria estar morto. Ou morrendo.

— O que você quer? — perguntou o rapaz, a voz rouca, disparando os olhos entre Manon e Abraxos, que se ocupava monitorando o céu em busca de outros agressores, farfalhando as asas com impaciência.

O rei estava ganhando tempo... enquanto o ferimento se curava.

Magia. Apenas a mais poderosa magia poderia ter evitado sua morte.

— Quieto! — ordenou Manon. Em seguida o pôs de pé.

Ele não se encolheu ao toque, nem quando as unhas de ferro prenderam e rasgaram seu casaco. Dorian era mais pesado do que a bruxa estimara — como se tivesse mais músculos sob aquelas roupas também. Mas com a força imortal, colocá-lo de pé exigia pouca energia.

Manon se esquecera do quanto ele era mais alto. Cara a cara, Dorian a encarou de cima a baixo, ofegante, e disse:

— Oi, bruxinha.

Alguma parte antiga e predatória da Líder Alada despertou diante daquele meio sorriso, atiçando-se e direcionando os ouvidos a ele. Não havia um pingo de medo. Interessante.

— Oi, principezinho — ronronou Manon de volta.

Abraxos deu um grunhido de aviso; a bruxa virou a cabeça e se deparou com outra serpente alada, disparando com determinação e velocidade para eles.

— *Vá* — disse ela, deixando que o príncipe se equilibrasse quando ela escancarou a porta da torre. Os gritos dos homens nos níveis abaixo se elevaram até eles. Dorian se escorou na parede, como se concentrasse a atenção em permanecer de pé. — Tem outra saída? Outra forma de fugir daqui?

O rei a avaliou com uma franqueza que a fez rosnar.

Atrás deles, como se a Mãe tivesse estendido a mão, um vento poderoso soprou a serpente alada e a montadora para longe da torre, lançando-as às cambalhotas para a cidade. Até mesmo Abraxos rugiu, agarrando-se às pedras da construção com tanta força que a rocha estalou sob suas garras.

— Há passagens — informou o rei. — Mas você...

— Então as encontre. Saia.

Dorian não se moveu do local contra a parede.

— Por quê?

A linha pálida ainda lhe cruzava o pescoço, tão nítida contra a pele queimada de sol. Mas Manon não aceitava questionamentos de mortais. Nem mesmo de reis. Não mais.

Então ela ignorou a pergunta e falou:

— Perrington não é o que parece. É um demônio em um corpo mortal e se desfez da antiga pele para vestir uma nova. Um homem de cabelos dourados. Ele procria o mal em Morath, o qual planeja libertar a qualquer dia. Isto é uma prova. — Manon indicou com a mão de unhas de ferro a destruição ao redor. — Uma forma de o desmoralizar e conquistar as graças de outros reinos, transformando você no inimigo. Reúna suas forças antes que ele tenha a chance de aumentar em número até um tamanho invencível. Perrington pretende tomar não apenas este continente, mas toda Erilea.

— Por que sua montadora coroada me contaria isso?

— Meus motivos não são de sua conta. Fuja. — De novo, aquele vento poderoso soprou o castelo, empurrando para longe qualquer força que se aproximava, fazendo as pedras rangerem. Um vento com cheiro de pinho e neve, um cheiro familiar, estranho. Antigo e inteligente e cruel.

— Você matou aquela bruxa. — De fato, o sangue da sentinela manchava as pedras. Cobria Ceifadora do Vento e o capacete abandonado de Manon. *Assassina de Bruxas.*

Manon afastou o pensamento, assim como a pergunta que ele implicava.

— Você tem uma dívida de vida comigo, rei de Adarlan. Prepare-se para o dia da cobrança.

A boca sensual do rei se contraiu.

— Lute conosco. Agora... lute conosco *agora* contra ele.

Pela porta, urros e gritos de guerra tomavam o ar. Bruxas haviam conseguido aterrissar em algum lugar, tinham se infiltrado no castelo. Seria uma questão de minutos até que fossem encontrados. E se o rei não tivesse sumido... Manon o puxou para longe da parede e o empurrou escada abaixo.

As pernas de Dorian fraquejaram, e ele apoiou a mão contra a antiga parede de pedra quando olhou Manon com raiva por cima do ombro largo. Com *raiva*.

— Reconhece a morte quando a vê? — sibilou Manon, em voz baixa e cruelmente.

—Já vi a morte, e pior — retrucou Dorian, com aqueles olhos de safira congelados, enquanto a observava da cabeça à ponta dos pés cobertos pela armadura, então de volta. — A morte que oferece é gentil em comparação com aquilo.

Isso teve um efeito em Manon, mas o rei já se locomovia com dificuldade escada abaixo, uma das mãos apoiadas na parede. Movendo-se tão devagar enquanto aquele veneno saía de seu organismo, a magia certamente lutando com tudo que tinha para mantê-lo daquele lado da vida.

A porta na base da torre se estilhaçou.

Dorian parou diante das quatro sentinelas Pernas Amarelas que dispararam para dentro, grunhindo para cima do centro vazio da torre. As bruxas pararam, piscando para a Líder Alada.

Ceifadora do Vento estremeceu na mão de Manon. Mate-o, mate-o agora, antes que elas possam espalhar que Manon foi vista com o rei... *Merda, merda, merda*.

Manon não precisou decidir. Em um redemoinho de aço, as Pernas Amarelas morreram antes que pudessem se virar na direção do guerreiro que explodiu porta adentro.

Cabelos prateados, rosto e pescoço tatuados, orelhas levemente pontiagudas. A fonte daquele vento.

Dorian xingou, cambaleando, mas os olhos do guerreiro feérico estavam sobre Manon. Apenas fúria letal queimava ali.

O ar na garganta de Manon se esvaiu em nada.

Um som estrangulado saiu de dentro da bruxa, e Manon tropeçou, agarrada à garganta como se pudesse perfurar uma entrada para o ar. Mas a magia do macho se manteve firme.

Ele a mataria pelo que tinha tentado fazer com sua rainha. Pela flecha que Asterin disparara, com a intenção de atingir o coração de Aelin. Uma flecha diante da qual ele saltara.

Manon caiu de joelhos. O rei imediatamente a alcançou, observando-a por um segundo antes de rugir escada abaixo:

— *NÃO*!

Foi preciso apenas isso. Ar inundou a boca de Manon, os pulmões, e a bruxa ofegou, arqueando as costas ao inspirar.

Seu tipo não tinha escudos mágicos contra ataques como aquele. Apenas quando mais desesperada, mais enfurecida, uma bruxa podia conjurar o centro de magia dentro de si — com consequências devastadoras. Até mesmo a mais sedenta por sangue e desalmada falava sobre o ato apenas aos sussurros: a Renúncia.

O rosto de Dorian oscilava na visão embaçada de Manon. Ela ainda arquejava em busca daquele ar puro e salvador quando Dorian falou:

— Encontre-me quando mudar de ideia, Bico Negro.

Então o rei se foi.

❈ 8 ❈

Rowan Whitethorn voara sem comida, água e descanso durante dois dias. Mesmo assim chegara tarde demais a Forte da Fenda.

A capital estava um caos sob as garras das bruxas e suas serpentes aladas. Vira muitas cidades caírem ao longo dos séculos, e sabia que aquela estava acabada.

Ainda que o povo combatesse, seria apenas para encarar a própria morte. As bruxas já haviam derrubado a muralha de vidro de Aelin. Outro movimento calculado de Erawan.

Fora difícil deixar os inocentes lutando sozinhos e correr com determinação e agilidade ao castelo de pedra e à torre do rei. Rowan tinha uma ordem, dada por sua rainha.

Mesmo assim, chegara tarde demais — mas não sem uma faísca de esperança.

Dorian Havilliard cambaleava conforme disparavam pelo corredor do castelo; a audição e o olfato aguçados de Rowan os mantinham longe do pior da batalha. Se os túneis secretos estivessem sendo vigiados, se não pudessem chegar aos esgotos... o feérico calculava plano após plano. Nenhum terminava bem.

— Por aqui — falou o rei, ofegante. Foi a primeira coisa que disse desde que correra escada abaixo. Estavam em uma parte residencial do palácio que Rowan só vira no reconhecimento exterior, em forma de gavião. A ala da rainha. — Existe uma saída secreta no quarto de minha mãe.

As portas branco-pálidas da suíte estavam trancadas.

Rowan as explodiu com meio pensamento, fazendo com que a madeira se partisse e empalasse a mobília exuberante, assim como a arte nas paredes, destruindo enfeites e coisas de valor.

— Desculpe — pediu ele ao rei, sem parecer arrependido.

A magia do guerreiro estremeceu, um tremor distante para avisar que estava sendo drenada. Dois dias disparando ao vento com velocidade perigosa, depois a luta contra aquelas serpentes aladas do lado de fora cobravam seu preço.

Dorian avaliou os danos.

— Alguém teria feito isso de qualquer modo. — Nenhum sentimento, nenhuma tristeza ali. Ele correu pelo quarto com certa dificuldade. Se tivesse uma fração a menos de magia, poderia ter sucumbido à cauda venenosa da besta.

Dorian chegou a um grande retrato emoldurado em ouro de uma linda jovem de cabelos castanhos com um bebê de olhos cor de safira nos braços.

Ele olhou para o quadro por um segundo a mais que o necessário, o bastante para dizer tudo a Rowan. Em seguida retirou a pintura, revelando um pequeno alçapão.

O feérico se certificou de que o rei entrasse primeiro, com uma vela na mão, antes de usar a magia para fazer a pintura flutuar de volta ao lugar e fechar a porta.

O corredor era estreito e as pedras estavam empoeiradas. Mas o vento adiante sussurrava com ares de espaços abertos, umidade e mofo. Rowan lançou um tendão de magia para testar as escadas por onde desciam e os muitos corredores à frente. Não havia sinal do desabamento de quando haviam destruído a torre do relógio. Nenhum sinal de inimigos à espreita, ou do fedor corrupto dos valg e de suas bestas. Uma pequena bênção.

Os ouvidos feéricos captavam os gritos abafados e os urros dos moribundos acima.

— Eu deveria ficar — comentou Dorian, baixinho.

Um dom da magia do rei, então... audição aguçada. Magia pura podia conceder a ele qualquer dom: gelo, chama, cura, sentidos aguçados e força. Talvez metamorfose, se tentasse.

— Será mais útil para seu povo vivo — retrucou Rowan, a voz grossa contra as pedras. A exaustão o incomodava, mas ele a afastou. Descansaria quando estivessem em segurança.

Dorian não respondeu.

— Já vi muitas cidades caírem — continuou Rowan. — Já vi reinos inteiros caírem. E a destruição que testemunhei ao chegar voando era tamanha que, até mesmo com seus dons consideráveis, não havia nada que você pudesse ter feito. — O guerreiro não tinha muita certeza do que fariam se aquela destruição fosse levada à porta de Orynth. Ou por que Erawan esperava. Pensaria nisso depois.

— Eu deveria morrer com eles. — Foi a resposta do rei.

Chegaram à base das escadas, e a passagem se alargou em câmaras respiráveis. Mais uma vez, Rowan serpenteou sua magia por muitos túneis e escadas. Aquele à direita sugeria que havia uma entrada para o esgoto ao fundo. Que bom.

— Fui enviado aqui para evitar que fizesse exatamente isso — declarou o feérico, por fim.

Dorian olhou para ele por cima do ombro, encolhendo um pouco o corpo, pois o movimento esticava a pele ainda em cicatrização. Onde, suspeitava Rowan, um ferimento aberto estivera minutos antes, agora havia apenas uma cicatriz vermelho-vivo visível pela lateral do casaco rasgado.

— Você ia matá-la — constatou o rapaz.

Rowan sabia a quem ele se referia.

— Por que me impediu?

Então Dorian contou sobre o encontro ao descerem mais profundamente nas entranhas do castelo.

— Eu não confiaria nela — comentou Rowan, quando o rei terminou. — Mas talvez os deuses nos deem uma ajuda. Talvez a herdeira de Bico Negro se junte a nossa causa.

Caso seus crimes não fossem descobertos primeiro. Ainda que eles só tivessem 13 bruxas e suas serpentes aladas, se aquela aliança era a mais habilidosa de todas das Dentes de Ferro... Podia significar a diferença entre Orynth cair ou se manter de pé contra Erawan.

Os dois chegaram aos esgotos do castelo. Até mesmo os ratos fugiam pela pequena entrada da correnteza, como se os rugidos das serpentes aladas fossem um augúrio de morte.

Eles passaram por um arco selado por um desmoronamento; sem dúvida da erupção de fogo do inferno que ocorrera no verão.

A passagem de Aelin, percebeu Rowan com um aperto no fundo do peito. E, alguns passos adiante, viu uma antiga poça de sangue seco que manchava as pedras ao longo da beira da água. Um fedor humano permanecia ao redor, maculado e desagradável.

— Ela estripou Archer Finn bem ali — indicou Dorian, acompanhando o olhar do feérico.

Rowan não se deixou pensar naquilo, ou no fato de que aqueles tolos tinham, ignorantemente, dado a uma assassina um quarto que se ligava aos aposentos da rainha.

Havia um barco preso a um mastro de pedra, com o casco quase podre, mas sólido o suficiente. E a grade para o pequeno rio que serpenteava para além do castelo permanecia aberta.

Rowan lançou de novo a magia ao mundo, provando o ar além dos esgotos. Nenhuma asa o partia, nenhum sangue maculava o caminho. Uma parte silenciosa ao leste do castelo. Se as bruxas tivessem sido espertas, teriam colocado sentinelas monitorando cada centímetro.

Mas, pelos gritos e pelas súplicas acima, ele sabia que as bruxas estavam perdidas demais na sede por sangue para pensar direito. Pelo menos por alguns minutos.

Ele indicou o barco com o queixo.

— Entre.

Dorian franziu a testa para o mofo e a podridão.

— Teremos sorte se não desabar ao nosso redor.

— Você — corrigiu Rowan. — Ao seu redor. Não ao meu. Entre.

Dorian ouviu o tom de voz do feérico e sabiamente o atendeu.

— O que você...

Rowan tirou a capa e a jogou sobre o rei.

— Deite-se e coloque isso sobre o corpo.

Com o rosto um pouco pálido, ele obedeceu. O feérico cortou as cordas com um lampejo das facas.

Então se transformou, batendo as asas alto o suficiente para que Dorian soubesse de sua transformação. A magia de Rowan gemeu, fazendo esforço conforme puxava o que parecia ser uma embarcação vazia e oscilante para fora dos esgotos, como se alguém acidentalmente a tivesse soltado.

Ao voar pela abertura do esgoto, ele protegeu o barco com uma parede de ar sólido — contendo o cheiro do rei e evitando que flechas perdidas o perfurassem.

Rowan olhou para trás apenas uma vez enquanto seguia acima do pequeno rio e do barco.

Apenas uma vez, para a cidade que tinha forjado, destruído e abrigado sua rainha.

A muralha de vidro conjurada por Aelin não passava de ruínas e cacos reluzindo nas ruas e na grama.

Aquelas últimas semanas de viagem haviam sido uma tortura — a necessidade de estar com ela, de prová-la, estava o fazendo perder a cabeça. E, considerando o que Darrow dissera... talvez, apesar da promessa ao partir, tivesse sido bom não darem aquele passo final.

Estivera na mente de Rowan muito antes de Darrow e de seus decretos de bosta: Rowan era um príncipe, mas apenas em nome.

Não tinha exército, nenhum dinheiro. Os fundos consideráveis que possuía ficaram em Doranelle... e Maeve jamais lhe permitiria reivindicá-los. Provavelmente já tinham sido distribuídos entre os primos enxeridos, assim como as terras e residências do guerreiro. Não importaria se alguns deles — dos primos com os quais fora criado — se recusassem a aceitar por lealdade e teimosia típicas dos Whitethorn. Tudo que Rowan tinha a oferecer à rainha eram a força da espada, a grandeza da magia e a lealdade do coração.

Tais coisas não venciam guerras.

Ele sentira o cheiro de desespero em Aelin, embora sua expressão estivesse neutra quando Darrow falou. E lhe conhecia a alma incandescente: Aelin o faria. Consideraria casamento com um príncipe ou lorde estrangeiro. Mesmo que aquela coisa entre eles... mesmo que Rowan soubesse que não era apenas luxúria, ou mesmo apenas amor.

Aquela coisa entre eles, sua força, poderia devorar o mundo.

E se a escolhessem, se escolhessem *um ao outro*, poderia muito bem ser o fim.

Por isso não pronunciara as palavras que queria dizer a Aelin havia algum tempo, mesmo quando cada instinto o incitava a fazer aquilo ao se despedirem. E talvez ter Aelin apenas para perdê-la fosse punição por ter deixado a parceira morrer; a punição por finalmente abandonar aquele luto e aquele ódio.

O bater das ondas era quase inaudível por cima do rugido das serpentes aladas e dos gritos de inocentes pedindo a ajuda que jamais viria. Rowan afastou a dor no peito, a vontade de se virar.

Aquilo era guerra. Aquelas terras sofreriam muito mais nos dias e meses seguintes. Sua rainha, não importava o quanto tentasse protegê-la, sofreria bem mais.

Quando o barco navegou para o pequeno rio que descia ao delta do Avery, com um gavião de cauda branca voando bem acima, as muralhas do castelo de pedra estavam banhadas em sangue.

❧ 9 ❧

Elide Lochan sabia que estava sendo caçada.

Durante três dias, tentara despistar o que quer que a seguia pela extensão infinita da floresta de Carvalhal. Mas no processo também se perdera.

Três dias insones, mal parando por tempo o bastante para buscar comida e água.

Ela havia virado para o sul uma vez... para refazer a trilha e apagar as pistas. Acabara seguindo um dia naquela direção. Então fora para o oeste, para as montanhas. Depois decidiu pelo sul, possivelmente leste; não sabia dizer. Estivera correndo na ocasião, e a floresta de Carvalhal era tão densa que Elide mal conseguia acompanhar o sol. E, sem uma visão clara das estrelas, sem ousar parar a fim de encontrar uma árvore onde pudesse subir, não fora capaz de encontrar o Senhor do Norte — o farol de volta para casa.

Ao meio-dia do terceiro dia, estava quase em prantos. Por exaustão, por raiva, pelo medo que lhe invadia os ossos. O que quer que a caçava lentamente, com certeza se demoraria matando-a.

Com a faca tremendo na mão, ela parou em uma clareira, onde havia um estreito córrego que passava dançando, ágil, por ela. A perna doía; a perna destruída e inútil. Ofereceria a alma ao deus sombrio por algumas horas de paz e segurança.

Elide largou a faca na grama ao lado, caindo de joelhos diante do córrego e bebendo rápida e intensamente. A água preencheu o vazio em sua barriga, deixado por frutinhas e raízes. Ela encheu novamente o cantil, as mãos incontrolavelmente instáveis.

Tremia tanto que deixou cair a tampa de metal no rio.

Ela xingou, mergulhando os braços até os cotovelos na água fria enquanto buscava a tampa, tateando as pedras e as gavinhas escorregadias de algas do rio, implorando por um único *descanso*...

Os dedos se fecharam na tampa quando o primeiro uivo soou pela mata.

Elide e a floresta ficaram em silêncio.

Ela ouvira cães uivando, escutara o coro sobrenatural de lobos quando fora arrastada de Perranth até Morath.

Aquilo não era nenhuma das duas coisas. Aquilo era...

Houvera noites em Morath quando fora arrancada do sono por causa de uivos como aquele. Uivos que ela acreditara terem sido imaginados por não soarem novamente. Ninguém jamais os mencionara.

Mas ali estava o som. *Aquele* som.

Juntos criaremos maravilhas que farão o mundo tremer.

Ah, pelos deuses. A menina rosqueou indistintamente a tampa ao cantil. O que quer que pudesse ser se aproximava rapidamente. Talvez uma árvore — o alto de uma árvore — pudesse salvá-la. Escondê-la. Talvez.

Elide se virou para enfiar o cantil na bolsa.

Então se deparou com um guerreiro agachado do outro lado do rio, uma cruel faca longa apoiada no joelho.

Os olhos pretos a devoravam; os cabelos na altura dos ombros eram igualmente pretos, e o rosto parecia severo quando ele disse em um tom de voz que parecia granito:

— A não ser que queira virar almoço, menina, sugiro que venha comigo.

Uma voz baixa e antiga sussurrou ao ouvido de Elide, alertando que por fim ela encontrara seu caçador implacável.

E que os dois tinham se tornado presa de outro.

❧

Lorcan Salvaterre ouviu os grunhidos crescentes na floresta antiga e soube que, provavelmente, estavam prestes a morrer.

Bem, a garota estava prestes a morrer. Fosse nas garras do que quer que os perseguisse ou na ponta de sua lâmina. O guerreiro ainda não decidira.

Humana; o cheiro de canela e sabugueiro era completamente humano. No entanto, aquele *outro* cheiro permanecia, uma gota de sombriedade tremeluzindo sobre a menina, como as asas de um beija-flor.

Ele poderia ter suspeitado de que a menina conjurara as bestas, não fosse pelo odor de medo maculando o ar. E o fato de que a perseguia havia três dias, permitindo que ela se perdesse no labirinto emaranhado da floresta de Carvalhal. Além disso, encontrara poucos indícios de que a garota estivesse sob controle dos valg.

Lorcan ficou de pé, e os olhos escuros da jovem se arregalaram ao reparar na altura impressionante. Ela continuou ajoelhada diante do rio, estendendo a mão suja para a adaga que deixara tolamente largada na grama. Não era burra nem estava desesperada o suficiente para erguer a arma contra Lorcan.

— Quem é você?

A voz rouca da jovem era baixa; não era a coisa doce e aguda que ele esperara devido à delicada estrutura curvilínea. Grave e fria e firme.

— Se quiser morrer — advertiu Lorcan —, então vá em frente: continue fazendo perguntas. — Ele se virou na direção norte.

Naquele momento, o segundo conjunto de grunhidos começou. De outra direção.

Dois bandos, aproximando-se. Grama e tecido farfalharam, e, quando Lorcan olhou, a garota estava de pé, a adaga preparada e o rosto pálido de náusea, pois havia percebido o que acontecia: estavam sendo arrebanhados.

— Leste ou oeste — sugeriu Lorcan. Durante os cinco séculos em que estivera matando pelo mundo, jamais ouvira grunhidos como aqueles de qualquer tipo de besta. Ele soltou o machado da lateral do corpo.

— Leste — sussurrou a garota, os olhos disparando para ambas as direções. — Eu... eu fui aconselhada a ficar longe das montanhas. Serpentes aladas, que são bestas enormes, patrulham por lá.

— Sei o que é uma serpente alada — retrucou Lorcan.

Alguma irritação disparou nos olhos escuros da jovem diante do tom de voz do guerreiro, mas o medo a afastou. A garota começou a recuar para a direção que escolhera. Uma das criaturas soltou um grito esganiçado. Não era um som canino. Não, aquele era um guincho agudo... como um morcego. Porém mais intenso. Com mais fome.

— Corra — ordenou ele.

Ela correu.

Lorcan precisou dar crédito à menina: apesar da perna ainda ferida, apesar da exaustão que a tornara desleixada nos últimos dias, ela disparou como uma corça em meio às árvores; o terror provavelmente espantando qualquer dor. Ele saltou pelo amplo córrego com facilidade, cobrindo a distância entre os dois em apenas um segundo. Lentos; aqueles humanos eram tão desgraçadamente lentos. A respiração de Elide já estava ofegante conforme subia uma colina, fazendo barulho suficiente para alertar quem os seguia.

Estalos soaram na vegetação atrás deles... vindos do sul. Dois ou três, pelo som. Grandes, pelos galhos partidos e as passadas abafadas.

A garota chegou ao topo da colina, cambaleando. Ela ficou de pé e Lorcan olhou para a perna de novo.

Seria inútil tê-la seguido por tanto tempo se a jovem morresse naquele momento. Por um segundo, ele contemplou o peso no casaco... a chave de Wyrd escondida. Sua magia era forte, mais forte que a de qualquer macho semifeérico em qualquer reino, em qualquer domínio. Mas se usasse a chave...

Se usasse a chave, então mereceria a maldição que ela traria.

Então Lorcan projetou uma rede de poder atrás dos dois, uma barreira invisível soprando escuras correntes de vento. A garota enrijeceu, virando a cabeça para ele ao ver o poder que saía do guerreiro como uma onda. A pele de Elide empalideceu mais, porém ela seguiu, meio caindo e meio correndo, colina abaixo.

Um instante depois, soou o impacto de quatro corpos imensos contra a magia de Lorcan.

O odor do sangue da garota, que se cortava em pedras e raízes, preencheu o nariz do guerreiro. Ela não era nem de perto suficientemente rápida.

Lorcan abriu a boca para ordenar que se apressasse quando a parede invisível se partiu.

Não se partiu, mas *rachou*, como se aquelas bestas a tivessem rasgado.

Impossível. Ninguém conseguia ultrapassar aqueles escudos. Nem mesmo o maldito Rowan Whitethorn.

Mas era certo que a magia fora quebrada.

A garota atingiu a vala na base da colina, quase chorando diante da expansão plana de floresta adiante, e disparou, a trança escura balançando, e a mochila quicando às costas magras. Lorcan a seguiu, olhando para as árvores de cada lado, conforme os grunhidos e farfalhares recomeçaram.

Estavam sendo arrebanhados, mas na direção de quê? E se aquelas coisas tinham lhe partido a magia...

Fazia muito, muito tempo que Lorcan não tinha um novo inimigo para estudar, para destruir.

— Continue — grunhiu ele, e a garota nem mesmo olhou para trás enquanto o guerreiro parava subitamente entre dois carvalhos altos. Ele estivera reunindo a magia havia dias, planejando usá-la na garota humana-mas-não-humana quando se entediasse ao persegui-la. Portanto, o corpo fervilhava com magia; o poder pedindo liberdade.

Lorcan girou o machado na mão — uma, duas vezes, o metal cantando pela floresta densa. Uma corrente fria emoldurada por névoa preta dançou entre os dedos de sua outra mão.

Não era vento, como o de Whitethorn, nem luz e chama, como a rainha vadia de Whitethorn. Nem mesmo magia pura, como a do novo rei de Adarlan.

Não, sua magia era aquela da vontade — de morte e pensamento e destruição. Não havia nome para ela.

Nem mesmo sua rainha soubera o que era, de onde viera. Um dom do deus sombrio, de Hellas, ponderara Maeve; um dom sombrio para seu guerreiro sombrio. E deixara a questão assim mesmo.

Ao permitir que a magia se erguesse à superfície e que o rugido grave preenchesse suas veias, um sorriso selvagem dançou nos lábios de Lorcan.

Ele destruíra cidades com aquele poder.

Não achava que aquelas bestas, por mais cruéis que fossem, se dariam muito melhor.

Elas reduziram a velocidade ao se aproximar, sentindo que um predador esperava... avaliando-o.

Pela primeira vez em muito, muito tempo, Lorcan não tinha palavras para o que via.

Talvez devesse ter matado a garota. A morte em suas mãos seria misericórdia em comparação com o que grunhia adiante, agachado em garras que dilaceravam carne. Não era um cão de Wyrd. Não, aquelas coisas eram muito piores.

A pele era de um azul manchado. Os longos braços e pernas levemente musculosos foram cruelmente projetados e aperfeiçoados. E as garras compridas na ponta das mãos — mãos de cinco dedos — fechavam-se, como se antecipando um ataque.

Mas não foi o corpo das criaturas que chocou Lorcan.

Foi a forma como elas pararam — sorrindo sob os focinhos amassados, como de morcegos, e revelando fileiras de dentes parecidos com agulhas — e então se ergueram sobre as pernas traseiras.

Ficando completamente de pé, como um homem rastejando se levanta. Eram pelo menos 30 centímetros mais altas que o guerreiro.

E os atributos físicos que pareciam perturbadoramente familiares se confirmaram quando a criatura mais próxima abriu a terrível boca e disse:

— Ainda não provamos a carne de sua espécie.

O machado de Lorcan girou para cima.

— Também não posso dizer que tive tal prazer.

Havia muito poucas bestas que podiam falar a língua de mortais e de feéricos. A maioria desenvolvera a capacidade pela magia, obtida por maldição ou bênção.

Mas ali, semicerrados com prazer pela antecipação da violência, reluziam olhos escuros e humanos.

Whitethorn avisara sobre o que acontecia em Morath... mencionara que os cães de Wyrd poderiam ser os primeiros de muitas coisas terríveis que seriam libertadas. Lorcan não percebera que aquelas coisas teriam quase 2,5 metros de altura e seriam parte humanas, parte o que quer que Erawan tivesse feito para transformá-las *naquilo*.

A criatura mais próxima ousou dar um passo adiante, mas sibilou... sibilou diante da linha invisível que o semifeérico traçara. O poder estremeceu e pulsou sob as pontas venenosas das garras quando a criatura tocou o escudo.

Quatro contra um. Normalmente um número fácil para ele.

Normalmente.

Mas Lorcan carregava a chave de Wyrd que as criaturas procuravam, além do anel de ouro que roubara de Maeve, depois dera e roubara de Aelin Galathynius. O anel de Athril. Se levassem qualquer um dos dois ao mestre...

Erawan teria todas as três chaves de Wyrd. E poderia abrir uma porta entre os mundos, e liberar sobre eles as hordas de valgs que estavam à espera. E quanto ao anel de ouro de Athril... Lorcan não tinha dúvidas de que o demônio destruiria o anel forjado pela própria Mala, o único objeto em Erilea que garantia a quem o usasse imunidade contra pedras de Wyrd... e contra os valg.

Então o guerreiro se moveu. Mais rápido do que até mesmo aquelas coisas podiam detectar, ele atirou o machado contra a criatura mais afastada, focada na companheira que tocava o escudo.

Todas se viraram quando o machado se chocou, profunda e permanentemente, contra o pescoço do alvo. Todas se voltaram para ver a criatura cair. Letais por natureza, mas sem treino.

As bestas se distraíram por um segundo, e Lorcan disparou outras duas facas.

Ambas se enterraram até o cabo nas testas enrugadas daquelas coisas, lançando suas cabeças para trás ao caírem de joelhos por causa do golpe.

Aquela no centro, a que tinha falado, soltou um grito primitivo que fez os ouvidos de Lorcan tinirem. Então a criatura disparou contra o escudo.

A proteção revidou, pois a magia se adensara dessa vez. Lorcan sacou a espada longa, assim como uma faca.

E pôde apenas assistir enquanto a coisa rugia para o escudo, chocando-se contra ele com mãos destruídas e cheias de garras... fazendo a magia, o escudo, *derreter* sob seu toque.

A criatura avançou pela proteção, como se esta fosse um portal.

— Agora vamos brincar.

Lorcan se agachou em posição defensiva, perguntando-se até onde a garota conseguira chegar, se sequer tinha se virado para ver o que os perseguia. Os ruídos da fuga tinham desaparecido.

Atrás da criatura, as companheiras se contorciam.

Não... ressuscitavam.

Cada uma ergueu a forte mão em garra até as adagas enterradas no crânio... arrancando-as. Metal raspou contra osso.

Apenas aquela que tivera a cabeça quase decepada, agora presa apenas por alguns tendões, permanecia caída. Decapitação, então.

Mesmo que significasse ter de se aproximar para fazer aquilo.

A criatura diante de Lorcan sorriu com um prazer selvagem.

— O que são vocês? — vociferou o guerreiro.

As outras duas já estavam de pé, movendo-se ameaçadoramente após as cabeças terem se curado.

— Somos caçadores para Sua Majestade Sombria — disse o líder, com uma reverência debochada. — Somos ilken. E fomos enviados para recuperar nossa rocha.

Aquelas bruxas tinham mandado essas bestas caçá-lo? Que covardes, por não o enfrentarem por conta própria.

Os ilken continuaram, seguindo na direção de Lorcan com pernas que se dobravam para trás.

— Íamos lhe dar uma morte rápida, um presente. — As largas narinas da besta se dilataram, captando os odores da floresta silenciosa. — Mas como se colocou entre nós e nossa presa... nos deliciaremos com seu demorado fim.

Não era ele. O guerreiro não era o que as serpentes aladas perseguiam havia dias, não era o que as criaturas tinham ido reivindicar. Elas não faziam ideia do que ele carregava... de quem ele era.

— O que querem com ela? — perguntou Lorcan, monitorando a lenta aproximação das três.

— Não é de sua conta — retrucou o líder.

— Se houver uma recompensa, ajudarei vocês.

Olhos escuros e desalmados dispararam na direção do guerreiro.

— Você não protege a garota?

Lorcan deu de ombros, rezando para que não conseguissem sentir o cheiro do blefe conforme ganhava mais tempo para a jovem, conforme ganhava tempo para que ele mesmo decifrasse o enigma do poder das criaturas.

— Nem mesmo sei seu nome.

Os três ilken se entreolharam. Houve um lampejo de pergunta e decisão, então o líder falou:

— Ela é importante para nosso rei. Recupere-a, e ele o encherá com poder muito maior que escudos frágeis.

Era aquele o preço para os humanos que um dia foram... Magia que, de alguma forma, era imune àquela que fluía naturalmente no mundo? Ou será que a escolha fora tirada deles, tão certamente quanto as almas haviam sido roubadas?

— Por que ela é importante?

As criaturas já estavam à distância de um cuspe. Lorcan se perguntou quanto tempo levariam para reabastecer o suprimento de qualquer que fosse o poder que lhes permitia cortar magia. Talvez estivessem ganhando tempo também.

— Ela é uma ladra e uma assassina. Deve ser levada a nosso rei por justiça — declarou o ilken.

Lorcan podia ter jurado que aquela mão invisível lhe tocara o ombro.

Ele conhecia aquele toque... confiara nele a vida toda. Fora o que o mantivera vivo todo aquele tempo.

Um toque às costas para seguir em frente, lutar, matar e inalar a morte. Um toque no ombro para, em vez disso, fugir. Para que soubesse que havia apenas fatalidade adiante; a vida estava atrás.

O ilken sorriu mais uma vez; os dentes brilharam na escuridão da floresta.

Como se em resposta, um grito soou às suas costas.

❧ 10 ❧

Elide Lochan estava diante de uma criatura nascida dos pesadelos de um deus sombrio.

Do outro lado da clareira, a besta era mais alta que ela, as garras se enterravam na lama do leito da floresta.

— Aí está você — sibilou a criatura entre dentes mais afiados que os de um peixe. — Venha comigo, garota, e lhe prometo um fim rápido.

Mentiras. Elide viu como a criatura a avaliou, garras se fechando como se as conseguisse sentir lhe dilacerando a barriga macia. A coisa surgira em seu caminho, como se uma nuvem de noite tivesse descido ali, e rira quando a jovem gritou. A faca de Elide estremeceu quando ela a ergueu.

A criatura ficava de pé como um homem; falava como um. E os olhos... completamente desalmados, mas o formato... Eram humanos também. Monstruosos. Que mente terrível teria sonhado tal coisa?

Elide sabia a resposta.

Ajuda. Precisava de ajuda. Mas aquele homem do rio provavelmente morrera sob as garras das outras bestas. Elide se perguntou quanto tempo sua magia tinha suportado.

A criatura se aproximou um passo, as pernas musculosas percorrendo a distância rápido demais. Elide recuou na direção das árvores, por onde chegara.

— Seu sangue é tão doce quanto seu rosto, menina? — A língua cinzenta da criatura provou o ar entre elas.

Pense, pense, pense.

O que Manon faria diante de tal criatura?

Manon, lembrou-se Elide, vinha equipada com garras e presas próprias.

Mas uma voz baixinha sussurrou ao ouvido de Elide: *Você também. Use o que tem.*

Havia outras armas que não aquelas feitas de ferro e aço.

Embora os joelhos tremessem, Elide ergueu a cabeça e encarou os olhos humanos e pretos da criatura.

— Cuidado — disse ela, abaixando a voz até o ronronar tão frequentemente usado por Manon para apavorar a todos. Elide levou a mão ao bolso do casaco, puxando de dentro o caco da pedra e apertando-o no punho fechado, desejando que aquela presença sobrenatural preenchesse a clareira, o mundo. Ela rezou para que a criatura não olhasse para seu punho, para que não perguntasse o que havia ali conforme falava: — Acha que o Rei Sombrio ficará feliz se me ferir? — Ela olhou com superioridade para a besta. Ou o melhor que pôde por ser diversos centímetros mais baixa. — Fui enviada para procurar a garota. Não interfira.

A criatura pareceu então reconhecer o couro de luta.

Pareceu sentir o cheiro estranho, *deslocado* que cercava a pedra.

E hesitou.

Elide moldou a expressão em uma máscara de desprazer.

— Saia de minha frente.

Ela quase vomitou quando começou a caminhar na direção da besta, na direção da morte certa. Mas saiu batendo os pés, caminhando como Manon fizera tantas vezes. Elide se obrigou a encarar o rosto horroroso, parecido com o de um morcego, quando passou.

— Diga a seus irmãos que, se interferirem de novo, vou pessoalmente supervisionar os prazeres que recebem sobre as mesas de Morath.

Dúvida ainda dançava nos olhos da criatura — assim como medo verdadeiro. Um palpite de sorte, aquelas palavras e frases, com base no que Elide entreouvira. Não se permitiu considerar o que fora feito para que tal criatura estremecesse à simples menção.

Elide estava a cinco passos da criatura, perfeitamente ciente de que a coluna estava agora vulnerável àquelas garras e aos dentes assassinos, quando a besta perguntou:

— Por que fugiu quando nos aproximamos?

Ela disse, sem se virar, com aquela voz fria e cruel de Manon Bico Negro:

— Não tolero perguntas de inferiores. Já atrapalharam minha caça e feriram meu tornozelo com seu ataque inútil. Reze para que eu não me lembre de seu rosto quando retornar à Fortaleza.

Elide reconheceu o erro assim que a criatura inspirou, sibilando.

Mesmo assim, manteve as pernas em movimento, as costas eretas.

— Que coincidência — ponderou a criatura — que nossa presa esteja semelhantemente ferida.

Que Anneith a salvasse. Talvez a criatura não tivesse reparado que Elide tinha dificuldade para andar até então. Tola. *Tola.*

Correr não adiantaria nada; correr declararia a vitória da criatura, sua correta suposição. Elide parou, como se o temperamento tivesse puxado uma coleira, então virou o rosto para a criatura.

— O que está sibilando?

Total convicção, total fúria.

De novo, a criatura hesitou. Uma chance... uma chance apenas. Ela saberia muito em breve que fora enganada.

Elide encarou a besta. Era como encarar uma cobra morta nos olhos.

Em seguida disse no tom baixo e letal que as bruxas gostavam de usar:

— Não me obrigue a revelar o que Sua Majestade Sombria colocou dentro de *mim* naquela mesa.

Como se em resposta, a pedra em sua mão pulsou, e ela podia ter jurado que a escuridão tremeluzira.

A criatura estremeceu, recuando um passo.

Elide não considerou o que segurava ao fazer um último gesto de escárnio e sair andando.

Percorreu quase um quilômetro antes de a floresta estar de novo cheia de vida, chilreante.

Então caiu de joelhos e vomitou.

Nada além de bile e água. Estava tão ocupada colocando as entranhas para fora devido a medo e alívio idiotas que não reparou que alguém se aproximava até ser tarde demais.

A mão grande segurou o ombro de Elide, virando-a.

Ela sacou a adaga, mas foi muito lenta. A mesma mão a soltou para dar um tapa na lâmina e atirá-la à grama.

Elide se viu encarando o rosto coberto de terra do mesmo homem do córrego. Não, não era terra. Era sangue fétido... sangue escuro.

— Como? — indagou Elide, cambaleando para trás.

— *Você primeiro* — grunhiu ele, virando a cabeça na direção da floresta atrás dos dois. Elide acompanhou o olhar, porém não viu nada.

Quando se voltou para o rosto severo do guerreiro, uma espada lhe pressionava o pescoço.

A menina tentou recuar, mas ele a segurou pelo braço, detendo-a conforme o aço lhe feria a pele.

— Por que cheira como aquelas coisas? Por que a perseguem?

Elide tinha guardado a pedra no bolso, ou teria mostrado a ele. Contudo, um único movimento poderia precipitar um golpe do homem, e aquela voz baixa sussurrava para que ela mantivesse o objeto escondido.

Ela ofereceu outra verdade.

— Porque passei os últimos meses em Morath, vivendo em meio àquele cheiro. Elas me perseguem porque consegui me libertar. Fujo para o norte, para a segurança.

Mais rápido que Elide conseguia discernir, o homem baixou a espada — apenas para lhe cortar o braço. Um arranhão, mal passava de um sopro de dor.

Os dois observaram o sangue vermelho surgir e escorrer.

Pareceu resposta o suficiente para ele.

— Pode me chamar de Lorcan — informou o guerreiro, embora Elide não tivesse perguntado. E com isso ele a colocou sobre o ombro largo, como um saco de batatas, e correu.

Elide compreendeu duas coisas em segundos.

Que as criaturas restantes — seja lá quantas fossem — deviam estar atrás deles, e se aproximando. Tinham de ter percebido que ela blefara para ficar livre.

E que o homem, movendo-se rápido como o vento entre os carvalhos, era um semifeérico.

Lorcan correu e correu, enchendo os pulmões com grandes lufadas do ar sufocante da floresta. Jogada sobre seu ombro, a jovem não emitia nem mesmo um pio conforme os quilômetros se passavam. Ele carregara pacotes mais pesados sobre cadeias montanhosas inteiras.

O guerreiro reduziu a velocidade quando a força, por fim, começou a falhar, dilapidada rapidamente graças à magia que usara para estrangular as três bestas, naturalmente imunes a seu poder. Então matara duas e detivera a terceira por tempo o suficiente para correr atrás de Elide.

Tivera sorte.

A garota, ao que parecia, tivera astúcia.

Lorcan reduziu o passo até parar, soltando a jovem tão de repente que ela se encolheu... se encolheu e caminhou com dificuldade sobre aquele tornozelo ferido. O sangue de Elide brotara vermelho em vez do escuro fétido que indicava possessão por valg, mas ainda não explicava como tinha conseguido intimidar aquele ilken até a submissão.

— Aonde vamos? — perguntou ela, procurando o cantil dentro da bolsa. Lorcan esperou as lágrimas, as orações e as súplicas. Mas a jovem apenas desenroscou a tampa do recipiente envolto em couro e tomou um grande gole. Então, para sua surpresa, lhe ofereceu um pouco.

Ele não aceitou. A menina apenas bebeu de novo.

— Vamos até o limite da floresta... ao rio Acanthus.

— Onde... onde estamos? — A hesitação dizia o bastante: a garota calculara o risco de revelar a própria vulnerabilidade com aquela pergunta... e decidira que estava desesperada demais pela resposta.

— Qual é seu nome?

— Marion. — Ela o encarou com um tipo de determinação imóvel que fez com que Lorcan inclinasse a cabeça.

Uma resposta por outra.

— Estamos no meio de Adarlan. Você estava a cerca de um dia de caminhada do rio Avery — disse ele.

Marion piscou. Lorcan se perguntou se ela sequer sabia daquilo... ou se considerara como atravessaria o imenso corpo d'água que reivindicara navios capitaneados pelos homens e pelas mulheres mais experientes.

— Estamos fugindo, ou posso me sentar um momento? — perguntou a jovem, então.

O semifeérico ouviu os ruídos da floresta em busca de sinais de perigo, depois assentiu com a cabeça.

Ela suspirou ao se sentar no musgo e nas raízes, em seguida o avaliou.

— Achei que todos os feéricos estivessem mortos. Até mesmo os semifeéricos.

— Sou de Wendlyn. E você — disse ele, erguendo levemente as sobrancelhas — é de Morath.

— Não de lá. *Fugindo* de lá.

— Por que... e como?

Os olhos semicerrados de Marion disseram o bastante: ela sabia que Lorcan ainda não acreditava nela, não completamente, com ou sem sangue vermelho. Contudo, não respondeu, em vez disso, se curvou sobre as pernas para desamarrar uma bota. Os dedos tremiam um pouco, mas ela abriu os cadarços, arrancou o sapato, retirou a meia e puxou a calça de couro para revelar...

Merda. Lorcan já vira muitos corpos destruídos, causara muita destruição também, mas raramente os deixava tão malcuidados. A perna de Marion era uma confusão de cicatrizes e ossos retorcidos. E logo acima do tornozelo deformado, onde grilhões sem dúvida estiveram, havia ferimentos ainda se curando.

— Aliados de Morath costumam estar inteiros. Sua magia sombria certamente poderia curar uma pessoa com deficiência... e certamente não teriam utilidade para uma — comentou ela, baixinho.

Era por isso que seu coxear quase não a atrapalhava. Tivera anos para treinar, segundo indicavam as cores das cicatrizes.

Marion desceu a perna da calça de novo, mas deixou o pé exposto, massageando-o enquanto sibilava entre dentes.

Lorcan se sentou em um tronco caído a poucos centímetros de distância e tirou a própria bolsa para vasculhá-la.

— Diga o que sabe sobre Morath — exigiu ele, jogando para Marion uma lata de sálvia de Doranelle.

A garota a encarou, aqueles olhos atentos entendendo o que ele era, de onde era e o que a lata provavelmente continha. Quando ergueu o olhar para o rosto de Lorcan, assentiu silenciosamente, aceitando a oferta: o alívio da dor por respostas. Marion destampou o frasco, e o semifeérico notou a forma como a boca se entreabriu ao inspirar as ervas pungentes.

Dor e prazer dançaram pelo rosto da menina, então ela começou a esfregar a sálvia nos velhos ferimentos.

E falou conforme continuava.

Ela contou a Lorcan sobre o esquadrão das Dentes de Ferro, sobre a Líder Alada e as Treze, sobre os exércitos acampados em torno da Fortaleza na montanha, sobre os lugares onde apenas gritos ecoavam, sobre as inúmeras forjas e os ferreiros. Marion descreveu a própria fuga: não sabia como, sem aviso, o castelo havia explodido. Vendo aquilo como uma chance, disfarçara--se com o traje de uma bruxa, pegou a bolsa de uma delas e saiu correndo. Em meio ao caos, ninguém a tinha perseguido.

— Estou fugindo há semanas — explicou ela. — Aparentemente, mal cobri metade da distância.

— Para onde?

Marion olhou para o norte.

— Terrasen.

Lorcan conteve um grunhido.

— Não está perdendo muito.

— Tem notícias de lá? — perguntou ela, com um olhar alarmado.

— Não — respondeu ele, dando de ombros. Marion terminou de esfregar o pé e o tornozelo. — O que há em Terrasen? Família? — Ele não perguntou por que a menina fora levada para Morath. Não estava muito interessado em ouvir aquela história triste. Todos tinham uma, aprendera Lorcan.

O rosto da jovem se contraiu.

— Tenho uma dívida com uma amiga, alguém que me ajudou a fugir de Morath. Ela me incumbiu de encontrar alguém chamada Celaena Sardothien. Então essa é minha primeira tarefa: descobrir quem ela é e onde está. Terrasen parece um lugar melhor para começar que Adarlan.

Nenhum ardil, nenhum indício de que aquele encontro era qualquer coisa que não acaso.

— Depois — continuou a garota, o brilho nos olhos crescendo — preciso encontrar Aelin Galathynius, a rainha de Terrasen.

Foi difícil para Lorcan não colocar a mão na espada.

— Por quê?

Marion olhou em sua direção, como se de alguma forma tivesse esquecido que o guerreiro estava ali.

— Ouvi um boato de que ela está levantando um exército para impedir aquele em Morath. Planejo oferecer meus serviços.

— Por quê? — indagou Lorcan de novo. Além da esperteza que a mantivera longe das garras do ilken, ele não via outro motivo para que a rainha vadia precisasse da garota.

A boca farta de Marion se contraiu.

— Porque sou de Terrasen e acreditei na morte de minha rainha. E agora ela está viva, lutando, então lutarei a seu lado. Para que nenhuma outra jovem seja tirada do lar e levada até Morath para ser esquecida.

Lorcan considerou contar à jovem o que sabia: suas duas tarefas eram uma. Mas isso levaria a perguntas, e ele não estava disposto...

— Por que quer ir a Morath? — perguntou ela. — Todos estão fugindo de lá.

— Fui enviado por minha senhora para impedir a ameaça que aquele lugar representa.

— Você é apenas um homem... macho. — Não era um insulto, mas o guerreiro a encarou com superioridade mesmo assim.

— Tenho minhas habilidades, como você tem as suas.

Os olhos da jovem se voltaram para as mãos do semifeérico, cobertas de sangue escuro seco. Ele se perguntou, no entanto, se a menina imaginava a magia que irrompera dali.

Lorcan esperou que Marion perguntasse mais, porém ela calçou a meia, então a bota e amarrou o cadarço.

— Não deveríamos descansar por muito tempo.

De fato.

A menina se levantou devagar, encolhendo um pouco o corpo, mas lançou uma expressão de gratidão na direção da perna. Lorcan tomou aquilo como resposta suficiente sobre a eficiência da sálvia. Ela se abaixou para pegar a lata, e a cortina de cabelos escuros deslizou sobre seu rosto. Em algum momento, os fios tinham se soltado da trança.

A garota se levantou e atirou a lata a Lorcan, que a pegou com uma das mãos.

— O que faremos depois de chegarmos ao Acanthus?

Lorcan guardou a lata no bolso do manto.

— Há inúmeras caravanas de mercadores e circos sazonais perambulando pelas planícies, passei por muitos a caminho daqui. Algumas podem até estar tentando cruzar o rio. Iremos com uma delas. Ficaremos escondidos. Depois de atravessarmos e caminharmos o suficiente pelos campos, você irá para o norte; eu seguirei para o sul.

Os olhos de Marion se semicerraram levemente, e ela indagou:

— Por que viajar comigo?

— Há mais detalhes com relação ao interior de Morath que quero ouvir. Eu a manterei longe do perigo, e você os fornecerá a mim.

O sol começou a descida final, banhando o bosque em ouro. Marion franziu a testa levemente.

— Você jura? Que vai me proteger?

— Não a deixei para os ilken hoje, não foi?

Ela o encarou com uma clareza e uma franqueza que o fizeram hesitar.

— Jure.

Ele revirou os olhos.

— Prometo. — A garota não fazia ideia de que, durante os últimos cinco séculos, promessas eram a única moeda que Lorcan realmente usava como troca. — Não a abandonarei.

Marion assentiu, parecendo satisfeita.

— Então contarei o que sei.

Lorcan começou a se dirigir para o leste, jogando a bolsa por cima do ombro.

Mas a jovem disse:

— Vão nos caçar a cada encruzilhada, revistando carruagens. Se conseguiram me encontrar aqui, me encontrarão em qualquer estrada principal.

E encontrariam Lorcan também, se as bruxas ainda quisessem seu sangue.

— Tem alguma ideia para contornar isso? — perguntou o guerreiro.

Um leve sorriso dançou pela boca em formato de botão de rosas, apesar dos horrores dos quais tinham escapado e dos momentos de tormento no bosque.

— Talvez.

⚜ 11 ⚜

Manon Bico Negro aterrissou em Morath mais que pronta a cortar gargantas.

Tudo acabara em merda.

Tudo.

Ela acabara com aquela vadia das Pernas Amarelas e sua serpente alada, salvara o rei de olhos cor de safira e observara enquanto o príncipe feérico massacrara aquelas quatro outras sentinelas Pernas Amarelas.

Cinco. Cinco bruxas Pernas Amarelas estavam mortas, pelas mãos de Manon ou por omissão. Cinco membros da aliança de Iskra.

No fim, mal participara da destruição de Forte da Fenda, deixando-a para as demais. Mas de novo vestira o elmo coroado e ordenara que Abraxos voasse para a mais alta torre do castelo de pedra e rugisse vitória... e comando.

Mesmo nas distantes muralhas brancas da cidade, enquanto dilaceravam guardas e pessoas em fuga, as serpentes aladas tinham parado à ordem de Abraxos de sentido. Nenhuma aliança desobedecera.

As Treze encontraram Manon momentos depois. Ela não contara às bruxas o que acontecera, mas tanto Sorrel quanto Asterin a encaravam de perto: a primeira na inspeção por quaisquer cortes ou ferimentos recebidos durante o "ataque" que a Líder Alada alegara ter ocorrido, a última porque estivera com Manon no dia em que haviam voado para Forte da Fenda e pintado uma mensagem com sangue valg para a rainha de Terrasen.

Com as Treze empoleiradas nas torres do castelo, algumas deitadas sobre elas como gatos ou serpentes, Manon esperara por Iskra Pernas Amarelas.

Enquanto seguia, então, pelos corredores escuros e fétidos de Morath, o elmo coroado enfiado sob o braço, Asterin e Sorrel ao encalço, Manon repassava a conversa mais uma vez.

Iskra aterrissara no único espaço disponível: uma parte mais baixa de telhado, sob Manon. O posicionamento fora intencional.

Os cabelos castanhos da bruxa tinham se soltado da trança apertada, e o rosto arrogante estivera manchado de sangue humano enquanto a bruxa berrara para Manon:

— *Essa vitória era minha.*

Com o rosto oculto em sombras sob o elmo, a Líder Alada retrucara:

— A cidade é minha.

— Forte da Fenda era *minha* para ser tomada, você devia apenas supervisionar. — Um lampejo de dentes de ferro. Na torre à direita de Manon, Asterin grunhira em aviso. Iskra lançara os olhos escuros para a sentinela loira e rugira de novo. — Tire seu bando de vadias de minha cidade.

Manon olhara Fendir, a serpente alada macho da Pernas Amarelas, de cima a baixo.

— Já deixou marcas suficientes. Seu trabalho foi notado.

Iskra tremera de fúria. Não pelas palavras.

O vento havia mudado, soprando em sua direção.

Soprando o cheiro de Manon para ela.

— Quem? — questionara Iskra, com raiva. — *Quem das minhas você assassinou?*

A herdeira Bico Negro não hesitara, não permitira que um lampejo de arrependimento ou de preocupação transparecesse.

— Por que eu deveria saber seu nome? Ela me atacou quando me aproximei de minha presa, querendo pegar o rei para si e disposta a atacar uma herdeira por isso. Mereceu a punição. Principalmente porque a presa fugiu enquanto eu lidava com ela.

Mentirosa mentirosa mentirosa.

Então Manon exibira os dentes de ferro, a única parte do rosto visível sob o elmo coroado.

— Quatro outras jazem mortas dentro do castelo, assassinadas pelas mãos do príncipe feérico que foi resgatar o rei enquanto *eu* cuidava de sua vadia descontrolada. Considere-se sortuda, Iskra Pernas Amarelas, por eu não lhe imputar tal perda também.

O rosto queimado de sol de Iskra tinha ficado pálido. Ela analisara a Líder Alada, com todas as Treze reunidas, e falara:

— Faça o que quiser com a cidade. É sua. — Um lampejo de sorriso surgira quando Iskra erguera a mão, indicando Manon. As Treze ficaram tensas ao seu redor, as flechas silenciosamente a postos, apontadas para a herdeira das Pernas Amarelas. — Mas *você*, Líder Alada... — Aquele sorriso ficara mais largo conforme Iskra puxava as rédeas da serpente alada, preparando-se para tomar os céus. — Você é uma mentirosa, *Assassina de Bruxas*.

Então ela partira.

Disparando não para a cidade, mas para o céu.

Em minutos, sumira de vista... voando para Morath.

Para a avó de Manon.

De volta à Fortaleza, a Líder Alada olhava para Asterin, então para Sorrel, conforme elas reduziam a velocidade e paravam antes de virar em uma esquina que levaria à câmara do conselho de Erawan. Onde Manon sabia que Iskra e a avó e as demais Matriarcas estariam à espera. De fato, um olhar para o outro lado revelou as terceiras e quartas na hierarquia de várias alianças montando guarda, entreolhando-se com tanta suspeita quanto os homens inexpressivos a postos ao lado das portas duplas.

— Isso vai ser caótico — disse Manon à imediata e à terceira no comando.

— Lidaremos com isso — assegurou Sorrel, baixinho.

Manon segurou o capacete um pouco mais forte.

— Se não correr bem, deve pegar as Treze e partir.

— Não pode entrar aceitando a derrota, Manon. Negue até o último suspiro — sussurrou Asterin. Se tinha percebido que a herdeira matara aquela bruxa para salvar o inimigo, não deixou transparecer. A imediata indagou:
— Para onde iríamos?

— Não sei e não me importo — respondeu Manon. — Mas quando eu estiver morta, as Treze serão alvo de qualquer um que queira um ajuste de contas. — Uma lista muito, muito longa. Ela encarou a imediata de volta.
— Tire-as daqui. A qualquer custo.

Elas se entreolharam, e Sorrel falou:

— Faremos como pede, Líder Alada.

Manon esperou... esperou por alguma objeção da imediata, mas os olhos pretos de Asterin estavam brilhando quando ela fez uma reverência com a cabeça e murmurou em concordância.

Um nó se soltou no peito da herdeira, que esticou os ombros uma vez antes de se virar. Mas Asterin segurou sua mão.

— Cuidado.

Manon pensou em responder que não fosse uma tola medrosa, mas... já vira do que a avó era capaz. Estava marcado na pele de Asterin.

Não entraria ali parecendo culpada, parecendo uma mentirosa. Não... faria Iskra rastejar no fim.

Então ela respirou fundo antes de retomar o ritmo acelerado de sempre, a capa vermelha oscilando atrás de si com um vento fantasma.

Todos encararam conforme elas se aproximaram. Mas isso era esperado.

A Líder Alada não ousou cumprimentar as terceiras e quartas reunidas, embora as tivesse avaliado pela visão periférica. Duas jovens da aliança de Iskra. Seis mais velhas, os dentes de ferro salpicados de ferrugem, de alianças das Matriarcas. E...

Havia duas jovens sentinelas no corredor, com faixas trançadas de couro índigo na testa.

Petrah Sangue Azul viera também.

Se as herdeiras e as Matriarcas estavam todas reunidas...

Manon não tinha lugar para medo no coração vazio.

Ela escancarou as portas, e Asterin a seguiu enquanto Sorrel ficou para trás, se juntando às demais no corredor.

Ao entrar, dez bruxas se viraram em sua direção. Erawan não estava à vista.

E, embora a avó de Manon estivesse no centro de onde todas se posicionavam na sala, com a própria imediata contra a parede de pedra ao fundo em fila com as outras quatro imediatas reunidas, a atenção da jovem bruxa foi para a herdeira de cabelos dourados.

Para Petrah.

Manon não via a herdeira Sangue Azul desde o dia dos Jogos de Guerra, quando a salvara de uma queda certamente mortal. Salvara-lhe a vida, mas fora incapaz de salvar a serpente alada de Petrah — cuja garganta fora dilacerada pelo macho de Iskra.

A herdeira Sangue Azul estava ao lado da mãe, Cresseida, ambas altas e magras. Havia uma coroa de estrelas de ferro sobre a testa pálida da Matriarca; seu rosto estava indecifrável.

Diferente do de Petrah. Cautela... aviso brilhava naqueles olhos azuis profundos. Ela usava o couro de montaria, um manto azul-marinho pendia de presilhas de bronze nos ombros, e a trança dourada serpenteava sobre o peito. Petrah sempre fora esquisita, com a cabeça nas nuvens, mas aquele era o jeito das Sangue Azul. *Místicas, fanáticas, zelotes* eram alguns dos termos mais agradáveis usados para descrevê-las e sua adoração pela Deusa de Três Rostos.

Mas havia um vazio no rosto de Petrah que não estava ali meses antes. Diziam os boatos que a perda da serpente alada deixara a herdeira arrasada — que ela não saíra da cama durante semanas.

Bruxas não vestiam luto, porque bruxas não amavam o suficiente para permitir que a perda as arrasasse. Mesmo que Asterin, agora posicionada ao lado da imediata da Matriarca Bico Negro, tivesse provado o contrário.

Petrah acenou, um leve movimento do queixo; mais que um mero reconhecimento de uma herdeira para outra. Manon se virou na direção da avó antes que alguém notasse.

A avó de Manon vestia a túnica preta volumosa, os cabelos pretos estavam trançados sobre a coroa em sua cabeça. Como a coroa que a avó ambicionava para ambas — para si e para Manon. *Grã-Rainhas do Deserto*, prometera a Matriarca certa vez a Manon. Mesmo que significasse entregar cada bruxa naquela sala.

Manon fez uma reverência para a avó, e para as outras duas Matriarcas reunidas.

Iskra grunhiu ao lado da Matriarca das Pernas Amarelas, uma velha anciã, de postura curvada, com pedaços de carne do almoço ainda nos dentes. Manon fixou um olhar frio para a herdeira quando esticou o corpo.

— Três reunidas — começou a avó de Manon, e cada osso do corpo de Manon enrijeceu. — Três Matriarcas para honrar os três rostos de nossa Mãe. — Donzela, Mãe, Idosa. Era por isso que a Matriarca das Pernas Amarelas era sempre anciã, por isso a das Bico Negro era sempre uma bruxa no apogeu, e por isso Cresseida, a Matriarca das Sangue Azul, ainda parecia jovem e bela.

Mas Manon não se importava com aquilo. Não quando as palavras eram pronunciadas.

— A Foice da Velha pende sobre nós — entoou Cresseida. — Que seja a lâmina da justiça da Mãe.

Aquilo não era uma reunião.

Era um julgamento.

Iskra começou a sorrir.

Como se um fio se trançasse entre elas, Manon podia sentir Asterin esticando o corpo atrás de si, sentiu a imediata se preparando para o pior.

— Sangue pede sangue — disse em voz rouca a idosa Pernas Amarelas.
— Decidiremos o quanto é devido.

Manon se manteve parada, sem ousar mostrar qualquer sinal de medo, de trepidação.

Julgamentos de bruxas eram brutais, precisos. Em geral, problemas eram resolvidos com os três golpes; na face, nas costelas e na barriga. Raramente, apenas nas mais graves circunstâncias, as três Matriarcas se reuniam para exercer julgamento.

— Você é acusada, Manon Bico Negro, de abater uma sentinela Pernas Amarelas sem provocação além do próprio orgulho — declarou a avó de Manon.

Os olhos de Iskra estavam verdadeiramente incandescentes.

— E, como a sentinela era parte da aliança da herdeira das Pernas Amarelas, é também um crime contra Iskra. — O rosto da avó estava contraído de raiva, não pelo que Manon fizera, mas porque tinha sido pega. — Por negligência ou por erro de cálculo, as vidas de quatro outros membros da aliança foram encerradas. Esse sangue também mancha suas mãos. — Os dentes de ferro da avó de Manon brilhavam à luz das velas. — Nega essas acusações?

Manon manteve as costas retas, olhou cada uma delas nos olhos.

— Não nego que matei a sentinela de Iskra quando ela tentou reivindicar meu prêmio de direito. Não nego que as outras quatro foram massacradas pelo príncipe feérico. Mas nego qualquer má-fé de minha parte.

Iskra sibilou.

— Dá para sentir o cheiro do sangue de Zelta nela... o cheiro de medo e de *dor*.

Manon riu com escárnio.

— Você sente esse cheiro, Pernas Amarelas, porque sua sentinela tinha o coração de uma covarde e atacou outra irmã de guerra. Quando percebeu que não venceria nossa luta, já era tarde demais para ela.

O rosto de Iskra se contorceu de fúria.

— *Mentirosa*...

— Conte-nos, Bico Negro — falou Cresseida —, o que aconteceu em Forte da Fenda há três dias.

E Manon contou.

E, pela primeira vez durante o século de sua miserável existência, mentiu para as anciãs. Teceu uma tapeçaria exótica de falsidades, *acreditando* nas histórias que contava. E, quando terminou, gesticulou para Iskra Pernas Amarelas.

— É do conhecimento de todas que a herdeira Pernas Amarelas há muito cobiça minha posição. Talvez tenha corrido de volta à Fortaleza a fim de atirar acusações contra mim e roubar meu lugar como Líder Alada, assim como a sentinela tentou roubar minha presa.

Iskra foi dominada pelo ódio, mas ficou de boca fechada. Petrah deu um passo adiante, no entanto, e falou:

— Tenho perguntas para a herdeira Bico Negro, se não for impertinência.

A avó de Manon parecia preferir ter as unhas arrancadas, mas as outras duas assentiram.

Manon esticou o corpo, preparando-se para o que quer que Petrah tinha em mente.

Os olhos azuis de Petrah estavam calmos quando encontraram o olhar de Manon.

— Você me consideraria inimiga ou rival?

— Eu a considero uma aliada quando a ocasião demanda, mas sempre uma rival, sim. — A primeira coisa verdadeira que Manon dissera.

— No entanto, me salvou da morte certa nos Jogos de Guerra. Por quê?

As outras Matriarcas se entreolharam, as expressões eram indecifráveis

Manon ergueu a cabeça.

— Porque Keelie lutou por você ao morrer. Não permitiria que sua morte fosse em vão. Não poderia oferecer menos a uma colega guerreira.

Ao som do nome da serpente alada morta, mágoa percorreu o rosto de Petrah.

— Lembra-se do nome dela?

Manon sabia que não era uma pergunta calculada. Mas assentiu mesmo assim.

Petrah olhou para as Matriarcas.

— Naquele dia, Iskra Pernas Amarelas quase me matou, e seu macho assassinou minha fêmea.

— Lidamos com isso — interrompeu Iskra, exibindo os dentes — e desconsideramos por ter sido acidental...

118

Petrah ergueu a mão.

— Não terminei, Iskra Pernas Amarelas.

Nada além de palavras afiadas quando Petrah se dirigiu à outra herdeira. Uma pequena parte de Manon ficou feliz por não estar do lado que recebeu as palavras.

Iskra viu que negócios inacabados aguardavam naquele tom de voz e recuou. Petrah abaixou a mão.

— Manon Bico Negro teve a chance de me deixar morrer naquele dia. A escolha mais fácil teria sido me deixar morrer, e não seria acusada como é agora. Mas arriscou a vida, e a vida da montaria, para me poupar da morte.

Uma dívida de vida... era isso que pairava entre as duas. Será que Petrah pensava em pagar a dívida ao falar em favor de Manon agora? Manon conteve o escárnio.

— Não entendo por que Manon Bico Negro me salvaria apenas para, mais tarde, se voltar contra as irmãs Pernas Amarelas — continuou Petrah. — Vocês a coroaram Líder Alada pela obediência, disciplina e brutalidade, não deixem que a raiva de Iskra Pernas Amarelas amorteça as qualidades que viram em Manon então, e as quais ainda se sobressaem hoje. Não percam sua Líder Alada por causa de um mal-entendido.

As Matriarcas, de novo, se entreolharam conforme Petrah fez uma reverência, voltando ao lado da mãe. Mas as três bruxas continuaram aquela discussão velada entre elas. Até que a avó de Manon deu um passo adiante, as outras duas recuando — concedendo a ela a decisão. Manon quase se curvou de alívio.

Encurralaria Petrah da próxima vez que a herdeira fosse tola o bastante para sair sozinha, faria com que admitisse por que tinha falado em favor de Manon.

O olhar preto e dourado da avó de Manon era severo. Sem misericórdia.

— Petrah Sangue Azul disse a verdade.

Aquele fio tenso, repuxado, entre Manon e Asterin também se afrouxou.

— Seria um desperdício perder nossa Líder Alada obediente e *fiel*.

Manon tinha sido espancada antes. Podia suportar o punho da avó de novo.

— Por que a herdeira do clã Bico Negro daria a vida por aquela de uma mera sentinela? Líder Alada ou não, ainda é a palavra de herdeira contra herdeira neste assunto. Mas o sangue mesmo assim foi derramado. E sangue deve ser pago.

Manon segurou o elmo de novo. A avó deu um pequeno sorriso.

— O sangue derramado deve ser igual — entoou a avó de Manon. Sua atenção se voltou para trás do ombro de Manon. — Então você, Neta, não morrerá por isso. Mas uma de suas Treze, sim.

Pela primeira vez em muito, muito tempo, Manon provou o sabor do medo, da impotência humana quando a avó disse, com triunfo iluminando os olhos anciões:

— Sua imediata, Asterin Bico Negro, pagará a dívida de sangue entre nossos clãs. Ela morre amanhã, ao nascer do sol.

⚡ 12 ⚡

Sem Evangeline para atrasá-los, Aelin, Aedion e Lysandra viajaram quase sem descanso conforme se arrastavam para a costa.

Aelin permaneceu na forma feérica para acompanhar Aedion, que ela relutantemente admitiu ser, de longe, o melhor cavaleiro, enquanto Lysandra se transformava em várias formas de pássaros para reconhecer o terreno adiante em busca de perigos. Rowan a ensinara como fazê-lo, que coisas notar e o que evitar ou olhar mais de perto, enquanto estavam na estrada nas últimas semanas. Mas Lysandra não teve muito o que relatar do céu, e Aelin e Aedion encontraram poucos perigos em terra conforme cruzaram os vales e as planícies baixas de Terrasen.

Pouco restava do território que um dia fora tão rico.

Aelin tentou não pensar muito naquilo — nas propriedades nuas, nas fazendas abandonadas, no povo pálido com que se deparavam ao se aventurarem pelas cidades, cobertos com mantos e disfarçados, atrás de suprimentos desesperadamente necessários. Embora tivesse enfrentado a escuridão e surgido cheia de luz, uma voz sussurrava a seu ouvido: *Você fez isso, você fez isso, você fez isso.*

Aquela voz amiúde parecia ter os tons gélidos de Weylan Darrow.

A jovem deixara moedas de ouro ao passar; escondidas sob uma caneca de chá aguado oferecido a ela e a Aedion em uma manhã tempestuosa; soltas na caixa do pão de um fazendeiro que lhes dera fatias, além de um pouco de carne para o então falcão Lysandra; colocadas na gaveta de moedas de um dono de estalagem, gentil em oferecer uma tigela de ensopado a mais, por conta da casa, ao ver a rapidez com que devoraram os almoços.

Mas aquele ouro não suavizou o coração partido de Aelin... aquela voz horrível que lhe perseguia os pensamentos, acordada e sonhando.

Ao chegarem à antiga cidade portuária de Ilium uma semana depois, ela havia parado de deixar ouro para trás.

Começara a ter a sensação de que mais parecia um suborno. Não para o povo, que não fazia ideia da presença de Aelin entre eles, mas para a própria consciência.

Por fim, as planícies verdes deram lugar a quilômetros rochosos e áridos de litoral, antes de surgir a cidade envolta em muralhas brancas, localizada entre o revolto mar turquesa e a ampla abertura do rio Florine, serpenteando continente adentro até Orynth. A cidade de Ilium era tão antiga quanto a própria Terrasen e provavelmente já teria sido esquecida por mercadores e pela história, não fosse pelo templo em ruínas no limite nordeste, que atraía peregrinos suficientes para mantê-la próspera.

O Templo da Pedra, como era chamado, tinha sido construído em torno da mesma rocha na qual Brannon pisou ao chegar pela primeira vez no continente, antes de subir o Florine, velejando até a nascente do rio na base das montanhas Galhada do Cervo. Como o Povo Pequenino soubera de que modo representar o templo, Aelin não fazia ideia.

O templo grande e amplo fora erguido sobre um penhasco pálido com vista imponente da bela e erodida cidade atrás da construção e do oceano infinito além — tão azul que lembrava Aelin das águas tranquilas do sul.

Águas para as quais Rowan e Dorian deveriam estar se dirigindo naquele momento, se tivessem tido sorte. Ela tentou não pensar naquilo também. Sem o príncipe feérico ao lado, havia um silêncio terrível, interminável.

Era quase tão silencioso quanto as muralhas brancas da cidade... e o povo dentro dela. Encapuzados e armados até os dentes sob os mantos pesados, Aelin e Aedion cavalgaram pelos portões abertos, não mais que dois cautelosos peregrinos a caminho do templo. Disfarçados para manter sigilo; e também devido ao pequeno detalhe de Ilium estar sob ocupação de Adarlan.

Lysandra levara a notícia naquela manhã, depois de voar à frente, permanecendo em forma humana apenas o bastante para informá-los.

— Deveríamos ter ido para o norte, para Eldrys — murmurou Aedion, conforme cavalgaram por um aglomerado de sentinelas de expressões severas e que usavam armaduras de Adarlan; os soldados olharam para eles apenas para reparar no falcão de olhos atentos e bico afiado empoleirado no ombro de Aelin. Nenhum sequer notou o escudo escondido entre as bolsas da sela de Aedion, cuidadosamente encoberto pelas dobras de seu manto. Nem as espadas que ambos escondiam. Damaris permanecia onde Aelin a guardara durante as semanas na estrada: presa sob as pesadas bolsas que continham os antigos livros de feitiços *emprestados* da biblioteca real de Dorian em Forte da Fenda. — Ainda podemos dar meia-volta.

A jovem olhou para ele com irritação sob as sombras do capuz.

— Se acha por um momento que vou deixar esta cidade nas mãos de Adarlan, pode ir para o inferno. — Lysandra emitiu um estalo com o bico em concordância.

O Povo Pequenino não estivera errado ao mandar a mensagem os guiando até ali, a representação do templo fora quase perfeita. Por meio de qualquer que fosse a magia que possuíam, tinham previsto a notícia muito antes de alcançar Aelin na estrada: Forte da Fenda realmente caíra, o rei sumira e a cidade fora saqueada por bruxas. Encorajado por isso, assim como pelo boato de que *ela* não tomaria de volta o trono, pois também estava em fuga, o Lorde de Meah, pai de Roland Havilliard e um dos lordes mais poderosos de Adarlan, marchara com as tropas para atravessar as fronteiras de Terrasen. E reivindicara aquele porto para si.

— Cinquenta soldados estão acampados aqui — avisou Aedion a Aelin e Lysandra.

A metamorfa apenas inflou as penas como se dissesse *E daí?*

O maxilar do general se contraiu.

— Acredite em mim, também quero acabar com eles. Mas...

— Não vou me esconder em meu próprio reino — interrompeu a prima. — E não vou partir sem mandar um lembrete de a quem esta terra pertence.

Aedion se manteve calado conforme dobraram uma esquina, seguindo para a pequena estalagem à beira-mar que Lysandra também reconhecera naquela manhã. Do lado oposto do templo na cidade.

O templo que os soldados tinham a *audácia* de usar como quartel.

— A questão aqui é mandar uma mensagem para Adarlan ou Darrow? — perguntou Aedion, por fim.

— A questão é libertar meu povo, que já lidou com esses merdas de Adarlan por tempo demais — disparou Aelin, fazendo a égua parar diante do pátio da estalagem. As garras de Lysandra se enterraram no ombro da amiga em concordância silenciosa. A poucos metros além do muro erodido, o mar reluzia com um forte tom de safira. — Agimos ao anoitecer.

Aedion permaneceu quieto, o rosto parcialmente escondido, conforme o dono da estalagem saía às pressas e eles garantiam um quarto para a noite. Aelin deixou que o primo ficasse um pouco emburrado e controlou sua magia. Não libertara nada naquela manhã, pois queria força total para o que estavam prestes a fazer à noite, mas o esforço lhe dava puxões, um comichão sem alívio, uma pontada que não conseguia abrandar.

Apenas quando estavam entocados no minúsculo aposento de duas camas, com Lysandra empoleirada no batente da janela, Aedion falou:

— Aelin, sabe que ajudarei, sabe que quero esses desgraçados fora daqui. Mas o povo de Ilium vive aqui há séculos, ciente de que em uma guerra são o primeiro alvo.

E aqueles soldados poderiam facilmente retornar assim que saíssem, ele não precisou acrescentar.

Lysandra bicou a janela; um pedido silencioso. Aelin caminhou até ela e abriu a janela para que a brisa entrasse.

— Símbolos têm poder, Aedion — comentou ela, observando a metamorfa abrir as asas salpicadas. Lera livros e mais livros sobre isso durante aquela ridícula competição em Forte da Fenda.

O general riu com escárnio.

— Eu sei. Acredite em mim, eu os empunho em vantagem própria o máximo que posso. — Aedion bateu no punho de osso da Espada de Orynth para dar ênfase. — Pensando bem, falei exatamente o mesmo a Dorian e Chaol. — Ele balançou a cabeça ao se lembrar.

Aelin apenas se recostou ao batente da janela.

— Ilium costumava ser a fortaleza dos mycenianos.

— Os mycenianos não passam de um mito, foram banidos há trezentos anos. Se está procurando um símbolo, estão um pouco ultrapassados, além de serem controversos.

Ela sabia disso. Os mycenianos tinham um dia governado Ilium não como nobreza, mas como senhores do crime. E, durante alguma guerra antiga, sua frota letal fora tão crucial na vitória que tinham sido legitimados por qualquer que fosse o rei na época. Mas então foram exilados séculos depois, quando se recusaram a ajudar Terrasen em outra guerra.

O olhar de Aelin encontrou os olhos verdes de Lysandra enquanto a metamorfa abaixou as asas, suficientemente refrescadas. Estivera distante durante aquela semana na estrada, preferindo penas ou pelo a pele. Talvez porque algum pedaço de seu coração estivesse cavalgando para Orynth com Ren e Murtaugh no momento. Aelin acariciou a cabeça sedosa da amiga.

— Os mycenianos abandonaram Terrasen para não morrer em uma guerra na qual não acreditavam.

— E debandaram e sumiram logo depois disso, para nunca mais serem vistos — replicou Aedion. — Aonde quer chegar? Acha que libertar Ilium os convocará de novo? Eles se foram há muito tempo, Aelin, e levaram junto os dragões marinhos.

De fato, não havia sinal em lugar algum naquela cidade da lendária frota e dos guerreiros que velejaram para guerras em mares distantes e violentos, que tinham defendido aquelas fronteiras com o próprio sangue derramado nas ondas além das janelas. E com o sangue dos dragões marinhos... tanto aliados quanto armas. Apenas quando o último dos dragões morrera, de coração partido por ser banido das águas de Terrasen, os mycenianos foram realmente perdidos. E, apenas quando os dragões marinhos retornassem, os mycenianos também voltariam para casa. Ou assim diziam as antigas profecias.

Aedion começou a remover as lâminas sobressalentes escondidas nas bolsas das selas, exceto por Damaris, e as prendeu ao corpo, uma a uma. Ele verificou duas vezes a faca de Rowan, presa e segura na lateral do corpo, antes de dizer a Aelin e Lysandra, ainda à janela:

— Sei que vocês duas têm a opinião de que nós, homens, estamos aqui para lhes alegrar os olhos e saciar paladares, mas *sou* um general de Terrasen. Precisamos encontrar um exército de verdade, e não passar o tempo caçando fantasmas. Se não levarmos um esquadrão para o norte até o meio do outono, as tempestades de inverno o manterão isolado por terra e por mar.

— Se é tão versado em símbolos que possuem poderes, Aedion — retrucou Aelin —, então sabe por que Ilium é vital. Não podemos permitir que Adarlan a controle. Por vários motivos. — A jovem tinha certeza de que o primo já calculara todos eles.

— Então retome a cidade — desafiou ele. — Mas precisamos velejar ao amanhecer. — Os olhos de Aedion se semicerraram. — O templo. A questão também é terem invadido o local, não?

— Aquele templo é meu direito de nascença — declarou a jovem. — Não posso permitir que tal insulto fique sem punição. — Ela deu de ombros. Revelar os planos, se explicar... Levaria um tempo para se acostumar com aquilo. Mas prometera tentar ser mais... aberta com relação às maquinações. E pelo menos naquele assunto podia ser. — Tanto por Adarlan quanto por Darrow. Não se algum dia for reivindicar meu trono.

Aedion considerou. Então bufou, um indício de sorriso se estampava em seu rosto.

— Uma rainha sem contestação, não apenas por sangue, mas também por lendas. — O rosto permaneceu contemplativo. — Seria uma rainha sem contestação se conseguisse fazer com que a chama do rei florescesse de novo.

— Pena que Lysandra só possa transformar a si, e não as coisas — ponderou Aelin. A amiga estalou com o bico em concordância, inflando as penas.

— Dizem que a chama do rei floresceu uma vez durante o reinado de Orlon — refletiu Aedion. — Apenas uma flor, encontrada na floresta de Carvalhal.

— Eu sei — afirmou Aelin, baixinho. — Ele a mantinha prensada em vidro sobre a mesa. — Ela ainda se lembrava da pequena flor vermelha e laranja, de formato tão simples, mas tão vibrante que sempre a deixara sem fôlego. Florescera em campos e montanhas de todo o reino no dia em que Brannon colocara os pés naquele continente. E, durante séculos depois, se uma flor solitária fosse encontrada, o monarca da época era considerado abençoado, o reino verdadeiramente em paz.

Antes de a flor ser encontrada na segunda década do reinado de Orlon, a última fora vista havia 95 anos. Aelin engoliu em seco.

— Por acaso Adarlan...

— Darrow a tem — respondeu Aedion. — Foi a única coisa de Orlon que ele conseguiu pegar antes de os soldados tomarem o palácio.

Ela assentiu, e a magia estremeceu em resposta. Até a Espada de Orynth tinha caído nas mãos de Adarlan, mas Aedion a conquistara de volta. Sim, seu primo entendia, talvez mais que qualquer outro, o poder de representação de um único símbolo. Como a perda ou a reivindicação de um ícone podia destruir ou reunir um exército, um povo.

Bastava... *bastava* de destruição e dor infligidas ao reino de Aelin.

— Vamos — disse ela para Lysandra e Aedion, seguindo para a porta. — Melhor comermos antes de abrirmos as portas do inferno.

⇥ 13 ⇤

Fazia um bom tempo desde que Dorian vira tantas estrelas.

Muito atrás deles, a fumaça ainda manchava o céu, a neblina iluminada pela lua crescente. Pelo menos os gritos tinham sumido quilômetros antes. Assim como o bater das asas poderosas.

Sentado atrás do rei no esquife de um único mastro, o príncipe Rowan Whitethorn olhava a calma extensão escura do mar. Velejariam para o sul, impulsionados pela magia do guerreiro, até as ilhas Mortas. Ele tinha levado os dois rapidamente para a costa, onde não teve problemas em roubar aquele barco enquanto o dono se concentrava na cidade em pânico a oeste. E, durante todo o tempo, Dorian ficara em silêncio, um inútil. Assim como fizera enquanto a cidade era destruída, e seu povo, assassinado.

— Você devia comer — aconselhou Rowan do outro lado do pequeno barco.

O rapaz olhou na direção da sacola de suprimentos que o feérico também roubara. Pão, queijo, maçãs, peixe seco... O estômago se revirou.

— Foi empalado por um espinho venenoso — lembrou Rowan, a voz não parecia mais alta que as ondas batendo contra o barco conforme o vento ágil os empurrava. — Sua magia foi drenada para mantê-lo vivo e caminhando. Precisa comer ou ela não se reabastecerá. — Uma pausa. — Aelin não o avisou sobre isso?

Dorian engoliu em seco.

— Não. Ela não teve muito tempo para me ensinar sobre magia. — Ele olhou para a traseira do barco, onde Rowan estava sentado com a mão apoiada

127

no leme. Ver aquelas orelhas pontudas ainda era um choque, embora já conhecesse o macho havia meses. E aquele cabelo prateado...

Não era como o cabelo de Manon, branco puro de luar ou de neve.

O rapaz se perguntou o que teria acontecido com a Líder Alada... que matara por ele, que o poupara.

Ou melhor, não o poupara. Resgatara-o.

Dorian não era tolo. Sabia que a bruxa o fizera por quaisquer motivos que lhe fossem úteis. Era tão desconhecida para ele quanto o guerreiro sentado na outra ponta do barco... ainda mais.

No entanto, aquela escuridão, aquela violência e a forma direta e honesta de ver o mundo... Não haveria segredos com ela. Nenhuma mentira.

— Precisa comer para manter suas forças — continuou Rowan. — Sua magia se alimenta de sua energia, se alimenta de *você*. Quanto mais descansado estiver, maior a força. Ainda mais importante, maior o controle. Seu poder é tanto parte de você quanto é uma entidade própria. Se deixado sozinho, ele o consumirá, usará *você* como uma ferramenta. — Um lampejo de dentes surgiu quando o guerreiro deu um sorriso. — Certa pessoa que conhecemos gosta de distribuir o poder, usar em coisas frívolas para distraí-lo. — Dorian conseguia sentir o olhar de Rowan como um golpe físico. — A escolha é sua de quanto permite que entre em sua vida, como o usa, mas se ficar tempo demais sem o controlar, Majestade, ele o destruirá.

Um calafrio percorreu a coluna do rapaz.

E talvez fosse o mar aberto, ou as estrelas infinitas acima deles, mas Dorian falou:

— Não foi suficiente. Naquele dia... no dia em que Sorscha morreu, não foi suficiente para salvá-la. — Ele espalmou as mãos no colo. — Só quer destruição.

Silêncio dominou por tanto tempo que Dorian se perguntou se Rowan dormira. Ele não ousou perguntar quando o feérico havia dormido pela última vez; certamente comera o suficiente para um homem faminto.

— Eu não estava lá para salvar minha parceira quando ela foi assassinada também — confessou Rowan, por fim.

Dorian enrijeceu o corpo. Aelin contara bastante da história do príncipe, mas não aquilo. Ele supôs que o segredo e a dor não eram dela para que compartilhasse.

— Sinto muito — respondeu o rapaz.

Sua magia sentira o laço entre Aelin e Rowan; o laço que era mais profundo que sangue, que a magia de ambos, e Dorian presumira que era apenas porque eram parceiros, e não tinham anunciado a ninguém. Mas, se o guerreiro já tivera uma parceira e a perdera...

— Vai odiar o mundo, Dorian — continuou o guerreiro. — Vai se odiar. Odiará sua magia, e odiará qualquer momento tranquilo ou feliz. Mas eu tinha o luxo de estar em um reino em paz, e de não ter ninguém dependendo de mim. Você não.

O guerreiro mexeu no leme, ajustando o curso mais para mar aberto conforme a linha da costa se aproximava e os recebia, uma parede crescente de penhascos íngremes. Sabia que estavam viajando rapidamente, mas deviam estar quase a meio caminho da fronteira sul... e seguindo muito mais rápido do que percebera sob o manto da escuridão.

Por fim, Dorian comentou:

— Sou o soberano de um reino partido. Meu povo não sabe quem o governa. E agora que estou fugindo... — Ele balançou a cabeça, exaustão lhe corroía os ossos. — Cedi meu reino a Erawan? O que... o que sequer *faço* agora?

O rangido do navio e a água correndo eram os únicos sons.

— Seu povo terá descoberto a esta altura que não estava entre os mortos. Cabe a você dizer a eles como interpretar o fato, se devem enxergar como se os tivesse abandonado, ou se devem enxergá-lo como um homem que está partindo em busca de ajuda para salvá-los. Deve deixar isso evidente.

— Ao ir para as Ilhas Mortas.

Um aceno de cabeça.

— Não é de surpreender que Aelin tem uma história carregada com o lorde pirata. Mas você não. É de seu interesse fazer com que ele o veja como um aliado vantajoso. Aedion me contou que as Ilhas Mortas foram certa vez tomadas pelo general Narrok e por diversas das forças de Erawan. Rolfe e sua frota fugiram, e, embora agora seja novamente governante de baía da Caveira, aquela desgraça pode ser seu bilhete de entrada. Convença-o de que não é filho de seu pai, e também de que garantirá a Rolfe e aos piratas privilégios.

— Quer dizer transformá-los em corsários.

— Você tem ouro, nós temos ouro. Se prometer a Rolfe dinheiro e liberdade para saquear os navios de Erawan for a garantia de uma armada no sul, seríamos tolos de nos esquivar.

Dorian considerou as palavras do príncipe.

— Jamais conheci um pirata.

— Conheceu Aelin quando ela ainda fingia ser Celaena — declarou Rowan, sarcasticamente. — Posso prometer que Rolfe não será muito pior.

— Isso não é reconfortante.

Uma risada contida. Silêncio recaiu entre os dois de novo. Então o feérico falou:

— Sinto muito... por Sorscha.

Dorian deu de ombros, odiando-se pelo gesto, como se aquilo diminuísse o que Sorscha tinha significado, o quanto fora corajosa... especial.

— Sabe — começou ele —, às vezes queria que Chaol estivesse aqui... para me ajudar. Mas também fico feliz por ele não estar, por não se arriscar de novo. Fico feliz por estar em Antica com Nesryn. — Dorian observou o príncipe feérico, as linhas letais do corpo, a calma predatória com a qual se sentava, mesmo ao guiar o barco. — Poderia... poderia me ensinar sobre magia? Não tudo, quero dizer, mas... o que puder, sempre que pudermos.

Rowan considerou por um momento, depois respondeu:

— Conheci muitos reis em minha vida, Dorian Havilliard. E era raro um homem que pedia ajuda quando precisava, que colocava o orgulho de lado.

O rapaz tinha quase certeza de que seu orgulho fora destruído sob as garras do príncipe valg.

— Ensinarei o máximo que puder antes de chegarmos à baía da Caveira — respondeu ele. — Lá podemos encontrar alguém que tenha escapado dos assassinos, alguém para instruí-lo melhor que eu.

— Você ensinou Aelin.

De novo, silêncio. Em seguida:

— Aelin é meu coração. Ensinei a ela o que sabia, e funcionou porque nossas magias se entendiam profundamente, assim como nossas almas. Você é... diferente. Sua magia é algo que encontrei poucas vezes. Precisa de alguém que a entenda, ou pelo menos entenda como treiná-lo. Mas posso ensinar sobre controle; posso ensinar sobre se espiralar para dentro de seu poder e cuidar de si mesmo.

Dorian assentiu em agradecimento.

— Assim que conheceu Aelin, soube...?

Um riso irônico.

— Não. Pelos deuses, não. Queríamos nos matar. — A diversão tremeluziu. — Ela estava... ela não estava muito bem. Nós dois não estávamos. Mas um ajudou ao outro. Encontramos uma forma... juntos.

Por um segundo, Dorian apenas o encarou. Como se lesse sua mente, o guerreiro disse:

— Vai encontrar seu caminho também, Dorian. Vai encontrar um caminho para sair disso.

O príncipe não tinha as palavras certas para transmitir o que sentia em seu coração, portanto suspirou para o céu estrelado e infinito.

— Para a baía da Caveira, então.

O sorriso de Rowan parecia um corte branco na escuridão.

— Para a baía da Caveira.

 # ❧ 14 ❧

Vestindo o preto de batalha da cabeça aos pés, Aedion Ashryver se mantinha nas sombras da rua diante do templo enquanto observava a prima escalar o prédio ao lado.

Já haviam garantido passagem em um navio para a manhã seguinte, junto de outro navio mensageiro que velejaria para Wendlyn, levando cartas com pedidos de ajuda aos Ashryver, assinadas tanto por Aelin quanto pelo próprio Aedion. Porque o que tinham descoberto naquele dia...

Aedion tinha ido a Ilium o suficiente na última década para saber se virar. Normalmente, ele e a Devastação acampavam fora das muralhas da cidade, e se divertiam tanto nas tavernas que Aedion acabava vomitando no próprio capacete na manhã seguinte. Algo bem diferente do silêncio entorpecido enquanto ele e Aelin caminhavam pelas ruas pálidas de terra, disfarçados e antissociais.

Em todas aquelas visitas à cidade, Aedion jamais se imaginou passeando por aquelas ruas com sua rainha; ou que o rosto da jovem estaria tão sério conforme observava o povo assustado e infeliz, as cicatrizes da guerra.

Nenhuma flor atirada em seu caminho, nenhum trompete lhes anunciando o retorno. Apenas o quebrar do mar, o uivo do vento e o sol forte acima. E a fúria que ondulava de Aelin quando via os soldados posicionados pela cidade...

Todos os estranhos eram tão observados que tiveram de tomar cuidado ao garantir o navio. Para a cidade, para o mundo, embarcariam no *Dama do verão* no meio da manhã, na direção norte, para Suria. Mas, em vez disso, entrariam às escondidas no *Trovador do vento* logo antes do alvorecer, para velejar para o sul quando amanhecesse. Tinham pago em ouro pelo silêncio do capitão.

E por informações. Estavam prestes a sair da cabine do homem quando ele disse:

— Meu irmão é mercador. Ele se especializa em mercadorias de terras distantes. Me trouxe notícias na semana passada de que navios foram vistos se reunindo na costa oeste do território feérico.

— Para velejarem para cá? — perguntara Aelin.

Ao mesmo tempo em que Aedion exigira saber:

— Quantos navios?

— Cinquenta... todos navios de guerra — respondera o capitão, olhando para os dois com cautela. Sem dúvida presumindo que eram agentes de uma das muitas coroas no jogo daquela guerra. — Um exército de guerreiros feéricos acampado na praia adiante. Pareciam esperar a ordem de velejar.

A notícia provavelmente se espalharia com rapidez. Deixaria o povo em pânico. Aedion fizera uma nota mental de enviar um aviso a seu imediato para que preparasse a Devastação para aquilo... e para rebater qualquer boato sem fundamento.

O rosto de Aelin empalidecera um pouco, e Aedion apoiou a mão firme no meio das costas da prima. Mas a rainha apenas esticou o corpo ao toque e perguntou ao capitão:

— Seu irmão teve a sensação de que a rainha Maeve se aliou a Morath, ou que vem ao auxílio de Terrasen?

— Nenhum dos dois — retrucara o capitão. — Ele estava apenas velejando por ali, mas se a armada estava exposta daquele jeito, duvido que fosse segredo. Não sabemos de mais nada... talvez os navios fossem para outra guerra.

O rosto da rainha não mostrava nada sob a escuridão do capuz. Aedion forçou o dele a fazer o mesmo.

Exceto pelo fato de que a expressão de Aelin permaneceu daquele jeito durante toda a caminhada de volta, e durante as horas desde então, enquanto afiavam as armas e depois voltavam de fininho para as ruas sob o manto da escuridão. Se Maeve realmente reunia um exército para lutar contra eles...

Aelin parou no alto do telhado, o cabo reluzente de Goldryn envolto em tecido para lhe esconder o brilho, e Aedion olhou entre a figura sombreada de Aelin e o vigia de Adarlan que patrulhava as muralhas do templo poucos metros abaixo.

Mas a prima se voltou para o oceano próximo, como se pudesse ver Maeve e a frota à espera. Se a cadela imortal tivesse se aliado a Morath... Certamente Maeve não seria tão burra. Talvez os dois governantes sombrios destruíssem um ao outro na luta por poder. E provavelmente destruiriam o continente no processo.

Mas um Rei Sombrio e uma Rainha Sombria unidos contra a Portadora do Fogo...

Precisavam agir com rapidez. Cortar uma das cabeças da cobra antes de lidar com a outra.

Tecido farfalhou sobre pele, e Aedion olhou para onde Lysandra aguardava, atrás dele, o sinal de Aelin. Ela usava as roupas de viagem, um pouco gastas e sujas. Lysandra lia um livro de aparência antiga a tarde toda. *Criaturas esquecidas das profundezas*, ou como quer que se chamasse. Um sorriso repuxou os lábios do general enquanto se perguntava se Lysandra tinha pego emprestado ou roubado o volume.

A dama olhou para onde Aelin estava de pé no telhado, nada mais que uma sombra. Lysandra pigarreou e falou, baixo demais para qualquer um ouvir, tanto a rainha quanto os soldados do outro lado da rua:

— Ela aceitou o decreto de Darrow com tranquilidade demais.

— Eu dificilmente chamaria isso de tranquilo. — Mas Aedion sabia o que a metamorfa queria dizer. Desde que Rowan partira, desde que a notícia da queda de Forte da Fenda chegara, Aelin estivera apenas meio presente. Distante.

Os olhos verde-claros de Lysandra se fixaram no general.

— É a calmaria antes da tempestade, Aedion.

Cada um dos instintos predatórios do homem se arrepiou.

O olhar de Lysandra se voltou de novo para a silhueta esguia de Aelin.

— Uma tempestade está vindo. Uma grande tempestade.

Não eram as forças à espreita em Morath, não era Darrow tramando em Orynth, não era Maeve reunindo sua armada... mas a mulher naquele telhado, com as mãos apoiadas na borda enquanto se agachava.

— Não está com medo de...? — Aedion não conseguiu completar a frase. De alguma forma tinha se acostumado a ter a metamorfa como guarda--costas de Aelin, achara a ideia bastante atraente. Rowan à direita, Aedion à esquerda, Lysandra às costas: nada e ninguém chegaria à rainha.

— Não... não, nunca — respondeu ela. Algo relaxou no peito do general.

— Mas quanto mais penso a respeito, mais... mais parece que foi tudo planejado, arranjado há muito tempo. Erawan teve décadas antes de Aelin nascer para atacar, décadas durante as quais ninguém com os poderes da rainha, ou os poderes de Dorian, existiu para desafiá-lo. No entanto, por destino ou sorte, ele age agora. No momento em que a Portadora do Fogo caminha sobre a terra.

— Aonde quer chegar? — Ele ponderara sobre tudo aquilo durante as longas vigias na estrada. Era tudo assustador, impossível, mas... tanto na vida deles desafiava a lógica ou a normalidade. A metamorfa a seu lado comprovava isso.

— Morath está libertando seus horrores — respondeu Lysandra. — Maeve se agita do outro lado do oceano. Duas deusas caminham lado a lado com Aelin. Mais que isso, Mala e Deanna a vigiaram durante toda a vida. Mas talvez não estivessem vigiando. Talvez estivessem... moldando-a. Para que um dia pudessem libertá-la também. E me pergunto se os deuses sopesaram os custos dessa tempestade. E consideraram que as perdas valeriam a pena.

Um calafrio percorreu a espinha de Aedion.

Lysandra continuou, tão silenciosamente que o general se perguntou se ela temia não que a rainha ouvisse, mas sim os deuses.

— Ainda não vimos a extensão total da escuridão de Erawan. E acho que também ainda não vimos a extensão total do fogo de Aelin.

— Ela não é um peão sem vontade própria. — Aedion desafiaria os deuses, encontraria uma forma de matá-los caso ameaçassem Aelin, caso considerassem que aquelas terras eram um sacrifício justo para derrotar o Rei Sombrio.

— É realmente *tão* difícil assim concordar comigo ao menos uma vez?

— Eu nunca *discordo*.

— Sempre tem uma resposta para tudo. — Lysandra balançou a cabeça. — É insuportável.

Ele sorriu.

— Bom saber que finalmente causo arrepios em sua pele. Ou seria em seus pelos?

Aquele rosto estonteantemente lindo se tornou completamente maligno.

— Cuidado, Aedion. Eu mordo.

O general se inclinou um pouco mais para perto. Sabia que havia limites com Lysandra... sabia que não podia ultrapassá-los nem forçá-los. Não depois do que ela aguentara desde a infância, não depois de ter recuperado a liberdade. Não depois do que ele também passara.

Mesmo que ainda não tivesse contado a Aelin a respeito daquilo. Como poderia? Como poderia explicar o que lhe fora feito, o que fora forçado a fazer naqueles anos iniciais da conquista?

Mas flertar com Lysandra era inofensivo... tanto para ele quanto para a metamorfa. E, pelos deuses, como era bom conversar com ela por mais que um minuto entre formas. Então Aedion rangeu os dentes e falou:

— Que bom que sei fazer as mulheres ronronarem.

Ela riu baixinho, mas o som sumiu quando olhou para a rainha de novo conforme a brisa do mar soprou os sedosos cabelos pretos da metamorfa.

— A qualquer minuto agora — avisou Lysandra.

Aedion não dava a mínima para o que Darrow achava, para suas carrancas. Lysandra lhe salvara a vida; lutara pela rainha e arriscara tudo, inclusive a própria segurança, para resgatá-lo da execução e reuni-lo a Aelin. Ele vira com que frequência os olhos da metamorfa tinham desviado para trás nos primeiros dias... como se ela pudesse ver Evangeline com Murtaugh e Ren. Sabia que mesmo naquele momento parte de Lysandra permanecia com a garota, assim como parte de Aelin permanecia com Rowan. Aedion se perguntava se algum dia sentiria aquilo... aquela intensidade de amor.

Por Aelin, sim; mas... era parte de si, assim como os braços e as pernas. Jamais fora uma escolha, como o altruísmo de Lysandra com aquela garotinha, como Rowan e Aelin tinham escolhido um ao outro. Talvez fosse estúpido pensar a respeito, considerando o que fora treinado para fazer e o que os aguardava em Morath, mas... Aedion jamais diria aquilo à prima, nem em mil anos, mas ao vê-la com Rowan, às vezes os invejava.

Nem mesmo queria pensar no que mais Darrow quisera dizer... ao comentar que uma união entre Wendlyn e Terrasen *fora* tentada mais de dez anos antes, com um casamento entre ele e Aelin como preço, apenas para ser rejeitada pelos parentes do outro lado do oceano.

Aedion amava a prima, mas pensar em tocá-la daquela forma fazia seu estômago se revirar. Tinha a sensação de que Aelin sentia o mesmo.

Ela não mostrara a Aedion a carta que escrevera a Wendlyn. Não ocorrera a ele pedir para vê-la até aquele instante. O general encarou a figura solitária diante do mar escuro e amplo.

E percebeu que não queria saber.

Ele era um general, um guerreiro moldado por sangue, fúria e perda; vira e fizera coisas que ainda lhe tiravam o sono, noite após noite, mas... Não queria saber. Ainda não.

Lysandra falou:

— Deveríamos partir antes do amanhecer. Não gosto do cheiro deste lugar.

Aedion inclinou a cabeça na direção dos cinquenta soldados acampados dentro das muralhas do templo.

— Obviamente.

Mas, antes que ela pudesse responder, chamas azuis se acenderam nas pontas dos dedos de Aelin. O sinal.

Lysandra se transformou em leopardo-fantasma, então Aedion desapareceu nas sombras conforme a metamorfa soltou um rugido que despertou todos os lares próximos. As pessoas saíram pelas portas no momento em que os soldados abriram os portões do templo para ver o motivo da comoção.

Aelin desceu do telhado em poucas manobras ágeis, aterrissando com graciosidade felina quando os soldados irromperam na rua, armas em punho e olhos arregalados.

Os olhos se abriram ainda mais ao verem Lysandra caminhar para o lado de Aelin, grunhindo. Ao verem Aedion aparecendo do outro lado. Juntos, os dois tiraram os capuzes. Alguém arquejou atrás do grupo.

Não devido aos cabelos dourados, aos rostos. Mas à mão envolta em chama azul que se ergueu acima da cabeça de Aelin conforme ela disse aos soldados que apontavam arcos para o trio:

— Deem o fora de meu templo.

Os homens piscaram. Um dos cidadãos atrás deles começou a chorar quando uma coroa de fogo surgiu no topo dos cabelos de Aelin. Quando o tecido que abafava Goldryn se queimou e o rubi brilhou vermelho-sangue.

Aedion sorriu para os desgraçados de Adarlan, soltou o escudo das costas e falou:

— Minha senhora dá uma escolha a vocês: saiam agora... ou não saiam nunca mais.

Os soldados trocaram olhares. A chama ao redor da cabeça de Aelin queimou mais forte, um farol na escuridão. *Símbolos têm poder de fato.*

Ali estava ela, coroada em chama, um bastião contra a noite reunida. Então Aedion sacou a Espada de Orynth da bainha ao longo das costas, e alguém gritou ao ver a antiga lâmina poderosa.

Mais e mais soldados encheram o pátio aberto do templo além do portão. E alguns soltaram as armas imediatamente, recuando.

— Seus covardes desgraçados — grunhiu um soldado, abrindo caminho até a frente. Um comandante, pelas condecorações no uniforme vermelho e dourado. Humano. Nenhum anel preto em nenhum deles. O lábio do homem se contraiu ao ver Aedion, o escudo e a espada inclinados e prontos para o derramamento de sangue. — O Lobo do Norte. — O tom de escárnio se intensificou. — E a vadia cuspidora de fogo em pessoa.

Aelin, para seu crédito, apenas pareceu entediada. Ela disse uma última vez aos soldados humanos reunidos ali, alternando o peso do corpo entre os pés:

— Viver ou morrer; a escolha é de vocês. Mas decidam agora.

— Não ouçam a vadia — disparou o comandante. — São simples truques de mágica, foi o que disse o Lorde de Meah.

Porém mais cinco soldados soltaram as armas e correram, disparando direto para as ruas.

— Mais alguém? — perguntou Aelin, baixinho.

Trinta e cinco soldados permaneceram; armas em punho, rostos severos. Aedion lutara contra e ao lado de tais homens. Aelin olhou para ele de modo inquisidor. Seu primo assentiu. O comandante tinha as garras sobre eles... só recuariam quando o homem o fizesse.

— Vamos lá. Vejamos o que têm a oferecer — provocou o sujeito. — Tenho uma linda filha de fazendeiro que quero terminar...

Como se apagasse uma vela, Aelin exalou um sopro na direção do homem.

Primeiro, o comandante ficou quieto. Como se cada pensamento, cada sensação tivesse parado. Então o corpo pareceu enrijecer, como se tivesse sido transformado em pedra.

E, por um segundo, Aedion achou que o homem *tivesse* sido transformado em pedra, pois a pele e o uniforme de Adarlan assumiram diversos tons de cinza.

Mas, quando a brisa do mar soprou e o sujeito simplesmente *desabou* em nada além de cinzas, ele percebeu, bastante chocado, o que a prima fizera.

Ela o queimara vivo. De dentro para fora. Alguém gritou.

Mas Aelin apenas disse:

— Eu avisei. — Então mais alguns soldados fugiram.

Ainda assim, a maioria se manteve onde estava; ódio e desprezo brilhavam nos olhos dos homens diante da magia, diante da rainha de Aedion... e diante dele.

E ele sorriu como o lobo que era ao erguer a Espada de Orynth e avançar contra a fileira de soldados levantando armas à esquerda. Lysandra disparava à direita com um grunhido gutural enquanto Aelin fazia chover chamas douradas e cor de rubi sobre o mundo.

~

Eles reconquistaram o templo em vinte minutos.

Com apenas dez minutos, tinham conseguido controlar o lugar; os soldados foram mortos e os que se renderam foram arrastados para o calabouço da cidade por homens e mulheres que se juntaram à luta. Os outros dez minutos foram gastos verificando o local em busca de soldados escondidos. Mas encontraram apenas as vestimentas e seu lixo, além da fachada do templo bastante malcuidada; as paredes sagradas tinham sido entalhadas com os nomes dos brutamontes de Adarlan, e as urnas antigas de fogo infinito tinham sido apagadas ou usadas para cozinhar...

Aelin deixou que todos a vissem lançar um fogo incandescente sobre o lugar, engolindo cada vestígio dos soldados, removendo anos de terra e poeira e fezes de gaivotas para revelar os entalhes gloriosos e antigos por baixo, gravados em cada pilastra e degrau e parede.

O complexo do templo consistia em três prédios em volta de um imenso pátio: os arquivos, a residência para as sacerdotisas há muito mortas e o templo propriamente dito, onde a antiga Rocha ficava. Aelin deixou Aedion e Lysandra nos arquivos, na área de longe mais defensável, para procurarem qualquer coisa adequada na qual pudessem dormir, envolvendo todo o local com uma parede de chamas.

Os olhos do general ainda brilhavam com a excitação da batalha quando Aelin alegou que queria um momento sozinha à Rocha. Ele lutara perfeitamente... e Aelin se certificou de deixar alguns homens vivos para a lâmina de Aedion. Ela não era o único símbolo ali naquela noite, não era a única sendo observada.

E quanto à metamorfa que dilacerara aqueles soldados com uma selvageria tão feral... Aelin a deixou novamente em forma de falcão, empoleirada em uma viga podre nos arquivos cavernosos, encarando a enorme representação de um dragão marinho entalhado no chão, por fim revelado pelo fogo incandescente. Um de muitos entalhes semelhantes do lugar, o patrimônio de um povo que fora exilado havia muito tempo.

Em cada espaço do templo, era possível ouvir o quebrar das ondas na praia bem abaixo, sussurrando ou rugindo. Não havia nada para absorver o som, para suavizá-lo. Ótimo, salões extensos e pátios onde deveria haver altares e estátuas e jardins estavam completamente vazios, a fumaça do fogo de Aelin ainda permanecia.

Que bom. Fogo podia destruir... mas também limpar.

Ela caminhou silenciosamente pelo complexo escuro do templo, seguindo em direção ao santuário mais central e mais sagrado que se estendia até a beira do mar. Luz dourada vazava para o terreno rochoso diante dos degraus do santuário interior; luz dos tonéis de chamas acesos eternamente a partir daquele instante para honrar o dom de Brannon.

Ainda vestida de preto, Aelin era pouco mais que uma sombra ao reduzir aquelas chamas até que virassem brasas dormentes e murmurantes, e então entrar no coração do templo.

Uma imensa parede fora erguida para afastar a ira das tempestades marítimas da pedra em si, mas, mesmo assim, o espaço estava úmido, e o ar, pesado com a maresia.

Aelin limpou a enorme antecâmara e caminhou entre as grossas pilastras que emolduravam o santuário interior. Na ponta mais afastada, aberta à ira do mar além dela, erguia-se a imensa Rocha escura.

Era lisa como vidro, sem dúvida por causa das mãos adoradoras que a tocaram ao longo de milênios, e talvez fosse tão grande quanto a carruagem de um fazendeiro-mercador. A Rocha se projetava para o alto, sobre o mar, refletindo a luz das estrelas na superfície pontilhada conforme Aelin extinguia todas as chamas, exceto a única vela branca que tremeluzia no centro do objeto sagrado.

Os entalhes do templo não revelavam marcas de Wyrd nem outras mensagens do Povo Pequenino. Apenas redemoinhos e cervos.

A jovem teria de fazer aquilo da forma antiga, então.

Ela subiu os pequenos degraus que permitiam que peregrinos observassem a Rocha sagrada... e em seguida subiu no monumento.

⊰ 15 ⊱

O mar pareceu parar.

Aelin puxou a chave de Wyrd de dentro do casaco, deixando que repousasse entre os seios ao se sentar na beira da pedra e observar o mar coberto pela noite.

E esperou.

O fio da lua crescente começava a descer quando uma grave voz masculina surgiu atrás dela e disse:

— Parece mais jovem do que pensei.

Aelin encarou o mar, mesmo com um embrulho no estômago.

— Mas tão bonita quanto, certo?

Ela não ouviu passos, mas a voz estava definitivamente mais próxima ao falar:

— Pelo menos minha filha estava certa quanto a sua humildade.

— Engraçado, ela nunca deu a entender que você tinha senso de humor.

Um sussurro de vento à direita de Aelin, então pernas longas e musculosas sob uma armadura antiga surgiram ao lado, deixando que os pés calçados em sandálias pendessem sobre a arrebentação.

A jovem finalmente ousou virar o rosto e viu que a armadura se prolongava sobre um poderoso corpo masculino, que terminava em um bonito rosto de ossos largos. Ele podia ter enganado qualquer um a pensar que era de carne e osso... não fosse pelo brilho pálido de luz azul ao redor.

Aelin fez uma leve reverência com a cabeça para Brannon.

Um meio sorriso foi o único sinal de reconhecimento, os cabelos loiro-avermelhados oscilando sob o luar.

— Uma batalha brutal, porém eficiente — comentou ele.

Ela deu de ombros.

— Fui enviada a este templo. Encontrei-o ocupado. Então o desocupei. De nada.

Os lábios dele se contraíram para formar um sorriso.

— Não posso ficar muito tempo.

— Mas vai conseguir inserir o máximo de avisos enigmáticos que puder, certo?

Ele ergueu as sobrancelhas, e a pele ao redor de seus olhos cor de conhaque se enrugou, com humor.

— Há um motivo para eu ter pedido a meus amigos que lhe enviassem aquela mensagem, sabia?

— Ah, tenho certeza disso. — Aelin não teria arriscado reivindicar o templo caso contrário. — Mas antes me conte sobre Maeve. — Já bastava dessa história de esperar até que *eles* jogassem uma mensagem em seu colo. A jovem tinha suas malditas perguntas também.

A boca de Brannon se contraiu.

— Especifique o que precisa saber.

— Ela pode ser assassinada?

A cabeça do rei se virou na direção de Aelin.

— Ela é velha, herdeira de Terrasen. Era velha quando eu era criança. E seus planos são extensos...

— Eu sei, eu sei. Mas morrerá se eu lhe enfiar uma espada no coração? Cortar a cabeça fora?

Uma pausa.

— Não sei.

— Como assim?

Brannon balançou a cabeça.

— Não sei. Todos os feéricos podem ser mortos, mas ela sobreviveu até mesmo às nossas expectativas de vida estendidas, e o poder... ninguém realmente entende aquele poder.

— Mas você viajou com ela para recuperar as chaves...

— Eu não sei. Mas ela temia muito minha chama. E a sua.

— Ela não é valg, é?

142

Uma risada baixa.

— Não. Fria como um, mas não. — Os limites da visão começaram a se embaçar um pouco.

Mas ao ver a pergunta nos olhos de Aelin, o homem assentiu para que ela continuasse.

A jovem engoliu em seco, e o maxilar se contraiu um pouco ao expirar de forma forçada.

— Em algum momento fica mais fácil lidar com o poder?

O olhar de Brannon se suavizou levemente.

— Sim e não. Como isso afeta seus relacionamentos com aqueles a seu redor se torna mais difícil que lidar com o poder... mas também está ligado a ele. Magia não é um dom fácil em forma alguma, mas fogo... Queimamos não apenas dentro de nossa magia, mas também em nossas almas. Para melhor ou pior. — Sua atenção se voltou para Goldryn, despontando sobre o ombro de Aelin, e Brannon riu com uma surpresa contida. — A besta na caverna está morta?

— Não, mas ele me contou que sente sua falta e que você deveria ir visitá-lo. Está solitário lá dentro.

Ele riu de novo.

— Teríamos nos divertido juntos, você e eu.

— Estou começando a desejar que tivessem mandado você para lidar comigo em vez de sua filha. Acho que o senso de humor deve pular uma geração.

Talvez tivesse dito a coisa errada, pois o lampejo de humor imediatamente se dissipou daquele lindo rosto queimado de sol, deixando os olhos cor de conhaque frios e severos. Brannon pegou a mão de Aelin, mas os dedos atravessaram os dela... até a própria pedra.

— O Fecho, herdeira de Terrasen. Eu a convoquei aqui por isso. No pântano de Pedra, há uma cidade afundada; o Fecho está escondido lá. Ele é necessário para unir as chaves de volta ao Portão de Wyrd quebrado. É a única forma de levá-las de volta ao portão e selá-lo permanentemente. Minha filha implora a você...

— Que Fecho...

— Encontre o Fecho.

— *Onde* no pântano de Pedra? Não é exatamente pequeno...

Brannon sumiu.

Com uma expressão de raiva, Aelin enfiou o Amuleto de Orynth de volta na camisa.

— É óbvio que tem uma droga de um fecho — murmurou ela.

A jovem resmungou um pouco ao se colocar de pé, então franziu a testa para o mar escuro como a noite quebrando a poucos metros. Para a antiga rainha do outro lado, preparando sua armada.

Aelin mostrou a língua.

— Bem, se Maeve já não estava pronta para atacar, isso certamente a provocará — comentou Aedion pausadamente das sombras de uma pilastra próxima.

Aelin enrijeceu o corpo e sibilou.

O primo sorriu para ela, com dentes brancos como a lua.

— Acha que eu não sabia que você tinha outra carta na manga como motivo para retomarmos este templo? Acha mesmo que esta primavera em Forte da Fenda não me ensinou nada sobre sua tendência a planejar diversas coisas ao mesmo tempo?

Ela revirou os olhos, saindo de cima da pedra sagrada e descendo as escadas batendo os pés.

— Presumo que tenha ouvido tudo.

— Brannon até piscou para mim antes de desaparecer.

Aelin contraiu o maxilar.

Aedion apoiou o ombro na pilastra entalhada.

— Um Fecho, hein? E quando, exatamente, nos informaria sobre essa nova mudança de direção?

Ela caminhou irritada até ele.

— Quando eu bem quisesse, isso sim. E não é uma mudança de direção... ainda não. Aliados continuam a ser nossa meta, e não comandos enigmáticos de reis mortos.

Seu primo apenas sorriu. Uma movimentação nas sombras empoeiradas do templo chamou a atenção de Aelin, fazendo-a soltar um suspiro.

— Vocês dois são sinceramente insuportáveis.

Lysandra bateu as asas até o alto de uma estátua próxima e estalou o bico com bastante ousadia.

Aedion passou o braço sobre os ombros de Aelin, guiando-a de volta à residência em ruínas dentro do complexo.

— Nova corte, novas tradições, você disse. Até mesmo para *você*. Começando com menos tramoias e segredos que tiram anos de minha vida sempre que faz uma grande revelação. Embora eu certamente tenha gostado daquele novo truque com as cinzas. Muito artístico.

Aelin o cutucou na lateral do corpo.

— *Não...*

As palavras cessaram quando passadas vindas do pátio próximo estalaram na terra seca. O vento soprou, carregando um cheiro que conheciam bem demais.

Valg. E bem poderoso, se tinha atravessado a muralha de chamas de Aelin.

A jovem sacou Goldryn enquanto a espada do próprio Aedion rangeu baixinho, a Espada de Orynth reluziu ao luar, como aço recém-forjado. Lysandra permaneceu no alto, mergulhando mais para dentro das sombras.

— Fomos traídos ou é puro azar de merda? — murmurou o general.

— Provavelmente os dois — resmungou Aelin ao ver a figura surgir entre duas pilastras.

Ele era atarracado e um pouco acima do peso; nem de perto tinha a beleza impossível preferida pelos príncipes valg quando escolhiam um corpo humano. Mas o fedor inumano, mesmo com aquele colar no pescoço grosso... Tão mais forte que o normal.

É lógico que Brannon não poderia ter se incomodado em avisá-la.

O valg deu um passo para a luz dos braseiros sagrados.

Os pensamentos se esvaziaram da mente de Aelin ao ver o rosto do homem.

E ela percebeu que Aedion estivera certo: suas ações naquela noite *tinham* mandado uma mensagem. Uma declaração descarada da própria localização. Erawan estivera esperando por aquele encontro havia muito mais que poucas horas. E o rei valg conhecia os dois lados da história de Aelin.

Afinal, era o capataz-chefe de Endovier quem sorria diante deles.

~

Ela ainda sonhava com ele.

Com aquele rosto banal olhando de forma maliciosa para ela, assim como para as outras mulheres de Endovier. Com sua risada quando ela fora despida até a cintura e açoitada a céu aberto, então deixada pendurada nos grilhões sob o frio gélido ou o sol incandescente. Com o sorriso quando ela fora enfiada naqueles poços sem iluminação; a satisfação ainda estampada no rosto conforme a tiravam dos poços dias ou semanas depois.

O cabo de Goldryn ficou escorregadio em sua mão. Chama queimou imediatamente nos dedos da outra. Aelin xingou Lorcan por ter roubado de volta o anel de ouro, por ter levado aquela única peça de imunidade, de redenção.

Aedion olhava de um para o outro, entendendo o reconhecimento nos olhos da prima.

O capataz de Endovier a olhou com desprezo.

— Não vai nos apresentar, escravizada?

O silêncio total no rosto do primo de Aelin disse a ela o bastante sobre o que ele compreendera — assim como o olhar para as cicatrizes fracas nos pulsos da jovem, onde tinham ficado os grilhões.

Aedion deslizou um passo para se colocar entre os dois, sem dúvida observando cada som e sombra e cheiro para ver se o homem estava sozinho, estimando a dificuldade da luta e quanto tempo precisariam para se livrar daquilo. Lysandra bateu asas até outra pilastra, pronta para mudar de forma e atacar quando ouvisse um único chamado.

Aelin tentou reunir a arrogância que a protegera e a livrara de tudo. Mas só via o homem arrastando aquelas mulheres para trás de prédios; só ouvia o ruído daquela grade de ferro sobre o poço sem luz; só percebia o cheiro do sal e do sangue e dos corpos sujos; só sentia o sangue que descia e ardia pelas costas destruídas...

Não terei medo; não terei medo...

— Acabaram os meninos bonitos dos reinos para você habitar? — ironizou Aedion, ganhando tempo para que descobrissem suas chances.

— Chegue mais perto — respondeu o capataz com um sorriso. — E veremos se será mais adequado, general.

Aedion soltou uma risada baixa, erguendo a Espada de Orynth um pouco mais.

— Não acho que sairia com vida disso.

E foi a visão daquela lâmina, da espada do pai, a espada de seu povo...

Aelin levantou o queixo, e as chamas que lhe envolviam a mão esquerda ficaram mais brilhantes.

Os olhos azul-água do capataz se voltaram para os dela, semicerrando-se com divertimento.

— Que pena que não possuía esse belo dom quando a coloquei naqueles poços. Ou quando pintei a terra com seu sangue.

Um grunhido baixo foi a resposta de Aedion.

Mas Aelin se obrigou a sorrir.

— Está tarde. Acabei de destruir seus soldados. Vamos acabar com essa conversa para eu poder descansar.

Os lábios do homem se curvaram.

— Vai aprender a se comportar direito em breve, menina. Todos vocês aprenderão.

O amuleto entre seus seios pareceu ranger, uma faísca de poder antigo e puro.

Aelin o ignorou, afastando qualquer pensamento sobre aquilo. Se o valg, se Erawan sequer farejasse que ela possuía o que ele tão desesperadamente buscava...

O capataz abriu a boca de novo. Mas Aelin atacou.

O fogo o atirou contra a parede mais próxima, descendo pela garganta do homem, pelas orelhas, subindo pelo nariz. Chamas que não queimavam, chamas que eram apenas luz, ofuscantemente branca...

Ele rugiu, debatendo-se conforme a magia o tomava por dentro, misturando-se a seu corpo.

Mas não havia nada dentro a que se agarrar. Nenhuma escuridão para extinguir, nenhuma brasa restante na qual soprar vida. Apenas...

A jovem cambaleou para trás, a magia sumiu, e os joelhos fraquejaram como se golpeados. A cabeça latejou e náusea lhe subiu pelo estômago. Aelin conhecia aquela sensação... aquele gosto.

Ferro. Como se o interior do sujeito fosse feito daquilo. E o gosto que restara, oleoso, terrível... pedra de Wyrd.

O demônio dentro do capataz soltou uma gargalhada engasgada.

— O que são colares e anéis comparados a um coração sólido? Um coração de ferro e pedra de Wyrd para substituir o coração do covarde que bate no interior.

— Por quê? — sussurrou Aelin.

— Fui plantado aqui para demonstrar o que está à espera caso você e sua corte visitem Morath.

Ela disparou o fogo contra ele, devastando as entranhas do homem, golpeando aquele centro de pura tenebrosidade do lado de dentro. De novo, e de novo, e de novo. O capataz continuava rugindo, mas Aelin continuava atacando, até...

Ela vomitou sobre as pedras entre eles. Aedion a puxou para cima.

Sua prima ergueu a cabeça. Tinha queimado as roupas, mas não tocara a pele do capataz.

E ali, pulsando contra as costelas do homem como um punho socando, estava um coração.

Chocava-se contra os limites do sujeito, esticando osso e pele.

Aelin se encolheu. Aedion estendeu a mão para ela conforme o capataz arqueou o corpo em agonia, a boca aberta em um grito silencioso.

Lysandra desceu das vigas, transformando-se em leopardo ao lado dos dois e grunhindo.

Novamente, aquele punho golpeou do interior. Então ossos se partiram, socando para fora, rasgando músculo e pele, como se a cavidade do peito do homem fosse as pétalas de uma flor aberta. Não havia nada dentro. Nenhum sangue, nenhum órgão.

Apenas uma treva poderosa, eterna... e duas brasas douradas tremeluzindo no centro.

Não eram brasas. Eram olhos. Brilhando com malícia antiga. Eles semicerraram em reconhecimento e prazer.

Foi preciso cada chama do fogo de Aelin para lhe segurar a coluna, para que conseguisse inclinar a cabeça em um ângulo despreocupado e dizer:

— Pelo menos sabe chegar com estilo, Erawan.

⊰ 16 ⊱

O capataz falou, mas a voz não era sua. E a voz não era de Perrington.

Era uma voz nova, uma voz antiga, uma voz de um mundo e de uma vida diferentes, uma voz que se alimentava de gritos, sangue e dor. A magia de Aelin se debateu ao ouvir o som, e mesmo Aedion xingou baixinho, ainda tentando conter a prima.

Mas ela rapidamente se ergueu contra a treva que olhava para eles de dentro do peito aberto do homem, sabendo que mesmo que o corpo não tivesse sido irremediavelmente quebrado, não restara nada para ser salvo. Nada que valesse a pena salvar, para início de conversa.

Aelin flexionou os dedos na lateral do corpo, reunindo a magia contra a treva que se encolhia e rodopiava dentro do peito destruído do homem.

— Acho que me deve um agradecimento, herdeira de Brannon — disse Erawan.

A jovem ergueu as sobrancelhas, sentindo o gosto de fumaça na boca. *Calma*, murmurou Aelin para a magia. Cuidado; precisaria tomar muito cuidado para que ele não visse o amuleto em seu pescoço, para que não sentisse a presença da última chave de Wyrd ali dentro. Já de posse das duas primeiras, se Erawan suspeitasse de que a terceira chave estava naquele templo e que seu domínio total sobre aquela terra e todas as demais estava tão perto... Aelin precisava mantê-lo distraído.

— Por que eu deveria agradecer a você, exatamente? — perguntou ela, com ironia.

Os olhos de brasas se voltaram para cima, como se avaliassem o corpo vazio do capataz.

— Por este pequeno presente como aviso. Por livrar o mundo de mais um verme.

E por fazer você perceber que será inútil me enfrentar, sussurrou aquela voz dentro da cabeça de Aelin.

Ela disparou fogo para fora em uma manobra aleatória, cambaleando para trás e chocando-se contra Aedion ao sentir a carícia daquela voz terrível e linda. Pelo rosto pálido do primo, podia ver que ele também a ouvira, também sentira o toque violador da voz.

Erawan riu.

— Fico surpreso por ter tentado salvá-lo primeiro. Considerando o que fez a você em Endovier. Meu príncipe mal aguentou ficar dentro da mente deste sujeito, de tão cruel que era. Acha prazeroso decidir quem deve ser salvo e quem está além da salvação? Como é fácil se tornar uma pequena deusa incandescente.

Náusea, verdadeira e fria, a golpeou.

Mas foi Aedion quem riu.

— Achei que tinha coisas melhores a fazer, Erawan, que nos provocar na calada da noite. Ou isso tudo é apenas uma forma de se sentir melhor por Dorian Havilliard ter escapado de suas mãos?

A treva sibilou. O general apertou o ombro da prima em um aviso silencioso. Acabe com isso já. Antes que Erawan possa atacar. Antes que sinta que a chave de Wyrd que procura está a apenas metros de distância.

Então Aelin inclinou a cabeça contra a força que os encarava através de carne e osso.

— Sugiro que descanse e reúna suas forças, Erawan — ronronou ela, piscando um olho para ele com cada gota de coragem que lhe restava. — Vai precisar.

Uma risada baixa soou quando chamas começaram a faiscar nos olhos da jovem, aquecendo o sangue com um calor bem-vindo e delicioso.

— De fato. Principalmente considerando os planos que tenho para o aspirante a rei de Adarlan.

O coração de Aelin congelou.

— Talvez devesse ter dito a seu amante que se disfarçasse antes de tirar Dorian Havilliard de Forte da Fenda. — Aqueles olhos se semicerraram até virarem fendas. — Qual era o nome dele... Ah, sim — sussurrou Erawan, como se alguém o tivesse cochichado para ele. — Príncipe Rowan Whitethorn de Doranelle. Que prêmio ele será.

Ela mergulhou para dentro do fogo e da sombra, recusando-se a ceder um pingo de si ao terror que tomava seu corpo.

— Meus caçadores já os estão seguindo — cantarolou Erawan. — E vou feri-los, Aelin Galathynius. Vou fazer deles meus generais mais fiéis. Começando por seu príncipe feérico...

Um aríete do azul mais intenso se chocou contra o poço na cavidade peitoral do homem, contra aqueles olhos incandescentes.

A jovem manteve a magia concentrada naquele peito, nos ossos e na carne que derretiam, deixando apenas o coração de ferro e de pedra de Wyrd intocados. A magia fluiu ao redor do sujeito, como um rio desviando de uma rocha, queimando o corpo e aquela *coisa* dentro dele...

— Não se dê o trabalho de salvar qualquer parte — grunhiu Aedion, baixinho.

Conforme a magia rugiu para fora, Aelin olhou para trás. Lysandra se transformara em humana e estava ao lado de Aedion, os dentes trincados para o capataz...

Aquele olhar teve um preço.

Aelin ouviu o grito do primo antes de sentir o soco de trevas de Erawan se chocar contra seu peito.

Sentiu o ar estalar contra ela ao ser atirada para trás, sentiu o corpo reclamar contra a parede de pedra antes de a agonia daquela treva realmente ser compreendida. A respiração diminuiu o ritmo, o sangue parou...

Levante levante levante.

Erawan riu baixinho ao ver Aedion se colocar imediatamente ao lado da prima, arrastando-a e erguendo-a conforme a mente e o corpo de Aelin tentavam se reorganizar...

A jovem disparou o poder de novo, deixando que Aedion acreditasse que ela permitira que ele a colocasse de pé simplesmente porque se esquecera de sair do caminho, e não porque os joelhos tremiam tão violentamente que Aelin não tinha certeza se *podia* ficar de pé.

Mas pelo menos a mão permaneceu firme ao estendê-la.

O templo ao redor estremeceu sob a força do poder que Aelin projetou para fora de si. Poeira e partículas de escombros caíram do teto alto; colunas oscilaram como amigos bêbados.

Os rostos de Aedion e de Lysandra brilhavam sob a luz azul da chama, estampando expressões com olhos arregalados, porém cheias de determinação... e ira. Quando a magia rugiu para fora de seu corpo, Aelin se apoiou mais no general cuja mão se apertou na cintura da prima.

Cada segundo durava uma vida; cada fôlego doía.

Mas o corpo do capataz por fim se dilacerou sob o poder de Aelin; os escudos sombrios ao redor dele cedendo a ela.

E alguma pequena parte de Aelin percebeu que aquilo só havia acontecido porque Erawan ousara sair, permitindo que aqueles olhos semelhantes a brasas, com faíscas de diversão, tremeluzissem e se extinguissem.

Quando o corpo do homem não passava de cinzas, Aelin recolheu a magia, encasulando o coração nela. Ela segurava o braço de Aedion, tentando não respirar alto demais, para que ele não ouvisse o ronco dos pulmões afetados, para que não percebesse o quanto aquela única fumaça de escuridão a tinha atingido.

Um estampido pesado ecoou pelo templo silencioso quando a pilha de ferro e pedra de Wyrd caiu.

Aquele foi o custo... o plano de Erawan. Perceber que a única misericórdia que poderia oferecer a sua corte seria a morte.

Se algum dia fossem capturados... Erawan a obrigaria a assistir conforme todos fossem destrinchados e preenchidos com seu poder. Faria com que ela os encarasse quando ele terminasse, para que não encontrasse vestígio de suas almas. Daí ele faria o mesmo com Aelin.

E Rowan e Dorian... Se Erawan os estava caçando naquele exato momento, se descobrisse que estavam na baía da Caveira e percebesse com que intensidade tinha realmente a atingido...

As chamas de Aelin se contiveram em uma brasa tranquila, então ela finalmente encontrou força o suficiente nas pernas para se afastar das mãos de Aedion.

— Temos de estar naquele navio antes do amanhecer, Aelin — disse seu primo. — Se Erawan não estava blefando...

Aelin apenas assentiu. Precisavam chegar à baía da Caveira o mais rápido que os ventos e as correntezas pudessem levá-los.

Mas, ao se voltar para o arco do templo para seguir em direção aos arquivos, ela olhou para o peito, completamente intocado, embora o poder de Erawan a tivesse atingido como uma lança disparada.

Ele errara. Por quase 8 centímetros, não atingira o amuleto. E possivelmente deixara de sentir a chave de Wyrd ali dentro.

Mas o golpe ainda reverberava contra seus ossos em ondas cruéis.

Um lembrete de que Aelin podia ser a herdeira do fogo... mas Erawan era o Rei da Escuridão.

❧ 17 ❧

Manon Bico Negro observou os céus carregados acima de Morath sangrarem até se tornarem cinza pútrido na última manhã da vida de Asterin.

Ela não dormira a noite inteira. Não comera nem bebera; não fizera nada além de afiar Ceifadora do Vento na frieza do ninho a céu aberto. Manon afiara a lâmina diversas vezes, encostada na lateral aquecida de Abraxos, até que os dedos estivessem duros demais devido ao frio para segurar espada ou pedra.

A avó da herdeira ordenara que Asterin fosse trancada nas profundezas do calabouço da Fortaleza, tão intensamente vigiada que uma fuga seria impossível. E um resgate também.

Manon considerara a ideia durante as primeiras horas depois que a sentença fora proferida. Mas resgatar a imediata seria trair a Matriarca, o Clã. Fora seu erro... somente *seu*, suas malditas escolhas haviam levado àquilo.

E, se saísse da linha de novo, o restante das Treze seria abatido. Manon tinha sorte por não haver perdido o título de Líder Alada. Pelo menos ainda podia liderar seu povo, protegê-lo. Melhor que permitir que alguém como Iskra assumisse o controle.

O ataque da legião do desfiladeiro Ferian sobre Forte da Fenda no comando de Iskra tinha sido descuidado, caótico; não fora o saque sistemático e calculado que Manon teria planejado caso a tivessem consultado. Mas naquele momento não fazia diferença se a cidade estava total ou parcialmente arruinada. Não mudava o destino de Asterin.

154

Então havia pouco a se fazer, a não ser afiar a antiga espada e memorizar as Palavras Rogativas. Ela precisaria proferi-las no momento certo. Podia dar aquele último presente à prima. O único presente.

Não a longa e lenta tortura seguida de decapitação que era típica da execução de uma bruxa.

Mas a misericórdia ágil da lâmina da própria Manon.

Botas se arrastaram sobre pedra e esmagaram o feno que cobria o piso do ninho. A jovem bruxa conhecia aquele andar... o conhecia tão bem quanto o andar da própria Asterin.

— O quê — disse ela a Sorrel, sem olhar para trás.

— O amanhecer se aproxima — respondeu a terceira no comando.

Que em breve seria a imediata. Vesta se tornaria a terceira e... e talvez Asterin por fim visse aquele caçador, visse a bruxinha natimorta que tiveram juntos.

Nunca mais Asterin cavalgaria os ventos; nunca mais dispararia no dorso da fêmea azul-celeste. Os olhos de Manon se voltaram para a serpente alada do outro lado do ninho... alternando o peso do corpo entre as pernas, acordada enquanto as demais dormiam.

Como se pudesse sentir o destino da dona chamando a cada momento que se passava.

O que seria da fêmea depois que Asterin se fosse?

Manon ficou de pé, e Abraxos lhe cutucou a parte de trás das coxas com o focinho. A bruxa abaixou a mão, tocando a cabeça escamosa. Não sabia a quem aquele movimento confortava. A capa carmesim, tão ensanguentada e imunda quanto o restante de seu corpo, ainda estava presa ao peito.

As Treze se tornariam doze.

Manon encarou Sorrel. Mas a atenção da terceira estava em Ceifadora do Vento, exposta na mão da Líder Alada.

— Pretende dizer as Palavras Rogativas — constatou a terceira.

Manon tentou falar. Mas não conseguiu abrir a boca. Então apenas assentiu.

Sorrel encarou o arco aberto além de Abraxos.

— Queria que ela tivesse a chance de ver os desertos. Apenas uma vez.

A herdeira se obrigou a erguer o queixo.

— Não temos desejos. Não temos esperanças — lembrou ela para aquela que em breve seria sua imediata. Os olhos de Sorrel dispararam para a líder, algo como mágoa passou por eles. Manon aceitou o golpe interno e disse:

— Conseguiremos seguir em frente, iremos nos adaptar.

Sorrel disse, baixinho, mas não com fraqueza:

— Ela vai de encontro à própria morte para guardar seus segredos.

Foi o mais perto que Sorrel chegara de um desafio direto. De ressentimento.

Manon embainhou Ceifadora do Vento na lateral do corpo e caminhou para a escada, incapaz de encarar os olhos curiosos de Abraxos.

— Então terá me servido bem como imediata e será lembrada por isso.

A terceira não respondeu.

Então a Líder Alada desceu até a escuridão de Morath para matar a prima.

~

A execução não aconteceria no calabouço.

Em vez disso, a avó de Manon escolhera uma ampla varanda que se abria para uma das quedas infinitas da ravina que envolvia Morath. Bruxas tinham se entulhado na sacada, praticamente vibrando com sede de sangue.

As Matriarcas estavam diante do grupo reunido; Cresseida e a Matriarca das Pernas Amarelas acompanhadas pelas respectivas herdeiras, todas de frente para as portas abertas pelas quais Manon e as Treze saíram da Fortaleza.

Manon não ouviu os murmúrios da multidão; não ouviu o vento rugindo entre as torres altas; não ouviu o bater dos martelos nas forjas do vale abaixo.

Não quando a atenção foi em direção a Asterin, de joelhos diante das Matriarcas. Ela também estava de frente para Manon, ainda usava as roupas de montaria, os cabelos dourados estavam soltos e embaraçados, salpicados de sangue. Asterin ergueu o rosto...

— Seria justo — falou a avó de Manon lentamente, e a multidão se calou — que Iskra Pernas Amarelas também se vingasse pelas quatro sentinelas mortas sob sua vigília. Três golpes para cada uma das bruxas mortas.

Doze golpes no total. Mas pelos cortes e hematomas no rosto de sua prima, pelo lábio cortado, pela forma como curvava o corpo enquanto se ajoelhava... Fora muito mais que isso.

Devagar, a Líder Alada olhou para Iskra. Cortes cobriam os nós de seus dedos... ainda abertos devido à surra que dera em Asterin no calabouço.

Enquanto Manon estivera no andar de cima, lamentando-se.

Ela abriu a boca, a fúria era algo vivo que se debatia em seu estômago, no sangue. Mas Asterin falou no lugar da líder.

— Fique feliz ao saber, Manon — contou a imediata, com a voz rouca e um sorriso leve e arrogante —, que ela precisou me acorrentar para me surrar.

Os olhos de Iskra se incendiaram.

— Você gritou mesmo assim, vadia, enquanto eu a açoitava.

— Basta — interrompeu a Matriarca das Bico Negro, gesticulando com a mão.

Manon mal ouviu a ordem.

Tinham *açoitado* sua sentinela como um ser inferior, como alguma besta mortal...

Alguém grunhiu, um som baixo e cruel à direita.

Ela perdeu o fôlego ao ver Sorrel — uma rocha imóvel, uma pedra insensível — exibindo os dentes para Iskra, para aquelas reunidas ali.

A avó de Manon deu um passo adiante, tomada por desprazer. Atrás da Líder Alada, as Treze eram uma parede silenciosa e indestrutível.

Asterin começou a lhe observar os rostos, e a herdeira percebeu que a imediata entendia que era a última vez que o faria.

— Sangue será pago com sangue — anunciaram em uníssono a avó de Manon e a Matriarca das Pernas Amarelas, recitando a partir dos rituais mais antigos. A jovem bruxa tomou coragem, esperando o momento certo. — Qualquer bruxa que queira extrair sangue em nome de Zelta Pernas Amarelas pode vir à frente.

Unhas de ferro deslizaram das mãos de toda a aliança das Pernas Amarelas.

Asterin apenas encarou as Treze, o rosto ensanguentado imóvel, os olhos límpidos.

— Formem uma fila — ordenou a Matriarca das Pernas Amarelas.

Manon se intrometeu.

— Invoco o direito à execução.

Todas congelaram.

O rosto de sua avó ficou pálido de fúria. Mas as outras duas Matriarcas, inclusive a das Pernas Amarelas, apenas esperaram.

De cabeça erguida, a Líder Alada falou:

— Reivindico o direito à cabeça de minha imediata. Sangue será pago com sangue, mas pela ponta de minha espada. Ela é minha, então sua morte deverá ser minha.

Pela primeira vez, a boca de Asterin se contraiu e os olhos reluziram. Sim, compreendia o único presente que Manon poderia lhe dar, a única honra que restava.

Foi Cresseida Sangue Azul que interrompeu antes que as outras duas Matriarcas pudessem falar.

— Por ter salvo a vida de minha filha, Líder Alada, será concedido.

A Matriarca das Pernas Amarelas virou a cabeça para Cresseida com uma resposta nos lábios, mas era tarde demais. As palavras foram ditas, e as regras deveriam ser obedecidas a qualquer custo.

Com a capa vermelha da Crochan oscilando ao vento, Manon ousou olhar para a avó. Apenas ódio brilhava naqueles olhos antigos — ódio e um lampejo de satisfação porque Asterin seria morta depois de décadas sendo considerada uma imediata inadequada.

Mas pelo menos aquela morte seria concedida por Manon.

E a leste, deslizando por cima das montanhas como ouro derretido, o sol começou a nascer.

Cem anos ela tivera com Asterin. Sempre pensara que teriam mais cem.

Manon disse baixinho para Sorrel:

— Vire-a. Minha imediata verá o alvorecer uma última vez.

A bruxa obedientemente deu um passo adiante, virando Asterin para as Grã-Bruxas, com a multidão perto do parapeito... e o raro alvorecer perfurando a escuridão de Morath.

Sangue encharcava a parte de trás das vestes da imediata de Manon.

Ainda assim, Asterin permaneceu de joelhos, com ombros eretos e a cabeça erguida, ao olhar não para o alvorecer, mas para a própria Manon, que dava a volta pela imediata e assumia uma posição poucos metros adiante das Matriarcas.

— Antes do café da manhã, Manon — disse a avó alguns metros atrás.

Manon sacou Ceifadora do Vento, a lâmina cantou baixinho ao se libertar da bainha.

A luz do sol emoldurou a varanda quando Asterin sussurrou, tão baixo que apenas a líder ouviu:

— Leve meu corpo de volta ao chalé.

Algo dentro de Manon se partiu... se partiu tão violentamente que ela se perguntou se seria possível que ninguém tivesse ouvido.

Ela ergueu a espada.

Seria preciso apenas uma palavra de Asterin para salvar a própria pele. Poderia contar os segredos de Manon, suas traições, e sairia livre. Mas a imediata não disse mais nada.

E Manon entendeu naquele momento que havia forças maiores que a obediência, e a disciplina, e a brutalidade. Entendeu que não nascera sem alma; não nascera sem coração.

Pois ali estavam ambos, implorando a ela que não descesse aquela espada.

A Líder Alada olhou para as Treze, de pé em volta de Asterin, formando um semicírculo.

Uma a uma, elas ergueram dois dedos até a testa.

Um murmúrio percorreu a multidão. O gesto não era para honrar uma Grã-Bruxa.

Mas uma Bruxa-Rainha.

Havia quinhentos anos que as bruxas não tinham uma rainha, entre as Crochan ou as Dentes de Ferro. Nenhuma.

Perdão se estampou nos rostos das Treze. Perdão e compreensão e uma lealdade que não era por obediência tola, e sim forjada pela dor e pela batalha, pela vitória e pela derrota compartilhadas. Forjada pela esperança de uma vida melhor... um mundo melhor.

Por fim, Manon encontrou o olhar de Asterin, lágrimas escorriam pelo rosto da imediata. Não por medo ou dor, mas pelo adeus. Cem anos... e mesmo assim Manon desejava ter tido mais tempo.

Por um segundo, pensou naquela fêmea azul-celeste no ninho, a serpente alada que esperaria e esperaria por uma montadora que jamais voltaria. Pensou em uma terra verde rochosa que se estendia até o mar ocidental.

Com a mão trêmula, Asterin levou os dedos à testa e os estendeu.

— Leve nosso povo para casa, Manon — sussurrou ela.

A bruxa inclinou Ceifadora do Vento, preparando-se para o golpe.

A Matriarca das Bico Negro disparou:

— Acabe logo com isso, Manon.

A herdeira encarou Sorrel, então Asterin. E deu às Treze sua ordem final.

— *Corram.*

Então Manon Bico Negro se virou e desceu Ceifadora do Vento sobre a avó.

⊰ 18 ⊱

Manon só viu o lampejo de dentes enferrujados, o brilho das unhas de ferro da avó quando ela as ergueu para se defender da espada... mas já tarde demais.

A jovem bruxa avançou com Ceifadora do Vento, um golpe que teria cortado a maioria dos homens ao meio.

Mas a avó recuou tão rápido que a arma deslizou sobre seu torso, cortando tecido e pele conforme rasgava uma linha rasa entre os seios. Sangue azul jorrou, mas isso não impediu a Matriarca, que bloqueou o golpe seguinte de Manon com as unhas de ferro; ferro tão duro que Ceifadora do Vento ricocheteou.

A Líder Alada não olhou para ver se as Treze obedeceram. Mas Asterin rugia; rugia e gritava, pedindo que *parassem*. Os gritos ficaram mais distantes, então ecoaram, como se ela estivesse dentro do salão, sendo arrastada para longe.

Nenhum ruído de perseguição — como se as espectadoras estivessem chocadas demais. Que bom.

Iskra e Petrah empunharam as espadas e projetaram os dentes de ferro ao se colocarem entre as próprias Matriarcas e Manon, afastando as duas Grã--Bruxas.

O clã da Matriarca das Bico Negro avançou, mas foi impedido por um erguer de mão.

— Para trás — ordenou a avó de Manon, ofegante, enquanto a neta a circundava. Sangue azul escorria pelo corpo da bruxa. Um centímetro mais perto, e teria sido morta.

Morta.

A Matriarca exibiu dentes enferrujados.

— Ela é minha. — A bruxa indicou Manon com o queixo. — Faremos isso do modo antigo.

O estômago da jovem bruxa se revirou, mas ela embainhou a espada.

Com um gesto de punhos, Manon projetou as unhas, e um estalo no maxilar fez os dentes descerem.

— Vejamos o quanto você é boa, Líder Alada — sibilou a Matriarca, então atacou.

Manon jamais vira a avó lutar, jamais treinara com ela.

E uma pequena parte especulava se seria porque a Matriarca não queria revelar às outras o quanto era habilidosa.

A Líder Alada mal se movia rápido o bastante a fim de evitar que unhas lhe rasgassem o rosto, o pescoço, o estômago... que recuasse passo após passo após passo.

Só precisava ganhar tempo suficiente para que as Treze tomassem os céus.

A Grã-Bruxa avançou contra a face da neta, que bloqueou o golpe com o cotovelo, chocando a articulação com força contra o antebraço da Matriarca. A bruxa gritou de dor, e Manon saiu do alcance, circundando de novo.

— Não é tão fácil atacar agora, não é, Manon Bico Negro? — provocou a avó, arfando, conforme as duas se observavam. Ninguém em volta ousava se mover; as Treze haviam sumido, até a última delas. Manon quase suspirou de alívio. Só precisava manter a Matriarca ocupada tempo bastante e impedir que ela desse às espectadoras a ordem de as perseguirem. — Muito mais fácil com uma espada, a arma daqueles humanos covardes — declarou a bruxa, tomada pela fúria. — Com os dentes e as unhas... É preciso *vontade*.

Elas avançaram uma contra a outra, alguma parte essencial de Manon se partia a cada golpe, corte e bloqueio. As duas se desvencilharam de novo.

— Tão patética quanto sua mãe — disparou a Matriarca. — Talvez você morra como ela também, com meus dentes em seu pescoço.

A mãe, que ela matara ao nascer, a qual morrera dando à luz Manon...

— Durante anos, tentei treiná-la para que perdesse a fraqueza de sua mãe. — A bruxa cuspiu sangue azul nas pedras. — Para o bem das Dentes de Ferro, transformei você em uma força da natureza, uma guerreira como nenhuma outra. E é assim que me retribui...

Manon não deixou as palavras a afetarem. Ela disparou para a garganta, apenas para fintar e, então, rasgar.

Sua avó emitiu um berro de dor — *dor* genuína — quando as garras da neta lhe dilaceraram o ombro.

Sangue inundou a mão da jovem bruxa, e carne se agarrou às unhas...

Manon cambaleou para trás; bile queimou sua garganta.

Ela viu o golpe vindo, mas não teve tempo de impedir a mão direita que lhe cortou a barriga.

Couro, tecido e pele se rasgaram. Manon gritou.

Sangue, quente e azul, jorrou antes que a avó disparasse para trás.

A jovem bruxa pressionou a mão contra o abdômen, segurando a pele destruída, enquanto sangue escorria entre seus dedos e pingava no chão.

Bem no alto, uma serpente alada rugiu.

Abraxos.

A Matriarca das Bico Negro gargalhou, limpando o sangue da neta das unhas.

— Vou picar sua serpente alada em pedacinhos e dá-los de comer aos cães.

Apesar da ferida na barriga, a visão de Manon ficou mais nítida.

— Não se eu matá-la primeiro.

A avó riu, ainda circundando, avaliando.

— Perdeu seu título de Líder Alada. Perdeu seu título de herdeira. — Um passo após o outro, mais e mais perto, uma víbora dando voltas em torno da presa. — De hoje em diante, é Manon Assassina de Bruxas, Manon Matadora das Suas.

As palavras a atingiram como pedras. Ela recuou na direção do parapeito da varanda, pressionando a ferida no estômago para não perder mais sangue. A multidão se afastou como água a sua volta. Apenas mais um pouco; apenas mais um ou dois minutos.

Então a avó de Manon parou, piscando na direção das portas abertas, como se percebesse que as Treze haviam sumido. A jovem bruxa atacou de novo antes que a Matriarca pudesse dar a ordem da perseguição.

Golpe, avanço, corte, recuo — elas se moviam em um redemoinho de ferro e sangue e couro.

Mas, ao se virar para recuar, os ferimentos no estômago de Manon se abriram mais, fazendo-a cambalear.

Sua avó não perdeu um segundo e golpeou.

Não com as unhas ou os dentes, mas com o pé.

O chute no estômago da neta a fez gritar, um rugido mais uma vez respondido por Abraxos, trancado no alto. Prestes a morrer, era certo. Manon rezou para que as Treze lhe poupassem a serpente alada e que o deixassem se juntar ao grupo onde quer que tivessem ido.

A jovem bruxa se chocou contra o parapeito de pedra da varanda e se encolheu contra os azulejos pretos. Sangue azul jorrava, manchando as coxas de sua calça.

A Matriarca se aproximou devagar, ofegante.

Manon se agarrou ao parapeito, fazendo força para se levantar uma última vez.

— Quer ouvir um segredo, Matadora das Suas? — sussurrou a avó.

Manon se recostou ao parapeito da varanda; a queda seria infinita e um alívio. Caso contrário, seria levada para o calabouço; seria usada para a procriação de Erawan, ou a torturariam até que implorasse pela morte. Talvez ambos.

A Matriarca falou tão baixo que até mesmo Manon mal conseguiu ouvir por cima da respiração difícil.

— Enquanto sua mãe estava em trabalho de parto, ela confessou quem era seu pai. Disse que você... *você* seria aquela a quebrar a maldição, a nos salvar. Disse que seu pai era um raro príncipe Crochan. E disse que seu sangue misto seria a chave. — A avó dela ergueu as unhas até a boca e lambeu o sangue azul da neta.

Não.

Não.

— Portanto, você foi uma Matadora das Suas a vida inteira — ronronou a bruxa. — Caçando aquelas Crochans, suas *parentes*. Quando era pequena, seu pai a procurou pelos territórios. Ele nunca deixou de amar sua mãe. *Amá-la* — disparou ela. — E amar você. Então eu o matei.

Manon olhou para a queda abaixo, para a morte que a chamava.

— O desespero dele foi delicioso quando contei o que fizera a ela. E em que transformaria você. Não uma filha da paz... mas da guerra.

Transformada.

Transformada.

Transformada.

As unhas de ferro de Manon se quebraram na pedra preta do parapeito. E então a avó disse as palavras que a destruíram.

— Sabe por que aquela Crochan espionava o desfiladeiro Ferian na primavera? Fora enviada para encontrar *você*. Depois de 116 anos de buscas, tinham finalmente descoberto a identidade da filha perdida de seu príncipe morto.

O sorriso da Matriarca parecia medonho naquele triunfo absoluto. Manon desejou que tivesse força nos braços, nas pernas.

— Seu nome era Rhiannon, em homenagem à última rainha Crochan. E ela era sua meia-irmã. Confessou isso para mim em nossas mesas de abate, pois achou que assim salvaria a própria vida. E, quando viu o que você tinha se tornado, escolheu que esse conhecimento morresse com ela.

— Sou uma Bico Negro — retrucou Manon, a voz rouca, engasgando com sangue.

A avó deu um passo, sorrindo ao cantarolar:

— Você é uma Crochan. A última da linhagem real após a morte de sua irmã por suas mãos. É uma *rainha* Crochan.

Havia silêncio absoluto das bruxas reunidas.

A Matriarca estendeu a mão para ela.

— E vai morrer como uma quando eu terminar com você.

Manon não deixou que as unhas a tocassem.

Um estrondo soou próximo.

Então a jovem bruxa usou a força que reunira nos braços e nas pernas para se atirar por sobre o beiral da varanda.

E rolar para o espaço aberto.

∽

Ar e rocha e vento e sangue...

Manon se chocou contra uma pele quente e encouraçada, gritando quando a dor dos ferimentos lhe ofuscou a visão.

Acima, em algum lugar bem distante, a avó vociferava ordens...

Manon cravou as unhas na pele encouraçada, enterrando as garras profundamente. Abaixo, soou um ganido de desconforto que ela reconheceu. Abraxos.

Mas ela continuou segurando firme, e a serpente alada suportou a dor ao se inclinar para o lado, desviando da sombra de Morath...

Manon as sentiu ao redor.

Ela conseguiu abrir os olhos e posicionar a pálpebra transparente de proteção contra o vento.

Edda e Briar, suas Sombras, a flanqueavam. A jovem bruxa sabia que tinham permanecido ali, esperando escondidas com as serpentes aladas, e que haviam ouvido cada uma daquelas malditas últimas palavras.

— As outras partiram na frente. Fomos enviadas para resgatá-la — gritou Edda, a mais velha das irmãs, por cima do rugido do vento. — Seu ferimento...

— É superficial — disparou Manon, forçando-se a afastar a dor para se concentrar na tarefa adiante. Estava no pescoço de Abraxos, com a sela poucos centímetros atrás. Sofrendo com cada fôlego, a bruxa soltou as unhas, uma a uma, da pele da montaria e deslizou para a sela. Abraxos retificou o voo, oferecendo vento suave para que Manon se prendesse ao cinto.

Sangue lhe escorria das lacerações na barriga... deixando o assento rapidamente escorregadio.

Atrás delas, diversos rugidos fizeram as montanhas estremecerem.

— Não podemos deixar que cheguem às demais — disse Manon, com esforço.

Briar, cujos cabelos pretos esvoaçavam atrás do corpo, deslizou para perto.

— Seis Pernas Amarelas em nosso encalço. Da aliança pessoal de Iskra. Aproximando-se rapidamente.

Com contas a ajustar, sem dúvida tinham recebido carta branca para matá-las.

Manon avaliou os picos e as ravinas das montanhas que as cercavam.

— Duas para cada — ordenou ela. As serpentes escuras das Sombras eram imensas, habilidosas em se esconder e devastadoras em uma luta. — Edda, atraia duas para oeste; Briar, leve as outras duas para leste. Deixem as outras duas comigo.

Nenhum sinal do restante das Treze nas nuvens cinzentas nem nas montanhas.

Que bom; tinham fugido. Bastava.

— Matem-nas, então encontrem as outras — declarou Manon, com um braço sobre o ferimento.

— Mas, Líder Alada...

O título quase destruiu sua força de vontade. Ainda assim, a bruxa disparou:

— É uma ordem.

As Sombras fizeram uma reverência com a cabeça. Então, como se compartilhassem a mente e o coração, desviaram para direções opostas, afastando-se de Manon, como pétalas ao vento.

Iguais a cães de caça farejando o alvo, quatro Pernas Amarelas se separaram do grupo para lidar com cada Sombra.

As duas no centro voavam mais rápido, mais intensamente, dividindo-se para se aproximar de Manon. A visão da bruxa ficou embaçada.

O que não era nada bom... nada bom mesmo.

— Vamos tornar essa resistência final digna de uma canção — sussurrou para Abraxos.

O animal urrou em resposta.

As Pernas Amarelas voaram e se aproximaram o bastante para que a herdeira Bico Negro lhes contasse as armas. Um grito de batalha soou daquela à direita.

Manon enterrou o tornozelo esquerdo na lateral de Abraxos.

Como uma estrela cadente, ele disparou para baixo, na direção dos picos das montanhas cinzentas. As Pernas Amarelas mergulharam com os dois.

Apesar da visão embaçada, lampejando preto e branco, Manon mirou uma ravina que percorria a espinha da cordilheira. Um calafrio passou pelos ossos da bruxa.

As paredes da ravina os envolveram, Abraxos e ela, como a boca de uma besta poderosa, então Manon puxou as rédeas uma vez.

A serpente alada abriu as asas e planou pela lateral da ravina antes de pegar uma corrente de vento e se nivelar, batendo as asas desesperadamente pelo coração do vale, onde pilares de pedras se projetavam do leito, como lanças.

Com montarias grandes e corpulentas, as Pernas Amarelas, que mal raciocinavam devido à sede de sangue, hesitaram diante da ravina, da curva acentuada...

Houve um estrondo e um guincho, em seguida a ravina toda estremeceu.

Manon engoliu o grito de dor ao olhar para trás. Uma das serpentes aladas entrara em pânico, pois era muito grande para o espaço, e se chocara contra uma coluna de pedra, fazendo chover ossos quebrados e sangue.

Mas a outra tinha conseguido desviar e voava na direção de Manon e Abraxos, com asas tão largas que quase tocavam as laterais da ravina.

— *Voe, Abraxos* — ofegou a jovem bruxa, entre dentes ensanguentados.

E, sua gentil montaria, com coração de guerreiro, voou.

Manon se concentrou em continuar na sela, em pressionar o ferimento para estancar o sangue e manter aquele frio letal afastado. Havia se ferido o suficiente na vida para saber que a avó a atingira profundamente e com vontade.

A ravina desviava para a direita, e Abraxos fez a curva com uma habilidade experiente. Ela rezou por um estrondo contra a parede e um rugido da serpente alada que os perseguia, mas não ouviu nada.

No entanto, Manon conhecia aqueles cânions mortais. Voara por aquele caminho inúmeras vezes durante as intermináveis e fúteis patrulhas dos últimos meses. As Pernas Amarelas, reclusas no desfiladeiro Ferian, não os conheciam.

— Até o fim, Abraxos — disse a montadora. O rugido da besta foi a única confirmação.

Uma chance. Manon teria uma chance. Então poderia morrer satisfeita, sabendo que as Treze não seriam perseguidas. Pelo menos não naquele dia.

Volta após volta, Abraxos disparou pela ravina, golpeando a própria cauda contra as rochas para lançar os destroços na sentinela Pernas Amarelas.

A montadora desviava das rochas, com a serpente alada oscilando ao vento. Mais perto... Manon precisava dela mais perto. Ela puxou as rédeas, e Abraxos conteve a velocidade.

Volta após volta após volta, rochas escuras disparando, embaçadas como a própria visão em falência da bruxa.

A Pernas Amarelas estava próxima o bastante para atirar uma adaga.

Manon olhou para trás com a visão comprometida e viu que a bruxa faria exatamente aquilo.

Não uma adaga... mas duas, metal refletindo à luz fraca do cânion.

Ela se preparou para o impacto do metal sobre carne e osso.

Abraxos fez a curva final no momento em que a sentinela atirou as lâminas contra Manon. Uma parede alta e impenetrável de pedra preta se ergueu a poucos metros.

Mas a montaria disparou para cima, pegando a corrente ascendente e planando para fora do coração da ravina, tão perto que Manon podia tocar a parede do beco sem saída.

As duas adagas atingiram a rocha onde ela estivera instantes antes.

E a sentinela Pernas Amarelas, sobre a serpente alada corpulenta e pesada, também a atingiu.

Rocha gemeu quando o animal e a montadora se estatelaram contra ela. E caíram no leito da ravina.

Ofegante, com a respiração rouca e úmida de sangue, Manon deu tapinhas na lateral de Abraxos. Até mesmo aquele movimento foi fraco.

— Boa — elogiou ela, com dificuldade.

Montanhas se tornaram pequenas de novo. A floresta de Carvalhal se estendeu diante de Manon. Árvores; a cobertura das árvores poderia escondê-la...

— Carva... — começou a bruxa, rouca.

Ela não terminou o comando antes de a Escuridão disparar para reivindicá-la.

⊰ 19 ⊱

Elide Lochan se manteve quieta durante os dois dias em que caminhou com Lorcan pelo limite leste da floresta de Carvalhal, seguindo para as planícies além.

Não fizera as perguntas que pareciam importar mais, deixando que o semifeérico pensasse que era uma garota tola, iludida pela gratidão de ter sido salva.

Lorcan rapidamente esquecera que, embora a tivesse carregado, Elide se salvara. E ele aceitara seu nome — o nome da *mãe* — sem questionamentos. Se Vernon estivesse atrás da jovem... Fora um erro bobo, mas não tinha como desfazê-lo, não sem levantar as suspeitas do guerreiro.

Então a jovem se manteve calada e engoliu as perguntas. Por que ele a estava caçando? Ou quem era a senhora de Lorcan, capaz de comandar um guerreiro tão poderoso? Por que ele queria ir até Morath? Por que ficava tocando um objeto sob a jaqueta escura? E por que parecera tão surpreso, embora tivesse tentado esconder, quando Elide mencionara Celaena Sardothien e Aelin Galathynius?

Ela não tinha dúvidas de que o semifeérico guardava segredos próprios e de que, apesar da promessa de protegê-la, assim que conseguisse todas as respostas que queria, a proteção terminaria.

Mas, mesmo assim, Elide tinha dormido em paz nas duas últimas noites — graças à barriga cheia de carne, cortesia da caça de Lorcan. Ele pegara dois coelhos, e, quando a menina devorou o seu em minutos, Lorcan lhe dera metade do que tinha restado do dele. Ela não se incomodara em ser educada e recusar.

Era o meio da manhã quando a luz na floresta ficou mais forte e o ar mais fresco. Em seguida ouviram o rugido de águas poderosas: o Acanthus.

Lorcan seguiu à frente, e, quando ergueu a mão em um gesto silencioso para que ela esperasse, Elide podia ter jurado que até mesmo as árvores se inclinaram e abriram caminho para o guerreiro.

A jovem obedeceu, permanecendo na escuridão entre as copas e rezando para que ele não os obrigasse a retornar para o emaranhado da floresta de Carvalhal, para que ele não lhe negasse aquele passo em direção ao mundo iluminado e aberto...

Lorcan gesticulou de novo, para que ela seguisse. O caminho estava livre.

Piscando para a torrente de luz do sol, Elide ficou em silêncio conforme andava da última fileira de árvores até o leito alto e rochoso do rio onde Lorcan aguardava.

O rio era imenso, manchado de correntezas cinzentas e marrons — devido ao restante do gelo que derretera das montanhas. Tão amplo e tão selvagem que ela percebeu que não poderia nadar para o lado oposto, e que a travessia precisaria ser em outro lugar. Contudo, além do rio, como se água fosse uma fronteira entre dois mundos...

Colinas e campos de grama esmeralda alta oscilavam do outro lado do Acanthus, parecendo um mar sibilante sob um céu azul sem nuvens que se estendia eternamente até o horizonte.

— Não consigo me lembrar — murmurou Elide, as palavras quase inaudíveis por cima da canção rugida do rio. — Da última vez que vi... — Em Perranth, trancafiada naquela torre, tinha apenas vista para a cidade, talvez para o lago se o dia estivesse limpo o suficiente. Então fora parar naquela carruagem de prisão, depois em Morath, onde havia apenas montanhas e cinzas e exércitos. E, durante o voo com Manon e Abraxos, estivera perdida demais em terror e luto para reparar em qualquer coisa. Mas naquele momento... Não conseguia se lembrar da última vez que vira a luz do sol dançando em um campo, ou passarinhos marrons saltitando e planando na brisa morna.

— A estrada fica 1,5 quilômetro rio acima — disse Lorcan, com os olhos pretos insensíveis ao Acanthus ou ao gramado ondulante adiante. — Se quer que seu plano funcione, agora é o momento de se preparar.

Ela olhou para Lorcan.

— É você quem precisa de mais preparação. — Sobrancelhas pretas se ergueram, e Elide explicou: — Se é para esse disfarce dar certo, precisa ao menos... fingir ser humano.

Nada a seu respeito sugeria que a herança humana estava presente.

— Esconda mais as armas — continuou ela. — Deixe apenas a espada.

Mesmo a lâmina poderosa seria um indício óbvio de que Lorcan não era um viajante comum.

Elide pegou uma faixa sobressalente de couro do bolso do casaco.

— Prenda o cabelo. Vai parecer menos... — Ela parou de falar diante do leve interesse misturado com aviso no olhar do semifeérico. — Selvagem — obrigou-se a dizer a jovem, balançando a faixa de couro entre os dois. Os dedos largos de Lorcan pegaram o objeto, e ele contraiu os lábios ao obedecer.

— E desabotoe o casaco — falou Elide, vasculhando o catálogo mental em busca de traços que tivesse notado que pareciam menos ameaçadores, menos intimidantes. Ele obedeceu àquela ordem também, e logo a camisa cinza--escuro sob o casaco preto justo estava à mostra, revelando o peito largo e musculoso. Pelo menos assim parecia mais inclinado ao trabalho braçal que aos campos de batalha.

— E você? — indagou Lorcan, ainda com as sobrancelhas erguidas.

Elide se observou, então apoiou a sacola. Primeiro, retirou o casaco de couro, embora a fizesse se sentir como se uma camada de pele tivesse sido arrancada, depois dobrou as mangas da camisa branca. Sem o couro justo, o contorno dos seios ficava visível — marcando-a como uma mulher, e não como a garota franzina que presumiam que fosse. Em seguida, ela cuidou dos cabelos, soltando-os da trança e fazendo um coque no alto da cabeça. O penteado de uma mulher casada, e não as mechas soltas nem as tranças da juventude.

A jovem enfiou o casaco na sacola e ficou de pé para encarar Lorcan.

Os olhos do guerreiro percorreram a moça dos pés à cabeça, e ele franziu a testa de novo.

— Peitos maiores não provarão nem esconderão nada.

As bochechas de Elide esquentaram.

— Talvez mantenham os homens distraídos por tempo suficiente para não fazerem perguntas.

Com isso, rumou para o rio, tentando não pensar nos homens que a haviam tocado e ridicularizado naquela cela. Mas, se o corpo pudesse levá-la em segurança para o outro lado do rio, usaria aquilo em vantagem própria. Homens veriam o que quisessem: uma jovem bonita que não se irritava com a atenção, que falava de modo suave e reconfortante. Alguém de confiança, alguém doce, porém comum.

Lorcan a seguiu, então a alcançou e caminhou ao seu lado durante os últimos metros em curva do rio, como um verdadeiro companheiro, e não como uma escolta presa a ela por uma promessa.

Cavalos e carruagens e gritos os receberam antes que o cenário surgisse.

Mas lá estava: uma ponte de pedra ampla, embora gasta, com carros e carroças e montadores enfileirados em multidões de cada lado. E cerca de duas dúzias de guardas com as cores de Adarlan monitorando cada margem, coletando pedágios e...

Verificando carruagens, inspecionando cada rosto e pessoa.

Os ilken sabiam sobre o andar cambaleante de Elide.

Ela ficou mais lenta, mantendo-se próxima a Lorcan conforme se aproximavam das surradas tendas de dois andares do seu lado do rio. No fim da estrada, ladeados pelas árvores, alguns prédios igualmente deploráveis agitados com atividade. Uma estalagem e uma taverna. Para que viajantes esperassem fora da fila, com uma bebida ou uma refeição, ou talvez para que alugassem um quarto durante o clima inclemente.

Tantas pessoas; tantos humanos. Nenhuma parecia em pânico ou ferida ou doente. E os guardas, apesar dos uniformes, moviam-se como homens conforme vasculhavam as carruagens passando pelas tendas que serviam de pedágio e dormitório.

Ao seguirem para a estrada de terra e para o fim distante da fila, Elide falou, baixinho, para Lorcan:

— Não sei qual magia possui, mas, se puder tornar minha dificuldade para caminhar menos óbvia...

Antes que a jovem terminasse a frase, uma força como vento frio da noite se pressionou contra seu tornozelo, envolvendo-o como uma amarra sólida. Uma tala.

Os passos de Elide se igualaram, e ela precisou conter a vontade de dar um gritinho diante da sensação de caminhar reto e com determinação. Não se permitiu aproveitar a sensação, saboreá-la, não quando aquilo provavelmente só duraria até que atravessassem a ponte.

Carruagens de mercadores se demoravam, lotadas de bens daqueles que não quiseram arriscar o rio Avery para o norte; os condutores esperavam com expressões tensas diante das inspeções iminentes. Elide observou condutores, mercadores, outros viajantes... Cada um fazia com que seus instintos gritassem que seriam traídos assim que pedissem carona ou oferecessem uma moeda em troca de silêncio.

Como furar a fila atrairia os guardas, a jovem usou cada passo até o fim da linha para observá-la. Ainda assim não conseguiu nada.

Lorcan, no entanto, olhou significativamente para a taverna atrás de Elide, sem dúvida pintada de branco para esconder as pedras aos pedaços.

— Vamos comer algo antes de esperar — disse ele, alto o suficiente para que a carruagem adiante ouvisse e os ignorasse.

A jovem assentiu. Haveria outras pessoas lá dentro, e seu estômago roncava. Mas...

— Não tenho dinheiro — murmurou Elide ao se aproximarem da porta de madeira esbranquiçada. Mentira. Tinha ouro e prata de Manon. Mas não exibiria o dinheiro diante de Lorcan, com ou sem promessa.

— Tenho bastante — rebateu ele, firme, e ela delicadamente pigarreou.

Lorcan ergueu a sobrancelha.

— Não vai conquistar aliados com essa aparência — indicou Elide, dando um sorrisinho doce ao semifeérico. — Entre lá parecendo um guerreiro e será notado.

— E o que eu deveria ser, então?

— O que precisar ser quando chegar a hora. Mas... não faça expressão de raiva.

Lorcan abriu a porta, e, quando os olhos de Elide se ajustaram ao brilho dos candelabros de ferro retorcido, o rosto do guerreiro *tinha* mudado. Os olhos talvez jamais fossem calorosos, mas um sorriso sereno se estampava em seu rosto, e os ombros estavam relaxados... como se estivesse levemente incomodado pela espera, mas ansioso por uma boa refeição.

Quase parecia humano.

A taverna estava lotada; o barulho era tão estridente que Elide mal conseguia falar alto o bastante com a garçonete mais próxima para pedir almoço. Tinham se espremido entre mesas cheias, e a jovem reparou que mais do que poucos pares de olhos se voltaram para seus seios, depois para seu rosto. E se detiveram.

Ela afastou a sensação nauseante e manteve os passos lentos ao seguir para uma mesa encaixada na parede dos fundos, que acabara de ser desocupada por um casal de aparência cansada.

A poucos metros deles, havia um grupo barulhento de oito pessoas amontoado em volta de uma mesa, e uma mulher de meia-idade com uma gargalhada estrondosa imediatamente se destacou como a líder. Os demais à mesa

— uma linda mulher de cabelos pretos; um homem barbudo, com peito largo e mãos tão grandes quanto pratos de comida; e algumas pessoas de aparência tosca —, todos olhavam para a mulher mais velha, medindo suas reações e ouvindo atentamente o que tinha a dizer.

Elide deslizou para a cadeira de madeira gasta, e Lorcan ocupou o assento diante dela; o tamanho do guerreiro lhe garantiu um olhar do homem barbudo e da mulher de meia-idade.

A jovem mediu aquele olhar.

De avaliação. Não para lutar nem para ameaçar. Mas com apreciação e cálculo.

Ela se perguntou por um segundo se a própria Anneith teria cutucado o outro casal para que fosse embora... para que liberasse aquela mesa para os dois. Para aquele exato olhar.

Elide apoiou a mão na mesa, com a palma para cima, e deu um sorriso preguiçoso a Lorcan, um que vira uma criada da cozinha dar a um cozinheiro de Morath certa vez.

— Marido — disse ela, com doçura, agitando os dedos.

A boca de Lorcan se contraiu, mas ele pegou a mão de Elide, fazendo os dedos da jovem sumirem sob os dele.

Os calos do guerreiro rasparam contra os dela, o que ambos repararam no mesmo momento. Então Lorcan deslizou a mão para segurar a da companheira em concha, inspecionando a palma da mão. A jovem a fechou e girou, em seguida pegou a mão de Lorcan novamente.

— Irmão — murmurou ele, para que ninguém mais ouvisse. — Sou seu irmão.

— É meu marido — retrucou Elide, igualmente baixo. — Somos casados há três meses. Acompanhe minhas deixas.

Ele observou o entorno, sem notar o olhar de avaliação que os dois tinham recebido. Dúvida ainda dançava nos olhos do guerreiro, com uma pergunta silenciosa.

Elide falou, simplesmente:

— Homens não temem a ameaça de um irmão. Eu ainda não seria de ninguém, ainda estaria aberta a... convites. Já vi que os homens mal respeitam qualquer coisa a que pensem ter direito. Então você é meu marido — sibilou ela. — Até que eu diga o contrário.

Uma sombra percorreu os olhos de Lorcan, com outra pergunta. Uma que Elide não queria e não podia responder. A mão dele se apertou sobre a dela, exigindo que ela o fitasse, mas a jovem se recusou.

Felizmente a comida chegou antes que Lorcan pudesse fazer a pergunta.

Ensopado; raízes e coelho. Elide atacou o prato, quase derretendo o céu da boca com a primeira mordida.

O grupo atrás dos dois começou a conversar de novo, e ela ouvia conforme comia, selecionando partes do que escutava, como se fossem conchas em uma praia.

— Talvez possamos oferecer uma apresentação para eles reduzirem a taxa do pedágio pela metade — disse o homem loiro e barbudo.

— Acho difícil — respondeu a líder. — Aqueles desgraçados *nos* cobrariam pela apresentação. Pior, iriam gostar de nossas apresentações e exigiriam que ficássemos um tempo. Não podemos arriscar a espera. Não quando outras companhias já estão a caminho. Não queremos chegar às cidades das planícies depois de todos.

Elide quase engasgou no ensopado. Anneith *devia* ter liberado aquela mesa, então. Seu plano era encontrar uma trupe ou um circo itinerante ao qual se misturassem, disfarçando-se de trabalhadores, e aquilo...

— Se pagarmos o preço cheio do pedágio — falou a bela mulher —, chegaremos à primeira cidade quase mortos de fome e incapazes de nos apresentar.

Elide ergueu o olhar para Lorcan; ele assentiu.

Ela tomou um pouco do ensopado, preparando-se, pensando em Asterin Bico Negro. Charmosa, confiante, destemida. Sempre tinha a cabeça inclinada em um ângulo descontraído, com braços e pernas relaxados, um indício de sorriso nos lábios. Elide respirou fundo, deixando que essas memórias se enterrassem em músculos e carne e osso.

Então se virou na cadeira, apoiando o braço no encosto ao se inclinar na direção da mesa do grupo, e disse, sorrindo:

— Desculpe interromper sua refeição, mas não pude deixar de ouvir a conversa. — Todos se viraram para ela, com as sobrancelhas erguidas, os olhos da líder disparando direto para o rosto de Elide. Ela percebeu a avaliação: jovem, bela, intocada por uma vida difícil. Elide manteve uma expressão agradável, tentando fazer com que os olhos se alegrassem. — São algum tipo de trupe artística? — Ela indicou Lorcan com a cabeça. — Meu marido e eu estamos procurando nos juntar a uma há semanas, sem sorte... estão todas cheias.

— Também estamos — declarou a líder.

— Certo — respondeu Elide, alegremente. — Mas aquele pedágio é caro para qualquer um. Se fizéssemos negócios juntos, talvez de forma temporária... — O joelho de Lorcan roçou o dela em aviso. A jovem o ignorou. — Ficaríamos felizes em contribuir com a taxa... cobrir alguma diferença devida.

A avaliação da mulher se transformou em cautela.

— Somos uma trupe, de fato. Mas não estamos precisando de novos membros.

O homem barbudo e a linda mulher olharam para a líder com reprimenda nos olhos.

Elide deu de ombros.

— Tudo bem, então. Mas caso mudem de ideia antes de partir, meu marido — um gesto para Lorcan, que tentava ao máximo sorrir de modo tranquilo — é um experiente atirador de facas. E em nossa trupe anterior conseguiu um bom dinheiro desafiando homens que queriam derrotá-lo em testes de força.

A líder voltou os olhos atentos para o semifeérico; para a altura e os músculos e a postura.

Elide sabia que tinha adivinhado corretamente a vaga que precisavam preencher quando a mulher perguntou:

— E o que você fazia?

— Eu trabalhava como vidente, me chamavam de oráculo. — Ela deu de ombros. — A maior parte era jogo de sombras e adivinhação. — Precisaria ser, considerando o pequeno detalhe de que Elide não sabia ler.

A mulher permaneceu apática.

— E qual era o nome da trupe?

Provavelmente a conheceriam... conheciam todas as trupes que patrulhavam as planícies.

Elide buscou na memória algo útil, qualquer coisa...

Pernas Amarelas. As bruxas de Morath tinham certa vez mencionado Baba Pernas Amarelas, que havia viajado com um circo itinerante para evitar ser reconhecida, que morrera em Forte da Fenda naquele inverno sem explicações... Detalhe após detalhe, enterrado nas catacumbas da memória, veio à tona.

— Estávamos no Parque dos Espelhos — explicou Elide. Reconhecimento, assim como surpresa e respeito, percorreu os olhos da líder. — Até que Baba

Pernas Amarelas, nossa dona, foi morta em Forte da Fenda no último inverno. Partimos e estamos em busca de trabalho desde então.

— De onde vieram então? — perguntou o homem barbudo.

— Minha família mora do lado oeste das montanhas Canino Branco. Passamos os últimos meses com eles, esperando a neve derreter, pois a passagem estava muito traiçoeira — respondeu Lorcan. — Há coisas estranhas acontecendo nas montanhas ultimamente — acrescentou.

A companhia ficou em silêncio.

— De fato — afirmou a mulher de cabelos pretos. Ela olhou para a líder do grupo. — Poderiam ajudar a pagar o pedágio, Molly. E desde que Saul partiu, o espetáculo está vazio...

Provavelmente o atirador de facas.

— Como eu disse — intrometeu-se Elide, com o lindo sorriso de Asterin —, ficaremos aqui um tempinho. Então, se mudarem de ideia... avisem. Se não... — Ela fez uma saudação com a colher amassada. — Boa viagem.

Algo lampejou nos olhos de Molly ao examiná-los de cima a baixo mais uma vez.

— Boa viagem — murmurou ela.

Elide e Lorcan retornaram à refeição.

E quando a garçonete foi pegar o dinheiro devido, Elide levou a mão ao bolso interno e tirou uma moeda de prata.

Os olhos da garçonete se arregalaram, mas foram os olhos atentos de Molly e dos demais naquela mesa que Elide notou durante o tempo em que a garota saiu e trouxe de volta o troco.

Lorcan se manteve em silêncio ao ver Elide deixar uma gorjeta generosa na mesa. Então ambos ofereceram sorrisos agradáveis à trupe quando desocuparam a mesa, saindo da taverna em seguida.

A jovem foi até o fim da fila, ainda com aquele sorriso no rosto, as costas eretas.

O guerreiro se aproximou, de forma nada extraordinária para o papel que interpretavam.

— Não tem dinheiro, não é?

Elide lhe ofereceu um olhar de esguelha.

— Parece que me enganei.

Um lampejo de dentes brancos surgiu quando Lorcan sorriu; um sorriso genuíno dessa vez.

— Bem, é melhor torcer para que você e eu tenhamos o bastante, Marion, porque Molly está prestes a fazer uma oferta.

Elide se virou ao ouvir o estalar da terra sob botas pretas, e viu a mulher diante deles, os demais detendo-se... alguns dando a volta para os fundos da taverna, sem dúvida para buscar as carruagens.

O rosto severo de Molly estava corado, como se o grupo tivesse discutido. Mas ela apenas emitiu um estalo com a língua e disse:

— Um número temporário. Se forem uma merda, estão fora, e não devolveremos o dinheiro do pedágio.

Elide sorriu, um sorriso que não era totalmente fingido.

— Marion e Lorcan, a seu serviço, madame.

⌒

Sua mulher. Pelos deuses.

Lorcan tinha mais de 500 anos; e aquela... aquela menina, jovem mulher, diaba, o que quer que fosse, acabara de blefar e mentir para conseguir um trabalho. Atirador de facas, de fato.

O guerreiro se deteve fora da taverna com Marion ao lado. Uma pequena trupe — por isso a falta de fundos —, e uma trupe que vira dias melhores, percebeu Lorcan quando as duas carruagens pintadas de amarelo chacoalharam e se agitaram diante dele, puxadas por quatro cavalos velhos.

Marion observou atentamente conforme Molly ocupou o assento do condutor ao lado da beldade de cabelos pretos, a qual não deu qualquer atenção a Lorcan.

Bem, estar com Marion como sua maldita *esposa* certamente tornava impossível qualquer coisa além de apreciar a bela mulher.

Ele se conteve para não grunhir. Não ficava com uma mulher havia meses. E é óbvio — é óbvio — que teria tempo e interesse em uma... apenas para ser impedido pelas mentiras de outra.

Sua mulher.

Não que Marion fosse desagradável aos olhos, notou Lorcan ao vê-la obedecer à ordem ríspida de Molly e entrar na traseira da segunda carruagem. Alguns dos outros membros do grupo os acompanhavam em cavalos maltrapilhos.

A jovem aceitou a mão estendida do barbudo, que a puxou para a carruagem com facilidade. Lorcan a seguiu, analisando todos no grupo, todos na cidadezinha improvisada. Um punhado de homens e algumas mulheres repararam em Marion quando ela passou.

O rosto meigo acompanhado de curvas pecaminosas — sem dificuldade ao caminhar, com os cabelos afastados do rosto... A jovem sabia exatamente o que estava fazendo. Sabia que as pessoas notariam essas coisas, pensariam nesses detalhes, em vez de se lembrarem da mente esperta e das mentiras com as quais eram alimentados.

Lorcan ignorou a mão do barbudo e subiu na traseira da carruagem, obrigando-se a se sentar perto de Marion, a passar o braço sobre os ombros ossudos e a parecer aliviado e feliz por ter uma trupe novamente.

Suprimentos preenchiam a carruagem, assim como mais cinco pessoas que sorriram para Marion... e então rapidamente desviaram o olhar do guerreiro.

A jovem apoiou a mão no joelho de Lorcan, que evitou a vontade de afastar o corpo. Fora um choque, mais cedo, sentir o quanto aquelas mãos delicadas eram ásperas.

Não fora apenas uma prisioneira em Morath, mas uma escravizada.

Os calos eram bastante antigos e firmes, indicando que Marion provavelmente trabalhara durante anos. Trabalho árduo, ao que parecia — e com aquela perna destruída...

O semifeérico tentou não pensar naquele cheiro de medo e dor que sentira quando ela lhe contara que pouco acreditava na bondade e na decência dos homens. Não deixou que a imaginação corresse solta com relação ao porquê de a jovem poderia ter tal opinião.

A carruagem estava quente, e o ar, úmido com suor humano, feno, merda dos cavalos em fila diante deles, o fedor de ferro das armas.

— Vocês não têm muitos pertences? — perguntou o barbudo, Nik.

Merda. Lorcan se esquecera de que humanos viajavam com bagagem, como se estivessem de mudança para algum lugar...

— Perdemos a maior parte em nossa viagem saindo das montanhas. Meu *marido* — explicou Marion, com uma irritação encantadora — insistiu para que atravessássemos um córrego rápido. Tenho sorte por ele ao menos ter *me* ajudado, pois certamente não saiu atrás de nossos suprimentos.

Uma risada baixa de Nik.

— Suspeito que ele estivesse mais concentrado em salvá-la que as bolsas.

A jovem revirou os olhos, dando tapinhas no joelho de Lorcan, que quase se encolhia a cada toque.

Mesmo com as amantes, o semifeérico não gostava de contato casual e distraído, exceto quando estavam na cama. Algumas achavam isso intolerável. Outras achavam que podiam dobrá-lo para que se tornasse um macho decente, que só queria um lar e uma boa fêmea para trabalhar ao seu lado. Nenhuma fora bem-sucedida.

— Posso me salvar sozinha — declarou Marion, alegremente. — Mas as espadas, nossos suprimentos de cozinha, minhas *roupas*... — Ela balançou a cabeça. — É possível que a performance de meu marido fique um pouco apagada até encontrarmos algum lugar para comprar mais suprimentos.

Nik encarou Lorcan, fixando o olhar por mais tempo que a maioria dos homens ousava. O guerreiro não tinha certeza do que ele fazia para a trupe. Às vezes se apresentava... mas certamente era segurança. O sorriso do barbudo se fechou um pouco.

— A terra além das montanhas Canino Branco não é gentil. Seu povo deve ser resistente para viver por lá.

Lorcan assentiu.

— Uma vida mais dura — respondeu ele — do que quero para minha mulher.

— A vida na estrada não é muito melhor — replicou Nik.

— Ah — intrometeu-se Marion —, mas não é? Uma vida a céu aberto, nas estradas, perambulando por onde o vento levar, respondendo a ninguém e a nada? Uma vida de liberdade... — Ela gesticulou com a cabeça. — O que mais eu poderia pedir além de viver sem as barras de uma jaula?

Lorcan sabia que as palavras não eram mentira. Ele vira o rosto de Marion quando tinham chegado à planície gramada.

— Dito como alguém que passou bastante tempo na estrada — comentou Nik. — É sempre de um jeito ou de outro com nosso pessoal: você se assenta e nunca mais viaja, ou perambula para sempre.

— Quero ver a vida... ver o mundo — disse Marion, a voz suavizando. — Quero ver tudo.

O guerreiro questionou se ela sequer chegaria a fazer aquilo caso ele fracassasse na própria tarefa e a chave de Wyrd acabasse em mãos erradas.

— Melhor não perambular longe demais — aconselhou Nik, franzindo a testa. — Não com o que aconteceu em Forte da Fenda... ou o que está acontecendo em Morath.

— O que aconteceu em Forte da Fenda? — interrompeu Lorcan, em um tom tão ríspido que Marion lhe apertou o joelho.

O homem coçou distraidamente a barba cor de trigo.

— A cidade foi saqueada, dizem. Tomada por terrores voadores, montados por mulheres-demônios. Bruxas, se é que se pode acreditar nos boatos. Dentes de Ferro, direto das lendas. — Ele estremeceu.

Pelos deuses. A destruição teria sido uma visão e tanto. Lorcan se obrigou a ouvir, a se concentrar e a não começar a calcular perdas e o que aquilo significaria para a guerra conforme Nik continuou:

— Nenhuma notícia do jovem rei. Mas a cidade pertence às bruxas e a suas bestas. Dizem que viajar para o norte agora significa encarar uma armadilha mortal; viajar para o sul é outra armadilha mortal... Então — dando de ombros — vamos para o leste. Talvez possamos encontrar uma forma de contornar o que quer que esteja esperando em cada direção. Talvez a guerra venha e todos acabamos em lugares diferentes. — Ele olhou Lorcan de cima a baixo. — Talvez homens como você e eu sejam recrutados.

O semifeérico conteve uma risada sombria. Ninguém podia forçá-lo a fazer nada; exceto uma pessoa, e ela... O peito de Lorcan se apertou. Era melhor não pensar em sua rainha.

— Acha que algum dos lados faria isso? Obrigaria os homens a lutar? — As palavras de Marion saíram sussurradas.

— Não sei — respondeu Nik no momento em que o cheiro e o ruído do rio ficaram fortes o bastante, e Lorcan percebeu que estavam perto do pedágio. Ele levou a mão ao casaco para pegar o dinheiro que Molly exigira. Muito mais que a parte justa dos dois, mas o guerreiro não se importava. Aquelas pessoas podiam ir para o inferno assim que estivessem escondidos em segurança nas profundezas das planícies infinitas. — As forças do duque Perrington podem nem mesmo nos querer, se têm bruxas e bestas do seu lado.

E coisas muito piores, era o que Lorcan queria dizer. Cães de Wyrd e ilken, e sabiam os deuses o que mais.

— Mas Aelin Galathynius — ponderou o barbudo. A mão de Marion ficou inerte sobre o joelho do guerreiro. — Quem sabe o que ela fará. Não pediu ajuda, não pediu que soldados fossem até ela. Ainda assim, teve Forte da Fenda nas mãos, matou o rei, destruiu o castelo. Mas devolveu a cidade.

O banco sob eles rangeu quando Marion se inclinou para a frente.

— O que você sabe sobre Aelin?

181

— Boatos aqui e ali — respondeu ele, dando de ombros. — Dizem que é linda como o pecado e mais fria que o gelo. Dizem que é uma tirana, uma covarde, uma prostituta. Dizem que é abençoada pelos deuses, ou amaldiçoada por eles. Vai saber. Dezenove anos parece ser pouco para carregar tais fardos... Mas dizem os rumores que sua corte é forte. Uma metamorfa guarda as costas de Aelin, e dois príncipes-guerreiros a acompanham, um de cada lado.

Lorcan pensou naquela metamorfa, a qual tão desavergonhadamente vomitara sobre ele não uma, mas duas vezes; pensou naqueles dois príncipes-guerreiros... Um deles era o filho de Gavriel.

— Será que vai nos salvar ou condenar? — considerou Nik, enquanto monitorava a linha serpenteante atrás da carruagem. — Não sei se gosto muito da ideia de tudo estar nas mãos da jovem, mas... se vencer, talvez a terra melhore... a vida melhore. E se fracassar... talvez todos mereçamos mesmo ser condenados.

— Ela vencerá — declarou Marion, com uma força silenciosa. As sobrancelhas do barbudo se ergueram.

Homens gritaram, e Lorcan disse:

— Eu deixaria a conversa sobre ela para outra hora.

Botas esmagaram o chão, então homens uniformizados olharam para dentro da traseira da carruagem.

— Fora — ordenou um. — Formem uma fila. — Os olhos do sujeito se fixaram em Marion.

O braço de Lorcan se apertou em torno da jovem ao ver uma luz feia e familiar demais tomar conta dos olhos do soldado.

— Venha, esposa — disse o semifeérico, contendo um grunhido.

Ao reparar em Lorcan, o soldado recuou um passo, um pouco pálido, e ordenou que os suprimentos fossem vasculhados.

Lorcan saiu primeiro, colocando a mão na cintura de Marion para ajudá-la a descer da carruagem. Quando ela fez menção de se afastar, o guerreiro puxou as costas da jovem contra si, envolvendo-a pelo abdômen. Ele encarou cada soldado que passou e se perguntou quem cuidava da bela mulher de cabelos pretos na parte da frente da carruagem.

Um momento depois, ela apareceu com Molly. Havia um chapéu escuro, com abas, sobre a cabeça da bela mulher, obscurecendo metade do rosto marrom-claro, e o corpo estava escondido em um casaco pesado, que disfarçava qualquer curva feminina. Mesmo o movimento da boca se tornara desagradável — como se tivesse entrado inteiramente na pele de outra pessoa.

Ainda assim, Molly a empurrou entre Lorcan e Nik. Então pegou a bolsa de dinheiro da mão livre do semifeérico sem sequer agradecer.

A bela de cabelos pretos se inclinou para a frente e murmurou para Marion:

— Não os encare e não responda.

Ela assentiu, abaixando a cabeça ao concentrar o olhar no chão. Contra o corpo, Lorcan conseguia sentir o coração acelerado da jovem; descontrolado, apesar da submissão calma estampada em cada linha de sua postura.

— E você — sibilou a bela para Lorcan, enquanto os soldados verificavam as mercadorias, tomando o que queriam. — Molly disse que se você se meter em uma briga, está fora e que não vamos pagar sua fiança na prisão. Então deixe que falem e que riam, mas não interfira.

Ele pensou em dizer que podia matar todo aquele grupamento se quisesse, mas assentiu.

Depois de cinco minutos, outra ordem foi gritada. Molly entregou o dinheiro do guerreiro, além do dela, como pedágio, e uma quantia extra pela "passagem com urgência". E então todos voltaram para a carruagem, sem ousar ver o que fora pilhado. Marion tremia, levemente apoiada na lateral do corpo de Lorcan, onde ele a aconchegara, mas o rosto da jovem parecia inexpressivo, entediado.

Os guardas sequer os interrogaram — nem perguntaram sobre uma mulher com deficiência.

O Acanthus rugia abaixo conforme atravessavam a ponte; as rodas das carruagens ressoando sobre pedras antigas. Marion continuava tremendo.

Lorcan lhe observou o rosto de novo; os indícios vermelhos sobre as maçãs do rosto altas, a boca contraída.

Não tremia de medo, percebeu ele ao lhe sentir o cheiro. Um leve toque de pavor, talvez, mas em grande parte era algo vermelho-quente, algo selvagem que se debatia e...

Raiva. Era raiva ardente que a fazia tremer. Da inspeção, dos olhares lascivos dos guardas.

Uma idealista; era o que Marion era. Alguém que queria lutar por sua rainha, que acreditava, como Nik, que aquele mundo podia ser melhor.

Eles chegaram do outro lado da ponte, onde os soldados permitiram sua passagem sem estardalhaço, então seguiram as margens do outro lado do rio, emergindo nas planícies, enfim, e no caminho Lorcan ponderou sobre aquela fúria... sobre aquela crença em um mundo melhor.

Ele não tinha vontade de contar a Marion, ou a Nik, que seu sonho era o sonho de um tolo.

Marion relaxou o suficiente para olhar pela traseira da carruagem — para a grama que acompanhava a ampla estrada de terra, para o céu azul, para o rio que rugia e para a extensão imponente da floresta de Carvalhal atrás deles. E, apesar de toda a fúria, um tipo de espanto hesitante cresceu nos olhos pretos da menina. Lorcan o ignorou.

Ele vira o pior e o melhor dos homens durante quinhentos anos.

Não havia tal coisa de um mundo melhor; não existia final feliz.

Porque não havia final.

E não haveria nada esperando por eles naquela guerra, nada esperando por uma jovem escravizada fugida... que não uma cova rasa.

⊰ 20 ⊱

Rowan Whitethorn só precisava de um lugar para descansar. Ele não dava a mínima se seria em uma cama ou em uma pilha de feno, ou até mesmo sob um cavalo em um estábulo. Contanto que fosse silencioso e tivesse um teto para manter longe as correntes de chuva, ele não se importava.

Baía da Caveira era o que o guerreiro esperava, e ao mesmo tempo não era. Prédios em ruínas, pintados de todas as cores, mas na maioria abandonados e rachados, fervilhavam conforme os residentes puxavam varais para dentro e fechavam janelas para se proteger da chuva que perseguira Rowan e Dorian na entrada do porto minutos antes.

Encapuzados e cobertos com mantos, ninguém fizera perguntas aos dois depois que o feérico dera cinco cobres ao mestre do cais. O suficiente para que ficasse de boca fechada, mas não o bastante para evitar que os potenciais ladrões que monitoravam o cais os seguissem.

Dorian já mencionara duas vezes que não tinha certeza de como o guerreiro ainda estava de pé. Sinceramente, Rowan também não. Ele se permitira cochilar apenas horas por vez durante os últimos dias. A exaustão pairava... constantemente o fazendo perder o controle sobre a magia e a concentração.

Quando não estivera dobrando os ventos para que impulsionassem o barco pelas vibrantes águas mornas do arquipélago das ilhas Mortas, o feérico ficara planando alto a fim de se certificar de que inimigos não se aproximavam. Não vira nenhum. Apenas oceano turquesa e areias brancas, salpicadas de pedras vulcânicas escuras. Tudo isso farfalhava a densa folhagem esmeralda sobre as ilhas montanhosas que se estendiam até onde os olhos de um falcão podiam ver.

Trovão ressoou sobre baía da Caveira, e o mar turquesa além do porto pareceu brilhar mais forte, como se um relâmpago distante tivesse iluminado todo o oceano. Ao longo do cais, um bar pintado de cobalto permanecia pouco vigiado, mesmo com a tempestade que caía sobre eles.

O Dragão Marinho. O quartel-general de Rolfe, batizado em homenagem ao navio do pirata, segundo os relatórios de Aelin. Rowan pensou em seguir direto para lá, fingindo não passarem de dois viajantes perdidos, em busca de abrigo da tempestade.

Mas ele e o jovem rei haviam escolhido outro caminho durante as muitas horas em que cumprira a promessa de ensinar Dorian sobre magia. Trabalharam por apenas minutos por vez — pois seria inútil se o rapaz destruísse o barquinho caso o poder fugisse ao controle. Então fizeram exercícios com gelo: conjurando uma bola de gelo na palma da mão e deixando que derretesse. Diversas vezes.

Mesmo agora, parado como uma pedra em meio à corrente de pessoas que disparavam para se proteger da fúria da tempestade, o rei contraía e relaxava os dedos, deixando que Rowan fizesse o trabalho pelos dois, conforme olhava pela baía em forma de ferradura até a corrente colossal estendida na entrada; no momento, sob a superfície.

Quebra-Navios, era como a corrente se chamava. Coberta de cracas e envolta em algas, se conectava a duas torres de vigia, uma de cada lado da baía, nas quais guardas erguiam e desciam a corrente para permitir que navios saíssem. Ou para manter navios do lado de dentro até que tivessem pago as pesadas taxas. Os dois tiveram sorte, pois a corrente já havia baixado em antecipação à tempestade.

Pois o plano de se anunciarem seria... calmo. Diplomático.

E precisaria ser mesmo, considerando que, da última vez que Aelin colocara os pés em baía da Caveira, dois anos antes, ela destruíra aquela corrente, depois derrubara uma das torres de vigia, que já fora reconstruída (Rolfe, ao que parecia, acrescentara uma torre-irmã do outro lado da baía desde então), além de ter acabado com metade da cidade. Fora isso, também inutilizara os lemes de todos os navios no porto, inclusive o do estimado navio de Rolfe, o *Dragão Marinho*.

Rowan não ficara surpreso, mas ao ver a *totalidade* da confusão que Aelin provocara... Pelos deuses.

Então o anúncio da chegada de Dorian seria o *oposto*. Eles ocupariam quartos em uma estalagem respeitável, então pediriam uma audiência com Rolfe. Adequada e dignamente.

Um relâmpago brilhou, e o guerreiro agilmente verificou a rua adiante, segurando o capuz com a mão para evitar que o vento lhe revelasse a herança feérica.

Uma estalagem pintada de esmeralda ficava do outro lado do quarteirão, a placa emoldurada em ouro batia ao vento incontrolável. A rosa do oceano.

A melhor estalagem da cidade, alegara o mestre do cais quando perguntaram. Afinal, precisavam pelo menos parecer que podiam garantir o dinheiro que ofereceriam a Rolfe.

E descansar um pouco, pelo menos por algumas horas. Rowan caminhou na direção da estalagem, quase suspirando aliviado, olhou para trás e indicou que o rei o seguisse.

Mas, como se os próprios deuses quisessem testá-lo, uma lufada de vento frio da chuva soprou seus rostos e algum sentido se aguçou. Uma mudança no ar. Como um grande bolsão de poder por perto, chamando.

Rowan imediatamente pegou a faca na lateral do corpo com a mão encharcada e verificou os telhados, revelando apenas cortinas de chuva. O feérico silenciou a mente para ouvir a cidade e a tempestade em volta.

Dorian tirou os cabelos pingando do rosto e abriu a boca para falar... até que reparou na faca.

— Também está sentindo isso.

Rowan assentiu, conforme a chuva deslizava por seu nariz.

— O que você sentiu?

O poder puro do rei podia captar sensações diferentes, pistas diferentes, do que o vento e o gelo e o instinto do guerreiro conseguiriam. Mas sem treinamento, talvez não fosse evidente.

— Parece... velho. — Dorian encolheu o corpo, então disse, por cima do barulho da tempestade: — Feral. Impiedoso. Não consigo perceber mais nada.

— Lembra os valg?

Se havia uma pessoa que saberia, seria o rei diante de Rowan.

— Não — respondeu ele, semicerrando os olhos. — Eles eram repulsivos para minha magia. Essa coisa que está aí... Só deixa minha magia curiosa. Cautelosa, mas curiosa. Mas está oculta, de alguma forma.

O feérico embainhou a faca.

— Então fique perto e mantenha-se alerta.

～

Dorian jamais estivera em um lugar como baía da Caveira.

Mesmo com a chuva pesada os fustigando conforme caçavam a fonte daquele poder pela rua principal, ele se maravilhara com a mistura da ausência de leis e da total ordem da ilha-cidade. O local não se curvava a nenhum rei de sangue real, mas era governado por um lorde pirata, que lutara até alcançar o poder graças às mãos tatuadas com um mapa dos oceanos do mundo.

Um mapa, diziam os boatos, que revelara onde inimigos, tesouro e tempestades esperavam por ele. O custo: a alma eterna.

Aelin certa vez confirmara que Rolfe era realmente desalmado *e* de fato tatuado. Quanto ao mapa... Ela dera de ombros, dizendo que o pirata tinha alegado que ele parara de se mover quando a magia havia caído. Dorian se perguntou se o tal mapa indicava nesse momento que ele e Rowan caminhavam pela cidade... se os marcava como inimigos.

Talvez soubesse da chegada de Aelin muito antes de ela colocar os pés na ilha.

Cobertos pelos mantos e capuzes, e completamente ensopados, Dorian e Rowan fizeram um amplo circuito pelas ruas adjacentes. As pessoas tinham sumido rapidamente, e os navios no porto oscilavam, descontrolados, com as ondas batendo por cima do amplo cais até os paralelepípedos. Palmeiras se debatiam e farfalhavam, e nem mesmo as gaivotas se moviam.

A magia do rapaz permaneceu dormente, apenas murmurando quando ele enrijecia o corpo ao ouvir um ruído alto vindo das tavernas, das estalagens, dos lares e das lojas por onde passavam. Ao seu lado, Rowan disparava pela tempestade; a chuva e o vento pareciam lhe dar passagem.

Ao chegarem ao cais, viram o imenso e estimado navio de Rolfe sobre as águas agitadas, com as velas amarradas por causa da tempestade.

Pelo menos o lorde pirata estava lá. Pelo menos aquilo tinha dado certo.

Dorian ficara tão absorto observando o navio que quase se chocou contra as costas do feérico quando este parou.

Rowan felizmente não fez comentários a respeito, então o jovem rei cambaleou para trás e verificou o prédio que chamara a atenção do guerreiro.

Sua magia se eriçou, como um cervo assustado.

— Eu não deveria estar surpreso — resmungou o feérico, e a placa pintada de azul acima da entrada da taverna chacoalhou com o vento: o dragão marinho.

Dois guardas estavam na metade do quarteirão; não era um uniforme que os identificava como guardas, mas sua postura, parados naquela tempestade, as mãos nas espadas.

Rowan inclinou a cabeça, parecendo a Dorian que ele provavelmente contemplava se valia a pena atirar os homens ao porto revolto. No entanto, ninguém os impediu quando, após um olhar de cautela para Dorian, o feérico abriu a porta da taverna particular do lorde pirata. Luz dourada, temperos, pisos e paredes revestidos de madeira polida os receberam.

O bar estava vazio, apesar da tempestade. Completamente vazio, exceto por cerca de uma dúzia de mesas.

Rowan fechou a porta, verificando o salão e a escada curta nos fundos. De onde estavam, o jovem rei conseguia ver as palavras que cobriam a maioria das mesas.

Caçador de Tempestades. Lady Ann. Estrela-Tigre.

Eram popas de navios. Cada mesa fora feita com uma.

Não haviam sido tiradas de naufrágios. Não, aquele era um salão de troféus — um lembrete de como, exatamente, o lorde pirata conquistara a coroa.

Todas as mesas pareciam orbitar em relação a uma nos fundos, maior e mais gasta que as demais. *Destruidor.* As enormes tábuas estavam salpicadas de queimaduras e buracos... mas as letras permaneciam nítidas. Como se Rolfe jamais quisesse esquecer qual navio era usado como sua mesa de refeições particular.

Quanto ao próprio homem e aquele poder que eles sentiram... Não havia sinal de nenhum dos dois.

Uma porta se abriu atrás do bar, e uma jovem magra de cabelos castanhos saiu. O avental a identificava como atendente da taverna, mas os ombros estavam alinhados, e a cabeça, erguida — a mulher observou os dois com olhos cinzentos, atentos e nítidos, permanecendo pouco impressionada.

— Ele estava se perguntando quando vocês viriam xeretar — comentou ela, com o sotaque carregado, como o de Aedion.

— Ah, é?! — exclamou Rowan.

A atendente do bar indicou com o queixo a estreita escadaria de madeira nos fundos.

— O capitão quer vê-los... no escritório dele. Um lance de escadas acima, segunda porta seguindo o corredor.

— Por quê?

Até Dorian sabia que não deveria ignorar aquele tom. Mas a garota apenas pegou um copo, ergueu-o contra a luz da vela para inspecionar manchas, e tirou um retalho do avental. Tatuagens idênticas de dragões marinhos rampantes serpenteavam pelos antebraços queimados de sol; as bestas pareciam se mover conforme os músculos da atendente se agitavam com o movimento.

Dorian reparou que as escamas dos dragões combinavam perfeitamente com os olhos dela quando a mulher se virou para encará-los mais uma vez antes de dizer, friamente:

— Não o deixem esperando.

Ao subirem as escadas barulhentas e mal iluminadas, o rapaz murmurou para Rowan:

— Pode ser uma armadilha.

— Possivelmente — retrucou o feérico, em tom igualmente baixo. — Mas considere que tivemos permissão de vir até aqui. Se fosse uma armadilha, a ação mais inteligente seria nos pegar desprevenidos.

Dorian assentiu, e algo em seu peito se aliviou.

— E você... sua magia está... melhor?

Aquela expressão severa não revelou nada.

— Darei um jeito. — Não era uma resposta.

Ao longo do corredor do segundo andar havia quatro rapazes de olhar determinado a postos, cada um armado com espadas requintadas, cujos cabos tinham sido entalhados como dragões marinhos atacando — certamente a marca de seu capitão. Não se incomodaram em falar qualquer coisa quando Dorian e Rowan seguiram para a porta indicada.

O príncipe feérico bateu uma vez e recebeu um resmungo como resposta.

Dorian não sabia o que esperar do lorde dos Piratas.

Mas certamente não era um homem de cabelos pretos, com no máximo 30 anos, se tanto, relaxando sobre uma espreguiçadeira de veludo vermelho diante das janelas curvas salpicadas de chuva.

❧ 21 ❧

O lorde pirata de baía da Caveira nem se virou da espreguiçadeira onde estava jogado. Ao redor, havia pilhas de papéis cobrindo o tapete cobalto da sala. Poucos metros dentro do escritório, parado com Rowan, Dorian mal conseguia ver as colunas organizadas que pareciam preencher os papéis com números de mercadorias ou despesas; obtidas de forma ilegal ou não.

Rolfe, no entanto, continuava monitorando as embarcações que oscilavam no porto conforme a sombra de Quebra-Navios, frouxa na água, os separava do mundo envolto em tempestade.

O homem provavelmente ficara sabendo da chegada da dupla por estar sentado ali, e não devido ao mapa mágico. De fato, luvas de couro preto lhe adornavam as mãos; o material marcado e rachado pela idade. Não havia um indício das lendárias tatuagens sob as luvas.

Rowan não se moveu, mal piscou ao observar o capitão e o escritório. O próprio Dorian tinha participado de manobras políticas suficientes para reconhecer a utilidade do silêncio... o poder de quem falava primeiro. O poder em fazer alguém esperar.

A chuva martelando as janelas e os pingos abafados das roupas encharcadas dos dois no tapete em frangalhos preenchiam o silêncio.

Rolfe bateu com o dedo enluvado no braço da espreguiçadeira, observando o porto por mais um segundo — como se para se certificar de que o *Dragão Marinho* ainda flutuava — e finalmente se voltou para eles.

— Tirem os capuzes. Quero saber com quem estou falando.

191

Dorian enrijeceu o corpo diante do comando, mas Rowan respondeu:

— Sua garçonete falou que você sabe muito bem quem somos.

Um meio sorriso irônico repuxou os lábios do pirata; o canto superior esquerdo era marcado por uma pequena cicatriz. Esperava que Aelin não fosse responsável por ela.

— Minha atendente fala demais.

— Então por que a manter?

— É uma bela visão... o que é difícil de encontrar por aqui — respondeu ele, colocando-se de pé. Tinha quase a altura de Dorian e usava roupas pretas simples, porém bem-feitas. Um florete elegante pendia ao lado do corpo, com uma faca de luta combinando.

Rowan riu com escárnio, mas para a surpresa de Dorian, retirou o capuz.

Os olhos verde-mar de Rolfe brilharam; sem dúvida devido ao cabelo prateado, às orelhas pontudas e aos caninos levemente alongados. Ou à tatuagem.

— Um homem que gosta de tinta tanto quanto eu — disse ele, com um aceno de reconhecimento. — Acho que você e eu nos entenderemos bem, príncipe.

— Macho — corrigiu Rowan. — Machos feéricos não são homens humanos.

— Semântica — retrucou o pirata, voltando a atenção para Dorian. — Então você é o rei por quem todos estão em polvorosa.

O rapaz finalmente puxou o capuz.

— E se for?

Com aquela mão enluvada, Rolfe apontou para uma escrivaninha coberta por papéis e para duas poltronas estofadas diante dela. Como o próprio homem, era elegante, porém gasta; devido à idade, ao uso ou às batalhas passadas. E aquelas luvas... Para cobrir os mapas pintados ali?

Rowan fez um aceno com a cabeça para que Dorian se sentasse. As chamas nas velas tremeluziram quando eles passaram e ocuparam os assentos.

Rolfe deu a volta pelas pilhas de papéis no chão e ocupou o assento dele à mesa. Sua poltrona entalhada e de costas altas poderia muito bem ter sido um trono de algum reino distante.

— Você parece espantosamente calmo para um rei que acaba de ser declarado traidor da coroa e destronado.

Dorian ficou feliz pelo homem estar se sentando.

Rowan ergueu a sobrancelha.

— De acordo com quem?

— De acordo com os mensageiros que chegaram ontem — respondeu ele, encostando-se na cadeira e cruzando os braços. — O duque Perrington... ou deveria chamá-lo de rei Perrington agora? Ele lançou um decreto assinado pela maioria dos senhores e das senhoras de Adarlan nomeando *você*, Majestade, um inimigo do reino e alegando que ele libertou Forte da Fenda de *suas* garras depois que você e a rainha de Terrasen mataram diversos inocentes na primavera. O decreto também alega que qualquer aliado — um aceno na direção do feérico — é um inimigo. E que você será aniquilado caso não se entregue. — Silêncio tomou conta da mente de Dorian. O pirata continuou, talvez de forma um pouco mais gentil. — Seu irmão foi nomeado herdeiro de Perrington, assim como príncipe herdeiro.

Pelos deuses. Hollin era uma criança, mas mesmo assim... possuía um quê de apodrecido, estragado...

Dorian os deixara lá. Em vez de lidar com a mãe e com o irmão, dissera a eles que ficassem naquelas montanhas. Onde nesse momento eram como cordeiros cercados por uma matilha de lobos.

O rapaz desejou que Chaol estivesse com ele. Desejou que o tempo apenas... *parasse* a fim de que pudesse entender todos aqueles pedaços fracionados de si, colocá-los em algum tipo de ordem caso não fosse possível encaixá-los totalmente de novo.

— Pela expressão, acho que sua chegada tem realmente algo a ver com o fato de que Forte da Fenda está agora em ruínas, com o povo fugindo para onde pode — comentou Rolfe.

Dorian afastou os pensamentos traiçoeiros e respondeu:

— Vim descobrir de que lado você está, capitão, em relação a esse conflito.

Rolfe aproximou o corpo, apoiando os antebraços na mesa.

— Deve estar realmente desesperado então. — Um olhar para Rowan. — E sua rainha está igualmente desesperada por minha ajuda?

— Minha rainha — disse o feérico — não faz parte desta discussão.

O lorde pirata apenas sorriu para Dorian.

— Quer saber de que lado estou? Estou do lado que ficar bem longe de meu território.

— De acordo com os boatos — replicou Rowan, em tom tranquilo —, a parte mais a leste deste arquipélago parece não fazer mais parte de seu território.

Rolfe o encarou. Um segundo se passou. Então outro. Um músculo estremeceu no maxilar do pirata.

Então ele tirou as luvas e revelou mãos tatuadas da ponta dos dedos até o pulso. Voltando as palmas para cima, Rolfe revelou um mapa do arquipélago e o que...

Dorian e Rowan se inclinaram para a frente quando as águas azuis realmente oscilaram, eram pequenos pontos velejando. E, na ponta mais a leste do arquipélago, curvando-se para o mar...

Aquelas águas estavam cinzentas, as ilhas eram de um marrom-avermelhado. Mas nada se movia... nenhum ponto indicava navios. Como se o mapa tivesse congelado.

— Eles têm magia que os protege... mesmo disto — comentou Rolfe. — Não consigo contar seus navios, nem seus homens, nem suas bestas. Batedores jamais retornam. Neste inverno, ouvíamos rugidos das ilhas, alguns quase humanos e alguns que definitivamente não eram. Era comum vermos... coisas de pé naquelas rochas. Homens, mas que não eram homens. Deixamos passar por tempo demais... e pagamos o preço.

— Bestas — repetiu Dorian. — Que tipo de bestas?

Um sorriso sombrio fez a cicatriz se esticar.

— Bestas que o fariam considerar fugir deste continente, Majestade.

A condescendência do homem libertou algo no temperamento de Dorian.

— Já caminhei por mais pesadelos do que imagina, capitão.

Rolfe riu com deboche, mas os olhos se voltaram para aquela linha pálida sobre o pescoço do jovem rei.

Rowan se recostou na cadeira com uma graciosidade preguiçosa — o Comandante de Guerra encarnado.

— Deve ter uma trégua consistente então, se ainda está posicionado aqui com um mínimo de navios no porto.

Rolfe apenas calçou as luvas gastas.

— Minha frota precisa piratear um pouco de vez em quando, sabe? Contas para pagar e tal.

— Tenho certeza. Principalmente quando emprega quatro guardas para vigiarem seu corredor.

Dorian entendeu a linha de pensamento do feérico e comentou:

— Não senti cheiro de valg na cidade.

Não, o que quer que fosse aquele poder... tinha se extinguido.

— Isso é porque — interrompeu Rolfe — matamos a maioria deles.

Vento chacoalhou as janelas, borrifando-as com chuva.

— E quanto aos quatro homens no corredor... são tudo que restou de minha tripulação. Graças à batalha que tivemos no início desta primavera para reivindicar a ilha depois que o general de Perrington a roubou de nós.

Dorian xingou baixinho e com crueldade. O capitão assentiu.

— Mas sou novamente lorde pirata de baía da Caveira, e, se as ilhas a leste são até onde Morath pretende ir, então Perrington e suas bestas podem ficar com elas. O Fim mal passa de cavernas e rochas mesmo.

— Que tipo de bestas? — perguntou Dorian, de novo.

Os olhos verde-claros de Rolfe ficaram sombrios.

— Serpentes marinhas. Bruxas governam os céus com serpentes aladas, mas estas águas agora estão tomadas por bestas criadas para batalha naval, corrupções desprezíveis de um tipo antigo. Imagine uma criatura com a metade do tamanho de um navio de primeira linha, mais rápida que um golfinho de corrida, e os danos que pode causar com os dentes, as garras e uma cauda envenenada tão grande quanto um mastro. Pior, se matar um de seus filhotes cruéis, os adultos o caçam até o fim do mundo. — O homem deu de ombros. — Então, Majestade, descobrirá que não tenho interesse em perturbar as ilhas leste se eles não me incomodarem mais. Não tenho interesse em fazer nada além de continuar a lucrar com meus negócios. — Com uma das mãos, ele indicou distraidamente os papéis espalhados.

Dorian conteve a língua. A oferta que planejara fazer... Seus cofres pertenciam a Morath agora. O jovem duvidava de que corsários fossem se voluntariar com base em crédito.

Rowan lhe lançou um olhar que dizia o mesmo. Precisariam de outro caminho para conquistar o pirata para a causa deles então. Dorian observou o escritório, o gosto era relativamente requintado, mas poucas coisas não estavam desgastadas. A cidade quase em ruínas ao redor. Os quatro sobreviventes da tripulação. A forma como Rolfe olhara para aquela linha branca no pescoço de Dorian.

Rowan abriu a boca, mas foi o jovem rei quem falou:

— Não foram apenas mortos, os membros de sua tripulação. Alguns foram levados, não foram?

Os olhos verde-mar de Rolfe ficaram gélidos.

— Capturados, assim como os outros, e levados para as ilhas Mortas — insistiu Dorian. — Usados para obter informações a respeito de como e onde atacar você. A única forma de libertá-los quando eram enviados de volta, com demônios vestindo seus corpos, era decapitá-los. Queimá-los.

— Eles usavam anéis ou colares, capitão? — perguntou Rowan, em tom áspero.

O homem engoliu em seco uma vez. Depois de um longo momento, ele respondeu:

— Anéis. Disseram que haviam sido libertados. Mas não eram os homens que... — Um gesto com a cabeça. — Demônios — sussurrou Rolfe, como se isso explicasse algo. — Foi isso que ele colocou neles.

Então Rowan contou ao pirata. Sobre os valg e seus príncipes, e também sobre Erawan, o último rei valg.

Até mesmo Rolfe teve o bom senso de parecer perturbado quando o guerreiro concluiu:

— Ele abandonou o disfarce de Perrington. É apenas Erawan agora... Rei Erawan, aparentemente.

Os olhos do lorde pirata se voltaram de novo para o pescoço de Dorian, e foi difícil não tocar a cicatriz ali.

— Como sobreviveu? Até cortamos os anéis, mas meus homens... não estavam mais lá.

O jovem balançou a cabeça.

— Não sei. — Não responder não tornava os homens de Rolfe... inferiores por terem perecido. Talvez Dorian tivesse sido infestado por um príncipe valg que se deliciava com a espera.

O capitão pegou um pedaço de papel na mesa, lendo de novo por um segundo, como se fosse uma simples distração enquanto pensava. Por fim, falou:

— Varrer o que sobrou deles das ilhas Mortas não vai ajudar merda alguma contra o poder de Morath.

— Não — replicou Rowan. — Mas, se controlarmos o arquipélago, podemos usar estas ilhas para travar uma batalha pelos mares enquanto atacamos por terra. Podemos usar estas ilhas para abrigar frotas de outros reinos, outros continentes.

— Minha Mão está atualmente no continente sul, em Antica mesmo — acrescentou Dorian. — Ele os convencerá a mandar uma frota. — Chaol não faria menos por ele, por Adarlan.

— Nenhuma virá — retorquiu Rolfe. — Não vieram dez anos antes; certamente não virão agora. — Observando Rowan, ele concluiu, com um leve risinho: — Principalmente não com as últimas notícias.

Dorian decidiu que aquilo não acabaria bem quando Rowan perguntou, inexpressivo:

— Que notícias?

O lorde pirata não respondeu; em vez disso, ficou analisando a baía tempestuosa, ou o que quer que lhe atiçasse o interesse lá fora. Tinham sido meses difíceis para o homem, percebeu Dorian. Alguém agarrado àquele lugar por pura arrogância e força de vontade. E todas aquelas mesas abaixo, reunidas dos destroços de navios conquistados... Quantos inimigos circundavam, esperando uma chance de se vingar?

Rowan abriu a boca, sem dúvida para exigir uma resposta, no momento em que Rolfe bateu três vezes com o pé calçado em bota nas tábuas gastas do chão. Uma batida em resposta soou na parede.

O cômodo ficou em silêncio. Considerando o ódio do pirata pelos valg, Dorian duvidava de que Morath estivesse prestes a fechar o cerco com uma armadilha, mas... ele mergulhou mais profundamente na magia ao ouvir passos no fim do corredor. Pela expressão contida do rosto tatuado ao lado, o rapaz sabia que Rowan fazia o mesmo. Principalmente porque Dorian sentiu a própria magia se voltar para o interior da magia do príncipe feérico, como fizera naquele dia com Aelin no alto do castelo de vidro.

Os passos pararam do lado de fora do escritório, e de novo aquela pulsação de magia estranha e poderosa se ergueu. A mão de Rowan desceu, posicionando-se a uma distância casual da faca de caça na coxa.

Dorian se concentrou na respiração, em reunir fileiras e fragmentos da magia. Gelo lhe queimou as palmas das mãos quando a porta do escritório se abriu.

Dois machos de cabelos dourados surgiram.

O grunhido de Rowan reverberou pelas tábuas do piso e pelos pés do jovem rei conforme ele observou os músculos, as orelhas pontudas, as bocas abertas que revelavam caninos alongados...

Os dois estranhos, a fonte daquele poder... eram feéricos.

Aquele com olhos pretos como a noite e um sorriso torto olhou Rowan de cima a baixo e falou:

— Eu gostava de seu cabelo mais longo.

Uma adaga enterrada na parede, a não menos de 3 centímetros da orelha do macho, foi a única resposta do príncipe feérico.

⊰ 22 ⊱

Dorian não viu Rowan atirar a adaga até a lâmina se chocar contra a parede de madeira, o cabo ainda oscilando com o impacto.

Mas o macho de olhos pretos e pele marrom — tão bonito que o jovem rei chegou a piscar — deu um risinho para a arma que estremecia ao lado da própria cabeça.

— Essa mira de merda também estava ruim assim quando cortou o próprio cabelo?

O outro macho — com a pele queimada de sol, de olhos amarelados, com um tipo de quietude constante — ergueu as mãos largas e tatuadas.

— Rowan, abaixe as armas. Não estamos aqui atrás de você.

Pois já havia mais armas nas mãos do guerreiro. Dorian nem mesmo o ouvira ficar de pé, que dirá sacar a espada ou o elegante machado que segurava na outra mão.

A magia do jovem rei se contorcia nas veias enquanto ele estudava os dois estranhos. *Aí estão vocês*, cantava ela.

Sozinha com Rowan, a magia de Dorian tinha se acostumado ao assombroso abismo de poder do príncipe feérico, mas com três daqueles machos juntos, antigos, poderosos e primitivos... Eram um redemoinho próprio. Podiam destruir aquela cidade sem nem tentar. Ele se perguntou se Rolfe tinha ideia disso.

— Imagino que se conheçam — comentou o lorde pirata, sarcasticamente.

O macho sério, de olhos dourados, assentiu; vestia roupas claras, bem parecidas com aquelas de que Rowan gostava: tecido eficiente em camadas, adequado para a batalha. Uma faixa de tatuagens pretas circundava o pesco-ço musculoso. O estômago de Dorian se revirou. De longe, poderia muito bem ser outro tipo de colar preto.

— Gavriel e Fenrys costumavam... trabalhar comigo — respondeu Rowan, contido.

Os olhos verde-mar de Rolfe percorreram todos eles, observando, consi-derando.

Fenrys. Gavriel. Dorian conhecia os nomes. O príncipe feérico os men-cionara durante a viagem até ali... Dois membros de sua equipe.

— Eles têm um juramento de sangue com Maeve. Como eu costumava ter — explicou Rowan a Dorian.

O que significava que agiam por ordens da rainha. E se Maeve enviara não um, mas *dois* tenentes para aquele continente, quando Lorcan já estava lá...

Rowan embainhou as armas, mas perguntou entre dentes:

— Que negócios têm com Rolfe?

Dorian libertou a magia dentro de si. Ela se aconchegou no centro do rei, como um pedaço solto de fita.

Rolfe gesticulou com a mão para os dois machos.

— São os portadores das notícias que lhes prometi... entre outras coisas.

— E estávamos prestes a nos sentar para almoçar — comentou Fenrys, aqueles olhos castanhos dançando. — Vamos?

Sem esperar por uma resposta, ele voltou para o corredor e saiu andando.

O tatuado — Gavriel — suspirou baixinho.

— É uma longa história, Rowan, e uma que você e o rei de Adarlan — os olhos amarelados se voltaram na direção de Dorian — precisam ouvir. — Gavriel indicou o corredor e falou, com o rosto totalmente petrificado: — Sabe como Fenrys fica irritadiço quando não come.

— Ouvi isso — gritou uma voz masculina grave do corredor.

Dorian conteve o sorriso, observando Rowan à espera de uma reação. Mas o príncipe feérico somente assentiu para Gavriel em uma ordem silenciosa para que tomasse a dianteira.

Nenhum deles, nem mesmo Rolfe, falou ao descerem para o salão princi-pal. A atendente do bar saíra, apenas copos reluzentes atrás do balcão indi-cavam que ela estivera ali. E, de fato, já atacando uma tigela fumegante do que cheirava a peixe ensopado, Fenrys os aguardava à mesa nos fundos.

Gavriel se sentou ao lado, levando a tigela quase cheia a transbordar um pouco com o movimento da mesa, e disse a Rowan, que havia parado a meio caminho do salão:

— Ela... — O guerreiro feérico pausou, como se medisse as palavras e a reação de Rowan se a pergunta fosse malfeita. Dorian entendeu por que no segundo seguinte. — Aelin Galathynius está com você?

O jovem rei não sabia para onde olhar: para os guerreiros à mesa, para Rowan ao lado ou para Rolfe cujas sobrancelhas se ergueram conforme ele se inclinou sobre o corrimão da escada, sem saber que a rainha era sua grande inimiga.

Rowan balançou a cabeça uma vez, com um movimento ágil e de corte.

— Minha rainha não está em nossa companhia.

Fenrys ergueu as sobrancelhas, mas continuou devorando a refeição; o casaco cinza desabotoado revelava o peito marrom e musculoso despontando pelo decote da camisa branca. Bordado dourado espiralava pelas lapelas do casaco — o único sinal de riqueza ali.

Dorian não sabia muito bem o que acontecera na última primavera com a equipe do feérico, mas... obviamente não tinham se despedido muito bem. Pelo menos não da parte de Rowan.

Gavriel levantou para puxar duas cadeiras; mais próximas da saída, reparou Dorian. Talvez ele fosse o guerreiro que mantinha a paz entre os membros da equipe.

Rowan não avançou na direção das cadeiras. Era tão fácil esquecer que o príncipe tinha séculos de experiência com cortes estrangeiras... que entrara e saíra de guerras. Com aqueles machos.

No entanto, sem se incomodar com burocracias, ele disse:

— Desembuche logo a porcaria da notícia.

Fenrys e Gavriel trocaram olhares. O primeiro apenas revirou os olhos e gesticulou com a colher para que o companheiro falasse:

— A armada de Maeve veleja para este continente.

Dorian ficou feliz por não ter nada no estômago.

As palavras de Rowan soaram guturais quando ele perguntou:

— Aquela vadia vai se aliar a Morath? — Ele disparou o que Dorian considerou a definição de um olhar gélido para Rolfe. — *Você* vai se aliar a ela?

— Não — respondeu Gavriel, imparcialmente.

O lorde pirata, para crédito próprio, apenas deu de ombros.

— Já disse: não quero tomar parte nesta guerra.

— Maeve não é do tipo que compartilha poder — interrompeu Gavriel, calmamente. — Mas, antes de partirmos, ela preparava a armada para navegar... em direção a Eyllwe.

Dorian soltou um suspiro.

— Por que Eyllwe? É possível que envie ajuda?

Pelo olhar de Rowan, o jovem percebeu que ele já estava catalogando e marcando, analisando o que sabia sobre a antiga rainha, sobre Eyllwe e sobre como aquilo se encaixava com todo o resto.

Dorian tentou controlar o coração acelerado, sabendo que provavelmente podiam ouvir a mudança de ritmo.

Fenrys apoiou a colher.

— Duvido que mande ajuda para alguém... pelo menos não no que diz respeito a este continente. E, de novo, ela não nos disse os motivos específicos.

— Sempre dizia — replicou Rowan. — Maeve nunca reteve informações como essa.

Os olhos escuros de Fenrys brilharam.

— Isso foi antes de você a humilhar ao abandoná-la por Aelin do Fogo Selvagem. E antes de Lorcan abandoná-la também. Ela não confia em nenhum de nós agora.

Eyllwe... Maeve devia saber como o reino era querido por Aelin. Mas lançar uma armada... Devia haver algo lá, alguma coisa que valesse o esforço. Dorian repassou todas as lições que tinha recebido, todos os livros que lera sobre o reino, mas nada chamou sua atenção.

— Maeve não pode acreditar que conseguiria conquistar Eyllwe... pelo menos não por um extenso período de tempo, não sem levar todos os seus exércitos e deixar o próprio reino indefeso — comentou Rowan.

Mas talvez aquilo desgastasse Erawan, mesmo que o custo da invasão de Maeve fosse alto...

— *Novamente* — repetiu Fenrys — não sabemos detalhes. Só contamos a ele — uma indicação com a cabeça na direção de Rolfe, que ainda estava recostado contra o corrimão com os braços cruzados — como um aviso de cortesia... entre outras coisas.

Dorian reparou que Rowan não perguntou se teriam estendido aquela cortesia a eles caso não estivessem ali. Ou o que eram, exatamente, aquelas outras *coisas*. Em vez disso, o príncipe feérico disse a Rolfe:

— Preciso enviar mensagens. Imediatamente.

O pirata observou as mãos enluvadas.

— Por que se incomodar? O destinatário não vai chegar em breve?

— O quê?

Dorian se preparou para o temperamento que afetava o tom de voz de Rowan.

Rolfe sorriu.

— Dizem os boatos que Aelin Galathynius destruiu o general Narrok e seus soldados em Wendlyn. E que realizou isso com um príncipe feérico ao lado. Impressionante.

Rowan exibiu os caninos.

— E aonde quer chegar, capitão?

— Só quero saber se Sua Majestade, Rainha do Fogo, espera uma grande comemoração ao chegar.

Dorian duvidava de que Rolfe fosse gostar muito do outro título de Aelin: Assassina de Adarlan.

O grunhido do príncipe feérico saiu baixinho.

— De novo, ela não vem para cá.

— Ah, não? Quer dizer que o amante da rainha resgata o rei de Adarlan e, em vez de levá-lo para o norte, o traz *aqui*, e isso não significa que, de alguma forma, serei seu anfitrião em breve?

Ao mencionar *amante*, Rowan lançou um olhar letal para Fenrys. O lindo macho — realmente não havia outro modo de descrevê-lo — apenas deu de ombros.

Mas Rowan disse ao lorde pirata:

— Ela me pediu para trazer o rei Dorian aqui e persuadi-lo a se juntar a nossa causa. Mas como não tem interesse em nada além de seus negócios, parece que nossa viagem foi um desperdício. Então não temos mais uso para você nesta mesa, principalmente se é incapaz de enviar mensageiros. — O príncipe feérico voltou o olhar para as escadas atrás de Rolfe. — Está dispensado.

Fenrys conteve uma risada sombria, mas Gavriel esticou o corpo quando o capitão sibilou:

— Não me importa quem seja e que poder empunhe. Não venha me dar ordens em meu território.

— É melhor se acostumar a recebê-las — declarou Rowan, com uma calma na voz que fazia todos os instintos de Dorian se prepararem para fugir.

— Pois se Morath vencer a guerra, não ficarão contentes deixando você flutuar por estas ilhas, fingindo ser rei. Eles o excluirão de todos os portos e rios, e o impedirão que faça comércio com cidades das quais passou a depender. Quem serão seus compradores quando não restar ninguém para adquirir suas mercadorias? Duvido que Maeve vá se incomodar, ou sequer se lembrar de você.

— Se estas ilhas forem saqueadas, velejaremos para outras... e outras. Os mares são meu santuário; nas ondas sempre seremos livres — argumentou Rolfe.

— Dificilmente chamaria se entocar na taverna com medo de assassinos valg de ser livre.

As mãos enluvadas do pirata se flexionaram e se abriram, e Dorian se perguntou se o capitão ia pegar o florete na lateral do corpo. Mas, em vez disso, ele disse a Fenrys e Gavriel:

— Nos encontraremos aqui amanhã às 11 horas. — Ao voltar o olhar para Rowan, ele ficou severo. — Mande quantas malditas mensagens quiser. Pode ficar até sua rainha chegar, e não tenho dúvidas de que ela *virá*. E quando isso acontecer, ouvirei o que a lendária Aelin Galathynius tem a dizer pessoalmente. Até lá, *dê o fora*. — Com o queixo, Rolfe indicou Gavriel e Fenrys. — Podem conversar com os *príncipes* na porcaria das *próprias* acomodações. — O homem saiu pisando duro até a porta da frente, escancarando-a e revelando uma parede de chuva, assim como os quatro homens, que eram jovens, porém fortes, e permaneciam no cais ensopado. As mãos deles dispararam para as armas, mas Rolfe não fez menção de convocá-los. Apenas apontou para a porta.

Rowan o encarou com raiva por um momento, então disse aos antigos companheiros:

— Vamos.

Eles não eram tão burros para discutir.

Aquilo era ruim. Inegavelmente ruim.

A magia de Rowan se desgastava enquanto ele tentava manter os escudos ao redor de si e de Dorian intactos. Mas o feérico não deixou que Fenrys ou Gavriel sentissem o cheiro daquela exaustão, não revelou um pingo do esforço que foi preciso para conter a magia *e* se concentrar.

Rolfe podia muito bem ser uma causa perdida contra Erawan ou Maeve — principalmente quando visse Aelin. Rowan teve a sensação de que o *Dragão*

Marinho — tanto a estalagem quanto o navio ancorado no porto — teria terminado em chamas se ela estivesse presente durante aquela conversa. Mas aquelas serpentes marinhas... E a armada de Maeve... Ele pensaria nisso depois. Mas merda. Apenas... *merda*.

A estalajadeira séria da Rosa do Oceano não fez perguntas conforme Rowan pediu dois quartos; os melhores que a estalagem tinha a oferecer. Não quando o príncipe feérico colocou uma moeda de ouro no balcão. Com um olhar de reconhecimento para as roupas do guerreiro, a mulher oferecera duas semanas de acomodações, mais todas as refeições, além de guardar os cavalos no estábulo, se os tivessem, e lavanderia ilimitada.

E quaisquer convidados que ele desejasse, acrescentou ela quando Rowan deu um assobio agudo, e Dorian, Fenrys e Gavriel atravessaram o pátio pavimentado, com os capuzes sobre a cabeça, reunindo-se em torno da fonte borbulhante. Chuva pingava nas palmeiras envasadas e farfalhava a buganvília magenta que subia pelas paredes na direção das varandas pintadas de branco, ainda protegidas contra a tempestade.

O príncipe feérico pediu à mulher que enviasse o que provavelmente seria comida o bastante para oito pessoas, então seguiu para a escada polida nos fundos do salão de jantar escuro; os demais foram atrás. Felizmente Fenrys ficou calado até eles chegarem ao quarto, tirarem os mantos e Rowan acender algumas velas. Esse simples ato deixou um buraco no peito do príncipe feérico.

Fenrys afundou em uma das poltronas estofadas diante da lareira escura, passando um dedo pelo braço pintado de preto.

— Que belas acomodações. Qual dos reais está pagando por elas?

Dorian, que estava prestes a reivindicar o assento à pequena mesa diante das janelas fechadas, enrijeceu o corpo. Gavriel lançou a Fenrys um olhar que dizia: *Por favor, nada de briga.*

— Faz diferença? — perguntou Rowan, seguindo de parede em parede e tirando os quadros de flores exuberantes em busca de buracos de espionagem ou pontos de acesso. Então ele verificou os mastros de madeira preta retorcida da cama coberta por lençóis brancos, iluminados pela luz das velas, tentando não considerar que apesar de toda a sua determinação... ela compartilharia aquele quarto com ele. Aquela cama.

O espaço era seguro — até mesmo sereno, com o pingar da chuva no pátio e no telhado, além do cheiro pesado de frutas doces no ar.

— Alguém precisa ter dinheiro para financiar esta guerra — ronronou Fenrys, observando Rowan por fim se recostar contra uma cômoda baixa ao lado da porta. — Embora, talvez, considerando o decreto de ontem de Morath, você se mude para acomodações mais... econômicas.

Bem, isso dizia o bastante do que Fenrys e Gavriel sabiam a respeito do decreto de Erawan sobre Dorian e seus aliados.

— Preocupe-se com seus problemas, Fenrys — disse Gavriel.

O feérico soltou um riso de escárnio, brincando com um pequeno cacho de cabelos dourados em sua nuca.

— Como sequer consegue andar com tanto aço pelo corpo, Whitethorn, sempre foi um mistério para mim.

— Como ninguém jamais cortou sua língua apenas para que cale a boca também sempre foi um mistério para mim — rebateu Rowan, tranquilamente.

Uma risada afiada.

— Já me disseram que é minha melhor qualidade. Pelo menos é o que as mulheres pensam.

Uma risada baixa escapou de Dorian; o primeiro som do tipo que Rowan testemunhava.

Rowan apoiou as mãos na cômoda.

— Como mantiveram seus cheiros ocultos?

Os olhos amarelados de Gavriel ficaram sombrios.

— Um novo truque de Maeve... para nos manter quase invisíveis em uma terra que não recebe nosso tipo calorosamente. — Ele indicou Dorian e Rowan com o queixo. — Embora não pareça totalmente eficiente.

— É melhor os dois terem uma explicação muito boa para estarem aqui, assim como para terem envolvido Rolfe no que quer que isso seja — disse o príncipe feérico.

— Conseguiu tudo o que queria, Rowan, e ainda consegue ser um babaca insensível. Lorcan ficaria orgulhoso — retrucou Fenrys, pausadamente.

— Onde está Connall? — respondeu Rowan de forma debochada, invocando o gêmeo de Fenrys.

O rosto do outro guerreiro ficou tenso.

— Onde você acha? Um de nós é sempre a âncora.

— Ela o dispensaria do papel de refém se você não demonstrasse seu descontentamento de forma tão óbvia.

Rowan sempre achara Fenrys um pé no saco. E ele não se esquecera de que fora Fenrys quem quisera a tarefa de cuidar de Aelin Galathynius na última primavera. O guerreiro adorava qualquer coisa selvagem e bela, e provocá-lo com Aelin... Maeve soubera que tinha sido uma tortura.

Talvez fosse uma tortura também que Fenrys estivesse tão longe das mãos de Maeve, mas saber que o gêmeo estava em Doranelle e que se ele jamais retornasse... Connall seria punido de formas inomináveis. Fora como a rainha os capturara inicialmente: crias eram raras entre os feéricos, mas gêmeos? Ainda mais raros. E gêmeos nascidos com o dom da força, que cresceriam e virariam machos cujo domínio rivalizava com aquele de guerreiros séculos mais velhos que eles...

Maeve os cobiçara. Mas Fenrys recusara a oferta de se juntar a ela. Então a rainha fora atrás de Connall — a sombra à luz dourada de Fenrys, o silêncio ao rugido, a reflexão à inconsequência.

Fenrys conseguia o que queria: mulheres, glória, riquezas. Connall, embora habilidoso, estava sempre à sombra do gêmeo. Portanto, quando a rainha se aproximou dele a respeito do juramento de sangue, em um momento em que Fenrys, e não Connall, fora escolhido para lutar na guerra contra os akkadianos... Connall fizera o juramento.

E quando Fenrys retornara e encontrara o irmão preso à rainha, descobrindo o que Maeve o obrigava a fazer atrás de portas fechadas... ele negociara: faria o juramento, mas apenas para que seu irmão fosse deixado em paz. Havia mais de um século que Fenrys servia no quarto da rainha, sentando-se, acorrentado por grilhões invisíveis, ao lado de seu trono sombrio.

Rowan poderia ter gostado dele. Respeitado o macho. Se não fosse por aquela maldita boca.

— Então — disse Fenrys, muito ciente de que não tinha respondido à exigência por informação. — Em breve o chamaremos de rei Rowan?

— Pelos deuses, Fenrys. — murmurou Gavriel, suspirando como se sofresse havia muito tempo, depois acrescentou, antes que o companheiro pudesse abrir aquela boca estúpida: — Sua chegada, Rowan, foi uma reviravolta afortunada.

Rowan encarou o macho ao seu lado; o imediato de Maeve após Rowan ter deixado o título. Como se lesse o nome nos olhos do príncipe feérico, Gavriel perguntou:

— Onde está Lorcan?

Rowan estivera debatendo como responder àquela pergunta assim que os vira. A pergunta feita por Gavriel... Por que *tinham* ido à baía da Caveira?

— Não sei onde está Lorcan — respondeu Rowan. Não era mentira. Se tivessem sorte, o antigo comandante pegaria as outras duas chaves de Wyrd, perceberia que Aelin o havia enganado, e viria correndo, entregando as duas chaves para que Aelin as destruísse.

Se tivessem sorte.

— Não sabe onde ele está, mas o viu — comentou Gavriel.

Rowan assentiu.

Fenrys riu com deboche.

— Vamos mesmo brincar de verdades e mentiras? Apenas conte, seu babaca.

Rowan fixou os olhos em Fenrys. O Lobo Branco de Doranelle sorriu de volta.

Que os deuses ajudassem todos eles se Fenrys e Aedion algum dia se sentassem na mesma sala.

— Estão aqui sob ordens de Maeve, à frente da armada? — indagou Rowan.

Gavriel balançou a cabeça.

— Nossa presença não tem nada a ver com a armada. Ela nos enviou para caçá-lo. Você já sabe qual crime foi cometido.

Um ato de amor — embora apenas da forma deturpada que Lorcan podia amar as coisas. Apenas da forma deturpada como amava Maeve.

— Ele alega estar fazendo isso pelo bem dela — comentou Rowan, casualmente, ciente do rei sentado ao seu lado. O príncipe feérico sabia que a maioria das pessoas subestimava a inteligência aguçada que havia sob aquele sorriso encantador. Sabia que o valor de Dorian não era devido à magia comparável à de um deus, mas à mente. Ele percebera o medo e o trauma de Rolfe nas mãos dos valg e erguera os alicerces, alicerces que ele se certificaria de que Aelin exploraria.

— Lorcan sempre foi arrogante assim — disse Fenrys, lentamente. — Dessa vez, ele ultrapassou um limite.

— Então foram enviados para levar Lorcan de volta?

As tatuagens no pescoço de Gavriel — marcas que o próprio Rowan desenhara — oscilaram com cada palavra conforme ele respondeu:

— Fomos enviados para matá-lo.

⊰ 23 ⊱

Pelos deuses.

Rowan congelou.

— Isso explica vocês dois, então.

Fenrys afastou os cabelos dos olhos castanhos.

— Três, na verdade. Vaughan saiu ontem à tarde para voar em direção ao norte, enquanto cobrimos o sul. — Vaughan, na forma de águia-pescadora, podia cobrir o terreno mais árduo com mais facilidade. — Acabamos nesta cidade de merda para ver se Rolfe tinha negócios com Lorcan, para suborná-lo a nos informar caso Lorcan viesse até aqui de novo, querendo contratar um barco. — Baía da Caveira seria um dos poucos portos onde o semifeérico poderia fazer tal coisa sem perguntas. — Avisar Rolfe sobre a armada de Maeve fazia parte do plano para convencer o desgraçado a nos ajudar. Devemos seguir para o continente daqui, começar nossa caçada no sul. E como estas terras são bem grandes... — Um lampejo de dentes brancos em um sorriso feral. — Qualquer dica sobre o paradeiro do comandante seria muito apreciada, *príncipe*.

Rowan pensou sobre o assunto. Mas se o pegassem e Lorcan estivesse de posse de ao menos uma chave de Wyrd... Se fosse levado com as chaves para Maeve, principalmente considerando que ela já velejava para Eyllwe por quaisquer motivos...

Ele deu de ombros.

— Lavei as mãos com relação a todos vocês na primavera. Os problemas de Lorcan são dele.

— Seu *babaca*... — grunhiu Fenrys.

— Será que podemos negociar? — interrompeu Gavriel.

Havia algo parecido com dor — e arrependimento — nos olhos do guerreiro. De todos da equipe, ele provavelmente fora o único amigo de Rowan.

O príncipe feérico considerou se deveria contar a ele sobre o filho que seguia até eles no momento. Considerou se Aedion gostaria de ter a chance de conhecer o pai... talvez antes que a guerra transformasse todos em cadáveres.

Mas, em vez disso, perguntou:

— Maeve lhes deu liberdade para negociarem em seu nome?

— Só recebemos nossas ordens — retrucou Fenrys. — E a permissão de usar quaisquer meios necessários para matar Lorcan. Ela sequer mencionou sua rainha. Então a resposta é *sim*.

Rowan cruzou os braços.

— Se me mandarem um exército de guerreiros de Doranelle, direi onde Lorcan está e aonde planeja ir.

Fenrys soltou uma risada rouca.

— Pelas tetas da Mãe, Rowan. Mesmo que pudéssemos, a armada já está em uso.

— Acho que precisarei me virar com vocês dois, então.

Dorian teve o bom senso de não parecer tão surpreso quanto os antigos companheiros de Rowan.

Fenrys soltou uma gargalhada.

— O quê... trabalhar para sua rainha? Travar suas batalhas?

— Não é o que quer, Fenrys? — Rowan o olhou fixamente. — Servir minha rainha? Está puxando a coleira há meses. Bem, eis a chance.

Toda a diversão sumiu do lindo rosto do guerreiro.

— Você é um desgraçado, Rowan.

Rowan se voltou para Gavriel.

— Presumo que Maeve não tenha especificado *quando* precisariam fazer isso. — Um aceno curto de cabeça foi a única confirmação. — E tecnicamente estariam realizando seu comando. — O juramento de sangue operava por comandos específicos e claros. E dependia de contato físico próximo para permitir aquele *puxão* que faria o corpo ceder. De tão longe... precisavam obedecer às ordens de Maeve, mas podiam usar brechas na linguagem em vantagem própria.

— Quando você considerar que nosso trato foi cumprido, é bem provável que Lorcan já tenha partido — replicou Fenrys.

Rowan sorriu um pouco.

— Ah, mas a questão é... O caminho de Lorcan vai, por fim, levá-lo direto até mim. Até minha rainha. Quem sabe quanto tempo levará, mas ele nos encontrará de novo. E então será de vocês. — Ele bateu com o dedo no bíceps. — As pessoas falarão dessa guerra por mil anos. Até mais. — O príncipe feérico inclinou a cabeça para Fenrys. — Você nunca fugiu de uma luta.

— Se sobrevivermos, não é? — retrucou Fenrys. — E quanto aos dons de Brannon? Por quanto tempo durará uma única chama contra a escuridão que se reúne? Maeve escondeu os motivos sobre a armada e Eyllwe, mas pelo menos nos contou quem realmente governa Morath.

Mais cedo, ao entrar pela porta do Dragão Marinho, Rowan se perguntara que deus tinha mandado a tempestade que os levara à baía da Caveira naquele dia, naquela hora.

Juntos, ele e a equipe tinham enfrentado uma legião das forças de Adarlan na primavera e vencido... com facilidade.

E mesmo que Lorcan, Vaughan e Connall não estivessem com eles... Um guerreiro feérico era tão bom quanto cem soldados mortais. Talvez até mais.

Terrasen precisava de mais tropas. Bem, ali estava um exército de três machos.

E contra o esquadrão das legiões de Dentes de Ferro, precisariam da velocidade, da força e dos séculos de experiência feéricos.

Juntos, tinham saqueado cidades e reinos por Maeve; juntos, tinham travado e encerrado guerras.

— Há dez anos, não fizemos nada para impedir isso — disse Rowan. — Se Maeve tivesse enviado forças, poderíamos ter evitado que saísse tanto do controle. Nossos irmãos foram caçados e mortos e torturados. Maeve deixou aquilo acontecer por desprezo, porque a mãe de Aelin não cedeu aos seus desejos. Então sim, minha Coração de Fogo é uma chama no mar de escuridão. Mas está disposta a lutar, Fenrys. Está disposta a enfrentar Erawan, enfrentar Maeve e os próprios deuses se isso significar que teremos paz.

Do outro lado do quarto, Dorian fechara os olhos. Rowan sabia que o rei lutaria — e que morreria lutando caso fosse preciso —, e que seu dom podia fazer a diferença entre a vitória e a derrota. No entanto... não tinha treino. Ainda não fora testado, apesar de tudo pelo que passara.

— Mas Aelin é só uma pessoa — continuou ele. — E até mesmo seus dons podem não bastar para vencermos. Sozinha — Rowan respirou, encarando Fenrys, então Gavriel —, ela morrerá. E depois que aquela chama se apagar, será o fim. Não haverá uma segunda chance. Depois que aquele fogo se extinguir, estaremos todos condenados, em todas as terras e todos os mundos.

As palavras eram como veneno em sua língua, os ossos doíam só de pensar naquela morte... no que faria caso aquilo acontecesse.

Gavriel e Fenrys se entreolharam, falando daquela forma silenciosa que Rowan costumava fazer com eles. Havia uma carta que o príncipe feérico precisava tirar da manga para convencê-los... para convencer Gavriel.

Mesmo que a especificidade do comando de Maeve permitisse, ela poderia muito bem os punir por *driblarem* suas ordens. Já o fizera antes; todos tinham cicatrizes por isso. Conheciam os riscos tão bem quanto Rowan. Gavriel balançou a cabeça levemente para Fenrys.

Antes que pudessem se virar para responder não, Rowan falou para o antigo companheiro:

— Se não lutar nessa guerra, Gavriel, condena seu filho à morte.

O feérico congelou.

— Mentira — disparou Fenrys. Até mesmo Dorian ficara um pouco boquiaberto.

Rowan se perguntou o quanto aquilo deixaria Aedion revoltado, no entanto, disse:

— Pense em minha proposta. Mas saiba que seu filho está a caminho de baía da Caveira. Talvez queira conhecê-lo antes de se decidir.

— Quem... — Rowan não tinha certeza se o guerreiro respirava direito. As mãos estavam fechadas com tanta força que as cicatrizes sobre os nós dos dedos tinham ficado brancas como a lua. — Eu tenho um filho?

Ao assentir, uma parte de Rowan se sentiu como o babaca que Fenrys alegara que ele era, e não como o macho que Aelin acreditava que fosse.

A informação teria sido revelada mais cedo ou mais tarde.

Se Maeve descobrisse primeiro, poderia tramar para aprisionar Aedion... poderia ter enviado a equipe para matá-lo ou sequestrá-lo. Desse modo, supôs Rowan, ele mesmo tinha aprisionado a equipe. Era apenas uma questão do quão desesperadamente Gavriel queria conhecer o filho... e o quanto temiam fracassar com Maeve caso não encontrassem Lorcan.

Então Rowan disse, friamente:

— Fiquem fora de nosso caminho até que eles cheguem, e nós ficaremos fora do de vocês.

Dar as costas a eles ia contra todos os instintos do príncipe feérico, mas ele manteve os escudos firmes, espalhando a magia para alertá-lo se sequer respirassem errado enquanto abria a porta do quarto em uma dispensa silenciosa. Tinha muito a fazer. Ele começaria escrevendo um aviso à realeza de Eyllwe e às forças de Terrasen. E terminaria por tentar entender como poderiam travar duas drogas de guerras ao mesmo tempo.

Gavriel ficou parado, inexpressivo, pálido; algo como devastação estampado em seu rosto.

Rowan enxergou a faísca de percepção que percorreu os olhos de Dorian um segundo antes de o rei a extinguir. Sim; a princípio, Aedion e Aelin pareciam irmãos, mas era o sorriso do general que revelava sua ascendência. Gavriel saberia em um segundo... se o cheiro de Aedion não o entregasse primeiro.

Fenrys se aproximou e apoiou a mão no ombro do companheiro conforme seguiram para o corredor. Tanto para Rowan quanto para Fenrys, Gavriel sempre fora o porto seguro. Nunca um para o outro — não, ele e Fenrys... era mais fácil se engalfinharem.

Rowan disse ao dois ex-companheiros:

— Se derem qualquer indício do filho de Gavriel a Maeve, nosso acordo acaba. Jamais encontrarão Lorcan. E se Lorcan aparecer... Ficarei feliz em ajudá-lo a matar vocês. — Rowan rezou para que não chegasse àquilo, a uma luta tão brutal e devastadora.

Estavam em guerra, no entanto. E o feérico não tinha intenção alguma de perder.

⊰ 24 ⊱

O *Trovador do Vento* deixou Ilium ao alvorecer, com a tripulação e o capitão alheios ao fato de que os dois indivíduos encapuzados — e seu falcão de estimação — que pagaram em ouro não tinham intenção alguma de seguir jornada até Leriba. Se tinham feito a ligação entre aqueles dois indivíduos e o general e a rainha que libertaram a cidade na noite anterior, não deixaram transparecer.

A viagem pela costa do continente era considerada fácil, embora Aelin se perguntasse se dizer aquilo em voz alta garantiria que *não seria* uma viagem fácil. Primeiro, havia a questão de velejar por águas de Adarlan — perto de Forte da Fenda, especificamente. Se as bruxas patrulhassem em mar aberto...

Mas não tinham outra escolha, não com a rede que Erawan espalhara sobre o continente. Não com a ameaça de encontrar e capturar Rowan e Dorian ainda fresca na mente de Aelin, assim como o latejar do hematoma roxo--escuro no peito, bem sobre o coração.

Parada no deque do navio, o sol nascente manchando de dourado e rosa a baía turquesa de Ilium, ela se perguntou se aquelas águas estariam vermelhas da próxima vez que as visse. Se perguntou quanto tempo os soldados de Adarlan permaneceriam do seu lado da fronteira.

Aedion se colocou ao lado de Aelin depois de terminar a *terceira* inspeção.

— Parece que está tudo certo.

— Lysandra disse que estava tudo livre. — De fato, do alto do mastro principal do navio, os olhos de falcão da amiga não perdiam nada.

Aedion franziu a testa.

— Sabe, vocês damas *podem* deixar que nós homens façamos as coisas de vez em quando.

Aelin ergueu uma sobrancelha.

— E qual seria a graça nisso? — Mas ela sabia que aquela seria uma discussão recorrente, recuar para que outros, como seu primo, pudessem lutar por ela. Fora ruim o suficiente em Forte da Fenda, ruim o suficiente saber que aqueles anéis e colares poderiam escravizá-los, mas o que Erawan fizera com aquele capataz... como um *experimento*.

A jovem olhou na direção da tripulação agitada, contendo o comando para que se *apressassem*. Cada minuto de atraso era um minuto a mais para Erawan se aproximar de Rowan e Dorian. Era apenas uma questão de tempo antes que um relatório a respeito de onde foram avistados o alcançasse. Aelin bateu com o pé no deque.

A oscilação do navio nas ondas calmas ecoou a batida. Sempre amara o cheiro e a sensação do mar. Mas naquele instante... mesmo o bater das ondas parecia dizer *rápido, rápido*.

— O rei de Adarlan... e Perrington, acredito eu, me tiveram nas mãos durante anos — comentou Aedion, a voz tão contida que Aelin se virou do mar para o encarar. Ele se agarrara ao corrimão de madeira, as cicatrizes nas mãos se destacavam contra a pele queimada de sol do verão. — Eles me encontraram em Terrasen, em Adarlan. Estive no maldito *calabouço* dele, pelos deuses. Mas não fez *aquilo* comigo. Me ofereceu o anel, mas não reparou que eu usava um falso. Por que não me abriu e me corrompeu? Devia saber... *devia* saber que você viria atrás de mim.

— O rei deixou Dorian em paz pelo máximo de tempo que conseguiu, talvez essa bondade tenha se estendido a você também. Talvez soubesse que, se você morresse, eu poderia muito bem decidir mandar este mundo para o inferno e jamais o libertar por vingança.

— Teria feito isso?

As pessoas que ama são apenas armas que serão usadas contra você, lhe dissera Rowan certa vez.

— Não desperdice sua energia se preocupando com o que poderia ter acontecido. — Aelin sabia que não tinha respondido à pergunta.

Aedion não a encarou ao dizer:

— Eu sabia o que tinha acontecido em Endovier, Aelin, mas ao ver o capataz, ouvir o que ele disse... — Ele engoliu em seco. — Eu estava tão perto das minas de sal. Naquele ano... eu tinha acampado com a Devastação logo além da fronteira durante três meses.

Ela virou o rosto para o primo.

— Não vamos fazer isso. Erawan mandou aquele homem por um motivo, por *este* motivo. Ele conhece meu passado, *quer* que eu saiba que está ciente disso, que o usará contra mim. Contra nós. Usará todos que conhecemos, se precisar.

Aedion suspirou.

— Teria me contado o que aconteceu ontem à noite caso eu não estivesse lá?

— Não sei. Aposto que você teria acordado assim que eu soltasse meu poder sobre ele.

O general riu com deboche.

— É difícil não chamar atenção.

O grito das gaivotas acima preencheu o silêncio que se seguiu. Apesar da declaração de não se deter no passado, a jovem comentou, cautelosamente:

— Darrow disse que você lutou em Theralis. — Aelin queria perguntar havia semanas, mas não reunira coragem.

Aedion fixou o olhar na água revolta.

— Foi há muito tempo.

Ela engoliu em seco contra a queimação na garganta.

— Mal tinha 14 anos.

— Sim. — O maxilar dele se contraiu. Aelin só podia imaginar a carnificina. E o horror, não apenas pelo garoto matando e lutando, mas por ele ver as pessoas com quem se importava caírem. Uma a uma.

— Sinto muito — sussurrou ela. — Por você ter precisado passar por aquilo.

O general se virou para Aelin. Não havia indício de superioridade nem de insolência.

— Theralis é o campo de batalha que mais vejo... em meus sonhos. — Aedion raspou uma mancha no corrimão. — Darrow se certificou de que eu ficasse longe do pior, mas estávamos sobrecarregados. Era inevitável.

Ele jamais contara a Aelin... que Darrow tentara protegê-lo. Ela colocou a mão sobre a de seu primo e a apertou.

— Sinto muito — repetiu a jovem. Ela não conseguiu perguntar mais.

Aedion deu de ombros.

— Minha vida como guerreiro foi escolhida muito antes daquele campo de batalha.

De fato, Aelin não o conseguia imaginar sem aquela espada e o escudo — ambos presos às costas do primo no momento. Ela não conseguia decidir se aquilo era algo bom.

Silêncio reinou entre os dois, pesado e antigo e exausto.

— Não o culpo — disse Aelin, por fim. — Não culpo Darrow por bloquear meu acesso a Terrasen. Eu faria o mesmo, julgaria igual, se fosse ele.

Aedion franziu a testa.

— Achei que fosse combater o decreto dele.

— Eu vou — jurou a jovem. — Mas... entendo por que Darrow fez isso.

O general a observou antes de assentir. Um gesto sério, de um soldado para outro.

Aelin colocou a mão no amuleto sob as roupas. O poder antigo e sobrenatural roçou contra ela, fazendo um calafrio percorrer sua espinha. *Encontre o Fecho.*

Que bom que baía da Caveira ficava no caminho até o pântano de Pedra em Eyllwe.

E que bom que o governante possuía um mapa mágico pintado nas mãos. Um mapa que revelava inimigos, tempestades... e tesouros escondidos. Um mapa para encontrar coisas que não queriam ser encontradas.

Aelin abaixou a mão, apoiando-a com a outra no corrimão e examinando a cicatriz em cada palma. Tantas promessas e tantos juramentos feitos. Tantas dívidas e tantos favores ainda por cobrar.

Ela se perguntou quais respostas e juramentos poderia encontrar à espera em baía da Caveira.

Se chegassem lá antes de Erawan.

❧ 25 ❧

Manon Bico Negro acordou com o farfalhar de folhas, o canto distante de pássaros atentos, além do fedor de solo argiloso e madeira antiga.

Ela grunhiu ao abrir os olhos, semicerrando-os diante da luz intermitente do sol filtrada pelo denso dossel.

Conhecia aquelas árvores. Carvalhal.

Ainda montava a sela de Abraxos, que estava deitado sob Manon, o pescoço virado para poder monitorar a respiração da bruxa. Os olhos pretos da serpente alada se arregalaram em pânico quando ela gemeu, tentando se sentar. Manon caíra de costas e sem dúvida ficara deitada assim um tempo, a julgar pelo sangue azul que cobria as laterais de Abraxos.

Ela ergueu a cabeça e olhou para a barriga, contendo um grito conforme os músculos repuxaram.

Calor úmido lhe escorreu do abdômen. Os ferimentos mal tinham coagulado, por isso, abriam-se tão facilmente.

A cabeça da bruxa latejava como mil forjas. E a boca parecia tão seca que mal conseguia mover a língua.

Assunto de primeira ordem: sair daquela sela. Depois, tentar avaliar o próprio estado. Em seguida, água.

Um córrego gorgolejava nas proximidades, perto o suficiente para Manon conjeturar se Abraxos escolhera aquele local por isso.

A serpente alada bufou, movendo-se com preocupação, e Manon sibilou quando a ferida se rasgou mais.

217

— Pare — disse ela, rouca. — Estou... bem.

Não estava bem, nada bem.

Mas não estava morta.

O que era um começo.

As outras merdas — a avó, as Treze, a afirmação sobre as Crochan... Manon lidaria com tudo aquilo depois, quando não estivesse com um pé na Escuridão.

Ela ficou deitada ali por longos minutos, respirando apesar da dor.

Limpar o ferimento; estancar o sangramento.

Não tinha nada consigo exceto o couro de batalha — mas a camisa... A bruxa não tinha forças para primeiro ferver o tecido.

Precisaria rezar para que a imortalidade que agraciava seu sangue afastasse qualquer infecção.

Seu sangue Crochan...

Manon se sentou subitamente, sem se permitir hesitação, contendo o grito com tanta força que o lábio sangrou e um gosto de cobre lhe preencheu a boca.

No entanto, tinha se erguido. Sangue escorreu por baixo da armadura de couro, mesmo assim, ela se concentrou em soltar as correias que a prendiam à sela, uma fivela por vez.

Não estava morta.

A Mãe ainda tinha utilidade para ela.

Livre do cinto, Manon encarou a altura de Abraxos até o leito coberto de musgo da floresta.

Que a Escuridão a salvasse, aquilo doeria.

O simples movimento do corpo para passar a perna para o lado a fez trincar os dentes contra a vontade de chorar. Se nas unhas da avó houvesse veneno, ela estaria morta.

Mas estavam irregulares; irregulares em vez de afiadas e cheias de ferrugem.

Uma cabeça grande a cutucou no joelho, e ela viu Abraxos ali, o pescoço esticado — a cabeça logo abaixo dos pés da bruxa, com um olhar de oferta.

Sem confiar que o estado consciente duraria muito, Manon deslizou para a ampla cabeça da serpente alada, respirando entre as ondulações de dor ardente. O hálito de Abraxos lhe aqueceu a pele fria enquanto cuidadosamente a baixou para a clareira gramada.

A bruxa ficou deitada de costas, permitindo que o animal a cutucasse com o focinho, um choro fraco saía da serpente.

— Bem... — sussurrou Manon. — Eu estou...

Manon acordou ao crepúsculo.

Abraxos estava enroscado ao seu redor, formando uma cobertura improvisada com a asa inclinada.

Pelo menos estava aquecida. Mas a sede...

A bruxa gemeu, e a asa imediatamente foi recolhida, revelando uma cabeça encouraçada e olhos preocupados.

— Seu... mãe coruja — disse Manon, arquejando e deslizando os braços para baixo do corpo para se levantar.

Pelos deuses, pelos deuses, pelos deuses...

Mas estava sentada.

Água. Aquele córrego...

Abraxos era grande demais para alcançar em meio às árvores, mas Manon precisava de água. Logo. Quantos dias tinham se passado? Quanto sangue tinha perdido?

— Ajuda — sussurrou ela.

Presas poderosas se fecharam em volta do colarinho da túnica, erguendo-a com tanta delicadeza que seu peito se apertou. A bruxa oscilou, apoiando-se na lateral encouraçada de Abraxos, mas permaneceu de pé.

Água; então poderia dormir mais.

— Espere aqui — pediu Manon, cambaleando para a árvore mais próxima, com a mão na barriga; Ceifadora do Vento era um peso às costas. Ela pensou em deixar a espada para trás, mas qualquer movimento extra, mesmo soltar o boldrié do peito, era impensável.

De árvore em árvore, a bruxa cambaleou, enterrando as unhas em cada tronco para manter-se de pé e preenchendo a floresta silenciosa com a respiração irregular.

Estava viva; estava viva...

O córrego mal passava de um fiapo em meio às pedras musguentas. Mas era límpido e corrente e a coisa mais linda que Manon já vira.

Ela o analisou. Se ficasse de joelhos, conseguiria se levantar outra vez?

Dormiria ali se precisasse. Depois de beber.

Com cuidado, pois os músculos estavam trêmulos, Manon se ajoelhou na margem. Ela engoliu o grito quando se curvou sobre o córrego, quando mais sangue escorreu. A bruxa bebeu os primeiros punhados sem parar — então diminuiu a velocidade, a barriga doía tanto dentro quanto fora.

Um galho estalou, e Manon se levantou; o instinto se sobrepôs à dor tão rapidamente que a agonia a atingiu um segundo depois. Mesmo assim, ela avaliou as árvores e as rochas e o dossel e as pequenas colinas.

Do outro lado do córrego, uma calma voz feminina disse:

— Parece que caiu longe do ninho, Bico Negro.

Manon não conseguia identificar a quem pertencia, que bruxa encontrara... De trás das sombras de uma árvore, uma bela jovem emergiu.

O corpo era elegante, porém ágil; os cabelos arruivados caíam soltos e cobriam parcialmente a nudez da mulher. Não havia um trecho de tecido cobrindo a pele branca. Nenhuma cicatriz ou marca maculavam a carne tão pura quanto a neve. Ela se moveu, e os cabelos sedosos balançaram também.

Mas a mulher não era uma bruxa. E os olhos azuis...

Corra. *Corra*...

Olhos de um azul-gélido reluziram mesmo na floresta escura. E uma boca vermelha carnuda, feita para a alcova, se abriu, revelando um sorriso branco demais conforme a mulher observava Manon, o sangue, o ferimento. Abraxos rugiu em aviso, fazendo com que o chão, as árvores, as folhas tremessem.

— Quem é você? — exigiu a bruxa, a voz áspera.

A jovem inclinou a cabeça... como um tordo estudando uma minhoca trêmula.

— O Rei Sombrio me chama de Cão de Caça.

Manon aproveitou cada fôlego ao reunir forças.

— Nunca ouvi falar de você — respondeu ela, rouca.

Algo escuro demais para ser sangue serpenteou sob a pele branca do abdômen da mulher, então sumiu. Ela passou a pequena e linda mão sobre o ponto em que a coisa se contorcera na curva da barriga firme.

— Não teria ouvido falar de mim. Até sua traição, eu era mantida sob aquelas outras montanhas. Mas, quando ele aperfeiçoou o poder em meu sangue... — Aqueles olhos azuis se fixaram em Manon, e insanidade reluziu ali. — Ele poderia fazer muito com você, Bico Negro. Tanto. Fui enviada para levar a montadora coroada de volta ao lado certo...

220

A bruxa recuou um passo; apenas um.

— Não tem para onde fugir. Não com a barriga mal se contendo dentro de si. — A mulher jogou os cabelos vermelhos sobre um ombro. — Ah, como será divertido agora que a encontrei, Bico Negro. Para todos nós.

Manon se preparou, sacando Ceifadora do Vento quando a forma da mulher brilhou, como um sol escuro, então ondulou, seus limites se expandiram, metamorfoseando-se, até que...

A mulher era uma ilusão. Um encantamento. A criatura que estava diante de Manon nascera na escuridão; era tão branca que a bruxa duvidava de que jamais tivesse sentido o beijo do sol até o momento. E a mente que a inventara... A imaginação de alguém nascido em outro mundo — onde pesadelos caminhavam pela terra escura e fria.

O corpo e o rosto eram vagamente humanos. Mas... Cão de Caça. Sim, era adequado. As narinas eram enormes, os olhos tão grandes e sem pálpebras que ela se perguntou se o próprio Erawan as teria cortado, e a boca... Os dentes pareciam cotocos pretos, a língua espessa e vermelha; para provar o ar. E abrindo-se daquele corpo branco, o meio de transporte de Manon: asas.

— Veja bem — ronronou a jovem Cão de Caça. — Está vendo o que ele pode lhe dar? Agora posso provar o vento; sentir o cheiro de sua essência. Assim como senti seu cheiro do outro lado do terreno.

Manon manteve um braço aninhado sobre a barriga enquanto o outro estremeceu, erguendo Ceifadora do Vento.

A mulher riu, de modo baixo e suave.

— Acho que vou gostar disso — declarou ela, então avançou.

Viva; ela estava *viva* e continuaria assim.

A bruxa saltou para trás, deslizando entre duas árvores, tão perto que a criatura as atingiu, como uma parede de madeira no caminho. Aqueles olhos de bezerro se semicerraram com raiva, e as mãos brancas — com garras para cavar nas pontas — se enterraram no tronco quando a mulher recuou...

Apenas para se ver presa.

Talvez a Mãe estivesse olhando por Manon.

A jovem Cão de Caça ficara presa entre as duas árvores, metade para a frente, metade para trás, graças àquelas asas, a madeira a espremendo...

Manon correu. Dor irradiava a cada passo, e ela gritava entre os dentes conforme disparava pelas árvores. Houve um estalo e estrondo de madeira e folhas atrás.

A bruxa se forçou a ir mais além, pressionando uma das mãos contra o ferimento e segurando Ceifadora do Vento na outra com tanta força que a espada tremia. Mas ali estava Abraxos, olhos selvagens e asas já abertas, preparando-se para voar.

— *Vá* — ordenou Manon, a voz rouca, atirando-se contra a serpente alada ao ouvir madeira sendo esmagada atrás de si.

Abraxos disparou para a bruxa, que se esticou para ele — não para montá-lo, mas na direção das garras do animal, na direção das enormes unhas que a envolveram sob os seios. O estômago de Manon se rasgou um pouco mais ao ser erguida pela serpente alada, subindo mais e mais e mais em meio a troncos, folhas e ninhos.

O ar estalou sob suas botas, e a bruxa virou para baixo com os olhos cheios d'água e avistou as garras da mulher Cão de Caça esticando-se desesperadamente. Mas era tarde demais.

Soltando um grito de raiva, a jovem recuou alguns passos para a beira da clareira, preparando-se para correr e dar um salto enquanto Abraxos batia as asas como nunca...

Eles atravessaram o dossel, e as asas da serpente alada destruíram galhos, atirando-os à Cão de Caça.

O vento se chocou contra Manon conforme Abraxos voava, mais e mais alto, seguindo para o leste, na direção das planícies — leste e sul...

A criatura não ficaria detida por muito tempo. O animal percebeu isso também.

Planejara isso.

Um lampejo branco irrompeu do dossel abaixo deles.

Abraxos avançou, um mergulho ágil e letal, com um rugido de raiva que fez a cabeça de Manon zunir.

A mulher Cão de Caça não teve tempo de recuar quando a poderosa cauda se chocou contra ela, os espinhos de ferro cobertos de veneno atingindo-a em cheio.

Sangue escuro e pútrido jorrou; asas membranosas cor de marfim se partiram.

Então os dois dispararam de volta para cima, deixando a criatura cair pelo dossel; quase morta ou ferida, Manon não se importava.

— *Encontrarei você* — gritou a mulher do leito da floresta.

Apenas depois de quilômetros as palavras gritadas se extinguiram.

Manon e Abraxos pararam somente por tempo suficiente para que a bruxa subisse nas costas do animal e se prendesse. Nenhum sinal de outras serpentes aladas no céu, nenhum indício de que a jovem Cão de Caça os perseguia. Talvez o veneno a mantivesse no chão por um tempo; se não para sempre.

— Para a costa — ordenou a bruxa, por cima do ruído do vento, conforme o céu sangrava carmesim até a escuridão final. — Algum lugar seguro.

Sangue escorreu entre os dedos de Manon — mais rápido e mais intensamente que antes —, e, em seguida, a Escuridão a reivindicou de novo.

⊰ 26 ⊱

Mesmo depois de duas semanas em baía da Caveira, sendo totalmente ignorados por Rolfe apesar dos pedidos para se reunirem com ele, Dorian ainda não havia se acostumado completamente com o calor e a umidade. O clima o seguia dia e noite, tirando-o do sono encharcado de suor, perseguindo-o até o interior da Rosa do Oceano quando o sol estava a pino.

E, como o pirata se recusava a recebê-los, Dorian tentava preencher os dias com coisas que *não fossem* reclamar do calor. As manhãs eram para praticar sua magia em uma clareira na floresta a poucos quilômetros de onde estavam. Pior, Rowan o fazia correr até lá e voltar; e quando retornavam, na hora do almoço, tinha a "escolha" de comer antes ou depois dos exercícios torturantes do feérico.

Sinceramente, ele não tinha ideia de como Aelin havia sobrevivido a meses daquilo — e, ainda mais, se apaixonado pelo guerreiro nesse ínterim. Embora Dorian pudesse perceber um lado sádico tanto na rainha quanto no príncipe feérico, o que parecia torná-los compatíveis.

Em alguns dias, Fenrys e Gavriel os encontravam no pátio da pousada para se exercitarem ou para dar dicas não requisitadas sobre a técnica de Dorian com uma espada ou uma adaga. Em alguns dias, Rowan os deixava ficar; em outros, expulsava os dois com um grunhido.

O rapaz notou que o segundo caso costumava ocorrer quando nem mesmo o calor e o sol conseguiam afastar as sombras dos últimos meses; quando ele acordava com o suor parecendo o sangue de Sorscha, quando não conseguia suportar nem mesmo o roçar da túnica contra o pescoço.

Não tinha certeza se deveria agradecer ao príncipe feérico por notar, ou odiá-lo pela bondade.

Durante as tardes, os dois caminhavam pela cidade em busca de fofocas e notícias, observando os homens de Rolfe com a mesma proximidade com que eram observados. Apenas sete capitães da armada desfalcada permaneciam na ilha — oito, contando com o próprio lorde pirata, e havia menos navios ainda ancorados na baía. Alguns tinham fugido depois do ataque valg; outros foram dormir com os peixes no fundo do porto, assim como seus navios.

Choviam notícias de Forte da Fenda: que a cidade estava sob controle das bruxas e que a maior parte ficara em ruínas; diziam que a nobreza e os mercadores tinham fugido para propriedades de campo e deixado os pobres para se defenderem sozinhos. As bruxas controlavam os portões e as docas da cidade. Nada nem ninguém entrava sem que elas soubessem. Pior, navios do desfiladeiro Ferian velejavam pelo Avery para Forte da Fenda e já tinham descarregado estranhos soldados e bestas, que transformavam a cidade em um território de caça particular.

Erawan não fora tolo ao planejar aquela guerra. Rowan alegara que os navios velejando o Avery eram pequenos demais, e certamente os exércitos d'O Fim não representavam toda a armada do Rei Sombrio. Então, onde estivera a frota de Adarlan esse tempo todo?

O guerreiro descobriu a resposta cinco dias depois de chegarem: no golfo de Oro. Parte da frota fora posicionada perto da costa mais a noroeste de Eyllwe; outra parte ficara escondida nos portos de Melisande, onde, diziam os boatos, a rainha permitia que soldados de Morath entrassem por qualquer lado que quisessem. Erawan tinha habilidosamente dividido a armada, posicionando-a em locais-chave, assim Rowan informou a Dorian que suas forças e as de Aelin precisariam sacrificar terras, aliados e vantagens geográficas se quisessem manter outros.

O rapaz odiara admitir ao guerreiro feérico que jamais ouvira falar daqueles planos nos últimos anos — as reuniões do conselho haviam sido todas a respeito de políticas e comércio e escravizados. Uma distração, percebeu ele, uma forma de manter os lordes e governantes do continente concentrados em uma coisa enquanto outros planos eram postos em ação. E agora... se Erawan conjurasse a frota do golfo, provavelmente velejaria em torno da costa sul de Eyllwe e saquearia cada cidade até chegar à porta de Orynth.

Talvez tivessem sorte e a frota de Erawan colidisse com a de Maeve. Não que houvessem escutado algo a respeito da última. Nem mesmo um sussurro de onde e com que rapidez os navios velejavam. Ou um murmúrio de para onde Aelin Galathynius fora. Dorian sabia que Rowan percorria as ruas da cidade por notícias da rainha.

Então os dois coletavam fragmentos de informação e voltavam à estalagem toda noite para analisá-los enquanto comiam camarões temperados, vindos das águas quentes do arquipélago, e arroz fumegante de mercadores do continente sul, mantendo os copos de água com infusão de laranja apoiados sobre os mapas e os esquemas que compraram na cidade. As informações eram em grande parte de segunda ou terceira mão — e uma prostituta comum patrulhando as ruas parecia saber tanto quanto os marinheiros que trabalhavam no cais.

Mas nenhuma das prostitutas e nenhum dos marinheiros ou dos comerciantes tinha notícias dos paradeiros do príncipe Hollin ou da rainha Georgina. A guerra se aproximava... e o destino de uma criança e de uma rainha frívola, que jamais se incomodara em tomar o poder para si, não era preocupação para ninguém, exceto Dorian, ao que parecia.

Em uma tarde especialmente abafada, que se refrescava graças a uma espantosa tempestade de raios, Dorian apoiou o garfo ao lado do prato de peixe de coral no vapor e comentou com Rowan:

— Acho que estou cansado de esperar que Rolfe queira nos encontrar.

O garfo tilintou contra o prato quando o príncipe feérico o apoiou... e esperou com uma quietude sobrenatural. Onde Gavriel e Fenrys estavam naquela tarde não importava. Na verdade, Dorian estava feliz pela ausência de ambos ao dizer:

— Preciso de papel... e de um mensageiro.

∽

Três horas depois, Rolfe os convocou, com a equipe, para o Dragão Marinho.

Rowan estivera ensinando Dorian a erguer escudos durante os últimos dias — então o rapaz ergueu um ao redor de si quando Rolfe guiou os quatro pelo corredor do andar de cima da taverna, dirigindo-se ao escritório.

Sua ideia correra tranquilamente; com perfeição.

Ninguém reparara que a carta que Rowan tinha enviado depois do almoço fora a mesma entregue a Dorian mais tarde na estalagem.

Mas os espiões do lorde pirata notaram o choque de Dorian enquanto a lia; a decepção e o medo e a fúria diante de quaisquer que fossem as notícias recebidas. Rowan, fiel à encenação, caminhara de um lado para o outro e grunhira diante da *notícia* recebida. Eles se certificaram de que o criado lavando o corredor tivesse entreouvido a menção da informação que mudaria o rumo da guerra, que o próprio Rolfe podia ganhar muito com aquilo... ou perder tudo.

E, naquele instante, caminhando para o escritório do homem, Dorian não sabia dizer se estava satisfeito ou irritado por serem tão observados a ponto de seu plano ter funcionado. Gavriel e Fenrys, ainda bem, não fizeram perguntas.

O lorde pirata, usando um desbotado casaco azul e dourado, parou diante da porta de carvalho do escritório. Calçava luvas, e o rosto exibia ansiedade. O jovem rei duvidava de uma melhora de expressão quando Rolfe percebesse que não havia notícia alguma — e que faria a reunião, querendo ele ou não.

Dorian reparou nos três machos feéricos analisando cada fôlego do pirata, sua postura, ouvindo os sons do imediato e do mestre quarteleiro um andar abaixo. O trio trocou acenos quase imperceptíveis. Aliados; pelo menos até que Rolfe os ouvisse.

— É melhor que isso valha meu tempo — murmurou o capitão, enquanto abria a porta e caminhava para a escuridão além. Então, parou subitamente.

Mesmo à luz aquosa, Dorian conseguia discernir perfeitamente a mulher sentada à mesa de Rolfe. Com pés apoiados na superfície de madeira escura, ela vestia roupas pretas sujas e carregava armas reluzentes.

Aelin Galathynius, as mãos cruzadas atrás da cabeça, sorriu para todos e disse:

— Gosto mais deste escritório que do outro, Rolfe.

⊰ 27 ⊱

Dorian não ousou se mover quando Rolfe soltou um grunhido.

— Tenho a nítida lembrança, Celaena Sardothien, de avisar que, se colocasse os pés em meu território de novo, sua vida estaria acabada.

— Ah — falou Aelin, abaixando as mãos, mas deixando os pés ainda apoiados na mesa. — Mas qual seria a graça disso?

Rowan parecia imóvel como a morte ao lado de Dorian. O sorriso de Aelin ficou felino quando ela finalmente abaixou os pés e passou as mãos pelas laterais da mesa, avaliando a madeira lisa, como se fosse um cavalo premiado. A jovem inclinou a cabeça para Dorian.

— Olá, Majestade.

— Oi, Celaena — respondeu ele, o mais calmamente possível e bastante ciente de que os dois machos feéricos às suas costas podiam lhe ouvir o coração acelerado. Rolfe virou a cabeça para Dorian.

Porque era Celaena que estava sentada ali; por qualquer que fosse o motivo, era Celaena Sardothien naquela sala.

Ela inclinou a cabeça para o lorde pirata.

— Você já esteve melhor, mas, considerando que foi abandonado por metade da frota, diria que parece bastante decente.

— Saia de minha cadeira — ordenou ele, baixo demais.

Aelin ignorou o pedido. Apenas lançou um olhar provocante a Rowan... da cabeça aos pés. A expressão do guerreiro permanecia indecifrável, os olhos atentos, quase brilhando. Então ela disse ao feérico, com um sorriso enigmático:

— Você eu não conheço. Mas gostaria.

Os lábios de Rowan se repuxaram para cima.

— Não estou disponível, infelizmente.

— Que pena — lamentou Aelin, inclinando a cabeça ao reparar em uma tigela de pequenas esmeraldas sobre a mesa de Rolfe. *Não faça isso, não...*

Ela pegou as esmeraldas com uma das mãos, separando-as enquanto olhava para Rowan sob os cílios.

— Deve ser uma beldade rara e estonteante para que lhe seja tão fiel.

Que os deuses salvassem a todos. Ele podia jurar que Fenrys tossira atrás dele.

Aelin jogou as esmeraldas na tigela de metal, como se fossem moedas de cobre; o único ruído era o som metálico.

— Deve ser inteligente — *ploc* — e fascinante — *ploc* — e muito, *muito* talentosa. — *Ploc, ploc, ploc* faziam as esmeraldas. Ela examinou as quatro gemas que restavam na mão. — Deve ser a pessoa mais maravilhosa que já existiu.

Outra tossida vinda de trás; daquela vez de Gavriel. Mas a jovem tinha olhos apenas para Rowan, que afirmou:

— Realmente é. E mais.

— Hmmm — murmurou Aelin, virando as esmeraldas com facilidade habilidosa na palma da mão coberta de cicatrizes.

— O. Quê. Você. Está. Fazendo. Aqui? — grunhiu Rolfe.

Ela soltou as esmeraldas na tigela.

— Isso são modos de falar com uma velha amiga?

O homem caminhou até a mesa, e Rowan estremeceu, contendo-se quando o lorde pirata apoiou as mãos na superfície de madeira.

— A última notícia que tive foi que seu mestre estava morto e você tinha vendido a Guilda para os subordinados. É uma mulher livre. O que faz em *minha* cidade?

Aelin encarou os olhos verde-mar com uma irreverência capaz de intrigar Dorian; seria nata ou aperfeiçoada com habilidade e sangue e aventuras?

— A guerra se aproxima, Rolfe. Não posso considerar minhas opções? Pensei em ver o que *você* planeja fazer.

O lorde pirata olhou para Dorian por cima dos ombros largos.

— Dizem os rumores que ela foi sua campeã no último outono. Quer lidar com *isso*?

— Vai descobrir, Rolfe, que não se *lida* com Celaena Sardothien. Apenas se sobrevive a ela — respondeu o rapaz, tranquilamente.

Um lampejo de sorriso de Aelin. Rolfe revirou os olhos e disse à rainha-assassina:

— Então, qual é o plano? Fez um acordo para sair de Endovier, tornou-se a campeã do rei e, agora que ele morreu, quer ver como pode lucrar?

Dorian tentou não encolher o corpo. Morto; o pai estava morto... pelas mãos do próprio filho.

— Sabe do que eu gosto — retrucou Aelin. — Mesmo com a fortuna de Arobynn e a venda da Guilda... O período de guerra pode ser lucrativo para pessoas que são espertas com seus negócios.

— E onde está a pirralha sabe-tudo de 16 anos que destruiu seis de meus navios, roubou dois e acabou com minha cidade, tudo por duzentos escravizados?

Uma sombra, uma que lançou calafrios pela espinha de Dorian, percorreu os olhos da jovem.

— Passe um ano em Endovier, Rolfe, e vai aprender rapidinho como jogar um outro tipo de jogo.

— Eu disse — afirmou ele, irritado e com um veneno silencioso — que um dia pagaria por aquela arrogância.

O sorriso da jovem se tornou letal.

— E de fato paguei. Assim como Arobynn Hamel.

O lorde pirata piscou... apenas uma vez, então enrijeceu o corpo.

— Saia de minha cadeira. E devolva a esmeralda que enfiou na manga.

Aelin riu com deboche e, com um movimento ágil das mãos, surgiu uma esmeralda — a quarta, da qual Dorian tinha se esquecido — entre seus dedos.

— Que bom. Pelo menos sua visão não está falhando com a idade avançada.

— E a outra — disse Rolfe, entre dentes.

Ela sorriu de novo. Em seguida recostou-se de volta na cadeira, inclinou a cabeça para cima e cuspiu a esmeralda que, de alguma forma, escondera sob a língua. O jovem rei observou a gema percorrer um arco perfeito no ar.

O ruído da joia tocando a tigela foi o único som.

Dorian olhou para Rowan. Prazer brilhava em seus olhos — prazer e orgulho e luxúria fumegante. O rapaz rapidamente desviou o olhar.

Então Aelin disse ao lorde pirata:

— Tenho duas perguntas para você.

A mão de Rolfe estremeceu na direção do florete.

— Não está em posição de fazer pergunta alguma.

— Não estou? Afinal de contas, fiz uma promessa a você há dois anos e meio. Uma que tem sua assinatura.

O homem grunhiu.

Ela apoiou o queixo no punho.

— Você, ou algum de seus navios, comprou, vendeu ou transportou escravizados desde aquele... dia infeliz?

— Não.

Um breve aceno de satisfação.

— E ofereceu abrigo a eles?

— Não corremos atrás de ajudá-los, mas, se algum chegou até aqui, sim. — Cada palavra era mais contida que a outra, uma mola prestes a disparar adiante e atingir a rainha. Dorian rezou para que o homem não fosse burro o bastante para atacá-la. Não com Rowan observando cada fôlego de Rolfe.

— Muito bem — comentou Aelin. — Foi inteligente de sua parte não mentir para mim. Pois, quando cheguei hoje de manhã, assumi a tarefa de olhar em seus armazéns, de perguntar nos mercados. E então vim para cá... — Ela percorreu as mãos pelos papéis e livros sobre a mesa. — Para ver seus livros contábeis por conta própria. — A jovem passou um dedo por uma página que continha várias colunas e números. — Têxteis, temperos, aparelho de jantar de porcelana, arroz do continente sul e vários contrabandos, mas... nenhum escravizado. Preciso dizer, estou impressionada. Tanto por ter honrado sua palavra quanto pelos primorosos registros.

Um grunhido baixo.

— Sabe quanto me custou sua brincadeira?

Aelin voltou os olhos para um pedaço de pergaminho na parede. Havia diversas adagas, espadas e até mesmo tesouras presas a ele: treino de tiro ao alvo para Rolfe, ao que parecia.

— Olhe! Aí está a conta do bar do qual saí sem pagar... — disse ela sobre o documento, que continha, de fato, uma lista de itens, e, pelos deuses, era uma enorme quantia em dinheiro.

O lorde pirata se voltou para Rowan, Fenrys e Gavriel.

— Querem minha assistência nesta guerra? Eis o custo. Matem-na. Agora. Então meus navios e homens são seus.

Os olhos pretos de Fenrys brilharam, mas não para Rolfe, e sim para Aelin quando ela ficou de pé. As roupas pretas estavam gastas pela viagem, os cabelos dourados reluziam à luz cinzenta. E, mesmo em uma sala cheia de assassinos profissionais, a jovem era quem mais se destacava.

— Ah, não acho que eles farão isso — respondeu ela. — Ou sequer o podem fazer.

Rolfe se virou para Aelin.

— Vai descobrir que não é tão habilidosa diante de guerreiros feéricos.

Ela apontou para uma das cadeiras diante da mesa.

— É melhor se sentar.

— Dê o *fora* da...

Aelin soltou um assobio baixo.

— Permita-me apresentar, capitão Rolfe, a *incomparável*, a bela e a total e completamente perfeita rainha de Terrasen.

A testa de Dorian se enrugou. Mas passadas soaram, então...

Os machos se moveram quando Aelin Galathynius de fato entrou na sala, com os cabelos loiros soltos e uma túnica verde-escura igualmente gasta e suja. Os olhos turquesa e dourado riam conforme ela passou por um Rolfe boquiaberto para se sentar no braço da cadeira de Aelin.

Dorian não sabia distingui-las... sem o olfato de um feérico, não sabia.

— O quê... que bruxaria é essa? — Sibilou o homem, recuando um único passo.

Aelin e Aelin se entreolharam. Aquela de preto sorriu para a recém-chegada.

— Ah, você é *mesmo* linda, não é?

Aquela de verde sorriu também, mas, apesar da beleza do sorriso, de toda a malícia... Era um sorriso mais suave, em uma boca que talvez estivesse menos acostumada a grunhir e exibir os dentes e sair ilesa ao dizer coisas terríveis e arrogantes. Lysandra, então.

As duas rainhas encararam Rolfe.

— Aelin Galathynius não tinha uma irmã gêmea — grunhiu ele, a mão na espada.

A Aelin de preto — a verdadeira Aelin, que estivera entre eles o tempo todo — revirou os olhos.

— Ai, Rolfe. Está estragando minha diversão. É lógico que não tenho uma irmã gêmea!

Ela gesticulou para Lysandra com o queixo, então o corpo da metamorfa brilhou e derreteu: o cabelos se tornaram uma cascata pesada e lisa de mechas escuras, a pele ganhou um tom marrom e os olhos repuxados assumiram um verde deslumbrante.

Alarmado, Rolfe murmurou e cambaleou para trás, apenas para que Fenrys o estabilizasse, apoiando uma mão no ombro do pirata conforme dava um passo adiante, os olhos arregalados.

— Uma metamorfa — sussurrou o guerreiro feérico.

Aelin e Lysandra o fitaram com olhares pouco impressionados que teriam rechaçado homens inferiores.

Até mesmo o rosto plácido de Gavriel ficou inexpressivo diante da metamorfa; as tatuagens oscilaram quando o feérico engoliu em seco. O pai de Aedion. E se Aedion estivesse lá com Aelin...

— Por mais que me intrigue ao ver a equipe presente — comentou Aelin —, podem confirmar para Sua Pirateza que sou quem digo que sou, assim poderemos passar a assuntos mais urgentes?

O rosto de Rolfe ficou branco de raiva ao perceber que todos sabiam quem realmente estava sentada à mesa.

— Ela é Aelin Galathynius. E Celaena Sardothien — explicou Dorian.

No entanto, foi para Fenrys e Gavriel, o grupo de fora, que Rolfe se virou. Gavriel assentiu; os olhos de Fenrys estavam fixos na rainha.

— Ela é quem diz ser.

O capitão se voltou para Aelin, mas a rainha focava a atenção em Lysandra e franziu a testa quando a metamorfa lhe entregou um tubo selado com cera.

— Deixou o cabelo mais curto.

— Tente ter aquele cabelo longo e veja se dura mais de um dia — respondeu a amiga, tocando os cabelos na altura da clavícula.

Rolfe as olhou boquiaberto. Aelin sorriu para a companheira, depois encarou o lorde pirata.

— Então, Rolfe — falou a rainha, pausadamente, passando o tubo entre as mãos. — Vamos discutir esse detalhe de você se recusar a ajudar minha causa.

❦ 28 ❧

Aelin Galathynius não se incomodou em conter a presunção quando Rolfe apontou para a mesa grande no canto direito do cômodo — muito maior que o escritório de merda onde certa vez fez com que ela e Sam o encontrassem.

A jovem deu apenas um passo para o assento designado a ela antes de Rowan surgir ao seu lado, apoiando a mão em seu cotovelo.

O rosto do príncipe — pelos deuses, como sentira falta daquele rosto severo e determinado — carregava uma expressão contida ao se inclinar para sussurrar com suavidade feérica:

— A equipe está trabalhando conosco sob a condição de que isso os leve a Lorcan, pois Maeve os enviou para matá-lo. Me recusei a divulgar seu paradeiro. A maior parte da frota de Adarlan está no golfo de Oro graças a algum acordo desprezível com Melisande para usar seus portos, e a armada da própria Maeve veleja para Eyllwe; se é para atacar ou ajudar, não sabemos.

Bem, era bom saber que o inferno os esperava e que a informação sobre a armada de Maeve estava certa. Mas então Rowan acrescentou:

— E morri de saudade de você.

Aelin sorriu apesar das notícias, detendo-se para olhar para ele. Intocado, ileso.

Era mais do que poderia esperar. Mesmo com as notícias que dera.

Ela decidiu que não dava a mínima para quem quer que os observasse, e ficou na ponta dos pés para roçar os lábios contra os de Rowan. Fora preciso toda inteligência e habilidade para evitar deixar vestígios de seu cheiro, para que ele não a pudesse detectar — e o prazer e o choque no rosto do guerreiro tinham valido muito a pena.

A mão do feérico apertou o braço de Aelin quando ela se afastou.

— O sentimento, príncipe — murmurou a jovem —, é mútuo.

Os demais faziam o possível para não os encarar, exceto por Rolfe, que ainda estava tomado pela raiva.

— Ah, não pareça tão revoltado, capitão — zombou Aelin, dando as costas a Rowan e se sentando diante de Rolfe. — Você me odeia, eu o odeio, nós *dois* odiamos receber ordens de impérios xeretas e mandões, é uma combinação perfeita.

— Você quase destruiu tudo por que trabalhei. Sua língua afiada e arrogância não a livrarão disso — acusou o lorde pirata.

Apenas por diversão, Aelin sorriu e mostrou a língua. Mas não a língua verdadeira, e sim uma bifurcada de fogo prateado que se agitou como uma cobra no ar.

Fenrys engasgou com uma gargalhada sombria. Ela o ignorou. Lidaria com a presença *deles* depois. Só rezava para ter tempo de advertir Aedion antes que ele esbarrasse com o pai — que estava a duas cadeiras dela, olhando-a boquiaberto, como se Aelin tivesse dez cabeças.

Pelos deuses, até a expressão era parecida com a de Aedion. Como ela não tinha reparado naquilo na primavera em Wendlyn? Seu primo era um menino da última vez que o vira então; mas como homem... com a imortalidade de Gavriel, os dois até pareciam ter a mesma idade. Diferentes de muitas formas, mas aquele olhar... era um reflexo.

Rolfe não sorria.

— Uma ráinha que brinca com fogo não é uma aliada consistente.

— E um pirata cujos homens o abandonaram ao primeiro teste de lealdade é um comandante naval de merda, mas aqui estou eu, nesta mesa.

— Cuidado, menina. Precisa de mim mais do que preciso de você.

— Preciso? — Uma dança, aquilo era uma dança. Muito antes de Aelin colocar os pés naquela ilha horrorosa, tinha sido uma dança, e estava prestes a começar o segundo movimento. Ela apoiou a carta de recomendação selada de Murtaugh na mesa entre os dois. — Do modo como vejo, tenho o ouro e a habilidade de elevá-lo de um criminoso comum a um homem de negócios respeitável e bem-estabelecido. Charco Lavrado pode disputar quem é dono destas ilhas, mas... e se eu lhe desse meu apoio? E se, em vez de ser lorde dos Piratas, eu o tornasse rei dos Piratas?

— E quem confirmaria a palavra de uma princesa de 19 anos?

Aelin indicou com o queixo o tubo selado com cera.

— Murtaugh Allsbrook confirmaria. Ele escreveu uma bela e longa carta sobre o assunto.

Rolfe pegou o tubo, avaliou e o atirou, em um arco perfeito, na lata de lixo. O ruído ecoou pelo escritório.

— E eu confirmaria — declarou Dorian, inclinando-se para a frente antes que Aelin pudesse grunhir para a carta ignorada. — Se vencermos esta guerra, terá os dois maiores reinos do continente o proclamando rei incontestável de todos os piratas. Baía da Caveira e as ilhas Mortas deixariam de ser um esconderijo para seu povo e se tornariam um verdadeiro lar. Um novo reino.

Rolfe soltou uma risada baixa.

— A conversa de jovens idealistas e sonhadores.

— O mundo — disse Aelin — será salvo e refeito pelos sonhadores, Rolfe.

— O mundo será salvo pelos guerreiros, pelos homens e pelas mulheres que derramarão sangue por ele. Não por promessas vazias e sonhos dourados.

Aelin apoiou as mãos abertas na mesa.

— Talvez. Mas, se vencermos esta guerra, será um novo mundo, um mundo livre. Essa é minha promessa... a você, a qualquer um que marche sob minha bandeira. Um mundo melhor. E precisará decidir seu lugar em tudo isso.

— Essa é a promessa de uma menininha que ainda não sabe como o mundo funciona de verdade — retrucou ele. — Mestres são necessários para manter a ordem, para manter as coisas em curso e lucrativas. Nada acabará bem para aqueles que queiram subverter isso.

— Quer ouro, Rolfe? Quer um título? — ronronou Aelin. — Quer glória ou mulheres ou terras? Ou é apenas a sede de sangue que o guia? — Ela lançou um olhar significativo para as mãos enluvadas do pirata. — Qual foi o custo do mapa? Qual era o objetivo final se esse sacrifício precisou ser feito?

— Não há nada que possa oferecer ou dizer, Aelin Galathynius, que eu mesmo não seja capaz de conseguir. — Um sorriso malicioso. — A não ser que planeje me oferecer sua mão e me tornar rei de seu território... o que pode ser uma proposta interessante.

Desgraçado. Desgraçado horrível e aproveitador. Rolfe tinha visto Aelin com Rowan. Estava se aproveitando do silêncio entre eles, da morte nos olhos de Rowan.

— Parece que apostou no cavalo errado — cantarolou o lorde pirata, então voltou os olhos para Dorian. — Que notícia recebeu?

Mas aquele cavalo errado interrompeu, tranquilamente:

— Não havia notícia. Mas ficará feliz em saber que seus espiões na Rosa do Oceano certamente estão fazendo seu trabalho. E que Sua Majestade é um ator bastante bom. — Aelin conteve a risada.

O rosto de Rolfe ficou sombrio.

— Saiam de meu escritório.

Friamente, Dorian indagou:

— Por um ranço mesquinho se recusaria a considerar ser nosso aliado?

Aelin riu com escárnio.

— Dificilmente chamaria a destruição de sua cidade de merda, assim como dos navios, um "ranço mesquinho".

— Tem dois dias para sair desta ilha — informou o lorde pirata, exibindo os dentes. — Depois disso, ainda manterei minha promessa de dois anos e meio atrás. — Um olhar de desprezo para os companheiros de Aelin. — Leve seu... zoológico.

Fumaça rodopiou na boca de Aelin. Esperara discussão, mas... Estava na hora de se reunirem; era hora de ver o que Rowan e Dorian tinham feito para planejar os próximos passos.

Que Rolfe pensasse que ela deixava a dança inacabada por enquanto.

Aelin chegou ao corredor estreito, com uma parede de músculos às costas e outra ao lado, e se viu diante de outro dilema: Aedion.

Ele aguardava do lado de fora da estalagem a fim de monitorar forças inimigas. Se fosse direto até lá, colocaria o primo frente a frente com o pai havia muito perdido e totalmente alheio ao filho.

A jovem deu apenas três passos pelo corredor quando Gavriel disse atrás dela:

— Onde ele está?

Aelin se virou devagar. O rosto do guerreiro parecia tenso; os olhos cheios de tristeza e firmeza.

Ela sorriu.

— Se está se referindo ao doce e querido Lorcan...

— Sabe a quem estou me referindo.

Rowan se colocou entre os dois, mas o rosto severo não revelou nada. Fenrys seguiu para o corredor, fechando a porta do escritório de Rolfe, e os observou com um interesse sombrio. Ah, Rowan tinha contado muito a respeito do feérico para Aelin. Um rosto e um corpo que mulheres e homens matariam para ter; o que Maeve o obrigara a fazer; o que ele suportara pelo irmão gêmeo.

— A pergunta melhor não seria *"Quem* é ele"? — disse a jovem a Gavriel, inspirando, entre dentes.

O guerreiro feérico não sorriu. Não se moveu. Ela precisava ganhar tempo para si, ganhar tempo para Aedion...

— Não pode decidir quando e onde e como vai conhecê-lo — argumentou Aelin.

— Ele é meu filho, cacete. Acho que posso.

Ela deu de ombros.

— Nem mesmo pode decidir se tem permissão de chamá-lo assim.

Aqueles olhos amarelados brilharam; as mãos tatuadas se fecharam em punhos. Mas Rowan interviu:

— Gavriel, ela não pretende mantê-lo longe de seu filho.

— Diga onde ele está. *Agora.*

Ah! E ali estava ele. O rosto do Leão. Do guerreiro que derrubara exércitos, cuja reputação fazia soldados experientes estremecerem. Cujos guerreiros caídos tinham sido tatuados pelo corpo.

Ainda assim, Aelin limpou as unhas, depois franziu a testa para o corredor que ficara vazio atrás da jovem.

— Não faço ideia de para onde ele foi.

Eles piscaram, então se espantaram ao olharem para onde Lysandra estivera antes. De onde sumira, voando ou rastejando ou caminhando pela janela aberta. Para afastar Aedion.

Aelin apenas disse a Gavriel, a voz inexpressiva e fria:

— Jamais me dê ordens.

Aedion e Lysandra já esperavam na Rosa do Oceano. Quando entraram no belo pátio, Aelin mal reuniu forças para comentar com Rowan que estava chocada por ele não ter escolhido acomodações de guerreiro.

Dorian, alguns passos atrás, riu baixinho; o que era bom, supôs a jovem. Era bom que ele estivesse rindo. Não estivera da última vez que o vira.

E fazia semanas desde que ela mesma dera uma risada, que havia sentido aquele peso se erguer por tempo suficiente para rir.

Aelin lançou a Rowan um olhar que dizia para encontrá-la no andar de cima, e parou no meio do pátio. Ao perceber a intenção da amiga, Dorian também parou.

O ar da noite estava pesado com o perfume de frutas doces e flores de trepadeiras, a fonte no centro gorgolejava baixinho. Aelin se perguntou se o dono da estalagem vinha do deserto Vermelho — se teria visto o uso de água e pedra e plantas na fortaleza dos Assassinos Silenciosos.

Então ela murmurou para Dorian:

— Sinto muito. Por Forte da Fenda.

O rosto do rei, queimado de sol, ficou tenso.

— Obrigado... pela ajuda.

Aelin deu de ombros.

— Rowan está sempre procurando uma desculpa para se exibir. Resgates dramáticos dão a ele propósito e realização em sua tediosa vida imortal.

Uma tosse proposital soou das portas abertas da varanda acima, forte o suficiente para informar que o guerreiro a ouvira e não se esqueceria da piadinha quando estivessem a sós.

Ela conteve o sorriso. Fora uma surpresa agradável notar que havia uma tranquilidade respeitosa fluindo entre Rowan e Dorian na caminhada até a estalagem.

Aelin indicou para que o rei a acompanhasse, e disse, baixinho, muito ciente de quantos espiões Rolfe empregava dentro do prédio:

— Parece que você e eu estamos no momento sem nossas coroas, graças a alguns pedaços de papel de merda.

Dorian não devolveu o sorriso. As escadas rangeram conforme seguiram para o segundo andar. Estavam quase no quarto indicado quando ele comentou:

— Talvez seja algo bom.

Aelin abriu e fechou a boca... e escolheu, pelo menos uma vez, ficar calada, balançando de leve a cabeça ao entrar no quarto.

A reunião foi sussurrada e detalhada. Rowan e Dorian expuseram em detalhes precisos o que acontecera com eles; Aedion insistira por relatos sobre as bruxas, suas armaduras, como voavam, que formações preferiam. Qualquer coisa para auxiliar a Devastação, para aumentar suas defesas no norte, independentemente de quem os comandasse. O general do Norte — que juntaria todos aqueles pedaços e montaria sua resistência. Mas a simples facilidade com que a legião das Dentes de Ferro tomara a cidade...

— Manon Bico Negro seria uma aliada valiosa se conseguíssemos que ela mudasse de lado — ponderou Aedion.

Aelin olhou para o ombro de Rowan... onde uma leve e recente cicatriz marcava a pele sob as roupas.

— Talvez conseguir que Manon se volte contra as dela incite uma guerra interna entre as bruxas — comentou a jovem. — Quem sabe nos poupam a tarefa de matá-las e acabem destruindo umas às outras?

Dorian enrijeceu o corpo na cadeira, mas apenas fria maquinação brilhava em seus olhos ao replicar:

— Mas o que elas querem? Além de nossas cabeças, quero dizer. Por que sequer se aliaram a Erawan?

E todos olharam para o colar fino de cicatrizes que marcava a base do pescoço de Aelin — onde o cheiro a distinguia permanentemente como Assassina de Bruxas. Baba Pernas Amarelas visitara o castelo no último inverno por causa daquela aliança, mas será que havia mais alguma coisa?

— Podemos contemplar os porquês e os meios depois — declarou ela. — Se encontrarmos alguma bruxa, a levamos viva. Quero algumas perguntas respondidas.

Então ela explicou o que eles testemunharam em Ilium. A ordem que Brannon lhe dera: Encontre o Fecho. Bem, ele e a tarefazinha podiam entrar na fila.

Não tinha fim, pensou Aelin naquela noite, conforme jantavam caranguejo apimentado e arroz temperado. Aquele fardo, as ameaças.

Erawan estivera planejando aquilo havia décadas. Talvez séculos, enquanto ficara imóvel, planejara tudo aquilo. E Aelin recebia apenas comandos obscuros de realezas há muito mortas para descobrir uma forma de acabar com aquilo, nada mais que malditos *meses* para reunir uma força contra o Rei Sombrio.

Ela duvidava de que fosse coincidência Maeve velejar para Eyllwe no mesmo momento em que Brannon ordenara que Aelin fosse para o pântano de Pedra na península sudoeste do território. Ou que a maldita frota de Morath estivesse alojada no golfo de Oro — logo do outro lado.

Não havia tempo o bastante, não havia *tempo* o bastante para fazer o que ela precisava fazer, para *consertar* as coisas.

Mas... um passo de cada vez.

Aelin precisava lidar com Rolfe. A pequena questão de assegurar a aliança com os piratas. E o mapa que ainda precisava persuadir o homem a usar para ajudá-la a rastrear aquele Fecho.

Mas primeiro... era melhor se assegurar de que aquele mapa infernal realmente funcionava.

❧ 29 ❧

Qualquer animal perambulando pelas ruas àquela hora atrairia a atenção errada.

Mas Aedion ainda preferia que a metamorfa estivesse usando pelo ou penas em vez de... aquilo.

Não que fosse uma visão desagradável assim, como uma jovem de cabelos vermelhos e olhos verdes. Poderia ter se passado por uma das lindas donzelas das montanhas do norte de Terrasen com aquelas cores. Era *quem* Lysandra deveria personificar enquanto esperavam em um beco. E quem *ele* deveria personificar também.

Ela se recostou na parede de tijolos e apoiou um pé ali, deixando à mostra um pedaço da coxa branca. E Aedion, a mão apoiada na parede ao lado da cabeça de Lysandra, não passava de um cliente regular.

Não havia nenhum som no beco além do de ratos chafurdando, buscando frutas podres jogadas fora. Baía da Caveira era exatamente o chiqueiro imaginado pelo general, incluindo o lorde pirata que a controlava.

Que, sem saber, possuía o único mapa para o Fecho que Aelin recebera a ordem de encontrar. Quando Aedion reclamara que *era óbvio* que seria um mapa que não poderiam roubar, Rowan tinha sugerido aquele... plano. Uma armadilha. O que quer que fosse.

O general olhou para a delicada corrente dourada que pendia no pescoço pálido de Lysandra, seguindo a extensão da joia pela frente do corpete da jovem, até onde estava escondido o Amuleto de Orynth, por baixo da roupa.

— Admirando a vista?

Ele desviou os olhos dos seios generosos.

— Desculpe.

Mas a metamorfa de alguma forma viu os pensamentos se revirando na mente de Aedion.

— Acha que isso não vai dar certo?

— Acredito que há muitas coisas valiosas nesta ilha, por que Rolfe se incomodaria em vir atrás disso? — Tempestades, inimigos e tesouros: era o que o mapa mostrava. E como Aedion e Lysandra não se encaixavam nas duas primeiras categorias... aparentemente apenas uma poderia surgir naquele mapa pintado nas mãos de Rolfe.

— Rowan alegou que Rolfe acharia o amuleto interessante o suficiente para vir atrás dele.

— Rowan e Aelin têm a tendência a dizer uma coisa quando querem dizer outra totalmente diferente. — Ele expirou pelo nariz. — Já estamos aqui há uma hora.

Lysandra arqueou uma sobrancelha vermelha.

— Tem outro lugar para ir?

— Você está cansada.

— Estamos todos cansados — retorquiu a metamorfa, em tom afiado.

Aedion calou a boca, pois não queria ter a cabeça arrancada.

Cada transformação tirava algo de Lysandra. Quanto maior a mudança, maior o animal, mais alto era o custo. Ele testemunhara a mulher passar de borboleta para abelha, para beija-flor, para morcego, ao longo de minutos. Mas passar de humana para leopardo-fantasma ou urso ou alce ou cavalo, como demonstrara a metamorfa certa vez, levava mais tempo, porque a magia precisava reunir forças para se *tornar* daquele tamanho, para preencher o corpo com todo o poder inerente.

Passos casuais soaram, acentuados por um assobio de duas notas. O hálito de Lysandra roçou contra o maxilar de Aedion diante do som. O general enrijeceu levemente o corpo conforme o som se aproximava, então ele se viu diante do filho de seu grande inimigo. Que virara rei.

Ainda era um rosto que Aedion odiara, desprezara e debatera se cortaria em picadinho durante muitos, muitos anos. Um rosto que vira bêbado até cair em festas apenas algumas estações atrás; um rosto que vira enterrado no pescoço de mulheres cujos nomes jamais se incomodara em aprender; um rosto que o provocara naquela cela do calabouço.

No momento, aquele rosto se escondia sob o capuz e, para todo o mundo, parecia estar ali para perguntar sobre os serviços de Lysandra; depois que Aedion tivesse terminado com ela. O general trincou os dentes.

— O que foi?

Dorian olhou a mulher da cabeça aos pés, como se avaliasse a mercadoria, e Aedion lutou contra a raiva.

— Rowan me enviou para ver se vocês têm alguma novidade. — O príncipe e Aelin estavam na estalagem, bebendo no salão de jantar, onde todos os olhos espiões de Rolfe poderiam ver e reportar. Dorian piscou para a metamorfa, espantado. — E, pelos deuses... realmente *consegue* assumir qualquer forma humana.

Lysandra deu de ombros, a irreverente prostituta de rua pensando no cachê.

— Não é tão interessante quanto pensa. Gostaria de ver se posso me tornar uma planta. Ou uma lufada de vento.

— Consegue... *fazer* isso?

— É lógico que consegue — respondeu Aedion, afastando-se da parede e cruzando os braços.

— Não — discordou Lysandra, olhando com irritação para o general. — E não há nada a reportar. Nem mesmo o cheiro de Rolfe ou de seus homens.

Dorian assentiu, levando as mãos aos bolsos. Silêncio.

O tornozelo de Aedion doeu quando Lysandra o chutou subitamente.

Ele conteve a expressão de raiva ao se virar para o jovem rei.

— Então você e Whitethorn não se mataram.

O rapaz franziu a testa.

— Ele salvou minha vida, quase se esgotou ao fazê-lo. Por que sentiria qualquer coisa que não gratidão? — Lysandra lançou um sorriso arrogante para Aedion.

Em seguida, Dorian perguntou a ele:

— Vai ver seu pai?

O general encolheu o corpo. Tinha ficado feliz pela tarefa da noite, pois assim não precisara decidir. Aelin não mencionara nada, e ele ficara satisfeito por ir até ali, mesmo que aquilo o colocasse em risco de esbarrar com o macho.

— É claro que o verei — retrucou Aedion, tenso. O rosto de Lysandra, branco como a lua, parecia calmo e firme conforme o observava, o rosto de uma mulher treinada para ouvir homens, para nunca exibir surpresa...

Ele não se ressentia do que ela fora, do que representava no momento, apenas dos monstros que viram a beldade em que a criança se tornaria, e a levaram para aquele bordel. Aelin lhe contara o que Arobynn tinha feito com o homem que ela amara. Era um milagre que a metamorfa ainda conseguisse sorrir.

Aedion indicou Dorian com o queixo.

— Vá dizer a Aelin e Rowan que não precisam ficar se metendo. Damos conta sozinhos.

O jovem rei enrijeceu o corpo, mas recuou e saiu do beco, sem passar de um potencial cliente insatisfeito.

Lysandra empurrou o peito de Aedion com a mão e sibilou:

— Aquele homem já passou por coisas *suficientes*, Aedion. Um pouco de bondade não mataria você.

— Ele *esfaqueou* Aelin. Se conhecesse Dorian como eu o conheço, não estaria tão disposta a agradar-lhe...

— Ninguém espera que você lhe agrade. Mas uma palavra gentil, algum *respeito*...

Ele revirou os olhos.

— Mantenha a voz baixa.

Lysandra abaixou o tom, mas continuou:

— Ele estava escravizado; foi *torturado* durante meses. Não apenas pelo pai, mas por aquela *coisa* dentro dele. Foi *violado*, e, mesmo que você não consiga perdoar-lhe por esfaquear Aelin contra a vontade, então tente ter alguma compaixão por *isso*. — O coração de Aedion palpitou ao ver a raiva e a dor no rosto da metamorfa. E aquela palavra que ela usou...

Ele engoliu em seco, verificando a rua atrás deles. Nenhum sinal de qualquer pessoa atrás do tesouro que carregavam.

— Conheci Dorian como um arrogante inconsequente...

— Eu conheci sua rainha da mesma forma. Éramos crianças. Podemos cometer erros, temos o direito de buscar entender quem desejamos ser. Se consegue dar a Aelin sua aceitação...

— Não me importa que ele era arrogante e frívolo como Aelin, não me *importa* se foi escravizado por um demônio que tomou conta de sua mente. Olho para Dorian e vejo minha família *assassinada*, vejo aquelas pegadas até o rio e ouço Quinn me contar que Aelin se afogou e *morreu*. — A respiração do general estava irregular e a garganta queimava, mas ele ignorou aquelas sensações.

— Aelin lhe perdoou. Aelin nunca usou isso contra ele — replicou Lysandra.

Aedion grunhiu para ela. Lysandra grunhiu de volta e o encarou, mantendo firme o olhar de um rosto que não fora treinado ou feito para alcovas, mas o verdadeiro rosto abaixo, selvagem, intacto e indômito. Não importava que corpo assumisse, era as montanhas Galhada do Cervo ganhando vida, o coração da floresta de Carvalhal.

— Vou tentar — disse ele, com voz rouca.

— Tente mais. Tente melhor.

Aedion apoiou a palma da mão contra a parede de novo e se aproximou, fitando a metamorfa com raiva. Ela não cedeu um centímetro.

— Há uma ordem e hierarquia em nossa corte, *milady*, e, da última vez que verifiquei, você *não* era a terceira no comando. Não me dê ordens.

— Isto não é um campo de batalha — sibilou Lysandra. — Qualquer hierarquia é formalidade. E da última vez que *eu* verifiquei... — Ela lhe cutucou o peito, bem entre os músculos peitorais, e ele podia jurar que a ponta de uma garra perfurara a pele sob as roupas. — *Você* não era tão patético assim, a ponto de reforçar uma hierarquia para se esconder do próprio erro.

O sangue de Aedion se incendiou e latejou. Ele se viu observando as curvas sensuais da boca de Lysandra, contraídas pela raiva.

O brilho de irritação nos olhos da metamorfa se extinguiu, e, quando ela retirou o dedo, como se tivesse sido queimada, Aedion congelou diante do pânico que tomou conta das feições da jovem. Merda. *Merda...*

Lysandra recuou um passo, de forma casual demais para não ser um movimento calculado. Mas Aedion tentou — pelo bem dela, tentou parar de pensar naquela boca...

— Quer mesmo conhecer seu pai? — perguntou ela, com calma. Calma demais.

Aedion assentiu, engolindo em seco. Cedo demais; Lysandra não iria querer o toque de um homem por muito tempo. Talvez para sempre. E ele se odiaria se insistisse naquilo antes de ela querer. E, pelos deuses, se a metamorfa algum dia olhasse para *qualquer* homem com interesse... Aedion ficaria feliz por ela. Feliz por ela escolher por conta própria, mesmo que não fosse o escolhido...

— Eu... — O general engoliu em seco, obrigando-se a lembrar o que Lysandra tinha perguntado. O pai dele. Certo. — Ele queria me ver? — Foi tudo que conseguiu pensar em perguntar.

A mulher inclinou a cabeça para o lado, um movimento tão felino que o fez questionar se ela passava tempo demais naquela pele de leopardo-fantasma.

— Ele quase arrancou a cabeça de Aelin quando ela se recusou a dizer onde estava e quem você era. — Gelo preencheu as veias de Aedion. Se o pai tivesse sido grosseiro com a prima... — Mas tive a sensação — explicou Lysandra rapidamente ao vê-lo ficar tenso — que é o tipo de macho que respeitaria seus desejos se escolhesse não o ver. Mas nesta cidadezinha, com a companhia que temos... talvez isso se revele impossível.

— Também teve a sensação de que isso poderia persuadi-lo a nos ajudar? Me conhecer?

— Não acho que Aelin pediria isso de você — respondeu Lysandra, apoiando a mão no braço ainda ao lado de sua cabeça.

— O que eu diria a ele? — murmurou Aedion. — Ouvi tantas histórias sobre ele... o Leão de Doranelle. É um maldito cavaleiro branco. Não acho que aprovaria um filho que a maioria das pessoas chama de Puta de Adarlan. — A metamorfa emitiu um estalo com a língua, mas ele a paralisou com um olhar. — O que você faria?

— Não posso responder essa pergunta. Meu próprio pai... — Ela sacudiu a cabeça. Ele sabia sobre aquilo, o pai metamorfo que ou abandonara a mãe de Lysandra ou nem mesmo soubera que ela estava grávida. Depois a mãe a jogara na rua ao descobrir a ascendência da menina. — Aedion, o que *você* quer fazer? Não por nós, não por Terrasen, mas por *você*.

Ele fez uma leve reverência com a cabeça, olhando de esguelha para a rua silenciosa de novo.

— Minha vida inteira foi... não foi a respeito do que eu queria. Não sei como escolher essas coisas.

Não, assim que chegara a Terrasen, aos 5 anos, fora treinado; seu caminho já havia sido escolhido. E, quando Terrasen queimara sob as tochas de Adarlan, outra mão tinha segurado a coleira de seu destino. Mesmo agora, com a guerra sobre eles... Realmente jamais quisera algo para si? Só o juramento de sangue. E Aelin dera isso a Rowan. Não se ressentia por isso, não mais, no entanto... Não percebera que pedira por tão pouco.

— Eu sei. Eu sei qual é a sensação — disse Lysandra, baixinho.

Aedion ergueu a cabeça, encontrando os olhos verdes na escuridão novamente. Às vezes desejava que Arobynn Hamel ainda estivesse vivo... para que ele mesmo pudesse matar o rei dos Assassinos.

— Amanhã de manhã — murmurou ele. — Iria comigo? Para vê-lo.

Lysandra ficou em silêncio por um momento, então perguntou:

— Quer mesmo que eu vá?

Aedion queria. Não podia explicar por que, mas queria a metamorfa lá. Ela o irritava tão facilmente, mas... Lysandra o acalmava. Talvez porque fosse algo novo. Algo que ele não tinha encontrado, que não tinha enchido de esperança e dor e desejo. Não muito, ao menos.

— Se não se incomodar... sim. Quero você lá.

Lysandra não respondeu. O general abriu a boca, mas passos soaram. Leves. Casuais demais.

Os dois se esquivaram mais para dentro das sombras do beco, com a parede da rua sem saída erguendo-se atrás deles. Se aquilo desse errado...

Se desse errado, Aedion tinha ao lado uma metamorfa capaz de dilacerar bandos de homens. Ele lançou um sorriso para Lysandra ao se inclinar sobre ela mais uma vez, quase lhe roçando o nariz no pescoço.

Os passos se aproximaram, e a metamorfa expirou, relaxando o corpo.

Da escuridão do capuz, Aedion monitorou o beco adiante, as sombras e os feixes de luar, preparando-se. Os dois tinham escolhido o beco sem saída por um motivo.

A garota dera um passo a mais antes de perceber seu erro.

— Ah.

Aedion ergueu o rosto, com as feições ocultas pelo capuz, e Lysandra ronronou para a mulher que se encaixava perfeitamente na descrição que Rowan fizera da atendente do bar de Rolfe.

— Terminarei em dois minutos se quiser esperar sua vez.

As bochechas da jovem coraram, mas ela deu um olhar mais demorado para os dois, observando-os da cabeça aos pés.

— Esquina errada — respondeu a menina.

— Tem certeza? — cantarolou Lysandra. — Está um pouco tarde para uma caminhada.

A atendente do bar lhes fixou um olhar aguçado e retornou para a rua.

Eles esperaram. Um minuto. Cinco. Dez. Não apareceu mais ninguém.

Aedion por fim se afastou enquanto Lysandra observava a entrada do beco. A metamorfa enroscou um cacho vermelho no dedo.

— Ela parece uma ladra improvável.

— Poderiam dizer coisas semelhantes sobre você e Aelin. — A mulher murmurou em concordância. Aedion ponderou: — Talvez fosse apenas uma batedora... os olhos de Rolfe.

— Por que se incomodar? Por que não simplesmente vir atrás do que quer? Ele olhou de novo para o amuleto que desaparecia sob o corpete.

— Talvez tenha achado que procurava outra coisa.

Lysandra sabiamente não tirou o Amuleto de Orynth do vestido. Mas as palavras de Aedion pairaram entre os dois conforme, cautelosamente, tomaram o caminho de volta para a Rosa do Oceano.

❧ 30 ❧

Depois de duas semanas de progresso lento pelas lamacentas planícies abertas, Elide estava cansada de usar o nome da mãe.

Cansada de constantemente se manter alerta para o caso de ouvi-lo sendo berrado por Molly numa ordem para limpar as coisas depois de todas as refeições (fora um erro, sem dúvida, ter revelado à mulher sua experiência como ajudante em cozinhas turbulentas), cansada de escutar Ombriel — a beldade de cabelos pretos, que não era de modo algum uma atração da trupe, mas a sobrinha de Molly e a administradora do dinheiro — usá-lo quando fazia perguntas à jovem sobre como ferira a perna, de onde vinha sua família e como aprendera a observar os outros tão atentamente que podia ganhar dinheiro com previsões.

Pelo menos Lorcan quase não o utilizava, pois mal se falavam conforme a caravana se arrastava pelos campos cheios de lama. O chão parecia tão saturado com as chuvas diárias de verão, todo fim de tarde, que as carruagens costumavam atolar. Mal percorriam distância alguma, e, quando Ombriel via Elide olhando para o norte, perguntava — mais uma pergunta recorrente — o que havia ali para chamar a atenção da jovem tão frequentemente. Ela sempre mentia, sempre se esquivava. Felizmente tinha conseguido evitar com mais facilidade o problema de como Elide e o *marido* dormiriam.

Com a terra encharcada, dormir no chão era quase impossível. Então as mulheres se deitavam onde podiam nas duas carruagens, deixando que os homens tirassem no palitinho, toda noite, quem ocuparia qualquer espaço que restasse e quem dormiria sobre um leito de junco improvisado. Lorcan, de alguma forma, sempre pegava o menor palito — ou por habilidades próprias, ou por truques de mão de Nik, que comandava a segurança e a escolha dos palitinhos noturnos, ou simplesmente por puro azar.

Mas pelo menos aquilo o mantinha longe, bem longe de Elide, e mantinha a interação dos dois ao mínimo.

As poucas palavras trocadas — quando Lorcan a escoltava para tirar água de um córrego ou para reunir o quanto de lenha podia ser encontrado na planície — não a tinham incomodado muito também. Ele a pressionava por mais detalhes sobre Morath, mais informações sobre o uniforme dos guardas, os exércitos acampados em torno da fortaleza, sobre os criados e as bruxas.

Elide começara no alto da Fortaleza — com os ninhos e as serpentes aladas e as bruxas. Então descera, andar por andar. Tinham levado aquelas duas semanas para chegar aos níveis subterrâneos, e os companheiros de viagem não faziam ideia de que, quando o jovem casal saía de fininho para mais "lenha", sussurrar frivolidades carinhosas era a última coisa na mente de ambos.

Quando a caravana parou naquela noite, Elide buscou um grupo de árvores no coração do campo para ver o que poderia ser usado na grande fogueira do acampamento. Lorcan seguiu ao lado, tão silencioso quanto a grama farfalhante ao redor. O relinchar dos cavalos e o ruído dos preparativos dos companheiros para a refeição da noite ficaram para trás, e Elide franziu a testa ao ver a bota afundar em cheio em um bolsão de lama. Ela puxou o pé, o tornozelo reclamando por suportar o peso do corpo, e trincou os dentes, até que...

A magia de Lorcan empurrou a perna de Elide, libertando a bota com uma mão invisível e levando a jovem a cair, cambaleante, em cima do guerreiro. O braço e a lateral do corpo do semifeérico eram tão firmes e imóveis quanto a magia usada, e ela se afastou, esmagando a grama alta abaixo.

— Obrigada — murmurou a jovem.

Lorcan saiu caminhando adiante, sem olhar para trás.

— Terminamos nos três calabouços e nas entradas destes ontem à noite. Conte o que há lá dentro.

A boca de Elide ficou um pouco seca ao se lembrar da cela em que estivera, da escuridão e do ar sufocante...

— Não sei o que há lá dentro — mentiu ela, seguindo Lorcan. — Pessoas sofrendo, sem dúvida.

Ele se curvou, e a cabeça escura sumiu sob uma onda de grama. Ao emergir, carregava dois galhos nas mãos imensas, partindo-os sem esforço.

— Descreveu todo o resto sem problemas. Mas seu cheiro mudou agora. Por quê?

Elide passou por ele, abaixando-se para coletar qualquer que fosse a madeira espalhada que conseguisse encontrar.

— Faziam coisas terríveis lá embaixo — explicou ela, por cima do ombro. — Às vezes dava para ouvir as pessoas gritando. — A jovem rezava para que Terrasen fosse melhor. *Tinha* de ser.

— Quem eles mantinham lá embaixo? Soldados inimigos? — Potenciais aliados, sem dúvida, para o que quer que ele planejasse fazer.

— Qualquer um que quisessem torturar. — As mãos daqueles guardas, os risos de escárnio... — Presumo que vá partir assim que eu terminar de descrever o último trecho de Morath? — Elide catava galho após galho, e o tornozelo reclamava a cada mudança no equilíbrio.

— Algum problema se eu for? Foi nosso acordo. Já fiquei mais do que pretendia.

A jovem se virou e viu Lorcan com um punhado de galhos maiores. Ele os largou sem cerimônia na pequena pilha nos braços de Elide, depois soltou o machado na lateral do corpo antes de seguir para o galho curvo e caído atrás.

— Então simplesmente devo bancar a esposa abandonada?

— Já está bancando o oráculo, então que diferença faz outro papel? — O semifeérico desceu o machado no galho com um ruído sólido. A lâmina se cravou perturbadoramente fundo; madeira rangeu.

— Descreva o calabouço.

Era justo, e fora o acordo, afinal de contas: a proteção e a ajuda de Lorcan para tirar Elide do perigo em troca do que ela sabia. E o guerreiro fora complacente com todas as mentiras que a jovem atirara à trupe; ficara quieto, mas entrara no jogo.

— Os calabouços se foram — conseguiu dizer Elide. — Ou a maioria deve ter ido. Assim como as catacumbas.

Pow, pow, pow. Lorcan partia o galho, fazendo a madeira ceder com um estalo alto. Ele começou a cortar outra seção.

— Destruídos naquela explosão? — O semifeérico ergueu o machado, os músculos das costas poderosas movendo-se sob a camisa preta, então parou.

— Você disse que estava perto do pátio quando a explosão aconteceu; como sabe que os calabouços se foram?

Tudo bem. Elide mentira a respeito daquilo. Mas...

— A explosão veio das catacumbas e derrubou algumas torres. Imagino que os calabouços estivessem no caminho também.

— Não faço planos com base em presunções. — Lorcan voltou a cortar o galho, e ela revirou os olhos às costas dele. — Descreva a disposição do calabouço ao norte.

A jovem se virou para o sol que descia, manchando os campos além deles com laranja e dourado.

— Descubra sozinho.

O ruído de metal sobre madeira parou. Mesmo o vento na grama cessou.

Mas ela suportara morte e desespero e terror, além de já ter contado o suficiente — revirara cada terrível pedra, olhara em torno de cada canto escuro de Morath por Lorcan. A grosseria e a arrogância do guerreiro... Ele podia ir para o inferno.

Elide mal apoiara um pé na grama oscilante quando Lorcan se colocou diante dela, nada além de uma sombra letal. Até mesmo o sol parecia evitar as amplas planícies do rosto queimado de sol, embora o vento ousasse farfalhar as sedosas mechas pretas dos cabelos diante da face.

— Temos um acordo, menina.

Elide encarou aquele olhar sem fundo.

— Não especificou um prazo para eu contar. Então posso levar o tempo que quiser para me lembrar de detalhes, se desejar arrancar cada um deles de mim.

Lorcan exibiu os dentes.

— *Não* brinque comigo.

— Ou o quê? — A jovem o ultrapassou, como se ele não passasse de uma rocha em um rio. É lógico que caminhar com irritação era difícil quando cada outro passo era desajeitado, mas Elide manteve o queixo erguido. — Me mate, me fira, e ainda não terá respostas.

Mais rápido que ela pôde ver, o braço de Lorcan disparou — agarrando-a pelo cotovelo.

— Marion — grunhiu ele.

Aquele *nome*. A jovem ergueu o olhar para o rosto severo e selvagem; um rosto nascido em outra época, outro mundo.

— Tire a mão de mim.

Para surpresa de Elide, o guerreiro o fez imediatamente.

Mas o rosto não mudou — nem um lampejo — quando afirmou:

— Vai me contar o que desejo saber...

A coisa no bolso de Elide começou a latejar e bater, um coração fantasma batendo em seus ossos.

Lorcan recuou um passo enquanto as narinas se dilataram delicadamente, como se pudesse sentir aquela pedra despertando.

— O que você é — disse ele, baixinho.

— Não sou nada — respondeu Elide, com a voz profunda. Talvez depois que encontrasse Aelin e Aedion descobrisse um propósito, alguma forma de ser útil para o mundo. Por enquanto, era uma mensageira, a portadora daquela pedra... para Celaena Sardothien. Como quer que fosse conseguir encontrar uma pessoa em um mundo tão infinito e vasto. Precisava seguir para o norte, e rapidamente.

— Por que vai até Aelin Galathynius?

Havia tensão demais na pergunta para ser casual. Não, cada centímetro do corpo de Lorcan parecia conter-se. Fúria controlada e instintos predatórios.

— Você conhece a rainha — sussurrou a jovem.

O semifeérico piscou. Não por estar surpreso, mas para ganhar tempo. Ele a conhecia, sim... e considerava o que contar a Elide, como contar...

— Celaena Sardothien está a serviço da rainha — explicou Lorcan. — Seus dois caminhos são um. Encontre uma, e encontrará a outra.

Ele parou, esperando.

Seria aquela a vida dela, então? Pessoas desprezíveis, sempre cuidando de si, cada gentileza tendo um custo? Será que pelo menos a rainha de Elide olharia para ela com carinho nos olhos? Será que Aelin sequer se lembraria dela?

— Marion — repetiu ele, envolvendo a palavra em um grunhido.

O nome da mãe. A mãe... e o pai. As últimas pessoas que olharam para a jovem com verdadeira afeição. Até mesmo Finnula, durante todos aqueles anos trancafiada na torre, sempre ficara de olho nela com uma mistura de pena e medo.

Não conseguia se lembrar da última vez que fora abraçada. Ou reconfortada. Ou que tinham sorrido para ela com amor genuíno por quem Elide era.

Subitamente palavras ficaram difíceis; seria necessário muita energia para criar uma mentira ou replicar. Então a jovem nem se incomodou e ignorou o comando, seguindo de volta para o aglomerado de carruagens pintadas.

Manon fora até ela, lembrou-se Elide a cada passo. Manon, e Asterin, e Sorrel. Mas mesmo elas a tinham deixado sozinha no bosque.

Aquela piedade, lembrou-se Elide — autopiedade não ajudaria em nada. Não com tantos quilômetros entre ela e qualquer que fosse a migalha de futuro que tinha a chance de encontrar. Mas, mesmo quando chegasse, passasse adiante o fardo e encontrasse Aelin... o que poderia oferecer? Não conseguia sequer ler, pelos deuses. Só de pensar em explicar isso à rainha, a qualquer um...

Pensaria nisso depois. Lavaria as roupas da monarca se precisasse. Pelo menos não precisava ser alfabetizada para aquilo.

Dessa vez, Elide não ouviu Lorcan aproximando-se, com os braços cheios de imensas lenhas.

— Vai me contar o que sabe — disse ele, entre dentes. A jovem quase suspirou, mas o guerreiro acrescentou: — Quando estiver... melhor.

Elide imaginou que tristeza e desespero deviam ser algum tipo de doença para Lorcan.

— Certo.

— Certo — repetiu ele.

Os companheiros de viagem sorriam quando os dois voltaram, pois tinham encontrado chão seco do outro lado das carruagens — sólido o suficiente para as tendas

A menina olhou para a tenda que fora erguida para o casal, e desejou que chovesse.

~

Lorcan treinara guerreiros suficientes para saber quando não insistir. Torturara inimigos suficientes para saber quando estavam prestes a se partir de formas que os tornariam inúteis.

Então quando o cheiro de Marion havia mudado, quando o semifeérico tinha sentido até mesmo o poder estranho e sobrenatural escondido no sangue da jovem se tornar tristeza... pior ainda, se tornar desespero...

Lorcan quisera lhe dizer que não se incomodasse com esperanças.

Mas ela mal se tornara mulher. Talvez esperança, por mais tola que fosse, tivesse tirado Marion de Morath. Pelo menos sua inteligência tinha, com as mentiras e tal.

Ele havia lidado com pessoas o bastante; matado e dormido e lutado ao lado de pessoas o bastante para saber que Marion não era maliciosa ou ardilosa ou completamente egoísta. Lorcan até queria que a jovem fosse, porque tornaria as coisas mais fáceis; tornaria a tarefa do guerreiro bem mais fácil.

Mas, se ela não lhe contasse a respeito de Morath, se Lorcan a deixasse destruída por insistir demais... Precisava de cada vantagem que conseguisse para entrar naquela Fortaleza. E para sair.

Marion o fizera uma vez. Talvez fosse a única pessoa viva que conseguira escapar.

Ele estava prestes a explicar isso à jovem quando viu o que ela encarava — a tenda.

A tenda *deles*.

Ombriel se adiantou, lançando o olhar cauteloso de sempre na direção do guerreiro, e maliciosamente informou a Elide que finalmente teriam uma noite juntos *sozinhos*.

Com os braços cheios de troncos, Lorcan apenas assistiu enquanto aquele rosto pálido, carregado de tristeza e desespero, se tornou um rosto jovem e travesso, ruborizando-se em antecipação, tão facilmente quanto se Marion tivesse erguido uma máscara. Ela até mesmo lhe lançou um olhar de flerte antes de sorrir para Ombriel e correr para soltar o punhado de galhos e gravetos no buraco que tinham limpado para a fogueira noturna.

O semiferérico tinha o bom senso de pelo menos sorrir para a mulher que deveria ser sua esposa, mas, quando ele finalmente seguira para soltar a própria carga de madeira na fogueira, Marion já havia caminhado para a tenda montada a uma boa distância das outras.

Era pequena, percebeu Lorcan, com muito mais que um pingo de horror. Provavelmente destinada ao atirador de espadas que a usara por último. A silhueta esguia de Marion passou pelas abas de lona branca quase sem movê-la. O guerreiro apenas franziu a testa antes de se abaixar para entrar.

E permaneceu um pouco abaixado, pois a cabeça passaria direto pela lona se ficasse totalmente de pé. Tapetes trançados sobre montes de junco cobriam o interior abafado, e Marion estava do outro lado da tenda, encolhendo o corpo ao ver o colchão de acampamento no piso improvisado.

A tenda provavelmente teria espaço o suficiente para uma cama decente e uma mesa, se fosse preciso, mas, a não ser que estivessem acampando por mais que uma noite, Lorcan duvidava que conseguiriam qualquer dessas coisas.

— Dormirei no chão — ofereceu ele, imediatamente. — Fique com a cama.

— E se alguém entrar?

— Aí você diz que brigamos.

— Toda noite? — Marion se virou, fixando os olhos intensos nos de Lorcan. A expressão fria e cansada retornara.

Lorcan considerou as palavras da jovem.

— Se alguém entrar em nossa tenda sem permissão esta noite, ninguém aqui cometerá o mesmo erro de novo.

Ele punira homens nos acampamentos de guerra por menos.

Mas os olhos da jovem permaneceram cansados; insensíveis e nada impressionados.

— Certo — afirmou Marion, de novo.

Perto demais; muito perto mesmo do limite de se partir para sempre.

— Posso encontrar uns baldes, esquentar água e você se banha aqui, se quiser. Montarei guarda do lado de fora.

Gentilezas... para que Marion confiasse nele, fosse grata a ele, quisesse ajudá-lo. Para suavizar aquela fragilidade perigosa.

A jovem olhou para si mesma. A camisa branca suja de terra, a calça de couro marrom que estava imunda, as botas...

— Oferecerei a Ombriel uma moeda para lavar tudo para você esta noite.

— Não tenho outras roupas.

— Pode dormir sem elas.

A cautela desapareceu com um lampejo de receio.

— Com você aqui?

Lorcan evitou a vontade de revirar os olhos.

— E quanto a suas roupas? — disparou Marion.

— O que tem elas?

— Você... elas também estão imundas.

— Posso esperar mais uma noite. — A jovem provavelmente imploraria para dormir na carruagem se ele ficasse nu ali dentro...

— Por que só eu deveria ficar nua? O embuste não funcionaria melhor se você e eu aproveitássemos a oportunidade de uma vez?

— Você é muito jovem — respondeu Lorcan, com cuidado. — E eu sou muito velho.

— Quão velho?

Ela nunca havia perguntado.

— Velho.

Marion deu de ombros.

257

— Um corpo é um corpo. Está fedendo tanto quanto eu. Vai dormir do lado de fora se não se lavar.

Um teste; não movido pelo desejo ou pela lógica, mas... para ver se ele a ouviria. Quem estava no controle. Preparar um banho para ela, fazer o que ela pedia... Deixar que tivesse a sensação de controle da situação. Lorcan deu um sorriso fraco.

— Certo — disse ele.

Ao entrar na tenda de novo, carregando água, o guerreiro encontrou Marion sentada no colchão de acampamento, sem botas, com o tornozelo e o pé destruídos esticados diante do corpo. As pequenas mãos estavam apoiadas na pele arruinada e sem cor, como se estivesse esfregando para que a dor saísse.

— Dói muito no dia a dia? — Lorcan às vezes usava a magia para envolver o tornozelo. *Quando* se lembrava. O que não era com frequência.

A concentração de Marion, no entanto, foi direto para o caldeirão fumegante que ele apoiara no chão, em seguida para o balde que ele trouxera no ombro para que ela usasse também.

— Tenho esse problema desde criança — respondeu a jovem, distante, como se hipnotizada pela água limpa. Ela se levantou com pés desequilibrados e encolhendo o corpo pela dor da perna destruída. — Aprendi a viver com isso.

— Não é uma resposta.

— Por que se importa? — As palavras mal passavam de um sussurro conforme destrançava os cabelos longos e espessos, ainda concentrada no banho.

Lorcan estava curioso; queria saber como e quando e por quê. Marion era linda; certamente a transformar daquele jeito tinha sido feito com certa má intenção. Ou para evitar algo pior.

Ela por fim olhou para o guerreiro.

— Você disse que montaria guarda. Achei que quisesse dizer *do lado de fora*.

Lorcan riu com escárnio. De fato, dissera.

— Aproveite — falou ele, saindo mais uma vez da tenda.

O semifeérico ficou de pé na grama, monitorando o acampamento movimentado enquanto a enorme cavidade que era o céu escurecia. Ele odiava as planícies. Havia muito espaço aberto; muita visibilidade.

Vindos de trás, as orelhas de Lorcan captaram o suspiro e o chiado de couro sobre a pele, assim como o farfalhar de tecido áspero sendo retirado. Então ruídos mais fracos, mais suaves, de tecido mais delicado deslizando. Depois silêncio — seguido por um barulho muito, muito baixo. Como se ela não quisesse que nem mesmo os deuses ouvissem o que estava fazendo. Feno foi esmagado. Então uma batida do colchão improvisado, levantando e caindo...

A pequena bruxa escondia algo. O feno estalou de novo quando ela voltou para a bacia.

Escondendo algo sob o colchão — algo que estivera carregando consigo e que não queria que Lorcan soubesse. Água transbordou e Marion soltou um gemido de intensidade e sinceridade surpreendentes. Lorcan afastou o som.

E, ao fazer aquilo, os pensamentos foram levados para Rowan e sua rainha--vadia.

Marion e a rainha tinham quase a mesma idade — uma de cabelos escuros, outra loira. Será que a rainha sequer se importaria com a chegada da jovem? Provavelmente, se o fato de Marion querer ver Celaena Sardothien atiçasse a curiosidade da última, mas... e quanto a depois?

Não era da conta dele. Lorcan deixara a consciência nos paralelepípedos dos becos de Doranelle cinco séculos antes. Matara homens que tinham implorado pelas próprias vidas, destruíra cidades inteiras e jamais olhara para os escombros incandescentes deixados para trás.

Rowan também. O maldito Whitethorn fora o general, assassino e carrasco mais eficiente que ele tivera durante séculos. Tinham transformado reinos em destroços, então haviam bebido e copulado até o estupor em comemorações que duravam dias entre as ruínas.

Naquele inverno, Lorcan fora um belo comandante à disposição, brutal e cruel e disposto a fazer praticamente tudo que lhe fosse ordenado.

Quando vira Rowan depois daquilo, o príncipe feérico rugia, desesperado a ponto de atirar a si mesmo na escuridão letal para salvar a vida de uma princesa sem trono. Lorcan soubera... naquele momento.

Soubera, ao prender Rowan no chão do lado de fora de Defesa Nebulosa, com o príncipe se debatendo e gritando por Aelin Galathynius, que tudo estava prestes a mudar. Sabia que o comandante que mais valorizava mudara para sempre. Não mais se fartariam com vinho e mulheres; Rowan não olharia mais para um horizonte sem o lampejo de desejo nos olhos.

O amor tinha destruído uma perfeita máquina de matar. Lorcan se perguntou quantos séculos levaria até que não estivesse mais tão revoltado com isso.

E a rainha — princesa, ou como quer que Aelin fosse chamada... Era uma tola. Podia ter trocado o anel de Athril pelos exércitos de Maeve, por uma aliança para apagar Morath da terra. Mesmo sem saber o que o anel era, podia tê-lo usado em vantagem própria.

Mas escolhera Rowan. Um príncipe sem coroa, sem exército, sem aliados. Eles mereciam morrer juntos.

A cabeça encharcada de Marion surgiu pela aba da tenda. Lorcan se contorceu e viu o pesado cobertor de lã envolto no corpo da jovem, como um vestido.

— Pode levar as roupas agora? — Ela jogou a pilha de roupas para fora. Tinha embolado a roupa íntima na camisa branca e o couro... Jamais secariam até a manhã, e provavelmente encolheriam e se tornariam inúteis se lavadas inadequadamente.

Lorcan parou, pegou o monte de roupas e tentou não olhar para dentro da tenda para descobrir o que a jovem escondera sob a cama.

— E quanto a montar guarda?

Os cabelos de Marion estavam grudados na cabeça, destacando as linhas acentuadas das maçãs do rosto, o nariz fino. E os olhos estavam alegres de novo; os lábios carnudos se pareciam mais uma vez com um botão de rosa quando a jovem disse:

— Por favor, leve-as para lavar. Rápido.

Lorcan não se incomodou com uma confirmação e carregou as roupas para longe da tenda, deixando-a sentada parcialmente nua do lado de dentro. Ombriel estava cozinhando o que quer que estivesse na panela sobre o fogo. Provavelmente ensopado de coelho. De novo. O guerreiro examinou as roupas nas mãos.

Trinta minutos depois, ele voltou à tenda com um prato de comida na mão. Marion estava agachada na cama, o pé estendido diante do corpo e o cobertor fechado sob os ombros.

A pele era tão branca. Lorcan jamais vira pele branca tão impecável.

Como se a jovem jamais tivesse saído.

As sobrancelhas escuras se ergueram diante do prato — em seguida diante do monte de roupas no braço do semifeérico.

— Ombriel estava ocupada... então eu mesmo lavei suas roupas.

Ela corou.

— Um corpo é um corpo — repetiu Lorcan, simplesmente. — E roupas íntimas também.

Ela franziu a testa, mas a atenção foi de novo atraída para o prato. O guerreiro o apoiou diante da jovem.

— Trouxe seu jantar, pois imaginei que não fosse querer se sentar com os demais enrolada no cobertor. — Ele soltou a pilha de roupas no colchão. — E peguei roupas com Molly para você. Ela vai cobrar, é óbvio. Mas pelo menos não vai dormir nua.

A jovem engoliu o ensopado sem nem mesmo agradecer.

Lorcan estava prestes a sair quando Marion disse:

— Meu tio... Ele é um comandante em Morath.

Lorcan congelou. E olhou direto para o colchão.

— Ele... me trancou no calabouço uma vez — continuou ela, entre mastigadas.

O vento sobre a grama cessou, a fogueira do acampamento bem longe da tenda tremeluziu, as pessoas em torno se encolheram e ficaram mais próximas conforme os insetos da noite caíram em silêncio e as pequenas criaturas peludas das planícies fugiram para as tocas.

Ou Marion sequer reparou na onda de poder sombrio vinda de Lorcan, na magia beijada pela própria Morte, ou não se importou, pois apenas continuou:

— O nome dele é Vernon, e é inteligente e cruel, e provavelmente vai tentar mantê-lo vivo se for pego. Ele usa pessoas para conseguir poder. Não tem piedade, não tem alma. Não há código moral que o oriente.

A jovem voltou a comer; terminara por aquela noite.

— Quer que eu o mate para você? — perguntou Lorcan, baixinho.

Os límpidos olhos pretos se voltaram para o rosto do guerreiro. E, por um momento, Lorcan conseguiu ver a mulher que ela se tornaria — que já estava se tornando. Alguém que, independentemente de onde tivesse nascido, qualquer rainha valorizaria ao seu lado.

— Haveria um preço?

O guerreiro escondeu o sorriso. Uma pequena bruxa, inteligente e astuta.

— Não — disse ele, com sinceridade. — Por que ele a trancafiou no calabouço?

O pescoço branco ondulou uma vez, duas vezes, quando Marion engoliu em seco. Ela pareceu fixar o olhar em Lorcan com esforço, recusando-se a se acovardar, mas não diante dele, e sim dos próprios medos.

— Porque ele queria ver se a própria linhagem poderia ser cruzada com os valg. Por isso fui levada a Morath. Para procriar, como uma égua premiada.

Cada pensamento se esvaiu da cabeça de Lorcan.

Ele vira e lidara e suportara muitas, muitas coisas inomináveis, mas aquilo...

— Ele conseguiu? — perguntou o guerreiro, com dificuldade.

— Não comigo. Houve outras antes de mim que... Ajuda veio tarde demais para elas.

— Aquela explosão não foi acidental, foi?

Um pequeno aceno negativo com a cabeça.

— Foi você? — Lorcan olhou para o colchão, para o que quer que Marion escondesse sob ele.

De novo, aquele aceno de cabeça.

— Não direi quem ou como. Não sem arriscar as vidas das pessoas que me salvaram.

— Por acaso os ilken são...

— Não. Os ilken não são as criaturas que foram criadas nas catacumbas. Eles... eles vieram das montanhas em torno de Morath. Por meios muito mais obscuros.

Maeve precisava saber. Precisava saber o que faziam em Morath. Os horrores que eram procriados ali, o exército de demônios e bestas que se assemelharia a qualquer uma das lendas. Ela jamais se aliaria com um mal desses; nunca seria tola o suficiente para se aliar aos valg. Não quando tinha guerreado com eles milênios antes. Mas, se não lutasse... Quanto tempo levaria até que essas bestas estivessem uivando em Doranelle? Até que o continente do próprio Lorcan fosse sitiado?

Doranelle conseguiria aguentar. Mas ele provavelmente estaria morto, depois que encontrasse alguma forma de destruir as chaves e que Maeve o punisse. E com Lorcan morto e Whitethorn provavelmente tendo virado carniça também... quanto tempo Doranelle duraria? Décadas? Anos?

Uma pergunta permanecia em sua mente, atraindo-o para o presente, para a pequena e abafada tenda.

— Seu pé está destruído há anos, no entanto. Ele trancou você no calabouço por tanto tempo assim?

— Não — respondeu Marion, sem sequer se encolher diante da descrição grosseira. — Só fiquei no calabouço uma semana. O tornozelo, a corrente... Ele fez isso muito antes.

— Que corrente?

Ela piscou. E Lorcan percebeu que a jovem queria ter evitado contar aquele detalhe em especial.

Mas, olhando naquele momento, conseguia distinguir, entre o monte de cicatrizes, uma faixa branca. E ali, em volta do outro tornozelo perfeito e lindo, estava a irmã gêmea da marca.

Um vento envolto na poeira e na frieza de uma tumba percorreu o campo.

— Quando matar meu tio, pergunte você mesmo — disse Marion, apenas.

❧ 31 ❧

Bem, por um lado, pelo menos o mapa de Rolfe funcionava.

Fora ideia de Rowan, na verdade. E ela talvez tivesse se sentido levemente culpada por ter permitido que Aedion e Lysandra acreditassem que o lorde pirata só fora atrás do Amuleto de Orynth, mas... pelo menos agora sabiam que o mapa profano funcionava. E que Rolfe estava de fato vivendo com pavor de que os valg retornassem ao porto.

Aelin se perguntou o que o capitão tinha achado daquilo — o que o mapa mostrara sobre a chave de Wyrd. Se revelava a diferença entre ela e os anéis de pedra de Wyrd com os quais os homens de Rolfe foram escravizados. Qualquer que fosse o motivo, ele tinha enviado a atendente do bar para ver se havia alguma pista dos valg, sem perceber que Rowan tinha escolhido o beco sem saída para se certificar de que *apenas* alguém enviado por Rolfe pudesse se aventurar tão profundamente. E como Aelin não tinha dúvida alguma de que Aedion e Lysandra haviam passado despercebidos pelas ruas... Bem, pelo menos aquela parte da noite dera certo.

Quanto ao restante... Acabava de passar da meia-noite quando Aelin se perguntou como ela e Rowan possivelmente voltariam à normalidade se sobrevivessem àquela guerra. Se haveria um dia em que não seria fácil saltar por telhados como se fossem pedras em um rio, ou invadir o quarto de alguém e segurar uma lâmina contra o pescoço do ocupante.

Eles fizeram as duas primeiras dentro de 15 minutos.

E, ao encontrarem Gavriel e Fenrys à espera, no quarto compartilhado na estalagem Dragão Marinho, Aelin supôs que não precisaria se incomodar com a terceira. Mesmo que ela e Rowan mantivessem as mãos ao alcance casual das adagas enquanto se recostavam à parede ao lado da janela que fora fechada. Eles a tinham destrancado com o vento do guerreiro — mas uma vela se acendeu no momento em que a janela se abriu. Dois guerreiros feéricos de expressões petrificadas surgiram, ambos vestidos e armados.

— Poderiam ter usado a porta — comentou Fenrys, de braços cruzados, um pouco casual demais.

— Por que fazer isso quando uma entrada dramática é tão mais divertida? — replicou Aelin.

O lindo rosto de Fenrys se contorceu com divertimento que não alcançou os olhos cor de ônix.

— Que pena seria se você perdesse isso.

Aelin sorriu para ele. Ele sorriu para Aelin.

Mas, na verdade, os sorrisos eram menos sorrisos e mais... uma exposição de dentes.

A jovem riu com escárnio.

— Vocês dois parecem ter aproveitado o verão em Doranelle. Como está a doce tia Maeve?

As mãos tatuadas de Gavriel se fecharam em punhos.

— Você me nega o direito de ver meu filho e, no entanto, invade nosso quarto na calada da noite para exigir que passemos informações sobre nossa rainha com quem temos um juramento de sangue.

— Hum, *eu* não neguei nada a você, gatinho.

Fenrys soltou o que poderia ter sido uma gargalhada.

— A decisão é de seu filho, não minha. Não tenho tempo suficiente para supervisionar isso nem para me importar.

Mentiras.

— Deve ser difícil encontrar tempo para se importar com alguma coisa — interrompeu Fenrys — quando se está diante de uma vida mortal. — Um olhar malicioso para Rowan. — Ou ela em breve vai Estabilizar?

Ah, como era desgraçado. Um desgraçado amargo e grosseiro, o lado cômico do mau-humor emburrado de Lorcan. Maeve certamente tinha um tipo.

O rosto de Rowan não revelou nada.

— A questão da Estabilização de Aelin não é de sua conta.

— Não é? Saber se ela é imortal muda as coisas. Muitas coisas.

— Fenrys — advertiu Gavriel.

Aelin sabia o bastante sobre aquilo; a transição pela qual feéricos de sangue puro e alguns semifeéricos passavam quando os corpos congelavam na juventude imortal. Era um processo árduo; os corpos e a magia precisavam de meses para se ajustar ao súbito congelamento e ao reordenamento do processo de envelhecimento. Alguns feéricos não tinham nenhum controle sobre seu poder; alguns o perdiam por completo durante o tempo que levava para se Estabilizarem.

E quanto aos semifeéricos... alguns poderiam viver mais, alguns poderiam ter o verdadeiro dom imortal entregue a eles. Como Lorcan. E possivelmente Aedion. Descobririam nos próximos anos se ele puxaria a mãe... ou o macho sentado diante de Aelin no quarto. Se sobrevivessem à guerra.

E quanto a ela... não se permitia pensar nisso. Precisamente pelos motivos que Fenrys alegara.

— Não vejo o que mudaria — retrucou a jovem. — Já existe uma rainha imortal. Certamente uma segunda não seria nada novo.

— E você vai distribuir juramentos de sangue entre machos que achar atraentes, ou será apenas Whitethorn a seu lado?

Aelin conseguia sentir a agressão que começava a escorrer de Rowan e estava meio tentada a grunhir: *São seus amigos. Lide com eles.* Mas ele se manteve calado, contendo-se, quando a jovem falou:

— Não parecia nem de longe tão interessado em mim naquele dia em Defesa Nebulosa.

— Confie em mim, ele estava — murmurou Gavriel.

Aelin ergueu uma sobrancelha enquanto Fenrys lançou ao companheiro um olhar que prometia uma morte lenta.

— Foi Fenrys quem... se voluntariou para treiná-la quando Maeve nos contou que viria a Wendlyn — explicou Rowan.

Ah, foi mesmo? Interessante.

— Por quê?

Rowan abriu a boca, mas Fenrys o interrompeu.

— Teria me tirado de Doranelle. E provavelmente teríamos nos divertido bem mais, na verdade. Sei como Whitethorn pode ser babaca quando se trata de treinamento.

— Vocês dois teriam ficado naquele telhado em Varese e bebido até morrer — comentou Rowan. — E quanto ao treinamento... Está vivo hoje por causa daquele treinamento, menino.

Fenrys revirou os olhos. Mais jovem, percebeu Aelin. Ainda velho pelos padrões humanos, mas era mais jovem e se sentia mais novo. Mais selvagem.

— E por falar em Varese — disse ela, com diversão contida. — E Doranelle.

— Já aviso — interferiu Gavriel, baixinho — que sabemos pouco sobre os planos de Maeve, e podemos revelar ainda menos com as restrições do juramento de sangue.

— Como ela faz isso? — perguntou Aelin, com ousadia. — Com Rowan não é... Toda ordem que dou, mesmo aquelas com menos importância, são dele para decidir o que fazer. Apenas quando ativamente dou um puxão no laço consigo fazê-lo... ceder. E, mesmo assim, é mais uma sugestão.

— É diferente com ela — informou Gavriel, suavemente. — Depende do governante a quem é feito o juramento. Vocês fizeram o juramento com amor no coração. Você não tinha desejo de possuir ou governar Rowan.

Aelin tentou não se encolher diante da verdade daquela palavra: *amor.* Naquele dia... quando Rowan a olhara nos olhos enquanto lhe bebia o sangue... Aelin começara a perceber o que era. Que a sensação que se passava entre os dois, tão poderosa que não havia língua para descrevê-la... Não era apenas amizade, mas algo nascido e fortalecido por ela.

— Maeve o oferece com essas coisas em mente — acrescentou Fenrys. — Então o próprio laço do juramento nasce da obediência a ela, independentemente de qualquer coisa. Ela ordena, nós cedemos. O que quer que ela deseje. — Sombras dançaram naqueles olhos, e os dedos de Aelin se fecharam em punhos. Por Maeve sentir a necessidade de forçar qualquer um deles a dormir com ela... Rowan lhe contara que a linhagem familiar entre ambos, embora distante, ainda era próxima o suficiente para que Maeve tivesse evitado procurá-lo, mas os demais...

— Então não poderiam quebrá-lo sozinhos.

— Nunca; se o fizéssemos, a magia que nos une a ela nos mataria no processo — explicou Fenrys. Aelin se perguntou se ele havia tentado. Quantas vezes. O guerreiro inclinou a cabeça para o lado, o movimento era puramente lupino. — Por que está perguntando isso?

Porque, se Maeve de alguma forma puder reivindicar posse da vida de Aedion graças à linhagem de meu primo, não posso fazer nada para ajudá-lo.

Aelin deu de ombros.

— Porque vocês me distraíram. — Ela lançou um sorrisinho para Fenrys que ela sabia deixar Rowan e Aedion descontrolados e... sim. Parecia que era um modo certeiro de irritar *qualquer* macho feérico, pois ira percorreu o rosto estupidamente perfeito de Fenrys também.

Ela cutucou as unhas.

— Sei que vocês dois são velhos e já passou da hora de dormir, então serei rápida: a armada de Maeve veleja para Eyllwe. Somos agora aliados. Mas é possível que meu caminho me leve a um conflito direto com aquela frota, talvez com ela, queira eu ou não. — Rowan ficou um pouco tenso, e ela desejou que não parecesse uma fraqueza olhar para ele, para tentar decifrar o que engatilhara a reação.

Fenrys olhou para o ex-companheiro... como se fosse um hábito.

— Acho que a preocupação maior é se Maeve velejar para se juntar a Erawan. Ela poderia seguir qualquer dos caminhos.

— Nossa rede... quero dizer, a rede de informações da rainha é ampla demais — replicou Rowan. — Não tem como ela já não saber que a frota do império está acampada no golfo de Oro.

Aelin se perguntou com que frequência seu príncipe feérico tinha silenciosamente se corrigido a respeito de quais termos usar. *Nosso, dela...* Ela se perguntou se Rowan sentia falta de vez em quando dos dois machos que os encaravam de sobrancelhas franzidas.

— Maeve pode estar a caminho de interceptá-la — ponderou Gavriel. — Destruir a frota de Morath como prova das intenções de ajudar você, então... incorporar isso a qualquer que seja seu plano mais adiante.

A jovem emitiu um estalo com a língua.

— Mesmo com soldados feéricos naqueles navios, Maeve não poderia ser burra o bastante para arriscar perdas tão catastróficas apenas para cair em minhas graças de novo. — Embora Aelin soubesse que aceitaria qualquer oferta de ajuda da rainha, com ou sem risco.

Fenrys estampou um sorriso ansioso.

— Ah, as perdas de vidas feéricas seriam de pouca importância para ela. Provavelmente apenas a deixaram mais animada.

— Cuidado — advertiu Gavriel. Pelos deuses, soava quase idêntico a Aedion com aquele tom de voz.

Aelin continuou:

— Independentemente. Vocês dois sabem o que enfrentaremos com Erawan; sabem o que Maeve queria de mim em Doranelle. O que Lorcan partiu para fazer. — Os rostos tinham recuperado a calma de guerreiros e nem mesmo se contraíram quando ela perguntou: — Maeve deu a vocês a ordem de pegar aquelas chaves de Lorcan também? E o anel? Ou lhe tomarão apenas a vida?

— Se dissermos que ela nos deu a ordem de levarmos tudo — falou Fenrys, apoiando as mãos atrás do corpo, sobre a cama —, vai nos matar, Herdeira do Fogo?

— Vai depender do quanto se provarem úteis como aliados — respondeu ela, simplesmente.

O peso entre seus seios, sob a camisa, estremeceu, como que em resposta.

— Rolfe tem armas — disse Gavriel, baixinho. — Ou as receberá.

Aelin ergueu uma sobrancelha.

— E ouvir a respeito disso terá um custo?

Gavriel não era burro o bastante para pedir por Aedion, então apenas disse:

— São chamadas de lanças de fogo. Alquimistas no continente sul as desenvolveram para as próprias guerras territoriais. Mais que isso não sabemos, mas o dispositivo pode ser usado por um homem, com efeitos devastadores.

E com os possuidores de magia ainda tão inexperientes com os dons devolvidos, ou a maioria deles morta, graças a Adarlan...

Aelin não estaria sozinha. Não seria a única possuidora de fogo naquele campo de batalha.

Mas apenas se a armada de Rolfe se aliasse a ela. Se ele fizesse o que Aelin cuidadosamente, tão cuidadosamente tentava guiá-lo a fazer. Conseguir ajuda do continente sul levaria meses... que a jovem não tinha. Mas se Rolfe já tinha ordenado um carregamento... ela assentiu mais uma vez para Rowan, e os dois se desencostaram da parede.

— É isso? — indagou Fenrys. — Podemos saber o que planeja fazer com essa informação, ou somos apenas seus lacaios também?

— Não confiam em mim, e eu não confio em vocês — respondeu Aelin. — É mais fácil assim. — Ela abriu a janela com o cotovelo. — Mas obrigada pela informação.

As sobrancelhas de Fenrys se ergueram tanto que a jovem se perguntou se Maeve teria sussurrado aquelas palavras ao seu ouvido. E ela desejou sinceramente que tivesse derretido a tia naquele dia em Doranelle.

Aelin e Rowan saltaram e subiram pelos telhados de baía da Caveira; as telhas antigas ainda estavam escorregadias devido à chuva do dia.

Quando a Rosa do Oceano reluziu como uma joia pálida um quarteirão adiante, a jovem parou às sombras de uma chaminé e murmurou:

— Não há margem para erros.

Rowan apoiou a mão em seu ombro.

— Eu sei. Faremos valer a pena.

Os olhos de Aelin se incendiaram.

— Estamos jogando contra dois monarcas que governaram e tramaram há mais tempo que a maioria dos reinos existe. — E até mesmo para ela, as chances de ser mais esperta e ágil que eles... — Ao ver a equipe, ver como Maeve os controla... Ela chegou tão perto de nos separar na primavera. Tão perto.

Rowan passou o polegar sobre a boca de Aelin.

— Mesmo que Maeve tivesse me mantido escravizado, eu teria lutado contra ela. A cada dia, a cada hora, com cada fôlego. — Ele lhe beijou os lábios suavemente e disse com a boca ainda sobre a dela: — Teria lutado pelo resto da vida para encontrar uma forma de voltar para você. Eu soube no momento em que a vi emergir da escuridão dos valg e sorrir para mim em meio às chamas.

A jovem engoliu o nó na garganta e ergueu uma sobrancelha.

— Estava disposto a fazer isso antes de tudo que está acontecendo? Havia tão poucos benefícios então.

Diversão e algo mais profundo tremeluziram nos olhos do feérico.

— O que eu sentia por você em Doranelle e o que sinto agora são a mesma coisa. Só não achei que teria a chance de fazer algo a respeito.

Aelin sabia por que precisava ouvir aquilo; Rowan também sabia. As palavras de Darrow e de Rolfe dançavam soltas na mente da jovem, um coro infinito de ameaças amargas. Mas ela apenas deu um risinho para o guerreiro.

— Vá em frente, príncipe.

Rowan soltou uma gargalhada grave e não disse nada antes de reivindicar a boca de Aelin, empurrando-a contra a chaminé em ruínas. Ela se entregou àquilo, e a língua de Rowan entrou, totalmente preguiçosa.

Ai, pelos deuses... aquilo. Era aquilo que a deixava descontrolada — o fogo entre os dois.

Poderiam deixar o mundo inteiro em cinzas com ele. Rowan era dela, e Aelin era dele, e tinham se encontrado em meio a séculos de derramamento de sangue e perdas, em meio a oceanos e reinos e guerra.

O guerreiro recuou, respirando pesado, e sussurrou contra os lábios de Aelin:

— Mesmo quando está em outro reino, Aelin, seu fogo ainda está em meu sangue, em minha boca. — Ela soltou um gemido baixo, arqueando o corpo contra Rowan conforme a mão do feérico lhe acariciava as costas, sem se importar se alguém nas ruas abaixo os visse.

— Você disse que não queria que fosse contra uma árvore da primeira vez — sussurrou Aelin, deslizando as mãos para cima nos braços dele, então percorrendo a extensão do peitoral escultural. — E quanto a uma chaminé?

Rowan bufou outra gargalhada e mordiscou o lábio inferior de Aelin.

— Por que mesmo que eu senti sua falta?

Aelin riu baixo, mas o som foi rapidamente silenciado quando Rowan lhe reivindicou a boca de novo e a beijou intensamente ao luar.

⊰ 32 ⊱

Aedion ficara metade da noite acordado debatendo os méritos de cada possível local de encontro com o pai. Na praia podia passar a impressão de uma conversa íntima que ele não tinha total certeza se queria ter; no quartel--general de Rolfe parecia público demais; no pátio da estalagem seria formal demais... O general estivera se revirando na cama, quase dormindo, quando ouvira Aelin e Rowan retornando bem depois da meia-noite. Não era surpreendente que tivessem saído de fininho sem contar a ninguém, e pelo menos Aelin levara o príncipe feérico.

Lysandra, dormindo como os mortos, não tinha se movido com os passos que fizeram ranger o corredor do lado de fora. Ela mal conseguira passar pela porta mais cedo, enquanto Dorian já dormia na própria cama, antes de voltar ao corpo de sempre e se deitar.

Aedion quase não reparara na nudez de Lysandra; não quando ela rolara e ele precisara avançar para segurá-la, evitando que a jovem caísse de cara no carpete.

A metamorfa tinha piscado, zonza, para ele, a pele pálida. Então o general gentilmente a colocara na beira da cama, pegara a manta jogada sobre o colchão e envolvera Lysandra.

— Já vi muitas mulheres nuas — dissera ela, sem se incomodar em segurar a manta no lugar. — Está quente demais para lã.

Assim, a manta deslizara pelas costas de Lysandra conforme o corpo se inclinara para a frente e ela apoiara os antebraços nos joelhos, respirando profundamente.

— Pelos deuses, isso me deixa tão tonta.

Aedion tinha apoiado a mão nas costas expostas da metamorfa, acariciando devagar. Ela enrijecera o corpo ao toque, mas o general fizera círculos amplos e leves sobre a pele macia como veludo. Depois de um momento, Lysandra soltara um ruído que poderia ter sido um ronronar.

O silêncio havia se prolongado por tanto tempo que ele percebera como Lysandra, de alguma forma, adormecera. Não um sono normal, mas o sono no qual Aelin e Rowan às vezes caíam para recuperar a magia. Tão profundo e completo que nenhum treinamento poderia penetrá-lo, nenhum instinto poderia sobrepujá-lo. O corpo tinha reivindicado o que precisava, a qualquer custo, apesar de qualquer vulnerabilidade.

Debruçando a jovem nos braços antes que caísse de cara no chão, Aedion a apoiara por cima do ombro para carregá-la até a parte de cima da cama. Ele afastara os lençóis lisos de algodão com uma das mãos, então deitara Lysandra, com os cabelos da jovem, longos de novo, cobrindo os seios altos e firmes. Bem menores que aqueles com que Aedion a vira da primeira vez. Não se importava com qual tamanho tinham — eram lindos das duas formas.

A metamorfa não acordara de novo, e ele tinha seguido para a própria cama. Só havia dormido depois que a luz assumira o cinza aguado que precede o amanhecer. Tinha acordado logo após o nascer do sol e desistido de vez do sono. Duvidava que qualquer tipo de descanso viria até que aquele encontro tivesse passado.

Então Aedion tomou banho e se vestiu, debatendo se era um tolo por escovar os cabelos para o pai.

Lysandra estava acordada quando ele voltou para o quarto, e felizmente a cor tinha retornado às bochechas da jovem; o rei ainda dormia.

A metamorfa olhou para Aedion de cima a baixo e disse:

— É *isso* que vai vestir?

Lysandra o obrigou a tirar as roupas sujas de viagem, invadiu o quarto de Aelin e Rowan usando apenas o próprio lençol e pegou o que queria do armário do príncipe feérico.

O rugido de *Saia!* vociferado por Aelin provavelmente foi ouvido do outro lado da baía, e a metamorfa sorria com malícia felina ao retornar, atirando o casaco e as calças verdes em Aedion.

Quando o general emergiu do banheiro, Lysandra também tinha se trocado; onde conseguira as roupas, Aedion não fazia ideia. Eram simples: calça preta justa, botas na altura dos joelhos e camisa branca para dentro. Ela deixara metade do cabelo solto, metade preso, e no momento torcia o volume sedoso sobre um dos ombros. A mulher observou Aedion com um sorriso de aprovação.

— Muito melhor. Muito mais principesco e menos... decadente.

Ele fez uma reverência de deboche.

Dorian se moveu, fazendo entrar uma brisa fria, como se sua magia também tivesse acordado, semicerrou os olhos para os dois, então voltou o olhar para o relógio sobre a lareira. Ele apertou o travesseiro sobre os olhos e tornou a dormir.

— Bastante régio — disse Aedion a ele, seguindo para a porta.

Dorian grunhiu algo em meio ao travesseiro que o general escolheu não ouvir.

Ele e Lysandra tomaram café silenciosamente no salão de refeições — embora Aedion tivesse precisado forçar metade da comida para dentro. A metamorfa não fez perguntas, por consideração ou porque estava ocupada demais enchendo a pança com cada fatia oferecida à mesa do bufê.

Pelos deuses, as fêmeas daquela corte comiam mais que ele. Aedion supôs que a magia queimava as reservas de energia tão rapidamente que era um milagre não arrancarem sua cabeça a dentadas.

Eles seguiram para a taverna de Rolfe em silêncio, as sentinelas na frente abriram caminho sem fazer uma pergunta. Quando Aedion levou a mão à maçaneta, Lysandra disse, por fim:

— Tem certeza?

Ele assentiu. E foi isso.

O general abriu a porta, deparando-se com a equipe exatamente onde imaginou que estariam àquela hora: tomando café no bar. Os dois machos pararam ao vê-los entrar.

E os olhos de Aedion foram direto para o homem de cabelos dourados — um dos dois, mas... não havia como negar quem era... seu.

Gavriel apoiou o garfo em um prato que ainda continha comida.

Ele usava roupas como as de Rowan; e, como o príncipe feérico, estava pesadamente armado, mesmo no café da manhã.

Aelin era o lado dourado de Aedion, mas Gavriel era como um reflexo obscuro. As feições delineadas, largas; a boca severa — que ele puxara. Os curtos cabelos loiros eram diferentes; com mais luz do sol que o loiro-mel dos fios na altura dos ombros de Aedion. E a pele do general tinha o tom de marrom dos Ashryver... sem o bronzeado intenso do sol.

Devagar, Gavriel ficou de pé. Aedion se perguntou se também tinha herdado a graça, a quietude predatória, o rosto indecifrável e determinado; ou se ambos tinham sido treinados daquela forma.

O Leão encarnado.

Aedion quisera fazer daquele jeito, como uma emboscada, para que o pai não tivesse tempo de preparar belos discursos. Queria ver o que o pai faria ao ser confrontado com ele, que tipo de macho era, como reagia a *qualquer coisa*...

O outro guerreiro, Fenrys, olhava de um para o outro, ainda com um garfo na boca aberta.

O general se obrigou a andar, os joelhos surpreendentemente firmes, mesmo que o corpo parecesse pertencer a outra pessoa. Lysandra se manteve ao seu lado, firme e de olhos brilhantes. A cada passo, o pai o avaliava, o rosto não entregava nada, até que...

— Você parece... — suspirou Gavriel, afundando na cadeira. — Você se parece tanto com ela.

Aedion sabia que o feérico não estava falando de Aelin. Até mesmo Fenrys levou o olhar ao Leão, reparando na tristeza que ondulava naqueles olhos amarelos.

Mas Aedion mal se lembrava da mãe. Mal se lembrava de qualquer coisa além do rosto moribundo e destruído.

Então ele falou:

— Ela morreu para que sua *rainha* não pusesse as garras em mim.

Não tinha certeza se o pai respirava. Lysandra se aproximou, uma rocha sólida no mar revolto da raiva de Aedion.

O general fixou o olhar no pai, sem saber de onde vinham as palavras, a ira, mas ali estavam, disparando dos lábios, como chicotes.

— Poderiam tê-la curado nos complexos feéricos, mas ela se recusou a ir até eles, e não deixava que se aproximassem por medo de que Maeve — Aedion cuspiu o nome — soubesse que eu existia. Por medo de que eu fosse escravizado como *você* foi.

O rosto queimado de sol tinha perdido toda a cor. Aedion não se importava com o que quer que Gavriel suspeitasse até então. O Lobo grunhiu para o Leão:

— Tinha 23 anos. Nunca se casou, e a família a baniu. Ela se recusou a contar a qualquer um quem tinha me gerado, e aceitou o desdém, assim como a humilhação, sem uma gota de autopiedade. Fez isso porque *me* amava, não por você.

E subitamente desejou que tivesse pedido a Aelin que fosse também, para que pudesse mandar a prima queimar aquele guerreiro até que virasse cinzas, como fizera com o comandante em Ilium, porque ao olhar para aquele rosto — *seu rosto*... Aedion o odiou. Odiou Gavriel pela mulher de 23 anos que a mãe fora, mais jovem do que ele quando morrera, sozinha e deprimida.

— Se sua rainha vadia tentar me levar, vou lhe cortar a garganta. Se ferir minha família ainda mais do que já fez, cortarei a sua também — grunhiu o general.

Com a voz áspera, o pai disse:

— Aedion.

O som do nome que a mãe lhe dera nos lábios de Gavriel...

— Não quero nada de você. Se planejar nos ajudar, não vou recusar a... assistência. Mas, além disso, não quero nada de você.

— Me desculpe — pediu o pai, aqueles olhos de Leão cheios de tamanha tristeza que Aedion se perguntou se acabara de golpear um macho já caído.

— Não é para mim que precisa pedir desculpas — retrucou ele, voltando-se para a porta.

A cadeira do guerreiro raspou no piso.

— Aedion.

Aedion continuou andando, e Lysandra o acompanhou.

— Por favor — implorou o pai, quando a mão do general se fechou na maçaneta.

— Vá para o inferno — respondeu Aedion, saindo em seguida.

Ele não voltou para a Rosa do Oceano. E não conseguia suportar ficar perto de pessoas, perto dos sons e dos cheiros. Então seguiu para a densa montanha acima da baía, perdendo-se na selva de folhas e sombras e solo úmido. Lysandra permaneceu um passo atrás, silenciosa como ele.

Somente ao encontrar uma projeção rochosa despontando da lateral da montanha na direção da baía, da cidade e das águas cristalinas além, ele parou. Sentou. E respirou.

Lysandra se sentou ao seu lado na rocha lisa e cruzou as pernas.

— Eu não esperava dizer nada daquilo — confessou Aedion.

A metamorfa olhava na direção da torre de vigia próxima, aninhada na base da montanha. Ele observou os olhos verdes avaliarem o nível inferior, reparando em Quebra-Navios envolta em um imenso carretel, então seguindo para a escadaria exterior espiralada que levava ao alto da própria torre, até os níveis superiores, onde havia uma catapulta e um imenso arpão armados, porém travados — ou seria um arco e flecha gigantes? —, com o assento e a flecha de quem o empunhasse apontados para o inimigo invisível na baía abaixo. Com o tamanho da arma e a máquina que tinha sido construída para lançá-la na baía, Aedion não tinha dúvidas de que poderia penetrar um casco e causar danos letais a um navio. Ou perfurar três homens.

— Você falou com o coração. Talvez seja bom que ele tenha ouvido aquilo — falou Lysandra simplesmente.

— Precisamos que eles trabalhem conosco. Posso ter feito dele um inimigo.

Ela jogou os cabelos por cima de um ombro.

— Confie em mim, Aedion, não fez isso. Se tivesse dito a ele que rastejasse sobre carvão em brasa, ele o teria feito.

— Em breve ele vai perceber quem, exatamente, eu sou, e talvez não se sinta tão desesperado.

— Quem, exatamente, você acha que é? — Lysandra franziu a testa para ele. — A Puta de Adarlan? É isso que ainda pensa de si mesmo? O general que manteve o reino unido, que salvou o povo esquecido até mesmo pela própria rainha, esse é o homem que eu conheço. — A metamorfa grunhiu baixinho, e não para Aedion. — E, se ele começar com acusações, vou fazê-lo lembrar que ele serve àquela vadia em Doranelle há séculos, sem nenhum questionamento.

Aedion riu com deboche.

— Eu pagaria um bom dinheiro para vê-la se atracar com ele. E com Fenrys.

Ela o cutucou com o cotovelo.

— É só mandar, general, e me transformo no rosto dos pesadelos deles.

— E qual criatura seria essa?

Lysandra deu um sorrisinho sábio para Aedion.

— Algo em que venho trabalhando.

— Não quero saber, quero?

Ela exibiu dentes brancos.

— Não, não quer mesmo.

Aedion riu, surpreso por sequer conseguir fazê-lo.

— É um babaca, mas é bonito, admito isso.

— Acho que Maeve gosta de colecionar belos machos.

Ele riu com escárnio.

— E por que não? Precisa lidar com eles pela eternidade. Podem muito bem ser agradáveis aos olhos.

Lysandra riu de novo, e o som pareceu soltar um peso dos ombros de Aedion.

～

Carregando tanto Goldryn quanto Damaris para variar, Aelin entrou no Dragão Marinho duas horas depois, e desejou o retorno dos dias em que podia dormir sem o pesar da urgência de *algo* a chamando.

Desejou pelos dias em que poderia ter tido tempo de levar a droga do namorado para a cama sem ter de optar por algumas horas de sono no lugar disso.

Tivera a intenção. Na noite anterior, tinham voltado para a estalagem, e Aelin se banhara mais rápido que jamais o fizera antes. Até mesmo tinha saído nua do banheiro... e dera de cara com o príncipe feérico dormindo sobre a cama impecavelmente branca, ainda vestido, parecendo para o mundo todo que tivera a intenção de fechar os olhos enquanto Aelin se limpava.

E a exaustão pesada em Rowan... ela o deixara descansar. A jovem tinha se enroscado ao seu lado sobre os cobertores, ainda nua, e apagara antes de apoiar a cabeça contra o peito do guerreiro. Aelin sabia que haveria um momento quando não poderiam dormir com tanta segurança, tão tranquilamente.

Um total de cinco minutos antes de Lysandra invadir o quarto, Rowan tinha acordado — e começara o processo de acordá-la também. Devagar, com carícias provocantes e confiantes pelo torso exposto, pelas coxas, acentuadas por beijinhos breves na boca, na orelha, no pescoço.

Mas, assim que Lysandra invadira o quarto para roubar roupas para Aedion, assim que explicara *aonde* o general iria... a interrupção tinha permanecido. Fizera com que Aelin se lembrasse exatamente do que precisava realizar naquele dia. Com um homem que no momento queria matá-la e com uma frota dispersa e apavorada.

Gavriel e Fenrys estavam sentados com Rolfe à mesa nos fundos do bar, sem sinal de Aedion, e ambos arregalaram um pouco os olhos quando Aelin entrou com arrogância.

Ela poderia ter se sentido lisonjeada pelo olhar, caso Rowan não tivesse entrado logo atrás, já pronto para cortar as gargantas de ambos.

Rolfe se colocou de pé.

— O que está fazendo aqui?

— Eu tomaria muito, muito cuidado ao falar com ela hoje, capitão — comentou Fenrys, com mais cautela e consideração do que Aelin vira no dia anterior. Os olhos do feérico estavam fixos em Rowan, que realmente observava Rolfe como se o pirata fosse o jantar. — Escolha suas palavras com sabedoria.

O capitão encarou Rowan e, ao ver seu rosto, pareceu entender.

Talvez aquela cautela o tornasse mais disposto a concordar com o pedido de Aelin naquele dia. Se ela fizesse tudo direito. Se fizesse tudo bem direitinho.

A jovem deu um pequeno sorriso a Rolfe e se recostou contra a mesa vazia ao lado, as letras douradas lascadas sobre as tábuas diziam *Divisor das Brumas*. Rowan ocupou um espaço ao lado de Aelin, roçando o joelho contra o dela. Como se mesmo poucos centímetros de distância fossem insuportáveis.

Então ela abriu um pouco mais o sorriso para Rolfe.

— Vim ver se mudou de ideia. Sobre minha aliança.

O lorde pirata tamborilou os dedos tatuados na mesa, sobre algumas letras douradas que diziam *Destruidor*. E ao lado... um mapa do continente fora aberto entre Rolfe e os guerreiros feéricos.

Não era o mapa de que Aelin realmente precisava, agora que descobrira que a maldita coisa funcionava, mas... ela enrijeceu o corpo diante do que viu.

— O que é isso? — perguntou a jovem, reparando nas figuras prateadas posicionadas sobre o meio do continente, uma fileira impenetrável desde o desfiladeiro Ferian até a boca do Avery. E havia ainda figuras adicionais no golfo de Oro. E em Melisande e Charco Lavrado e perto da fronteira norte de Eyllwe.

Antes que Rolfe tivesse o pescoço dilacerado por Rowan com qualquer resposta que estivesse preparando, Gavriel, parecendo um pouco como se tivesse levado uma pancada na cabeça — pelos deuses, como teria sido o encontro com Aedion? —, disse:

— O capitão Rolfe recebeu notícias esta manhã. Queria nosso conselho.

— O que é isso? — repetiu Aelin, cravando o dedo perto da linha principal de figuras estendidas pelo meio do continente.

— É o relatório mais recente — explicou Rolfe. — Dos locais onde estão os exércitos de Morath. Eles se posicionaram. Mandar ajuda para o norte é agora impossível. E estão prontos para atacar Eyllwe.

❧ 33 ❧

— Eyllwe não tem exército a postos — disse Aelin, sentindo o sangue fugir do rosto. — Não há nada nem ninguém para lutar depois dessa primavera, exceto pelos bandos da milícia rebelde.

— Tem números exatos? — perguntou Rowan a Rolfe.

— Não — respondeu o capitão. — A notícia foi dada apenas como um aviso, para manter carregamentos longe do Avery. Queria a opinião deles — um aceno com o queixo na direção da equipe — sobre como lidar com isso. Mas pelo visto deveria tê-los convidado também, considerando que eles parecem determinados a lhes contar sobre meus negócios.

Nenhum deles ousou responder. Aelin verificou aquela fileira... aquela fileira de *exércitos*.

— Com que rapidez se movem? — indagou Rowan.

— As legiões partiram de Morath há quase três semanas — informou Gavriel. — Se moveram mais rápido que qualquer exército que já vi.

O momento escolhido para aquilo...

Não. Não... não podia ser por causa de Ilium, porque ela o provocara...

— É um extermínio — afirmou Rolfe, diretamente.

Aelin fechou os olhos, engolindo em seco. Mesmo o capitão não ousava falar.

Rowan deslizou a mão pela lombar da jovem, reconfortando-a em silêncio. Ele sabia... também estava juntando as peças.

Aelin abriu os olhos, aquela fileira queimava sua visão, seu coração, então disse:

280

— É uma mensagem. Para mim. — Ela desfez o punho, olhando para a cicatriz ali.

— Mas por que atacar Eyllwe? — perguntou Fenrys. — E por que se posicionar, mas não saquear?

Ela não conseguia dizer as palavras. Que tinha levado aquilo até Eyllwe ao debochar de Erawan, porque ele sabia com quem Celaena Sardothien se importava, e queria lhe destruir o espírito e o coração ao mostrar o que os exércitos podiam fazer. O que *fariam*, sempre que ele sentisse vontade. Não com Terrasen... mas com o reino da amiga que Aelin amara tão intensamente.

O reino que ela jurara proteger, salvar.

— Temos laços pessoais com Eyllwe. Ele sabe que é importante para ela — explicou Rowan.

Os olhos de Fenrys permaneceram sobre Aelin, observando-a. Mas Gavriel, com a voz firme, disse:

— Erawan agora controla tudo ao sul do Avery. Exceto por este arquipélago. E, mesmo aqui, ele tem presença n'O Fim.

Aelin encarou aquele mapa, o espaço que parecia cada vez menor ao norte.

Para oeste, havia a ampla extensão dos desertos que seguia além da divisa continental montanhosa. E seu olhar parou sobre um pequeno nome naquela costa.

Penhasco dos Arbustos.

O nome ecoou por Aelin, despertando-a com um estremecer, então ela percebeu que estavam conversando, debatendo sobre como tal exército podia se mover tão rapidamente pelo terreno.

A jovem esfregou a têmpora, encarando aquela mancha no mapa.

Considerando a dívida de vida que tinham com ela.

O olhar se arrastou para baixo... para o sul. O deserto Vermelho. Onde outra dívida de vida, de muitas vidas, esperava que ela a reivindicasse.

Aelin percebeu que tinham lhe perguntado algo, mas não se importou em tentar entender. Em vez disso, falou em um tom baixo para Rolfe:

— Vai me dar sua armada. Vai armá-la com aquelas lanças de fogo que sei que encomendou, e vai enviar qualquer lança extra para a frota myceniana quando ela chegar.

Silêncio.

Rolfe soltou uma gargalhada e se sentou de novo.

— Até parece. — Ele moveu a mão tatuada sobre o mapa, e as águas pintadas ali se agitaram e ondularam com algum padrão que Aelin se perguntou se apenas ele conseguia ler. Um padrão que ela *precisava* que o pirata pudesse ler para encontrar aquele Fecho. — Isso apenas mostra o quanto você está em desvantagem. — O capitão ruminou as palavras da jovem. — A frota myceniana é pouco mais que um mito. História para boi dormir.

Aelin olhou para o punho da espada de Rolfe, para a própria estalagem e para o navio do capitão, ancorado do lado de fora.

— Você é o herdeiro do povo myceniano — respondeu ela. — E vim reivindicar a dívida que tem com minha linhagem por isso também.

Rolfe não se moveu, não piscou.

— Ou todas as referências a dragões marinhos vêm de algum fetiche pessoal? — perguntou Aelin.

— Os mycenianos já se foram — retrucou ele, simplesmente.

— Acho que não. Acho que estão escondidos aqui, nas ilhas Mortas, há muito, muito tempo. E você, de alguma forma, conseguiu voltar ao poder.

Os três machos feéricos se entreolhavam.

Aelin disse ao lorde pirata:

— Libertei Ilium de Adarlan. Tomei a cidade de volta, seu antigo lar, para você. Para os mycenianos. É sua, se ousar reivindicar a herança de seu povo.

A mão de Rolfe tremeu levemente. Ele a fechou em punho, escondendo-a sob a mesa.

Aelin permitiu que uma faísca da magia subisse até a superfície, permitiu que o dourado dos olhos brilhasse com chamas intensas. Gavriel e Fenrys se empertigaram ao ver o poder preencher a sala, preencher a cidade. A chave de Wyrd entre os seios começou a latejar, a sussurrar.

A jovem sabia que não havia nada humano, nada de mortal em seu rosto.

Sabia porque a pele marrom de Rolfe tinha assumido um tom pálido de doença.

Aelin fechou os olhos e suspirou.

O tendão de poder que havia reunido ondulou para fora, como uma linha invisível. O mundo estremeceu ao encalço. Um sino soou na cidade, uma vez, então outra, com a força do poder. Mesmo as águas na baía tremeram quando aquela magia passou para além do arquipélago.

Ao abrir novamente os olhos, a mortalidade tinha retornado.

— Que merda foi essa? — indagou Rolfe, por fim.

Fenrys e Gavriel ficaram *muito* interessados no mapa diante de si.

Rowan respondeu, suavemente:

— *Milady* precisa liberar porções do poder diariamente ou ele pode consumi-la.

Apesar daquilo, apesar do que tinha feito, Aelin decidiu que queria que Rowan a chamasse de *milady* pelo menos uma vez por dia.

O príncipe feérico continuou, insistindo com Rolfe sobre o exército que avançava. O lorde pirata, que Lysandra confirmara semanas antes *ser* myceniano, graças à espionagem que Arobynn fazia nos parceiros de negócios, parecia quase incapaz de falar, por conta da oferta que Aelin fizera. Mas a rainha apenas esperou.

Aedion e Lysandra chegaram depois de um tempo; e o primo da jovem simplesmente lançou um olhar passageiro a Gavriel conforme se posicionou diante do mapa, assumindo o raciocínio de um general e exigindo detalhes de todo tipo.

No entanto, Gavriel silenciosamente encarava o filho, observando os olhos de Aedion percorrendo o mapa, ouvindo o som de sua voz, como se fosse uma canção que tentasse memorizar.

Lysandra foi até a janela para a baía.

Como se pudesse ver a ondulação que Aelin enviara ao mundo.

A metamorfa havia contado a Aedion àquela altura — o porquê de realmente terem ido a Ilium. Não apenas para ver Brannon, não apenas para salvar o povo da cidade... mas para isso. As duas tinham maquinado o plano durante as longas noites montando guarda na estrada, considerando todas as vantagens e desvantagens.

Dorian entrou dez minutos depois, voltando os olhos diretamente para Aelin. Ele também sentira aquilo.

O rei deu um aceno educado para cumprimentar Rolfe, então permaneceu em silêncio conforme recebia informações sobre o posicionamento dos exércitos de Erawan. Depois ele ocupou um assento ao lado de Aelin enquanto os outros machos continuavam discutindo rotas de suprimentos e armas, percorrendo círculo após círculo com Rowan.

Dorian apenas lançou um olhar indecifrável para ela e cruzou o tornozelo sobre o joelho.

O relógio soou 11 horas, então a jovem se levantou no meio do que quer que Fenrys estivesse dizendo a respeito de vários arsenais e de um possível investimento de Rolfe em minério para suprir a demanda.

Silêncio recaiu de novo. Aelin disse ao lorde pirata:

— Obrigada pela hospitalidade.

Em seguida se virou, dando somente um passo antes que o capitão indagasse:

— É isso?

Ela olhou por cima de um ombro, e Rowan se aproximou pela lateral. Aelin deixou que um pouco da chama subisse à superfície.

— Sim. Se não vai me dar uma armada, se não vai unir o que resta dos mycenianos e retornar a Terrasen, então encontrarei outro que o faça.

— Não há mais ninguém.

De novo, os olhos da jovem se voltaram para o mapa na mesa.

— Certa vez você disse que eu pagaria por minha arrogância. E paguei. Muitas vezes. Mas Sam e eu enfrentamos sua cidade e sua frota inteiras e as destruímos. Tudo por duzentas vidas que você considerava inferiores às humanas. Portanto, talvez eu tenha me subestimado. Talvez não precise de você no fim das contas.

Aelin se virou de novo, e Rolfe riu com escárnio.

— Por acaso Sam morreu ainda correndo atrás de você, ou finalmente parou de tratá-lo como imundície?

Um ruído de estrangulamento soou, seguido por uma batida e o chacoalhar de copos. A jovem se virou devagar e viu Rowan com as mãos em torno do pescoço de Rolfe, pressionando-o contra o mapa, as miniaturas espalhadas por toda parte, e os dentes expostos do guerreiro quase arrancando a orelha do capitão.

Fenrys deu um risinho.

— Eu disse para escolher as palavras com cuidado, Rolfe.

Aedion parecia fazer o possível a fim de ignorar o pai e dizer ao lorde pirata:

— Prazer em conhecê-lo. — Então ele caminhou até onde Aelin, Dorian e Lysandra estavam, aguardando à porta.

Rowan se inclinou para perto, murmurou algo ao ouvido de Rolfe que o fez empalidecer, então o empurrou com um pouco mais de força contra a mesa antes de caminhar até Aelin.

O homem apoiou as mãos na mesa, impulsionando-se para cima a fim de disparar palavras obviamente estúpidas ao grupo, mas ficou rígido, como se alguma pulsação se debatesse por seu corpo.

O capitão virou as mãos, unindo as palmas lado a lado.

Ele ergueu os olhos, mas não para Aelin. Para as janelas.

Para os sinos que tinham começado a soar nas torres gêmeas de vigia que ladeavam a abertura da baía.

O toque frenético fez as ruas além pararem, silenciando-as.

O significado de cada batida era nítido o suficiente.

O rosto de Rolfe empalideceu.

Aelin observou enquanto a cor preta — mais escura que a tinta ali gravada — se espalhou pelos dedos de Rolfe, até as palmas das mãos. Preto como apenas os valg poderiam trazer.

Ah, não havia mais dúvida de que o mapa funcionava.

Ela disse aos companheiros:

— Partimos. Agora.

Rolfe já disparava na direção da jovem, da porta. Ele não disse nada quando a escancarou, caminhando até a rua pela qual o imediato e o mestre quarteleiro seguiam apressados para encontrar o capitão.

Aelin fechou a porta atrás de Rolfe e encarou os amigos. E a equipe.

Foi Fenrys quem falou primeiro, ficando de pé e observando pela janela enquanto Rolfe e seus homens se apressavam.

— Me lembre de nunca o irritar.

— Se aquela força chegar a esta cidade, essas pessoas... — disse Dorian, baixinho.

— Não chegará — retrucou Aelin, encarando Rowan. Os olhos cor de verde-pinho a fitaram de volta.

Mostre a eles por que lhe concedi meu juramento de sangue, pediu a rainha silenciosamente.

O indício de um sorriso malicioso. O guerreiro se virou para o grupo.

— Vamos.

— Vamos — disparou Fenrys, apontando para a janela. — Para onde?

— Há um barco — informou Aedion — ancorado do outro lado da ilha. — Ele indicou Lysandra com a cabeça. — Era de se pensar que repararíam em um esquife sendo rebocado para o alto-mar por um tubarão ontem à noite, mas...

A porta se escancarou, e a figura imponente de Rolfe a preencheu.

— *Você*.

Aelin levou a mão ao peito.

— Eu?

— *Você* lançou aquela magia para lá; *você* os convocou.

Ela deu uma gargalhada, afastando-se da mesa.

— Se um dia eu aprender um talento tão útil, vou usá-lo para convocar meus aliados, acho. Ou os mycenianos, pois você parece tão certo de que eles não existem. — Ela olhou por cima do ombro de Rolfe, o céu ainda estava limpo. — Boa sorte — disse a jovem, ultrapassando-o.

— O quê? — disparou Dorian.

Aelin olhou o rei de Adarlan de cima a baixo.

— Esta batalha não é nossa. E não sacrificarei o destino de meu reino por uma animosidade com os valg. Se tiver algum bom senso, também não o fará. — O rosto de Rolfe se contorceu de ira, mesmo quando o medo, profundo e sincero, brilhou em seus olhos. Aelin deu um passo na direção das ruas caóticas, mas parou, voltando-se para o lorde pirata. — Suponho que a equipe virá comigo também. Afinal, agora são meus aliados.

Silenciosamente, Fenrys e Gavriel se aproximaram, e ela podia ter suspirado de alívio por eles o terem feito sem questionamentos, por Gavriel estar disposto a fazer o que fosse preciso para se aproximar do filho.

O capitão sibilou.

— Acha que recusar assistência vai me fazer ajudá-la? — Mas muito além da baía, entre as ilhas distantes e montanhosas, uma nuvem de escuridão se reunia.

— Falei com sinceridade, Rolfe. Ficarei bem sem você, com ou sem armada. Com ou sem mycenianos. E esta ilha agora se tornou perigosa para minha causa. — Ela inclinou a cabeça na direção do mar. — Farei uma oração para Mala em seu nome. — Aelin deu tapinhas no cabo de Goldryn. — Um conselho, de uma criminosa profissional para outro: corte as cabeças. É a única forma de matá-los. A não ser que os queime vivos, mas aposto que a maioria pularia do navio e nadaria para a praia antes que suas lanças em chamas pudessem causar algum dano.

— E quanto a seu idealismo? E quanto àquela *criança* que roubou duzentos escravizados de mim? Deixaria o povo desta ilha perecer?

— Sim — respondeu a jovem, simplesmente. — Eu disse, Rolfe, que Endovier me ensinou algumas coisas.

Ele xingou.

— Acha que *Sam* aprovaria isso?

— Sam está morto — declarou Aelin. — Porque homens como você e Arobynn têm poder. Mas o reinado de Arobynn já acabou. — Ela sorriu para o horizonte que escurecia. — Parece que o seu pode acabar em breve também.

— Sua *vadia*...

Rowan grunhiu, dando apenas um passo antes de Rolfe recuar.

Passos apressados soaram, e o mestre quarteleiro apareceu à porta. Ele ofegou ao apoiar a mão no portal, a outra mão segurava o punho em formato de dragão marinho da espada.

— Estamos afundados na merda.

Aelin parou. O rosto do lorde pirata se contraiu.

— Tão ruim assim? — perguntou o capitão.

O homem limpou o suor da testa.

— Oito navios de guerra cheios de soldados, pelo menos cem em cada, mais nos níveis inferiores onde não pude ver. Acompanhados por duas serpentes-marinhas. Todos se movendo tão rápido que parecem carregados por ventos de tempestade.

Aelin olhou para Rowan.

— Com que rapidez podemos chegar àquele navio?

Rolfe olhou para os poucos navios no porto, com o rosto mortalmente pálido. Olhou para Quebra-Navios na baía, a corrente estava sob a superfície calma no momento. Ao ver o olhar do capitão, Fenrys observou:

— Aquelas serpentes-marinhas vão partir a corrente. Tire seu povo da ilha. Use cada esquife e barco que tiver e *tire*-os daqui.

O lorde pirata se voltou devagar para Aelin, os olhos verde-mar ardentes de ódio. E resignação.

— Isso é uma tentativa de ver se estou blefando?

Aelin brincou com a ponta da trança.

— Não. O momento é conveniente, mas não.

Ele observou o grupo; o poder que poderia equilibrar a ilha se eles escolhessem. Quando, por fim, falou, a voz do capitão saiu rouca:

— Quero ser almirante. Quero este arquipélago inteiro. Quero Ilium. E, quando esta guerra acabar, quero *lorde* na frente de meu nome, como estava diante dos nomes de meus ancestrais tempos atrás. E quanto a meu pagamento?

Aelin, por sua vez, estudou o homem enquanto a sala inteira estava mortalmente silenciosa em comparação ao caos do lado de fora.

— Pode manter o ouro e os tesouros que estiverem a bordo de cada navio de Morath que saquear. Mas armas e munição vão para o front. Darei terras, mas nenhum título real além daquele de Lorde de Ilium e Rei do Arquipélago. Se tiver filhos, eu os reconhecerei como seus herdeiros, como faria com qualquer filho de Dorian.

O rapaz assentiu com seriedade.

— Adarlan reconhecerá você e seus herdeiros, além desta terra como sua.

— Se mandar esses desgraçados de volta para a escuridão, minha frota é sua — vociferou Rolfe. — Não posso garantir que os mycenianos se levantarão, no entanto. Estamos muito espalhados há tempo demais. Apenas um pequeno número vive aqui, e não se mobilizarão sem a... motivação adequada. — Ele olhou para trás do bar, como se esperasse ver alguém ali.

Mas Aelin estendeu a mão, com um sorriso leve.

— Deixe isso comigo.

A pele tatuada encontrou as cicatrizes da outra mão conforme Rolfe a apertou. Com força suficiente para quebrar ossos, mas Aelin devolveu com a mesma força. E lançou uma pequena chama para queimar de leve os dedos do pirata.

Ele sibilou, puxando a mão de volta, e a jovem sorriu.

— Bem-vindo ao exército de Sua Majestade, corsário Rolfe. — Aelin gesticulou para a porta aberta. — Vamos?

Aelin era desvairada, percebeu Dorian. Brilhante e perversa, mas desvairada.

E talvez a melhor mentirosa, sem qualquer sombra de remorso, que ele jamais encontrara.

O rapaz sentira a convocação varrer o mundo. Sentira fogo murmurar contra a pele. Não havia como se enganar quanto a quem pertencia. E não havia como se enganar que fora direto para O Fim, onde as forças que ali habitavam saberiam que somente uma pessoa viva teria aquele tipo de chama à disposição, e rastreariam a magia até o lugar em que ela estava.

Dorian não sabia o que incitara aquilo, por que Aelin escolhera aquele momento, mas...

Mas Rowan a informara a respeito de como os valg assombravam Rolfe. Como o capitão mantinha a cidade vigiada dia e noite, temendo que voltassem.

Então Aelin usara aquilo em vantagem própria. Os mycenianos; pelos deuses. Mal passavam de história para dormir e contos de advertência. Contudo, ali estavam, cuidadosamente escondidos. Até a jovem os assustar com chamas.

E conforme o lorde pirata e a rainha de Terrasen apertaram as mãos e Aelin sorriu para Rolfe, Dorian percebeu que ele... talvez ele pudesse se beneficiar de um pouco mais de malícia e insanidade também.

Aquela guerra não seria vencida com sorrisos e bons modos.

Seria vencida por uma mulher disposta a apostar com uma *ilha* inteira cheia de gente para conseguir o que queria, e salvar a todos. Uma mulher cujos amigos estavam igualmente dispostos a entrar no jogo, a destruir a própria alma se aquilo significasse salvar a população geral. Sabiam que peso tinham as vidas em pânico ao redor deles caso jogassem errado. Aelin talvez mais que qualquer outro.

Aelin e Rolfe caminharam pela porta aberta da taverna, seguindo para a rua adiante. Atrás de Dorian, Fenrys soltou um assobio baixo.

— Que os deuses o ajudem, Rowan, essa mulher é...

O jovem rei não esperou para ouvir o resto e foi até a rua para se juntar ao pirata e à rainha, com Aedion e Lysandra ao encalço. Fenrys manteve distância dos demais, mas Gavriel permaneceu perto, o olhar ainda fixo no filho. Pelos deuses, como se pareciam, *caminhavam* igual, o Leão e o Lobo.

Rolfe disparou ordens para os homens que aguardavam em fila diante dele:

— Todo navio que puder carregar homens veleja *agora*. — Ele disparava comandos, direcionando os homens para diversas embarcações, há muito desprovidas de uma tripulação que as capitaneasse, inclusive o próprio navio, enquanto Aelin esperava ali, com as mãos na cintura, observando todos.

— Qual é seu navio mais rápido? — perguntou ao capitão.

Rolfe apontou para o dele.

Aelin o encarou, e Dorian esperou pelo plano insano e inconsequente. Contudo, a jovem apenas falou, sem olhar para nenhum deles:

— Rowan, Lysandra, Fenrys e Gavriel, comigo. Aedion, suba na torre de vigia norte e conduza o arpão fixo. Abra um buraco na maldita lateral de qualquer navio que se aproximar demais da corrente. — Dorian enrijeceu quando ela, por fim, se dirigiu a ele, vendo as ordens já estampadas nos olhos da jovem. Ele abriu a boca para protestar, mas Aelin declarou, simplesmente:

— Esta batalha não é lugar para um rei.

— Mas é para uma rainha?

Não havia diversão, nada além de calma gélida ao lhe entregar uma espada que ele não tinha percebido que a rainha levava na lateral do corpo. Damaris.

Goldryn ainda estava presa às suas costas; o rubi brilhava como uma brasa viva quando ela disse:

— Um de nós precisa viver, Dorian. Assuma a torre de vigia sul, fique na base e prepare sua magia. Derrube qualquer força que tentar cruzar a corrente.

Não com aço, mas com magia. O rapaz prendeu Damaris ao cinto da espada, sentindo o peso estranho da arma.

— E o que você vai fazer? — indagou Dorian. Como se em resposta, o poder se contorceu em sua barriga, como uma víbora se enroscando para atacar.

Aelin olhou para Rowan, para sua mão tatuada.

— Rolfe, pegue qualquer corrente de ferro que tenha restado de seu comércio de escravizados. Precisaremos delas.

Para ela... para Rowan. Como uma segurança contra a magia de ambos, caso saísse do controle.

Porque Aelin... Aelin ia velejar aquele navio até o coração da frota inimiga e explodiria todos para fora da água.

❧ 34 ❧

Ela era uma mentirosa e uma assassina e uma ladra, e Aelin tinha a sensação de que seria chamada de coisas muito piores ao fim da guerra. Mas, quando aquela escuridão sobrenatural se acumulou no horizonte, perguntou-se se havia tentado abocanhar mais do que ela e os amigos com presas podiam.

Aelin não cedeu um centímetro ao medo.

Não fez nada a não ser deixar que fogo escuro ondulasse por seu corpo.

Assegurar aquela aliança era apenas parte do plano. A outra parte, a maior parte... era a mensagem. Não a Morath.

Mas ao mundo.

A qualquer potencial aliado observando aquele continente, contemplando se seria, de fato, uma causa perdida.

Naquele dia, a mensagem ecoaria pelos reinos.

Não era uma princesa rebelde destruindo castelos inimigos e matando reis.

Era uma força da natureza. Era uma calamidade e uma comandante de lendários guerreiros imortais. E, se aqueles aliados não se juntassem a ela... Aelin queria que pensassem naquele dia, e no que ela faria ali, e se perguntassem se um dia a encontrariam em seus litorais, em seus portos também.

Eles não tinham aparecido dez anos antes. Aelin queria que soubessem que ela não se esquecera daquilo.

Rolfe terminou de disparar ordens para seus homens e correu para embarcar no *Dragão Marinho*. Aedion e Dorian correram para pegar cavalos que os

291

levassem até as respectivas torres de vigia. Aelin se virou para Lysandra, que tranquilamente monitorava tudo, e falou, baixinho:

— Sabe o que preciso que faça?

Ao assentir, os olhos verde-musgo de Lysandra brilharam.

Aelin não se permitiu abraçar a metamorfa. Não se permitiu sequer tocar a mão da amiga. Não com Rolfe observando. Não com os habitantes da cidade olhando, com os mycenianos perdidos entre eles. Então apenas disse:

— Boa caçada.

Fenrys soltou um ruído engasgado, como se percebesse o que realmente fora exigido da metamorfa. Ao lado, Gavriel ainda estava ocupado demais, encarando Aedion, que sequer olhara na direção do pai antes de prender o escudo e a espada às costas, montar uma égua em estado deplorável e galopar até a torre de vigia.

Aelin declarou a Rowan, que já estava com o vento dançando nos cabelos prateados:

— Agimos agora.

E então seguiram.

As pessoas entravam em pânico nas ruas conforme a força sombria tomava forma no horizonte: imensos navios com velas pretas, convergindo na baía, como se fossem realmente carregados por um vento sobrenatural.

Mas Aelin caminhou até o imponente *Dragão Marinho*, com Lysandra ao lado, e Rowan e os dois companheiros atrás.

Boquiabertas, as pessoas paravam a fim de olhar conforme eles subiam a rampa, verificando e reorganizando as armas. Facas e espadas, o machado de Rowan, que reluziu quando ele o prendeu na lateral do corpo, um arco e uma aljava cheia de flechas de penas pretas, que Aelin presumia serem liberadas com precisão mortal por Fenrys, e mais lâminas. Ao entrarem no deque do *Dragão Marinho*, a madeira primorosamente polida oscilando suavemente, Aelin pensou que juntos formavam um arsenal ambulante.

Assim que Gavriel colocou os pés a bordo, a rampa foi puxada pelos homens de Rolfe. Os demais, sentados em bancos que ladeavam o deque, ergueram remos, dois homens em cada banco. Rowan indicou Gavriel e Fenrys com um gesto de cabeça, e os dois silenciosamente se juntaram aos remadores, assumindo a ordenação e os ritmos que eram mais velhos que alguns reinos.

Rolfe saiu por uma porta que, sem dúvida, abria para seus aposentos, seguido por dois homens levando imensas correntes de ferro.

Aelin caminhou até eles.

— Ancore-as contra o mastro principal e certifiquem-se de que haja espaço o suficiente para que alcancem bem... aqui. — Ela apontou para o local onde parara, no centro do deque. Com bastante espaço vazio, com bastante espaço para que ela e Rowan trabalhassem.

O lorde pirata disparou uma ordem para que começassem a remar, olhando uma vez para Fenrys e Gavriel — cada qual ocupando um remo, com os dentes expostos conforme aplicavam força considerável ao movimento.

Devagar, o navio começou a se mover — assim como os demais ao seu redor.

Mas precisavam sair da baía primeiro, precisavam passar pelo limite de Quebra-Navios.

Os homens de Rolfe envolveram as correntes em volta do mastro, deixando extensão o suficiente para que chegassem até Aelin.

O ferro forneceria um limite, uma âncora para lembrá-la de quem ela era, do que era. O ferro a manteria presa quando a pura amplidão da magia, tanto dela quanto de Rowan, ameaçasse levá-la embora.

O *Dragão Marinho* avançou devagar pelo porto conforme os gritos e resmungos dos remadores de Rolfe abafavam a comoção na cidade atrás deles.

Aelin olhou rapidamente para cada uma das torres de vigia e viu Dorian chegar, depois viu os cabelos dourados de Aedion disparando pela escada espiralada externa até o imenso arpão posicionado no topo. A jovem sentiu um aperto no peito por um instante quando teve um lampejo da vez em que vira Sam correndo para o alto daquela mesma escada; não para defender a cidade, mas para destruí-la.

Ela afastou o toque gelado daquela lembrança e se voltou para Lysandra, de pé no corrimão do deque, observando o primo de Aelin também.

— Agora.

Até mesmo Rolfe parou de dar ordens ao ouvir a palavra.

A metamorfa graciosamente se sentou no amplo corrimão de madeira, passou as pernas para o lado... e caiu na água.

Os homens do capitão correram até a beirada. Pessoas em barcos acompanhando-os fizeram o mesmo ao ver a mulher mergulhar no azul vívido.

Mas não foi uma mulher que afundou.

Abaixo, bem no fundo, Aelin conseguia discernir o brilho e a transformação e a expansão. Homens começaram a xingar.

Mas Lysandra continuou crescendo mais e mais sob a superfície, junto ao leito arenoso do porto.

Os homens remavam mais rápido.

Só que a velocidade do navio não era nada em comparação à velocidade da criatura que emergiu das ondas.

Um grande focinho verde-jade, salpicado de dentes brancos dilaceradores, bufou um fôlego poderoso, então mergulhou de volta para a água, revelando o lampejo de uma imensa cabeça e olhos atentos ao sumir.

Alguns homens gritaram. Rolfe apoiou a mão no leme. Seu imediato, com aquela espada de dragão marinho polida na lateral do corpo, caiu de joelhos.

Lysandra mergulhou, deixando que vissem o longo corpo poderoso que despontava na superfície pouco a pouco conforme ela descia, as escamas cor de jade reluzindo como joias ao sol ofuscante do meio-dia. Que vissem a lenda direto das profecias, pois os mycenianos só retornariam quando os dragões marinhos retornassem.

Portanto, Aelin se certificou de que um aparecesse bem no maldito porto deles.

— Pelos deuses — murmurou Fenrys de onde remava.

De fato, foi praticamente a única reação que Aelin conseguiu reunir quando o dragão marinho mergulhou profundamente, nadando adiante.

Pois aquelas eram barbatanas poderosas; *asas* que Lysandra estendia sob a água, retraindo os pequenos braços dianteiros e as patas traseiras enquanto a imensa cauda espinhosa agia como leme.

Alguns dos homens de Rolfe murmuravam:

— Um dragão, um dragão para defender nosso navio... As lendas de nossos pais... — O lorde pirata estava verdadeiramente pálido ao encarar o local em que Lysandra tinha desaparecido para o azul, ainda agarrado ao leme, como se aquilo o impedisse de cair.

Duas serpentes-marinhas... contra um dragão marinho.

Pois todo o fogo do mundo não funcionaria sob o mar. E, se quisessem uma chance de dizimar aqueles navios, não poderia haver interferência sob a superfície.

— Vamos lá, Lysandra — sussurrou Aelin, e fez uma oração a Temis, a Deusa das Coisas Selvagens, para que mantivesse a metamorfa ágil e determinada sob as ondas.

Aedion jogou longe o escudo das costas e afundou no assento diante do imenso arpão de ferro: a extensão da arma talvez fosse um palmo mais alta que ele, a cabeça era maior que a do general. Havia apenas três lanças. Precisaria fazer cada disparo valer.

Do outro lado da baía, ele mal conseguia distinguir o rei assumindo uma posição na ameia no nível mais inferior da torre. No mar, o navio de Rolfe se aproximava cada vez mais dos elos abaixados de Quebra-Navios.

Aedion pisou forte em um dos três pedais de controle do arpão armado, segurando as alças que posicionavam a lança no lugar, uma de cada lado. Cuidadosa e precisamente, o general mirou o arpão no limite mais exterior da baía, onde duas projeções da ilha se inclinavam uma na direção da outra, promovendo uma passagem estreita para o porto.

Ondas quebravam logo além... um recife. Bom para destruir embarcações contra ele — e sem dúvida onde Rolfe posicionaria o próprio navio, a fim de enganar a frota de Morath, para que desviassem pelo recife.

— Que diabo é aquilo? — sussurrou uma das sentinelas que operava a arma, apontando na direção das águas da baía.

Uma poderosa sombra longa disparava sob a água adiante do *Dragão Marinho*, mais rápida que o navio, mais rápida que um golfinho. O corpo extenso serpenteava pelo mar, carregado por asas que poderiam também ser barbatanas.

O coração de Aedion pareceu parar.

— É um dragão marinho — respondeu ele, com dificuldade.

Bem, pelo menos sabia em qual forma secreta Lysandra andara trabalhando.

E por que Aelin insistira em entrar no templo de Brannon. Não apenas para ver o rei, não apenas para reivindicar a cidade para os mycenianos e Terrasen, mas... para que a metamorfa estudasse os entalhes detalhados em tamanho real daqueles dragões marinhos. Para que se tornasse um mito vivo.

Aquelas duas... Ah, aquelas diabas ardilosas e astutas. Uma rainha de lendas, de fato.

— Como... como... — A sentinela se virou para os demais, que balbuciavam entre si. — Isso vai nos defender?

Lysandra se aproximou de Quebra-Navios, ainda abaixada sob a superfície, girando e arqueando o corpo, passando perto de rochas, como se estivesse se acostumando à nova forma. Acostumando-se com ela durante o pouco tempo que tinham.

— Sim — sussurrou Aedion quando terror lhe inundou as veias. — Ela vai.

∽

A água estava morna e tranquila e eterna.

E ela era a sombra escamosa que fazia os peixes com cores de joias dispararem para dentro dos lares de corais; era uma ameaça ágil no mar que fazia os pássaros brancos, oscilando na superfície, se dispersarem em voo quando a percebiam abaixo.

Raios de sol entravam como pilares pela água, e Lysandra, naquela pequena parte que ainda permanecia humana, sentia como se estivesse deslizando por um templo de luz e sombras.

Mas lá — bem afastados, carregados por ecos de som e vibrações — Lysandra os sentia também.

Mesmo os predadores maiores daquelas águas fugiram, partindo para o mar aberto além das ilhas. Nem mesmo a promessa de água manchada de vermelho poderia mantê-los no caminho daquelas duas forças prestes a colidir.

Adiante, os poderosos elos de Quebra-Navios afundavam nas profundezas, como o colar colossal de alguma deusa que se abaixava para beber o mar.

Lysandra lera sobre eles — os dragões marinhos há muito esquecidos e mortos — a pedido de Aelin. Porque a amiga soubera que intimidar Rolfe com os mycenianos apenas os levaria até certo ponto, mas, se usassem o poder do mito também... o povo poderia se reunir em torno dele. E com um lar para finalmente lhes oferecer, naquelas ilhas e em Terrasen...

A metamorfa estudara os entalhes dos dragões marinhos no templo, depois de Aelin ter queimado a poeira sobre eles. A magia da rainha preenchera as lacunas que os desenhos não mostravam. Como as narinas que discerniam cada cheiro na correnteza, e as orelhas que revelavam diversas camadas de som.

Lysandra avançou para o recife logo além da entrada da ilha. Precisaria retrair as asas, mas ali... ali armaria sua resistência.

Ali teria que libertar cada instinto selvagem, abrindo mão da parte de si que sentia e se importava.

Aquelas bestas, como quer que fossem feitas, eram apenas aquilo: bestas. Animais.

Não lutariam com moral e códigos. Lutariam até a morte e lutariam para sobreviver. Não haveria misericórdia, nenhuma compaixão.

Lysandra precisaria lutar como elas lutavam. Fizera isso antes — se tornara feral não apenas naquele dia em que o castelo de vidro se despedaçara, mas na noite em que fora capturada e aqueles homens tinham tentado levar Evangeline. Isso não seria diferente.

Lysandra cravou as garras de ossos, dilaceradoras e curvas, contra o leito do recife para manter a posição contra os impulsos da correnteza, em seguida olhou para o azul silencioso que se estendia infinitamente adiante.

E então começou a vigília da morte.

$$ 35 $$

Empoleirada no corrimão do *Dragão Marinho*, agarrada à escada de corda que fluía do imponente mastro, Aelin saboreava a corrente refrescante que borrifava água em seu rosto conforme o navio cortava as ondas. Assim que a embarcação se afastara dos demais, Rowan fizera seus ventos tomarem as velas, lançando o *Dragão Marinho* com toda velocidade na direção da corrente monstruosa.

Foi difícil não olhar para trás quando passaram pela corrente submersa... e logo em seguida Quebra-Navios começou a subir.

Selando-os para fora da baía — onde os demais navios de Rolfe esperariam em segurança atrás da corrente — para proteger a cidade que naquele momento os observava silenciosamente.

Se tudo corresse bem, precisariam apenas daquela embarcação, dissera Aelin ao pirata.

E, se corresse mal, então os navios não fariam diferença.

Agarrando a corda com força, a jovem se inclinou para fora, vendo passar abaixo o azul e o branco vibrante, como um borrão ligeiro. *Não muito rápido*, dissera ela a Rowan. *Não desperdice sua força — mal dormiu ontem à noite.*

Ele acabara de se inclinar e mordiscar a orelha de Aelin antes de passar ao banco de Gavriel para se concentrar.

O guerreiro ainda estava ali, permitindo com seu poder que os homens parassem de remar e se preparassem para o que avançava em sua direção. Aelin olhou de novo para a frente — na direção das velas pretas manchando o horizonte.

A chave de Wyrd em seu peito murmurou em resposta.

Aelin podia senti-los — a magia podia sentir *o gosto* da corrupção no vento. Não havia sinal de Lysandra, mas ela estava por lá.

O sol ofuscava nas ondas conforme a magia de Rowan diminuía a velocidade, fazendo-os deslizar determinadamente na direção de dois picos da ilha que se curvavam um para o outro.

Estava na hora.

Aelin se balançou para fora do corrimão, e as botas se chocaram contra a madeira encharcada do deque. Muitos olhos se voltaram para ela, para as correntes espalhadas sobre o convés principal.

Rolfe caminhou até a jovem, descendo do tombadilho, onde ele mesmo estivera operando o leme.

Ela pegou uma pesada corrente de ferro, perguntando-se quem os grilhões haviam prendido. Rowan ficou de pé com um movimento firme e gracioso, alcançando Aelin no mesmo instante que Rolfe.

— E agora? — indagou o capitão.

Aelin indicou com o queixo os navios já perto o bastante para discernir figuras entulhadas nos diversos deques. Muitas, *muitas* figuras.

— Vamos atraí-los para o mais próximo possível. Quando puder ver a parte branca dos olhos deles, grite para nós.

— E então ancore o navio a estibordo. Para darmos a volta — acrescentou Rowan.

— Por quê? — perguntou Rolfe, enquanto o guerreiro ajudava Aelin a prender o punho da corrente.

Ela deu um solavanco contra o ferro, pois a magia se contorceu. O feérico segurou o queixo de Aelin entre o polegar e o indicador, obrigando-a a lhe encarar os olhos determinados, mesmo enquanto explicava a Rolfe:

— Porque não queremos os mastros no caminho quando abrirmos fogo. Acho que são uma parte importante do navio.

O capitão grunhiu e saiu andando.

Os dedos de Rowan deslizaram para segurar o maxilar de Aelin em concha, acariciando a bochecha com o polegar.

— Invocaremos nosso poder devagar e com calma.

— Eu sei.

Ele inclinou a cabeça, erguendo as sobrancelhas. Um meio sorriso curvou aquela boca pecaminosa.

— Tem mergulhado em seu poder há dias, não tem?

Ela assentiu. Aquilo exigira grande parte de sua concentração, fora um esforço enorme permanecer no presente, permanecer ativa e ciente enquanto se enterrava mais e mais fundo, invocando o máximo do poder que podia sem atrair atenção.

— Não queria arriscar aqui. Não se você estivesse esgotado por ter salvado Dorian.

— Eu me recuperei, saiba você. Então a demonstraçãozinha desta manhã...

— Uma forma de aliviar a força total do poder — comentou ela, sarcasticamente. — E fazer com que Rolfe mijasse nas calças.

Rowan riu, soltando o rosto da jovem para lhe entregar o outro punho da corrente. Aelin odiou o toque antigo e terrível dos grilhões em sua pele, na pele do feérico, quando fechou a corrente no punho tatuado de Rowan.

— Rápido — informou Rolfe do lugar no leme para onde havia retornado.

De fato, os navios avançavam contra eles. Nenhum sinal daquelas serpentes-marinhas... embora a metamorfa também estivesse fora de vista.

Rowan apoiou a faca de caça na palma da mão, e o aço brilhou contra o sol incandescente. Meio-dia.

Precisamente por que Aelin fora ao escritório de Rolfe quase duas horas antes.

Ela praticamente soara o alarme para os ocupantes d'O Fim. A jovem apostara que não esperariam até o pôr do sol, e pelo visto realmente temiam mais a ira de seu mestre caso ela escapasse do que temiam a própria luz. Ou eram burros demais para perceber que a herdeira de Mala estaria no auge do poder àquela hora.

— Quer fazer as honras, ou faço eu? — perguntou Rowan. Fenrys e Gavriel tinham se levantado, lâminas em punho, enquanto monitoravam de uma distância segura. Aelin estendeu a mão livre, com a palma coberta de cicatrizes, e tomou a faca do guerreiro. Um corte rápido fez com que a pele ardesse, então sangue morno aqueceu a pele pegajosa devido à água do mar.

Rowan estava com a faca um segundo depois, e o cheiro de seu sangue preencheu o nariz de Aelin, deixando os sentidos aguçados. Em seguida a jovem estendeu a palma da mão ensanguentada.

A magia rodopiou para o mundo com ela, estalando nas veias, nos ouvidos. Aelin conteve a vontade de bater com o pé no chão e de estender os ombros.

— Devagar — repetiu o feérico, como se sentisse o gatilho instável que era o poder de Aelin no momento. — E com calma. — O braço acorrentado do feérico deslizou em volta da cintura da rainha, segurando-a contra ele.

— Estarei com você o tempo todo.

Ela ergueu a cabeça para estudar o rosto de Rowan, as feições severas e a tatuagem curva. O guerreiro se inclinou para lhe dar um beijo suave na boca. E, quando os lábios dos dois se encontraram, ele uniu as palmas ensanguentadas também.

Magia disparou pelo corpo de Aelin, antiga e travessa e esperta, então ela arqueou o corpo contra Rowan, os joelhos fraquejando conforme o poder cataclísmico do príncipe rugia para dentro de si.

Aelin sabia que tudo que as pessoas no deque viam eram dois amantes se abraçando.

Ela mergulhou ainda mais profundamente no próprio poder e sentiu Rowan fazer o mesmo com o dele, sentiu cada gota de gelo e vento e relâmpago que disparava do guerreiro para ela. E, ao chegar na jovem, o núcleo do poder do guerreiro cedeu, derretendo-se e transformando-se em brasas e fogo selvagem. Ele se tornou o coração derretido da terra, moldando o mundo e dando à luz novos territórios.

Mais e mais fundo, ela foi.

Aelin tinha uma vaga sensação do navio oscilando sob os dois, podia sentir o leve ardor do ferro que rejeitava sua magia, assim como a presença de Fenrys e Gavriel tremeluzindo em volta deles, como velas.

Fazia meses desde que puxara tão profundamente do abismo de seu poder.

Durante o tempo em que treinara com Rowan em Wendlyn, o limite do poder fora imposto por ela mesma. E então, naquele dia com os valg, tinha irrompido mais além — descobrira todo um nível oculto abaixo. Aelin conjurara poder dali quando circundara Doranelle, levando um dia inteiro para mergulhar tão longe, para sacar o que precisava.

Aelin começara aquela descida três dias antes.

Tinha esperado que fosse parar depois do primeiro dia. Que fosse atingir aquele fundo que sentira antes.

Mas não o atingira.

E agora... agora, com o poder de Rowan se unindo ao seu...

O braço do macho ainda a segurava com força contra o corpo, e Aelin teve a sensação distante e abafada do casaco do feérico lhe roçando levemente o rosto, da rispidez das armas presas sob o casaco, do cheiro percorrendo-a, acalmando-a.

Ela era como uma pedra atirada ao mar do próprio poder... do poder de ambos.

Para baixo

e

para baixo

e

para baixo.

Ali... ali estava o fundo. O fundo coberto de cinzas, o poço de uma cratera dormente.

Apenas a sensação dos próprios pés contra o deque de madeira a impedia de mergulhar naquelas cinzas para aprender o que poderia estar dormente abaixo delas.

A magia de Aelin sussurrou para que começasse a escavar as cinzas e a fuligem. Mas a mão de Rowan lhe apertou a cintura.

— Calma — murmurou ele ao ouvido da jovem. — Calma.

Uma quantidade ainda maior do poder do feérico fluiu para Aelin, vento e gelo se revirando com o poder da jovem, transformando-se em um turbilhão.

— Perto agora — avisou Rolfe, de algum lugar próximo, de outro mundo.

— Mire no meio da frota — ordenou Rowan. — Disperse os navios que os flanqueiam para o recife. — Onde naufragariam, deixando que os sobreviventes fossem derrubados por flechas disparadas por Fenrys e pelos homens de Rolfe. Rowan precisaria estar atento então, observando quando a força se aproximasse.

Aelin podia senti-los; podia sentir a irritação da magia se intensificar em resposta à escuridão que se reunia além do horizonte de sua consciência.

— Quase ao alcance — gritou Rolfe.

Ela começou a subir, arrastando o abismo de chamas e brasas consigo.

— Com calma — murmurou Rowan.

Mais e mais, Aelin subia, voltando para o mar e a luz do sol.

Aqui, parecia chamar aquela luz do sol. *Para mim.*

A magia disparou para a luz, para aquela voz.

— *Agora!* — disparou Rolfe.

E como uma besta selvagem libertada da coleira, a magia de Aelin irrompeu.

Tudo estava indo bem conforme Rowan entregava o poder para ela.

Aelin parara e hesitara algumas vezes, mas... tinha a descida sob controle.

Mesmo que o poder... o poço ficara mais profundo que nunca. Era fácil esquecer que a jovem ainda estava crescendo, que o poder amaqureceria com ela.

E, quando Rolfe gritou *Agora!*, Rowan soube que tinha esquecido de si mesmo, para o próprio azar.

Um pilar de chamas que não queimavam irrompeu de Aelin, chocando-se contra o céu, transformando o mundo em vermelho e laranja e dourado.

Ela foi arrancada dos braços do guerreiro com a força da magia, e ele lhe segurou a mão com uma força dolorosa, recusando-se a permitir que Aelin quebrasse a linha de contato. Os homens ao redor cambalearam para trás, caindo de bunda no chão conforme olhavam boquiabertos para cima com terror e espanto.

Subindo ainda mais, aquela coluna de chamas rodopiou, um redemoinho de morte e vida e renascimento.

— Pelos deuses! — sussurrou Fenrys atrás dele.

Mesmo assim, a magia de Aelin se derramou ao mundo. Mesmo assim, ela queimou mais forte, mais selvagemente.

Com dentes trincados e a cabeça arqueada para trás, ela ofegava de olhos fechados.

— Aelin — avisou Rowan. O pilar de chamas começou a se expandir, ficando envolto em azul e turquesa. Chamas que poderiam derreter ossos, rachar a terra.

Demais. Rowan dera magia demais a ela, e Aelin mergulhara muito profundamente no próprio poder...

Através das chamas que os envolviam, o príncipe feérico olhou para a frenética frota inimiga, a qual disparava para fugir, para sair do alcance.

A demonstração de Aelin não era para eles.

Porque não havia como escapar, não com o poder que ela puxara consigo.

A demonstração era para os demais, para a cidade que os observava.

Para que o mundo soubesse que ela não era uma mera princesa brincando com brasas bonitinhas.

— Aelin — repetiu Rowan, tentando puxar a ligação entre os dois.

Mas não havia nada ali.

Apenas a boca aberta de alguma besta imortal e antiga. Uma besta que abrira um olho, uma besta que falava a língua de mil mundos.

Gelo inundou as veias do guerreiro. Aelin estava usando a chave de Wyrd.

— *Aelin.* — E então Rowan sentiu. Sentiu o fundo do poder de Aelin rachar e se abrir, como se a besta dentro daquela chave de Wyrd tivesse batido o pé, fazendo com que cinzas e rochas lascadas se despedaçassem abaixo.

Revelando um núcleo revolto e derretido de magia.

Como se fosse o coração selvagem da própria Mala.

Aelin mergulhou no poder. Banhou-se nele.

Rowan tentou se mover, tentou gritar para que ela parasse...

Mas Rolfe, os olhos abertos com o que só podia ser terror e assombro, rugiu para ela:

— *Abra fogo!*

Aelin ouviu aquilo. E, tão violentamente quanto perfurara o céu, o pilar de fogo disparou para baixo, disparou de volta para *ela*, encolhendo-se e envolvendo-se dentro da jovem, fundindo-se em um núcleo de poder tão quente que chiou dentro de Rowan, queimando-lhe a alma...

As chamas se extinguiram no mesmo segundo em que Aelin alcançou Rowan com mãos incandescentes e *arrancou* o que restava da magia do feérico.

Justamente no momento em que a jovem lhe soltou a mão. Justamente no momento em que o poder dela e o da chave de Wyrd se fundiram.

Rowan desabou de joelhos e ouviu um estalo dentro da própria mente, como se relâmpago o tivesse partido.

Quando Aelin abriu os olhos, o guerreiro percebeu que não era trovão... mas o som de uma porta sendo escancarada.

O rosto da jovem ficou inexpressivo. Frio como os espaços entre as estrelas. E os olhos...

A cor turquesa queimava forte... em volta de um núcleo prateado. Não havia nenhum indício de dourado.

— Essa não é Aelin — sussurrou Fenrys.

Um leve sorriso se abriu na boca carnuda de Aelin, cruel e arrogante, e ela examinou a corrente de ferro envolta no pulso.

O ferro derreteu, fazendo com que o metal queimasse o convés de madeira e descesse para a escuridão abaixo. A criatura que olhava pelos olhos de Aelin fechou os dedos em punho. Luz escorreu pelos dedos fechados.

Luz fria e branca. Tendões tremeluziram; chama prateada...

— Saiam de perto — avisou Gavriel. — *Saiam de perto e não olhem.*

Gavriel estava, de fato, de joelhos, curvando a cabeça e desviando o olhar. Fenrys o imitou.

Pois o que olhava para a frota sombria reunida ali, o que preenchia o corpo da amada de Rowan... Ele sabia. Alguma parte primitiva e intrínseca sabia.

— Deanna — sussurrou o feérico. Ela voltou os olhos para ele, como uma pergunta e uma confirmação.

Então disse a Rowan, com uma voz grave e oca, jovem e velha:

— Toda chave tem um fecho. Diga à Rainha Que Foi Prometida para recuperá-lo em breve, pois todos os aliados do mundo não farão diferença se ela não empunhar o Fecho, se não juntar aquelas chaves a ele. Diga a ela que chama e ferro, unidos, se fundem em prata para conhecer o que precisa ser encontrado. Um simples passo é tudo que será necessário. — Então ela virou o rosto de novo.

E Rowan percebeu o que era o poder na mão dela. Percebeu que a chama que seria disparada queimaria de tão fria, percebeu que era o frio das estrelas, o frio de luz roubada.

Não era fogo selvagem; mas fogo lunar.

〜

Em um momento ela estava ali. E então não estava mais.

Fora empurrada para o lado, depois trancafiada em uma caixa sem chave, e o poder não era dela, o corpo não era dela, o nome não era dela.

E ela podia sentir a Outra ali, preenchendo-a, rindo baixinho conforme se maravilhava com o calor do sol no rosto, com a brisa úmida do mar que lhe cobria os lábios com sal, com a dor na mão já curada do ferimento.

Tanto tempo — fazia tanto tempo desde que a Outra tinha sentido tais coisas, sentido *completamente*, e não apenas como algo intermediário e diluído.

E aquelas chamas; as chamas *dela* e da magia de seu amado... pertenciam à Outra agora.

A uma deusa que passara pelo portão temporário que pendia de seus seios e tomara seu corpo, como se fosse uma máscara.

Não tinha palavras, pois não tinha voz, ego, *nada*...

E só conseguia observar, como se por uma janela, conforme sentia a deusa, a qual talvez não a tivesse protegido, e sim *caçado* durante a vida toda, em busca daquele momento, daquela oportunidade: examinar a frota sombria adiante.

Tão fácil de destruir.

No entanto, mais vida tremeluzia — *atrás*. Mais vida para dizimar, para ouvir os gritos agonizantes com os próprios ouvidos, para testemunhar em primeira mão qual seria a sensação de deixar de existir de uma forma que a deusa jamais poderia...

Ela observou a própria mão, envolta em chamas brancas pulsantes, começar a se mover da frota sombria para onde estivera voltada.

Em direção à cidade desprotegida no coração da baía.

O tempo reduziu a velocidade e se estendeu conforme o corpo se virou para a cidade, conforme ela ergueu o próprio braço e voltou o punho para o coração da cidade. Havia pessoas no cais, os descendentes de um clã perdido; alguns fugiam da demonstração de fogo que ela libertara momentos antes. Seus dedos começaram a se abrir.

— *Não!*

A palavra foi um rugido, uma súplica, e prata e verde lampejaram em sua visão.

Um nome. Um nome ecoou por dentro dela conforme ele se colocou no caminho daquele punho, daquele fogo lunar, não apenas para salvar os inocentes na cidade, mas para poupar a alma *dela* da agonia caso os destruísse...

Rowan. E quando o rosto se tornou nítido, a tatuagem contrastante ao sol, quando aquele punho cheio de poder inimaginável começou a se abrir na direção do coração *dele*...

Não havia força em nenhum mundo que pudesse mantê-la contida.

E Aelin Galathynius se lembrou do próprio nome ao destruir a jaula em que aquela deusa a enfiara, ao pegar aquela deusa pelo maldito *pescoço* e atirá-la para *fora, fora, fora* por aquele buraco aberto pelo qual a deusa se infiltrara, para então o selar...

Aelin disparou para dentro de seu corpo, de seu poder.

Fogo como gelo, fogo roubado das estrelas...

Os cabelos de Rowan ainda se moviam quando ele parou subitamente diante do punho que se abria.

O tempo disparou de novo, cheio e rápido e implacável. Aelin teve apenas tempo suficiente para se jogar para o lado, para inclinar o punho já aberto para longe de Rowan, para apontar para *qualquer lugar*, menos para ele...

Então o navio abaixo dela, as fileiras do centro e da esquerda da frota sombria diante dela, assim como o limite exterior da ilha atrás da frota explodiram em uma tempestade de fogo e gelo.

⚜ 36 ⚜

Estava tão silencioso sob as ondas, mesmo com sons abafados de gritos, de colisão, de morte ecoando em sua direção.

Aelin afundou-se, como afundara em seu poder, o peso da chave de Wyrd em volta do pescoço era como uma pedra de moinho...

Deanna. Ela não sabia como, não sabia por quê...

A Rainha Que Foi Prometida.

Os pulmões se contraíram e queimaram.

Choque. Talvez aquilo fosse choque.

Mais para baixo, ela afundou, tentando sentir o caminho de volta para o próprio corpo, a própria mente.

Água salgada fez os olhos arderem.

Uma grande e forte mão segurou a parte de trás do colarinho de Aelin e *puxou...* colocando-a de pé com puxões, com toques contínuos.

O que fizera o que fizera o que fizera...

Luz e ar se estilhaçaram em volta, e aquela mão agarrada ao colarinho lhe envolveu o tronco, puxando-a contra um corpo rígido masculino, mantendo sua cabeça acima das ondas agitadas.

— Peguei você — informou uma voz que não era a de Rowan.

Outros. Havia outros no navio, e Aelin podia muito bem ter matado todos...

— Majestade — chamou o macho, uma pergunta e uma ordem silenciosa.

Fenrys. Esse era o nome.

Ela piscou, e o nome, o título, o poder interior voltaram, se debatendo para o corpo — o mar e a batalha e a ameaça de Morath sufocantes.

Mais tarde. Mais tarde lidaria com aquela maldita deusa que quisera usar *Aelin* como uma sacerdotisa de templo. Mais tarde contemplaria como dilaceraria todos os mundos para encontrar Deanna e fazê-la pagar.

— Segure firme — pediu Fenrys, por cima do caos que se infiltrava: os gritos dos homens, o ranger de coisas quebrando, o crepitar de chamas. — Não solte.

Antes que conseguisse se lembrar de como falar, eles desapareceram em... nada. Em escuridão que era tanto sólida quanto insubstancial, apertando-a com força.

Então estavam na água de novo, oscilando sob as ondas conforme ela se reorientava e arquejava por ar. Fenrys os movera, de alguma forma — saltara entre distâncias, a julgar pela espuma completamente diferente que girava ao redor de ambos.

Ele a segurou contra si, a respiração difícil. Como se qualquer que fosse a magia que possuía para saltar entre distâncias curtas exigisse todo seu esforço. O macho inspirou fundo.

Então sumiram de novo, indo para aquele espaço escuro, oco, mas sufocante. Apenas poucos segundos se passaram antes que a água e o céu retornassem.

Fenrys grunhiu, apertando o braço ao redor de Aelin enquanto nadava com o outro até a praia, empurrando destroços. A respiração parecia um fôlego úmido. Qualquer que fosse aquela magia, tinha se esgotado.

Mas Rowan... onde estava *Rowan*...

Aelin emitiu um som que poderia ter sido seu nome, poderia ter sido um soluço.

Fenrys respondeu, ofegante:

— Ele está no recife... está bem.

A jovem não acreditou. Debatendo-se contra o braço do guerreiro feérico para que a soltasse, ela deslizou para o mar aberto e frio, então se virou na direção para a qual Fenrys estivera se dirigindo. Outro som baixo foi emitido por ela quando viu Rowan de pé, a água na altura dos joelhos sobre o recife. O braço já estava estendido, embora 30 metros ainda os separassem.

Bem. Ileso. Vivo. E ao seu lado estava Gavriel, igualmente ensopado, encarando...

Pelos deuses, pelos deuses.

Sangue manchava a água. Havia corpos por todo lado. E a frota de Morath..

A maioria tinha sumido. Não passava de madeira preta partida, boiando pelo arquipélago, e pedaços de lona e corda, queimando. Mas três navios restavam.

Três navios que convergiam para as ruínas tomadas por água do *Dragão Marinho*, imponentes como nuvens de tempestade...

— Precisa nadar — grunhiu Fenrys ao lado de Aelin, com os cabelos dourados ensopados e grudados na cabeça. — Agora. O mais rápido possível.

Ela virou a cabeça na direção dele, piscando para afastar a água do mar que ardia nos olhos.

— Nade *agora* — disparou o guerreiro, exibindo os caninos, e Aelin não se permitiu considerar o que rondava *sob* eles quando Fenrys agarrou seu colarinho de novo e praticamente a *atirou* para a frente.

A jovem não esperou. Concentrou-se na mão estendida de Rowan conforme nadava, o rosto parecia tão cautelosamente calmo — o comandante em um campo de batalha. A magia estava estéril, sua magia era um deserto, e a dele... Aelin roubara o poder do guerreiro...

Pense nisso depois. Ela empurrou e se abaixou sob pedaços maiores de destroços, passando por...

Passando por homens. Os homens de Rolfe. Mortos na água. Será que o capitão estava entre eles, em algum lugar?

Aelin provavelmente matara o primeiro e único aliado humano naquela guerra — e o único caminho direto até o Fecho. E se a notícia da morte se espalhasse...

— *Mais rápido*! — disparou Fenrys.

Rowan embainhou a espada, flexionou os joelhos...

Então estava nadando na direção de Aelin, rápido e suavemente, cortando entre e sob as ondas, a água parecia se abrir para ele. A jovem queria berrar que conseguia fazer aquilo sozinha, mas...

Ele a alcançou, sem dizer nada, e deslizou para trás de Aelin. Protegendo-a com Fenrys.

E o que ele poderia fazer na água sem magia, contra a boca aberta de uma serpente marinha?

A jovem ignorou o doloroso aperto no peito e disparou para o recife, com Gavriel esperando onde Rowan estivera antes. O leito do coral por fim se estendeu abaixo de Aelin, e ela quase chorou, com os músculos trêmulos, conforme Gavriel se agachou, oferecendo a mão estendida.

O Leão facilmente a puxou da água. Os joelhos de Aelin fraquejaram quando as botas se firmaram nas cabeças irregulares do coral, mas Gavriel continuou segurando-a, sutilmente permitindo que Aelin se recostasse contra ele. Rowan e Fenrys saíram um segundo depois, e o príncipe feérico estava lá imediatamente, as mãos no rosto de sua rainha, afastando os cabelos ensopados e lhe observando os olhos.

— Estou bem — disse ela, com a voz rouca. Devido à magia ou à deusa ou à água salgada que engolira. — Sou eu.

Isso bastou para Rowan, que então encarou os três navios que se aproximavam.

Do outro lado de Aelin, Fenrys curvara o corpo, apoiando as mãos nos joelhos enquanto ofegava. Ele ergueu a cabeça para encarar a jovem, os cabelos pingando, mas informou a Rowan:

— Estou esgotado... teremos de esperar até nos reabastecermos ou nadar para a praia.

Rowan deu um aceno curto, que Aelin interpretou como compreensão e agradecimento, então ela olhou para além deles. O recife parecia ser uma extensão da praia escura e rochosa mais distante, mas, com a maré baixa, precisariam de fato nadar por trechos dele. Teriam de se arriscar ao que quer que estivesse sob a água...

Sob a água. Com Lysandra.

Não havia sinal de serpente ou de dragão.

Aelin não sabia se era algo bom ou ruim.

～

Aelin e os machos feéricos tinham chegado ao recife e estavam nele, com água até os joelhos.

O que quer que tivesse acontecido... tinha dado terrivelmente errado. Tão errado que Lysandra podia jurar que a presença feral e selvagem que jamais a esquecera tinha se escondido na longa sombra formada pela metamorfa conforme o mundo acima explodia.

Ela tombara do coral, partindo a correnteza e fazendo-a subir. Madeira e corda e lona choveram na superfície; alguns destroços afundaram até as profundezas. Então corpos e braços e pernas.

Mas... ali estavam o capitão e o imediato se debatendo contra a espuma que os envolvia, tentando se arrastar para o leito arenoso.

Afastando o choque, Lysandra disparou até os dois.

Rolfe e o homem congelaram quando ela se aproximou, levando as mãos às armas na lateral do corpo sob as ondas. Mas Lysandra afastou os destroços que sem dúvida os afogavam, então se permitiu ficar imóvel; permitiu que os homens se segurassem a ela. A metamorfa não tinha muito tempo...

O lorde pirata e o imediato se prenderam nas pernas do dragão, agarrando-se como craca conforme eram impulsionados, cortando a água... passando pelas ruínas incineradas. Em um minuto Lysandra os depositou em um leito rochoso, então emergiu apenas o suficiente para inspirar antes de mergulhar novamente.

Havia mais homens se debatendo na água. O animal seguiu para eles, desviando de destroços, até que...

Sangue envolveu a correnteza. E não os borrifos que haviam manchado a água desde a explosão do navio.

Imensas e rodopiantes nuvens de sangue. Como se presas gigantescas tivessem se fechado sobre um corpo e o apertado.

Lysandra disparou para a frente, a cauda poderosa açoitando de um lado ao outro, o corpo ondulando e disparando para os três barcos que avançavam em direção aos sobreviventes. Precisava agir *já*, enquanto as serpentes estavam distraídas, se fartando.

O fedor do barco escuro chegou a ela mesmo sob as ondas. Como se a madeira escura estivesse ensopada de sangue pútrido.

Quando se aproximou do casco submerso do navio mais próximo, duas formas poderosas surgiram no azul.

Lysandra sentiu a atenção das criaturas se fixarem nela assim que chocou a cauda contra o casco.

Uma vez. Duas.

Madeira rachou. Gritos abafados chegaram do alto.

Ela flutuou para trás, encolhendo-se, então chocou a cauda contra o casco uma terceira vez.

Madeira se partiu e a cortou, arrancando escamas, mas o dano fora feito. Água era sugada para dentro, passando por ela, cada vez mais, rasgando a madeira conforme o ferimento mortal do navio crescia e crescia. Lysandra recuou para fora da correnteza — nadando mais e mais para baixo conforme as duas serpentes-marinhas que se banqueteavam com os homens desesperados pausaram.

A metamorfa seguiu apressada para o navio seguinte. Precisava fazer com que os navios afundassem, então os aliados poderiam derrubar cada um dos soldados que nadasse, debatendo-se, para a praia.

O segundo navio foi mais esperto.

Lanças e flechas atravessaram a água, disparando em sua direção. Lysandra avançou para o leito arenoso, então subiu mais e mais, mirando o casco vulnerável do navio, preparando o corpo para o impacto...

O animal não alcançou a embarcação antes que outro impacto viesse.

Mais rápido que sua percepção, dando a volta pela lateral do navio, a serpente marinha se chocou contra Lysandra.

Garras a rasgaram e dilaceraram, e ela se virou por instinto, açoitando tão forte com a cauda que a inimiga saiu rodopiando pela água.

Lysandra recuou para analisar o animal que a encarava com ódio.

Pelos deuses.

Tinha quase o dobro de seu tamanho, parecia feita do azul mais escuro, e a parte inferior era branca, salpicada de um tom de azul mais pálido. O corpo era quase como o de uma serpente; as asas, pouco mais que barbatanas ao longo das laterais. Não fora feita para ser veloz nem para cruzar oceanos, e sim... para ter garras longas e curvas, para ter aquela boca que se abria na direção do dragão marinho, provando sangue e sal e o cheiro de Lysandra, revelando dentes finos e afiados como os de uma enguia.

Dentes em gancho. Para prender e dilacerar.

Atrás da serpente marinha, a outra entrou em formação.

Homens se debatiam, gritando acima. Se ela não derrubasse os navios inimigos...

Lysandra fechou as asas junto ao corpo. Ela desejou que tivesse puxado um fôlego maior, que tivesse enchido os pulmões com capacidade total. Abanando a cauda na correnteza, a metamorfa deixou o sangue, que ainda escorria do corpo perfurado pela madeira do navio, flutuar até as criaturas.

Lysandra soube assim que o sangue chegou às serpentes marinhas.

Assim que as duas perceberam que ela não era um animal comum.

Então a metamorfa mergulhou.

Rápida e suavemente, ela seguiu para as profundezas. Se tinham sido criadas para matança brutal, então Lysandra usaria a velocidade.

Ela disparou abaixo das criaturas, passando sob as sombras escuras antes que a dupla conseguisse sequer se virar. Indo em direção ao mar aberto.

Venham, venham, venham...

Como cães atrás de uma lebre, as serpentes marinhas a perseguiram. Havia um banco de areia ladeado por recifes logo ao norte.

Lysandra mirou o local, nadando com força total.

Uma das serpentes marinhas era mais rápida que a outra, ágil o suficiente para que a boca agitada fizesse ondular a água na altura da cauda da metamorfa...

A água ficou mais clara, mais iluminada. Lysandra disparou direto para o recife que se erguia das profundezas, um pilar de vida e atividade que ficara silencioso. Ela fez a curva em torno do banco de areia...

A outra serpente marinha surgiu diante da metamorfa, a segunda ainda estava próxima da cauda.

Coisinhas espertas.

Mas Lysandra se jogou para o lado... para a parte rasa do banco de areia, deixando que o impulso a virasse, de novo e de novo, mais e mais perto daquela estreita projeção. Então ela enterrou as garras profundamente, parando devagar, fazendo a areia jorrar e a cobrir, e ergueu a cauda, apesar de o corpo ser tão mais pesado fora da água...

A serpente marinha, que pensara em pegá-la desprevenida ao nadar pelo outro lado, se atirou para fora da água em direção ao banco de areia.

Ela avançou, rápida como uma víbora.

Com o pescoço exposto, Lysandra fechou as presas nela e a mordeu.

O animal deu um pinote, açoitando a cauda, mas a metamorfa golpeou com a própria cauda contra a espinha inimiga, quebrando sua coluna ao mesmo tempo que quebrava o pescoço.

Sangue escuro com gosto de carne rançosa encheu a garganta de Lysandra.

Ao soltar a criatura morta, ela observou os mares turquesa, a espuma, os dois navios restantes e o porto...

Onde estava a segunda serpente marinha? Onde havia se enfiado?

Era esperta o bastante para saber quando a morte estava próxima e para buscar um alvo mais fácil, percebeu Lysandra.

Pois lá estava uma nadadeira dorsal espinhenta submergindo. Seguindo na direção...

Na direção de Aelin, Rowan, Gavriel e Fenrys, que estavam sobre o recife, espadas em punho. Cercados por água.

Lysandra mergulhou nas ondas, lavando a areia e o sangue do corpo. Mais uma — apenas mais uma serpente marinha, então poderia destruir os navios...

A besta restante chegou à saliência de coral, tomando velocidade, como se fosse saltar da água e engolir a rainha inteira.

Mas não chegou a 6 metros da superfície.

Lysandra avançou contra a criatura, e as duas atingiram o coral com tanta força que ele estremeceu abaixo de ambas. Então as garras da metamorfa acertaram a espinha da serpente marinha, e ela fechou a boca em volta do pescoço inimigo, sacudindo-o, entregando-se completamente ao canto da sobrevivência, aos gritos daquele corpo que mandavam *matar, matar, matar...*

As criaturas rolaram para o mar aberto; a serpente marinha ainda lutava, fazendo Lysandra afrouxar a mordida no pescoço...

Não. Um navio de guerra pairou acima, e a metamorfa mergulhou mais profundamente, reunindo as forças uma última vez conforme abria aquelas asas e as batia para *cima*...

Lysandra chocou a serpente marinha contra o casco da embarcação sobre elas. A besta rugiu com fúria. Ela a chocou de novo e de novo. O casco se partiu. Assim como o corpo da criatura.

A metamorfa observou a besta ficar inerte. Observou a água adentrar o casco aberto do navio. Ouviu os soldados a bordo começarem a gritar.

Ela soltou as garras, deixando o animal afundar até o leito do mar.

Mais um navio. Apenas mais um...

Estava tão cansada. Transformar-se depois daquilo talvez não fosse possível por algumas horas.

Lysandra subiu à superfície, puxando ar, preparando-se.

Os gritos de Aelin a alcançaram antes que conseguisse submergir de novo.

Não eram gritos de dor... mas de aviso. Uma palavra, diversas e diversas vezes. Uma palavra para ela.

Nade.

Ela inclinou a cabeça para o alto do recife onde a rainha estava. Mas Aelin apontava para trás de Lysandra. Não para o navio restante... mas para o mar aberto.

Para três formas imensas que avançavam em meio às ondas, mirando-a diretamente.

❧ 37 ❧

A rainha de Aedion estava no recife, com Rowan ao lado, flanqueados pelo pai do general e por Fenrys. Rolfe e a maioria dos homens tinham chegado ao lado oposto da abertura estreita da baía — ao topo daquele recife.

E do outro lado do canal entre eles...

Um navio de guerra.

Um dragão marinho.

E três serpentes marinhas.

Serpentes marinhas *adultas*. As duas primeiras... não haviam crescido completamente.

— Que merda — começou a entoar a sentinela ao lado de Aedion na torre de vigia. — Que merda. Que merda. Que merda.

Como alegara Rolfe, as serpentes marinhas iriam ao fim do mundo para matar quem quer que matasse suas crias. Apenas estar no coração do continente poderia salvar uma pessoa; mas, mesmo assim, os meios aquáticos jamais seriam seguros.

E Lysandra acabara de matar duas.

Parecia que não tinham vindo sozinhas. E pela comemoração dos soldados valg naquele navio restante... fora uma armadilha. As crias foram a isca.

Eram apenas um pouco maiores que Lysandra. Os adultos — os machos — tinham três vezes seu tamanho.

Eram mais extensos que o navio de guerra posicionado ali, de onde arqueiros disparavam contra os homens que tentavam nadar para a praia ao longo do canal que se tornara uma armadilha mortal para o dragão marinho verde.

O dragão marinho verde que estava entre as três monstruosas criaturas e a rainha de Aedion, presa nas rochas sem nenhuma brasa de magia restante nas veias. Sua rainha, que gritava repetidamente para que Lysandra *nadasse*, se *transformasse*, que *fugisse*.

Mas Aedion vira a metamorfa matar as duas crias.

Na segunda, ela estava lenta. E o general a vira mudar de forma tantas vezes nos últimos meses a ponto de saber que Lysandra não conseguiria se transformar rápido o suficiente naquele momento, talvez nem sequer tivesse força o suficiente para o fazer.

Ela estava presa naquela forma, tão certamente quanto os companheiros estavam presos no recife. E... se Lysandra tentasse subir para a praia... Aedion sabia que os animais a alcançariam antes que ela começasse a impulsionar o corpo para fora da parte rasa.

Mais e mais rápido, aqueles três machos se aproximavam. Lysandra permanecia na abertura da baía.

Aguentando firme.

O coração de Aedion pareceu parar.

— Ela está morta — sibilou uma das sentinelas. — Pelos deuses, está morta...

— Cale a maldita boca — grunhiu ele, verificando a baía, entrando naquele estado frio e calculista que o permitia tomar decisões em batalhas, sopesando custos e riscos.

Dorian, no entanto, teve a ideia antes do general.

Do outro lado da baía, com a mão erguida e tremeluzindo, brilhante como uma estrela, o rapaz sinalizou para Lysandra diversas vezes com seu poder. *Venha até mim, venha até mim, venha até mim*, parecia gritar o rei.

Os três machos sumiram sob as ondas.

Lysandra se virou, mergulhando...

Mas não na direção de Dorian.

Aelin parou de gritar, e a magia do rapaz se apagou.

Aedion apenas observou conforme a sombra da metamorfa disparou na direção dos três animais, encontrando-os frente a frente.

As três serpentes marinhas se dispersaram, tão imensas que a garganta de Aedion secou.

E, pela primeira vez, ele odiou a prima.

Odiou Aelin por pedir aquilo de Lysandra, tanto os defender quanto assegurar que os mycenianos lutariam por Terrasen. Odiou as pessoas que tinham deixado tais cicatrizes na metamorfa a ponto de ela estar tão disposta a desperdiçar a vida. Odiou... odiou a si mesmo por estar preso naquela torre inútil, com uma máquina de guerra capaz apenas de disparar um tiro por vez.

Lysandra mirou para a besta no meio e, quando apenas 100 metros as separavam, virou para a esquerda.

As serpentes marinhas quebraram a formação: uma mergulhou para baixo, a outra se manteve à superfície, e a terceira ficou para trás. Iriam arrebanhá-la. Arrebanhá-la, cercando-a por todos os ângulos, então a despedaçariam. Seria sujo e cruel.

Mas Lysandra disparou pelo canal. Seguindo...

Seguindo direto para o navio de guerra restante.

Flechas choveram contra ela.

Sangue floresceu, pois algumas encontraram o alvo entre as escamas cor de jade.

Ela continuou nadando, o sangue fazendo com que o macho mais próximo, aquele perto da superfície, entrasse em frenesi, impulsionando-se mais rápido para agarrá-la, mordê-la...

A metamorfa se aproximou do navio, tomando flecha após flecha, e saltou para fora da água.

Ela se chocou contra os soldados e a madeira e o mastro, rolando, contorcendo-se e dando pinotes; os mastros gêmeos se partiram sob sua cauda.

Lysandra atingiu o outro lado, lançando-se água adentro, com sangue vermelho reluzindo por toda parte...

No exato instante em que a serpente marinha no rastro da metamorfa saltou para o navio, formando um poderoso arco que tirou o fôlego de Aedion. No entanto, com os pedaços afiados dos mastros se projetando como lanças...

O macho caiu no topo destes com um ruído que o general ouviu do outro lado da baía.

O animal recuou, mas... havia madeira lhe perfurando o dorso.

E sob o peso imenso... o navio começou a rachar e afundar.

Lysandra não perdeu tempo e se afastou. Aedion mal conseguia respirar conforme ela disparava pela baía de novo, os dois machos tão terrivelmente perto que as ondulações se fundiam.

Um mergulhou, e as profundezas o engoliram para fora de vista. Contudo, o segundo ainda seguia atrás de Lysandra...

E a metamorfa o levou direto para o alcance de Dorian.

Ela se aproximou ao máximo da praia e da torre imponente, atraindo o segundo bicho. O rei estendeu as duas mãos.

O macho passou disparado... e foi impedido assim que o gelo golpeou a água. Gelo sólido, como jamais houvera ali.

As sentinelas ao lado de Aedion ficaram em silêncio. O animal rugiu, tentando se libertar, mas o gelo ficou mais espesso, prendendo a serpente marinha dentro daquela garra congelada. Quando a besta parou de se mover, havia uma camada fina como escamas de gelo cobrindo-o do focinho à cauda.

Dorian soltou um grito de guerra.

E Aedion precisou admitir que ele não era tão inútil assim conforme o rei soltou a catapulta atrás de si, lançando uma rocha do tamanho de uma carruagem para a baía.

Bem sobre a serpente marinha congelada.

Rocha encontrou gelo e carne. E a besta se estilhaçou em milhares de pedaços.

Rolfe e alguns de seus homens comemoravam — assim como as pessoas no cais da cidade.

Mas restava um macho no porto. E Lysandra estava...

Ela não fazia ideia de onde estava o macho.

O longo corpo verde se debateu na água, mergulhando sob as ondas, quase frenético.

Aedion verificou a baía, girando na cadeira de operação do atirador conforme o fazia, buscando qualquer indício da colossal sombra escura...

— *A SUA ESQUERDA!* — rugiu Gavriel do outro lado da baía, sem dúvida amplificando a voz com magia.

Lysandra se virou... e ali estava o macho, disparando das profundezas, como se fosse um tubarão emboscando a presa.

A metamorfa se colocou em movimento. Um campo de destroços flutuava ao redor, os navios inimigos que afundavam pareciam ilhas de morte, e havia Quebra-Navios... Se ela conseguisse chegar até a corrente e subir... Não, era pesada demais, lenta demais.

Lysandra mais uma vez passou pela torre de Dorian, mas o animal não se aproximou. Sabia que a morte o esperava ali. A serpente marinha se manteve logo além do alcance, brincando com a metamorfa conforme ela retornava ao campo de destroços entre os navios inimigos. Na direção do mar aberto.

Da projeção do recife, Aelin e os demais observavam impotentes enquanto os dois animais passavam, o macho lançando pedaços de cascos quebrados e mastros para o ar — mirando o dragão marinho.

Um acertou Lysandra na lateral, fazendo-a afundar.

Aedion disparou do assento, com um rugido nos lábios. Mas lá estava ela, sangue escorrendo conforme nadava e nadava, conforme guiava o macho pelo centro dos destroços para então voltar... abruptamente. A besta seguia em meio ao sangue que embaçava a água, irrompendo pelos escombros dos quais Lysandra agilmente desviava.

Ela o estava levando a um frenesi de sangue.

E a metamorfa, que maldita, tinha guiado o animal para os resquícios dos navios inimigos, onde soldados valg tentavam se salvar. O macho explodiu em meio a soldados e madeira, como se estes fossem véus de organza.

Saltando pela água, girando em torno de destroços e coral e corpos, com a luz do sol reluzindo nas escamas verdes e no sangue cor de rubi, Lysandra levou o bicho para uma dança da morte.

Cada movimento era mais lento conforme mais sangue escorria para a água.

E então ela mudou de curso. Seguindo para a baía. Para a corrente.

E cortou para o norte — na direção do general.

Aedion examinou o imenso arpão diante de si.

Trezentos metros de mar aberto separavam Lysandra do alcance da flecha.

— *NADE* — rugiu Aedion, mesmo que ela não pudesse ouvir. — *NADE, LYSANDRA!*

Silêncio recaiu por toda a baía da Caveira conforme o dragão marinho verde-jade nadava para salvar a própria vida.

O macho chegou mais perto e mergulhou.

Lysandra passou sob os elos da corrente, e a sombra do macho se estendeu abaixo da metamorfa.

Tão pequena. Era tão pequena em comparação a ele — seria preciso apenas uma mordida.

Aedion se jogou novamente na cadeira de operação, segurando as alavancas e girando o arpão conforme Lysandra nadava com tudo até ele.

Um disparo. Era tudo que teria. Apenas um maldito disparo.

A metamorfa se impulsionou para a frente. Aedion sabia que ela estava ciente da morte que pairava. Sabia que ela forçava o coração daquele dragão marinho até quase o parar. Sabia que o macho chegara ao leito e se impulsionava para cima, mais e mais, na direção daquela barriga vulnerável.

Apenas mais alguns metros, apenas mais alguns segundos.

Suor escorreu pela testa do general, e o coração batia tão violentamente que ele só conseguia ouvir aquele trovão. Aedion moveu a lança, levemente, ajustando a mira.

O macho disparou das profundezas, de boca aberta, pronto para rasgar Lysandra ao meio com um golpe.

A metamorfa passou para o alcance de Aedion e saltou; saltou totalmente para fora d'água, somente escamas reluzentes e sangue. O animal saltou com ela, água escorrendo da boca aberta conforme os dois faziam um arco para cima.

O general disparou, chocando as palmas das mãos contra a alavanca.

O longo corpo de Lysandra se arqueou para se afastar daquelas presas quando o macho saiu completamente da água, expondo o pescoço branco...

Então a imensa lança de Aedion o perfurou diretamente.

Sangue jorrou da boca aberta, e os olhos se arregalaram conforme o animal recuou.

A metamorfa se chocou contra a água, lançando um jorro tão alto que bloqueou a visão das duas criaturas que caíam no mar.

Quando a água baixou, havia apenas a sombra dos animais... e uma poça crescente de sangue escuro.

— Você... você... — balbuciou a sentinela.

— *Carregue outra* — ordenou Aedion, levantando-se do assento para verificar a água borbulhante.

Onde ela estava, onde ela estava...

Aelin estava empoleirada nos ombros de Rowan, observando a baía.

Então uma cabeça verde disparou da água, borrifando sangue escuro pelo mar ao atirar a cabeça decepada do macho sobre as ondas.

Comemorações — comemorações desordenadas e descontroladas — explodiram de cada canto da baía.

E Aedion já estava de pé, correndo, quase descendo aos saltos pelas escadas que o levariam à praia para a qual Lysandra nadava conforme seu sangue substituía o líquido preto que manchava a água.

Tão lentos, cada movimento estava tão dolorosamente lento. Aedion a perdeu de vista ao chegar ao nível das árvores, o peito apertado.

Raízes e pedras o atingiam, mas os pés ágeis de feérico disparavam sobre o solo argiloso, então ele atingiu a areia e a luz irrompeu pelas árvores, e ali estava ela, estatelada na praia, sangrando por toda parte.

Além deles, na baía, Quebra-Navios desceu e a frota de Rolfe saiu para apanhar os soldados restantes — e salvar qualquer aliado que ainda estivesse lá fora.

Aedion vagamente reparou em Aelin e nos demais mergulhando para o mar, nadando com força para a terra firme.

Ele caiu de joelhos, encolhendo o corpo quando a areia atingiu Lysandra. A cabeça escamosa era quase tão grande quanto o próprio general, mas os olhos... aqueles olhos verdes, da mesma cor das escamas...

Cheios de dor. E exaustão.

Aedion estendeu a mão na direção da metamorfa, mas ela exibiu os dentes... emitindo um grunhido baixo.

Ele ergueu as mãos, recuando.

Não era a mulher olhando para ele, mas a besta que ela havia se tornado. Como se Lysandra tivesse se entregado inteiramente aos instintos, pois fora a única forma de sobreviver.

Havia lacerações e cortes por toda parte. Sangue escorria por todas as feridas, ensopando a areia branca.

Rowan e Aelin — um deles poderia ajudar. Se pudessem conjurar qualquer poder depois do que a rainha tinha feito. A metamorfa fechou os olhos, a respiração ofegante.

— Abra os malditos olhos — grunhiu Aedion.

Ela grunhiu de volta, mas entreabriu um olho.

— Você chegou até aqui. Não morra na droga da praia.

O olho se semicerrou... um indício do temperamento da mulher. Aedion precisava recuperá-la. Deixar que ela assumisse o controle. Ou a besta jamais permitiria que se aproximassem para ajudar.

— Pode me agradecer quando essa carcaça deplorável estiver curada.

De novo, aquele olho o observou cautelosamente, o temperamento faiscando. Mas restava um animal.

Aedion falou, embora o alívio começasse a desfazer a máscara de calma arrogante:

— As sentinelas inúteis da torre de vigia estão todas meio que apaixonadas por você agora — mentiu ele. — Um disse que queria se casar com você.

Um murmúrio baixo. Aedion recuou alguns centímetros, mas manteve contato visual com Lysandra ao sorrir.

— Mas sabe o que eu disse a eles? Disse que não tinham a menor chance.

— O general abaixou a voz, fixando-se no olhar sofrido e exausto da meta-

321

morfa. — Porque *eu* vou me casar com você — prometeu ele. — Um dia. Vou me casar com você. Serei generoso e deixarei que escolha quando, mesmo que seja daqui a dez anos. Ou vinte. Mas um dia, será minha esposa.

Aqueles olhos se semicerraram... com o que Aedion só podia chamar de indignação feminina e exasperação.

Ele deu de ombros.

— Princesa Lysandra Ashryver parece bom, não é?

E então o dragão bufou. Divertindo-se. Com exaustão, mas... divertimento.

Ela abriu a boca, como se fosse tentar falar, mas percebeu que não podia naquele corpo. Sangue escorreu pelos enormes dentes, fazendo-a estremecer de dor.

A vegetação estalou, partindo-se, e Aelin e Rowan apareceram, com o pai de Aedion e Fenrys atrás. Todos ensopados, cobertos de areia e pálidos como a morte.

A rainha cambaleou até Lysandra, chorando, atirando-se à areia antes que o general pudesse disparar um aviso.

Mas a metamorfa apenas estremeceu quando a amiga a tocou, repetindo diversas vezes:

— Me desculpe, me desculpe.

Fenrys e Gavriel, que provavelmente tinham salvado a vida de Lysandra com aquele grito amplificado sobre a localização do macho, permaneceram perto do limite das árvores, enquanto Rowan se aproximou, avaliando os ferimentos.

Fenrys viu o olhar de Aedion, viu a ira de advertência em seu rosto caso qualquer um dos dois se aproximasse, mas mesmo assim falou:

— Aquele foi um disparo e tanto, garoto. — O pai de Aedion assentiu em concordância silenciosa.

O general os ignorou. Qualquer que fosse o poço de magia que a prima e Rowan tinham esvaziado, já estava se enchendo de novo, pois os ferimentos do animal se fechavam, um a um. Devagar — dolorosamente devagar, mas... o sangramento parou.

— Ela perdeu muito sangue — observou Rowan para nenhum deles especificamente. — Mesmo.

— Nunca vi nada assim na vida — murmurou Fenrys. Nenhum deles vira.

Aelin tremia, com a mão na amiga; o rosto tão pálido e macilento que qualquer palavra ríspida que Aedion reservara para ela era desnecessária.

A rainha sabia o custo. Levara tanto tempo para confiar em qualquer um deles para fazer qualquer coisa. Se gritasse com ela, mesmo que ainda quisesse... Aelin talvez jamais delegasse novamente. Porque, se Lysandra não estivesse na água no momento em que as coisas deram errado, muito errado...

— O que aconteceu? — sussurrou Aedion, fixando o olhar na prima. — Que merda aconteceu lá na água?

— Perdi o controle — murmurou Aelin, a voz rouca. Como se não pudesse evitar, levou a mão ao peito. Onde, em meio ao branco da blusa, ele conseguia discernir o Amuleto de Orynth.

Então Aedion entendeu. Entendeu exatamente o que ela carregava. O que teria atraído o interesse de Rolfe no mapa — semelhante o suficiente à essência dos valg para que o capitão fosse correndo.

Entendeu por que fora tão importante, tão vital que Aelin arriscasse tudo para obtê-lo de Arobynn Hamel. Entendeu que ela usara uma *chave de Wyrd* mais cedo e que aquilo quase os matara...

Ele estava tremendo, aquela raiva realmente tomando conta. Mas Rowan grunhiu, baixo e cruel:

— Deixe para depois. — Porque Fenrys e Gavriel tinham ficado tensos... observando.

O general rosnou de volta, mas Rowan lhe lançou um olhar frio e determinado que dizia que, se ele sequer começasse a indicar o que a rainha carregava, teria a língua arrancada. Literalmente.

Aedion afastou a raiva.

— Não podemos carregá-la, e ela está fraca demais para se transformar.

— Então esperaremos aqui até que ela possa — disse Aelin. Mas os olhos se voltaram para a baía, onde Rolfe recebia ajuda para subir nos navios de resgate. Em seguida foram para a cidade além, que ainda comemorava.

Uma vitória; mas quase uma derrota. Os sobreviventes dos mycenianos, salvos por um de seus dragões marinhos há muito perdidos. Aelin e Lysandra tinham tecido fatos tangíveis a partir de profecias antigas.

— Eu fico — declarou Aedion. — Vá lidar com Rolfe.

De trás, o pai ofereceu:

— Posso pegar suprimentos na torre de vigia.

— Está bem — concordou o general.

Aelin grunhiu e levantou-se, então encarou o primo antes de aceitar a mão estendida de Rowan, falando baixinho:

— Desculpe.

Aedion sabia que era um pedido sincero. Mesmo assim, não se incomodou em responder.

Lysandra gemeu, e a reverberação percorreu os joelhos de Aedion, seguindo até o estômago. O general se virou de volta para a metamorfa.

Aelin partiu sem mais despedidas.

～

O Leão se deteve na vegetação, mantendo-se fora da vista e da escuta conforme o Lobo observava o dragão ainda jogado sobre a praia.

Durante horas, o Lobo permaneceu ali. Enquanto a maré baixa limpava o sangue do porto. Enquanto os navios do lorde pirata lançavam quaisquer corpos inimigos restantes para o azul esmagador. Enquanto a jovem rainha retornava à cidade no coração da baía para cuidar de qualquer dano colateral.

Depois que o sol começou a se pôr, o dragão se moveu; então lentamente, reluzindo e encolhendo, a forma foi se transformando. Escamas se alisaram e viraram pele, um focinho derreteu-se de volta em um rosto humano impecável, e membros curtos se estenderam em pernas marrons. Areia cobria o corpo nu, e ela tentou se levantar, mas fracassou. O Lobo se moveu então, deslizando a túnica para cima da mulher e tomando-a nos braços.

A metamorfa não protestou, e os olhos estavam novamente fechados quando o Lobo começou a caminhar pela praia até as árvores, com a cabeça da jovem repousando sobre o peito.

O Leão permaneceu fora de vista e conteve a oferta de ajuda. Conteve as palavras que precisava dizer ao Lobo, o qual abatera uma serpente marinha com uma flecha. Tinha apenas 24 anos e já era um mito sussurrado em acampamentos.

Os eventos daquele dia sem dúvida seriam contados em volta de fogueiras em terras onde nem mesmo o Leão caminhara durante todos os seus séculos.

O Leão observou o Lobo sumir nas árvores, seguindo para a cidade no fim da estrada arenosa, com a metamorfa inconsciente nos braços.

E o Leão se perguntou se algum dia seria mencionado naquelas histórias sussurradas — se o filho permitiria que o mundo soubesse quem o havia gerado. Ou se sequer se importaria.

⚜ 38 ⚜

A reunião com Rolfe, logo após o porto estar novamente em segurança, tinha sido rápida. Honesta.

E Aelin sabia que, se não desse o fora daquela cidade por uma ou duas horas, poderia muito bem explodir de novo.

Toda chave tem um fecho, dissera Deanna, um pequeno lembrete da ordem de Brannon. Usando a voz *dela*. E a chamara por aquele título... aquele título que atingira alguma nota de terror e compreensão em Aelin, tão profundamente que ela ainda tentava entender o que significava. *A Rainha Que Foi Prometida*.

Ela disparara para um trecho de praia do lado mais afastado da ilha, correndo até lá, pois precisava levar o sangue a rugir, precisava silenciar os pensamentos na cabeça. Os passos de Rowan às suas costas foram silenciosos como a morte.

Apenas os dois tinham ido à reunião com Rolfe. Ensanguentado, ensopado, o lorde pirata os encontrara no salão principal da estalagem cujo nome tinha se tornado um lembrete permanente do navio que Aelin destruíra.

— Que *droga* foi aquela que aconteceu? — perguntara o capitão.

E ela estivera tão cansada, tão irritada e cheia de desgosto e desespero que tinha sido quase impossível estampar a arrogância.

— Quando se é abençoada por Mala, às vezes o autocontrole pode ser perdido.

— *Perdido*? Não sei sobre o que vocês, idiotas, falavam lá embaixo, mas, de onde eu estava, parecia que você tinha perdido a maldita cabeça e estava prestes a disparar contra *minha* cidade.

Rowan, recostado à beira de uma mesa próxima, tinha explicado:

— Magia é algo vivo. Quando uma pessoa está imersa nela tão profundamente, lembrar-se de si mesma, de seu propósito, é um esforço. Que minha rainha tenha conseguido fazê-lo antes que fosse tarde demais é uma proeza.

Rolfe não ficara impressionado.

— Para mim, parecia que era uma garotinha brincando com poder grande demais para que o controlasse, e apenas seu príncipe se colocando no caminho fez você decidir *não* massacrar meu povo inocente.

Aelin fechara os olhos por um segundo, e a imagem de Rowan saltando diante daquele punho de fogo lunar lampejara. Ao abri-los, deixara a hesitante determinação se dissipar para dar lugar a algo gélido e severo.

— Para *mim* — retrucara ela —, parecia que o lorde dos Piratas de baía da Caveira e o herdeiro há muito perdido dos mycenianos tinham acabado de se aliar com uma jovem rainha tão poderosa que ela poderia dizimar *cidades* se desejasse. Para mim, parecia que se tornara intocável com essa aliança, e qualquer tolo que procurasse lhe fazer mal precisaria lidar *comigo*. Então sugiro que resgate o que puder de seu precioso navio, faça luto pela dúzia de homens por cuja perda assumo responsabilidade total e cujas famílias compensarei adequadamente, e cale a maldita boca.

Aelin tinha se virado na direção da porta, com exaustão e raiva tomando conta de seus ossos.

Então Rolfe dissera atrás dela:

— Quer saber qual foi o custo deste mapa?

Ela havia parado, e Rowan olhara de um para o outro com expressão indecifrável.

Aelin dera um sorriso sarcástico por cima do ombro.

— Sua alma?

Rolfe tinha soltado uma gargalhada rouca.

— Sim... de certa forma. Quando eu tinha 16 anos, mal passava de um escravizado em um desses navios pútridos, pois a ascendência myceniana era apenas um passaporte para uma surra. — Ele apoiara a mão tatuada sobre as letras do *Destruidor*. — Cada moeda que eu ganhava voltava para cá, para minha mãe e minha irmã. E um dia, o navio em que eu estava foi pego por uma tempestade. O capitão era um desgraçado teimoso, que se recusou a procurar um porto seguro, então o navio foi destruído. A maior parte da tripulação se afogou. Fiquei à deriva por um dia, indo parar em uma ilha no limite do arquipélago, e, quando acordei, dei de cara com um homem me encarando. Perguntei se estava morto, e ele riu e perguntou o que eu queria para mim. Estava tão delirante que respondi que queria ser capitão, que queria ser o lorde dos Piratas de baía da Caveira e fazer com que tolos arrogantes como aquele capitão que matara meus amigos *se curvassem* diante de mim. Achei que estivesse sonhando quando ele explicou que, se me concedesse as habilidades para fazer aquilo, haveria um preço. O que eu mais valorizava no mundo seria dele. Eu disse que pagaria, o que quer que fosse. Não tinha posses, nenhuma riqueza, ninguém mesmo. Algumas moedas não seriam nada. O homem sorriu, então desapareceu em maresia. Acordei com a tatuagem nas mãos.

Aelin tinha esperado pela continuação.

Rolfe gesticulara com os ombros.

— Voltei para cá, encontrando navios aliados com o mapa que o estranho tatuara. Um presente de um deus... foi o que pensei. E somente ao ver os lençóis pretos sobre as janelas de meu chalé que comecei a me preocupar. E, somente ao descobrir que minha mãe e minha irmã tinham usado o pouco dinheiro para contratar um esquife para me procurar... e que esse esquife havia retornado ao porto, mas elas não..., percebi qual fora o preço. Foi isso que o mar reivindicou. O que *ele* reivindicou. E me deixou desalmado o suficiente para que eu me entregasse a esta cidade, a este arquipélago. — Os olhos verdes de Rolfe eram tão impiedosos quanto o Deus do Mar que o presenteara e condenara. — Foi esse o preço por meu poder. Qual será o seu, Aelin Galathynius?

Ela não tinha respondido, apenas saíra em disparada. Embora a voz de Deanna tivesse ecoado em sua mente.

A Rainha Que Foi Prometida.

Então, de pé ao lado da jovem naquela praia vazia, monitorando a extensão brilhante do mar conforme os resquícios do sol desapareciam, Rowan perguntou:

— Usou a chave conscientemente?

Nenhum indício de julgamento, de condenação. Apenas curiosidade... e preocupação.

— Não. Não sei o que houve — respondeu Aelin, com a voz rouca. — Em um minuto éramos nós dois... então *ela* veio.

A jovem esfregou o peito, evitando o toque da corrente dourada contra ele. A garganta se apertou quando ela olhou para aquele ponto no peito de Rowan, bem entre os músculos peitorais. Para onde seu punho apontara primeiro.

— Como pôde? — sussurrou Aelin, com um tremor percorrendo o corpo. — Como pôde se colocar na minha frente daquele jeito?

O guerreiro deu um passo mais para perto, mas não muito. O quebrar das ondas e o canto das gaivotas que iam para casa ao fim do dia preencheram o espaço entre os dois.

— Se tivesse destruído a cidade, isso teria destruído *você* e qualquer esperança de uma aliança.

As mãos da jovem começaram a tremer, então os braços, o peito, os joelhos. Chamas e cinzas cobriram a língua de Aelin.

— Se eu tivesse o matado — sibilou ela, mas engasgou nas palavras, incapaz de terminar aquele pensamento, aquela ideia. Com a garganta queimando, Aelin fechou os olhos com força, chamas quentes ondularam ao redor. — Achei que tivesse encontrado o fundo de meu poder — admitiu a jovem, já transbordando magia, muito rápido, pouquíssimo depois de ter se esgotado. — Achei que o que tinha encontrado em Wendlyn fosse o fundo. Não fazia ideia de que tudo era apenas... uma antecâmara.

Aelin ergueu as mãos, abrindo os olhos e vendo os dedos envoltos em chamas. Escuridão se espalhava pelo mundo. Em meio ao véu dourado, azul e vermelho, ela olhou para o príncipe feérico. A rainha ergueu as mãos incandescentes impotentemente entre os dois.

— *Ela me roubou... ela* me *tomou*. E pude senti-la... pude sentir sua consciência. Era como se fosse uma aranha, esperando em uma teia durante *décadas*, sabendo que um dia eu seria forte e burra o bastante para usar minha magia e a chave juntas. Poderia muito bem ter soado um alarme para chamá-la. — O fogo de Aelin queimou mais forte, mais brilhante, e ela deixou que se acumulasse e subisse e tremeluzisse.

Um sorriso irônico e amargo.

— Parece que ela quer que tornemos a busca desse Fecho uma prioridade, se você recebeu a mensagem *duas vezes* — disse Rowan.

De fato.

— Não basta guerrear com Erawan e Maeve e fazer as vontades de Brannon e Elena? Agora preciso enfrentar os deuses bufando em meu pescoço por causa disso também?

— Talvez tenha sido um aviso, talvez Deanna desejasse mostrar como um deus não tão amigável poderia usá-la se não tomar cuidado.

— Ela gostou de cada maldito segundo daquilo. *Queria* ver o que meu poder poderia fazer, o que ela poderia fazer com meu corpo, com a chave.

— As chamas queimaram mais forte, destruindo as roupas de Aelin até que se tornassem cinzas, até que ela estivesse nua, vestindo apenas o próprio fogo.

— E do que me chamou... a Rainha Que Foi Prometida? Prometida quando? Para quem? Para fazer o quê? Nunca ouvi essa frase na vida, nem mesmo antes de Terrasen cair.

— Vamos descobrir. — E foi tudo o que ele disse.

— Como pode estar tão... *bem* com isso? — Brasas dispararam de Aelin, como um enxame de vaga-lumes.

A boca de Rowan se contraiu.

— Confie em mim, Aelin, não estou nada *bem* com a ideia de que você pode ser usada por aqueles desgraçados imortais. Não estou nada *bem* com a ideia de que poderia ser tomada de mim daquela forma. Se eu pudesse, caçaria Deanna e a faria pagar por isso.

— Ela é a Deusa da Caça. Você pode acabar em desvantagem. — As chamas se apaziguaram um pouco.

Um meio sorriso.

— É uma imortal arrogante. Está fadada a cometer um erro. E além disso... — Ela deu de ombros. — Tenho a irmã a meu lado. — Rowan inclinou a cabeça, observando o fogo de Aelin, seu rosto. — Talvez por isso Mala tenha surgido para mim naquela manhã, por isso tenha me dado sua bênção.

— Porque você é o único arrogante e desmiolado o suficiente para caçar uma deusa?

O guerreiro tirou as botas, atirando-as na areia seca atrás de si.

— Porque sou o único arrogante e desmiolado o bastante para pedir a Mala, Portadora do Fogo, que me deixe ficar com a mulher que amo.

As chamas de Aelin assumiram um dourado puro diante das palavras... daquela palavra. Então ela disse:

— Talvez seja apenas o único arrogante e desmiolado o suficiente para *me* amar.

Aquela máscara indecifrável se partiu.

— Essa nova dimensão de seu poder, Aelin, não muda nada. O que Deanna fez não muda nada. Ainda é jovem; seu poder ainda está crescendo. E, se esse novo poço de poder nos der a mínima vantagem contra Erawan, então agradeça à maldita escuridão por ele. Mas você e eu aprenderemos a lidar com seu poder juntos. Não enfrentará isso sozinha; não pode decidir que não merece ser amada porque tem poderes que podem salvar *e* destruir. Se começar a se ressentir desse poder... — Rowan balançou a cabeça. — Não acho que venceremos a guerra se seguir por esse caminho.

A jovem caminhou para as ondas que batiam e afundou até os joelhos na praia, fazendo vapor subir em torno de si em grandes nuvens de fumaça.

— Às vezes — admitiu ela, por cima da água que chiava — queria que outra pessoa pudesse travar essa guerra.

Rowan entrou na praia borbulhante, protegendo-se do calor de Aelin com a própria magia.

— Ah — disse ele, ajoelhando-se ao lado da jovem, que ainda olhava para o mar escuro. — Mas quem mais conseguiria irritar Erawan? Nunca subestime o poder dessa insuportável arrogância.

Ela riu, começando a sentir o beijo frio da água no corpo nu.

— Pelo que me lembro, príncipe, foi essa insuportável arrogância que conquistou seu coração rabugento e imortal.

Rowan se inclinou para o fino véu de chamas que se derretia em ar doce como a noite e mordiscou o lábio inferior de Aelin. Uma mordida forte, maliciosa.

— Aí está meu Coração de Fogo.

Ela permitiu que o guerreiro a inclinasse na água e na areia para encará-lo por completo, deixou que deslizasse a boca por seu maxilar, pela curva da maçã do rosto, pela ponta da orelha feérica.

— Isto — falou Rowan, mordiscando o lóbulo da orelha de Aelin — está me tentando há meses. — A língua percorreu a ponta delicada, e as costas da jovem se arquearam. As mãos fortes nos quadris de Aelin se apertaram. — Às vezes, quando você estava dormindo a meu lado em Defesa Nebulosa, eu precisava de toda a minha concentração para *não* me aproximar e mordê-la. Mordê-la toda.

— Hmmm — murmurou Aelin, inclinando a cabeça para trás a fim de lhe dar acesso ao pescoço.

Rowan obedeceu à demanda silenciosa, lhe dando beijos e mordidas leves e sussurros no pescoço.

— Jamais tive uma mulher na praia — ronronou o guerreiro contra a pele de Aelin, sugando carinhosamente o espaço entre o pescoço e o ombro. — E veja só, estamos longe de qualquer tipo de... danos colaterais. — Uma das mãos deslizou do quadril para acariciar as cicatrizes nas costas da jovem, a outra deslizou para a lombar, segurando-a em concha e trazendo-a por completo para ele.

Aelin espalmou as mãos sobre o peito de Rowan, puxando a camisa branca por cima da cabeça do feérico. Ondas mornas quebravam contra os dois, mas ele a segurava firme — imóvel, imperturbável.

A jovem se lembrou o suficiente de si mesma para dizer:

— Alguém pode vir nos procurar.

Rowan lhe bufou uma gargalhada contra o pescoço.

— Algo me diz — disse ele, com o hálito percorrendo a pele de Aelin — que você não se incomodaria se fôssemos descobertos. Se alguém visse o quanto planejo venerá-la por completo.

Aelin sentiu as palavras pendendo ali, sentiu o corpo pendendo ali, na beira de um penhasco. Ela engoliu em seco. Mas Rowan a pegara sempre que tinha caído — primeiro, quando afundara naquele abismo de desespero e luto; depois, quando aquele castelo se estilhaçara e Aelin mergulhara para a terra. E, dessa vez, uma terceira vez... Ela não estava com medo.

Aelin o encarou, então disse clara e corajosamente, sem uma sombra de dúvida:

— Eu amo você. Estou apaixonada por você, Rowan. Já faz algum tempo. E sei que há limites para o que pode me dar, e sei que pode precisar de tempo...

Os lábios do guerreiro foram de encontro aos seus, e ele sussurrou, contra a boca de Aelin, soltando palavras mais preciosas que rubis e esmeraldas e safiras no coração e na alma da jovem:

— Eu amo você. Não há limite para o que posso dar, não preciso de tempo. Mesmo quando este mundo for um sussurro de terra esquecido em meio às estrelas, amarei você.

Aelin não sabia quando tinha começado a chorar, quando o corpo começara a tremer com a força daquilo. Jamais dissera tais palavras... para ninguém. Nunca se permitira ser tão vulnerável, nunca sentira aquela *coisa* incandescente e infinita, que a consumia tanto que ela poderia morrer com aquela força.

Rowan se afastou, limpando suas lágrimas com os polegares, uma após a outra, e falou, baixinho, quase inaudível sobre o quebrar das ondas em volta dos dois:

— Coração de Fogo.

Ela fungou para segurar as lágrimas.

— Busardo.

O guerreiro rugiu uma gargalhada, e Aelin permitiu que ele a deitasse na areia com um carinho próximo de reverência. O peito escultural se inflou levemente quando ele percorreu o corpo nu de Aelin com os olhos.

— Você... é tão linda.

Ela sabia que ele não falava só da pele e das curvas e dos ossos.

Mas sorriu mesmo assim.

— Eu sei — respondeu Aelin, erguendo os braços acima da cabeça e apoiando o Amuleto de Orynth em uma parte segura e alta da praia. Os dedos se enterraram na areia fofa, então a jovem arqueou as costas lentamente.

Rowan acompanhou cada movimento, cada lampejo de músculo e pele. Quando o olhar se deteve nos seios de Aelin, reluzentes devido à água do mar, a expressão se tornou faminta.

Em seguida o olhar desceu. Indo mais baixo. Parando no alto das coxas enquanto os olhos brilhavam. Então Aelin perguntou:

— Vai ficar aí babando a noite toda?

A boca de Rowan se abriu levemente, a respiração breve, indicando com o corpo precisamente onde aquilo terminaria.

Um vento fantasma sibilou pelas palmeiras, sussurrou sobre a areia. A magia de Aelin formigou quando sentiu, mais que viu, o escudo de Rowan se posicionar em volta de ambos. Ela também lançou seu poder acima do escudo, batendo e tocando a defesa com faíscas de chamas.

Os caninos de Rowan reluziram.

— Nada vai ultrapassar este escudo. E nada vai me ferir também.

Algum aperto no peito de Aelin se aliviou.

— É tão diferente assim? Com alguém como eu.

— Não sei — admitiu o guerreiro. De novo, os olhos percorreram o corpo de Aelin, como se conseguisse ver através da pele, até o coração incandescente por baixo. — Nunca estive com... uma igual. Nunca permiti me libertar dessa forma.

Cada gota de poder que Aelin jogava contra ele era devolvida. Ela se apoiou sobre os cotovelos, levando a boca à nova cicatriz no ombro do feérico, o ferimento era pequeno e irregular — da largura da cabeça de uma flecha. Aelin o beijou uma vez, duas.

O corpo de Rowan estava tão tenso sobre o dela que Aelin achou que os músculos iriam se partir. Mas as mãos dele suavemente percorreram suas costas, acariciando as cicatrizes e as tatuagens que ele fizera.

As ondas faziam cócegas e afagavam, e o guerreiro fez menção de parar sobre Aelin, mas ela levou a mão ao peito dele... segurando-o. A jovem sorriu contra a boca de Rowan.

— Se somos iguais, então não entendo por que você ainda está vestido.

Sem lhe dar a chance de explicar, ela percorreu a língua sobre a linha dos lábios do feérico enquanto abria com os dedos a fivela do cinto de espadas desgastado. Aelin não tinha certeza se Rowan estava respirando.

E, apenas para ver o que ele faria, a jovem o apalpou por cima da calça.

O feérico soltou um xingamento.

Ela riu baixinho, beijou sua mais nova cicatriz de novo e percorreu com o dedo para baixo, preguiçosamente, indolentemente, encarando-o a cada centímetro que tocava.

E, quando apoiou a palma da mão aberta sobre Rowan mais uma vez, ela disse:

— Você é meu.

Rowan recomeçou a respirar, uma respiração tão irregular e selvagem quanto as ondas que quebravam em volta. Aelin lhe abriu o primeiro botão da calça.

— Sou seu — grunhiu ele.

Outro botão se abriu.

— E me ama — disse Aelin. Não como uma pergunta.

— Até o fim — sussurrou Rowan.

Ela abriu o terceiro e último botão, então o feérico a deixou para jogar a calça na areia próxima, tirando a roupa de baixo também. A boca de Aelin ficou seca ao absorver a vista.

Rowan fora criado e aperfeiçoado para a batalha, portanto cada centímetro pertencia a um guerreiro de puro sangue.

Era a coisa mais linda que Aelin já vira. Dela; Rowan era *dela*, e...

— Você é minha — sussurrou ele, e Aelin sentiu a reivindicação nos ossos, na alma.

— Sou sua — respondeu ela.

— E me ama. — Havia tanta esperança e alegria silenciosa nos olhos do feérico, por baixo de toda aquela selvageria.

— Até o fim. — Por tempo demais, por tempo demais ele estivera sozinho e errante. Não mais.

Rowan a beijou de novo. Devagar. Com carinho. Uma das mãos deslizou para a parte lisa do torso de Aelin enquanto ele abaixava o corpo sobre ela, os lábios se aninhando contra os dela. A jovem arquejou um pouco ao toque, arquejou mais um pouco quando o nó do dedo de Rowan roçou a parte inferior pesada e desejosa de seu seio, quando ele se abaixou para beijar o outro seio.

Os dentes lhe roçaram o mamilo, e Aelin fechou os olhos devagar, deixando escapulir um gemido.

Pelos deuses. Deuses incandescentes e malditos. Rowan sabia o que estava fazendo; sabia mesmo, de verdade.

A língua de Rowan se agitou contra o mamilo, e ela jogou a cabeça para trás, cravando os dedos nos ombros do guerreiro, incitando-o a fazer mais, a fazer *com mais força*.

Rowan grunhiu em aprovação, ainda com a boca e a língua sobre o seio enquanto a mão formava carícias preguiçosas nas costelas da jovem até a cintura, seguindo para as coxas e então de volta para cima. Aelin arqueou o corpo em uma exigência silenciosa...

Um toque fantasma, como se o vento do norte tomasse forma, percorreu o seio exposto.

Ela se incendiou.

Rowan deu uma risada sombria diante dos tons vermelhos, dourados e azuis que irromperam em volta dos dois, ateando fogo às palmeiras que se erguiam no limite da praia conforme as ondas quebravam atrás dele. Aelin poderia ter entrado em pânico, poderia ter morrido de vergonha caso o príncipe feérico não tivesse levado a boca à sua, caso aquelas mãos fantasmas de vento beijado pelo gelo não tivessem continuado sobre seus seios, caso a mão do próprio guerreiro não tivesse seguido com a carícia, mais e mais perto de onde Aelin precisava.

— Você é magnífica — murmurou Rowan contra os lábios da jovem, deslizando a língua para dentro da boca.

O membro firme se pressionou contra Aelin, e ela impulsionou os quadris, precisando esfregar o corpo contra Rowan, fazer qualquer coisa para apaziguar o desejo que se acumulava entre as pernas. O feérico gemeu, e ela se perguntou se haveria outro macho no mundo que ficaria tão nu e ereto com uma mulher em chamas, sem olhar para aquelas chamas com um pingo de medo.

Aelin deslizou a mão entre os dois, e ao fechar os dedos em torno dele, maravilhando-se diante do aço envolto em veludo, Rowan gemeu de novo, impulsionando o corpo contra a mão da jovem. Ela afastou a boca da dele e encarou aqueles olhos verde-pinho quando percorreu a mão pelo corpo de Rowan. Ele abaixou a cabeça... não para beijá-la, mas para observar a carícia.

Um vento furioso, cheio de gelo e neve, soprou em volta de ambos. E foi a vez de Aelin segurar uma risada. Então Rowan lhe pegou o pulso, afastando sua mão dali. Ela abriu a boca em protesto, querendo tocar mais, *degustar* mais.

— Me deixe — pediu ele, contra a pele entre os seios de Aelin, então escorregadia por causa do mar. — Me deixe tocá-la. — A voz estava tão trêmula que ela ergueu o queixo do feérico com o polegar e o indicador.

Um lampejo de medo e de alívio brilhou sob a luxúria reluzente. Como se fazer aquilo, como se a tocar, fosse tanto para lembrar a Rowan que Aelin sobrevivera ao dia, que estava segura, quanto para dar prazer a ela. A jovem ergueu o corpo, roçando a boca contra a do feérico.

— Faça seu pior, príncipe.

O sorriso de Rowan era pura malícia quando ele se afastou e percorreu com uma das mãos grandes desde o pescoço até a linha que unia as coxas de Aelin. Ela estremeceu sob a sensação de pura posse do toque; o fôlego vinha como um ofegar contido conforme o guerreiro segurava cada uma das coxas de Aelin e afastava suas pernas, expondo-a totalmente para ele.

Outra onda quebrou, esparramando-se em torno deles, a água fria era como mil beijos ao longo da pele. Rowan beijou o umbigo da jovem, então o quadril.

Aelin não conseguia tirar os olhos dos cabelos prateados do guerreiro, que brilhavam com água salgada e luar, nem das mãos que a seguravam aberta para ele conforme a cabeça mergulhava entre suas pernas.

E, quando Rowan a provou naquela praia, quando riu contra a pele úmida enquanto gritos roucos que diziam seu nome irrompiam por palmeiras e areia e água, Aelin se desvencilhou de toda intenção de ser racional.

Ela se moveu, ondulando os quadris, implorando a Rowan: *vai, vai, vai*. Então o guerreiro foi, deslizando um dedo para dentro dela conforme movia a língua sobre um ponto em particular, e, pelos deuses, ela explodiria em fogo estelar...

— Aelin — grunhiu Rowan, o nome dela era uma súplica.

— Por favor — gemeu ela. — *Por favor.*

A palavra o desfez. Ele se levantou sobre ela de novo, e Aelin soltou um som que poderia ter sido um soluço, poderia ter sido o nome do príncipe.

Então Rowan apoiou uma mão na areia ao lado da cabeça dela, com os dedos se entrelaçando aos cabelos de Aelin, enquanto a outra o levava para dentro da jovem. Ao primeiro toque, ela se esqueceu do próprio nome. E conforme ele deslizou com impulsos carinhosos e rítmicos, preenchendo-a centímetro a centímetro, Aelin se esqueceu de que era rainha e tinha um corpo próprio e um reino e um mundo de que cuidar.

Quando o feérico se posicionou profundamente nela, trêmulo ao se conter para que Aelin se ajustasse, ela ergueu as mãos incandescentes até o rosto do feérico, com vento e gelo rodopiando e rugindo em volta dos dois, dançando sobre as ondas com laços de chamas. Não havia palavras nos olhos de Rowan, e não havia nos dela também.

Palavras não faziam justiça àquilo. Em língua alguma, em mundo algum.

Rowan se inclinou para a frente, reivindicando a boca de Aelin conforme começava a se mover, e os dois se libertaram completamente.

Talvez ela estivesse chorando, ou talvez fossem as lágrimas dele no rosto dela, tornando-se vapor em meio às chamas.

Aelin arrastou as mãos pelas costas poderosas e musculosas, sobre cicatrizes de batalhas e terrores há muito passados. E, conforme os impulsos se tornaram mais profundos, ela enterrou os dedos, arrastando as unhas pelas costas de Rowan, reivindicando-o, marcando-o. Os quadris dele se chocaram contra ela diante do sangue tirado, e ela arqueou o corpo, expondo o pescoço para ele. Para ele... apenas ele.

A magia de Rowan se tornou selvagem, embora a boca no pescoço de Aelin fosse cuidadosa, mesmo ao arrastar os caninos pela pele da rainha. E ao toque daqueles dentes letais, da morte que pairava próxima e das mãos que sempre seriam gentis com ela, que sempre a amariam...

O êxtase irrompeu pelo corpo de Aelin, como fogo selvagem. E, embora ela não conseguisse se lembrar do próprio nome, lembrou-se do nome de Rowan, gritando-o enquanto ele continuava se movendo, extraindo cada última gota de prazer dela, com o fogo queimando a areia em torno do casal e transformando-a em vidro.

Diante daquela visão, o êxtase do próprio Rowan lhe percorreu o corpo, e o guerreiro gemeu o nome de Aelin para que ela se lembrasse dele, por fim, enquanto relâmpago se unia ao vento e ao gelo sobre a água.

Aelin segurou o corpo de Rowan naquele momento, lançando a opala de fogo da própria magia para se entrelaçar ao poder do feérico. Mais e mais, conforme Rowan se derramava dentro dela, relâmpago e chamas dançavam no mar.

O relâmpago continuou a cair, silencioso e delicioso, mesmo depois do feérico se acalmar. Os sons do mundo retornaram como uma torrente; a respiração dele estava tão irregular quanto o chiado das ondas que quebravam enquanto Rowan dava beijos preguiçosos na têmpora, no nariz e na boca de Aelin. Ela afastou os olhos da beleza da magia dos dois, da beleza *de ambos*, e encontrou no rosto de Rowan a maior beleza de todas.

A jovem tremia — assim como ele, que ainda permanecia em Aelin. Rowan enterrou o rosto na curva entre o pescoço e ombro da jovem, aquecendo a pele com a respiração irregular.

— Eu nunca... — Ele tentou falar, mas a voz estava rouca. — Não sabia que podia ser...

Aelin percorreu as costas cobertas de cicatrizes com os dedos, de novo e de novo.

— Eu sei — sussurrou ela. — Eu sei.

Aelin já queria mais, já estava calculando quanto tempo precisaria esperar.

— Certa vez você me disse que não se deve morder as mulheres de outros homens. — Rowan enrijeceu um pouco o corpo, mas Aelin continuou, tímida: — Isso quer dizer... que morde a própria fêmea, então?

Compreensão lampejou naqueles olhos verdes quando ele ergueu a cabeça do pescoço de Aelin para estudar o local em que aqueles caninos certa vez a perfuraram.

— Foi a primeira vez que realmente perdi o controle perto de você, sabia? Queria atirar você de um penhasco, mas a mordi antes que soubesse o que estava fazendo. Acho que meu corpo sabia, minha magia sabia. E seu gosto... — Rowan deu um suspiro entrecortado. — Era tão bom. Odiei você por isso. Não conseguia parar de pensar nele. Acordava à noite com aquele gosto na língua, acordava pensando em sua boca suja e linda. — Ele traçou os lábios de Aelin com o polegar. — Nem queira saber as coisas depravadas que pensei a respeito desta boca.

— Hmmm, igualmente, mas não respondeu minha pergunta — disse Aelin conforme contorcia os dedos dos pés na areia úmida e na água morna.

— Sim — confirmou Rowan, diretamente. — Alguns machos gostam de fazer isso. Para marcar território, por prazer...

— Fêmeas mordem machos?

Ele começou a se enrijecer de novo dentro de Aelin quando a pergunta pairou no ar. Pelos deuses... amantes feéricos. Todos deviam ter a bendita sorte de ter um. Rowan indagou, rouco:

— *Quer* me morder?

Aelin olhou para o pescoço dele, para aquele corpo glorioso e para o rosto que certa vez odiara tão ferozmente. E se perguntou se seria possível amar tanto alguém, a ponto de morrer disso. Se seria possível amar alguém tanto a ponto do tempo e da distância e da morte não terem importância.

— Tenho de ficar no pescoço?

Os olhos de Rowan se incendiaram, e o impulso de resposta bastou.

Eles se moveram juntos, ondulando como o mar adiante, e, quando o guerreiro rugiu o nome dela de novo contra o escuro salpicado de estrelas, Aelin esperou que os próprios deuses tivessem ouvido e soubessem que seus dias estavam contados.

❦ 39 ❧

Rowan não sabia se deveria se sentir alegre, empolgado ou levemente apavorado por ter sido abençoado com uma rainha e amante que se importava tão pouco com decência pública. Eles se amaram três vezes naquela praia — duas vezes na areia e uma terceira na água morna. Mesmo assim, o sangue do guerreiro ainda estava eletrizado. Mesmo assim, queria mais.

Os dois tinham nadado na parte rasa para lavar a areia que os envolvia, então Aelin entrelaçara as pernas na cintura de Rowan, beijara o pescoço e lambera a orelha do príncipe da forma como ele mordiscara a dela, levando-o a enterrar-se de novo dentro de Aelin. Ela sabia por que o guerreiro precisava do contato, por que precisava sentir o gosto dela na língua, assim como com o resto do corpo. Aelin precisava do mesmo.

Rowan ainda precisava daquilo. Quando terminaram da primeira vez, ele ficara se recompondo, para recuperar a sanidade depois da união que... o levara ao êxtase. Que o quebrara e reconstruíra. A magia do feérico era uma canção, e Aelin fora...

Ele jamais tivera nada como aquilo. Tudo o que dera a Aelin fora devolvido. E quando ela o mordera durante aquela segunda união na areia... A magia de Rowan deixara seis palmeiras próximas em farpas conforme ele atingira o clímax com tanta força que chegara a achar que o corpo fosse se despedaçar.

Então, ao terminarem, quando Aelin de fato fizera menção de caminhar de volta até baía da Caveira usando nada além das chamas, ele lhe dera a camisa e o cinto. O que fizeram pouco para cobri-la, principalmente aquelas lindas pernas, mas pelo menos daquele jeito era menos provável que iniciasse um tumulto.

Mas por pouco. E seria óbvio o que tinham feito na praia assim que chegassem ao alcance do olfato de qualquer um com sentidos sobrenaturais.

Rowan a marcara; com mais força que o cheiro que a envolvera antes. Marcara profunda e verdadeiramente, e não tinha como desfazer aquilo, não havia como lavar para que saísse. Aelin o reivindicara, e Rowan a reivindicara, sabendo que ela estava bem ciente do que aquela reivindicação significava — assim como ele sabia... Sabia que tinha sido uma escolha da jovem. Uma decisão final relacionada à questão de quem estaria no leito real.

O guerreiro tentaria corresponder àquela honra — tentaria encontrar *algum* modo de provar que merecia aquilo. Que Aelin não tinha apostado no cavalo errado. De alguma forma. Conquistaria aquilo. Mesmo com tão pouco a oferecer além da magia e do coração.

Mas ele também conhecia sua rainha. E sabia que, apesar da imensidão do que tinham feito, Aelin também o mantivera naquela praia para evitar os demais. Para evitar responder às perguntas e às exigências de todos. Contudo, só de colocar um pé dentro da Rosa do Oceano e ver a luz no quarto de Aedion, Rowan já sabia que os amigos não seriam contidos tão facilmente.

De fato, Aelin olhava para a luz com uma expressão de irritação — embora preocupação rapidamente a tivesse substituído ao se lembrar da metamorfa que estivera completamente inconsciente mais cedo. Com pés descalços e silenciosos, tanto na escada quanto no corredor, ela correu para o quarto, sem se incomodar em bater antes de escancarar a porta.

Rowan expirou profundamente, tentando usar a magia para acalmar o fogo que ainda ardia em seu sangue. Para acalmar os instintos que rugiam e se debatiam dentro de si. Não devido ao desejo por Aelin, mas sim de eliminar qualquer outra ameaça.

Um momento perigoso, para qualquer macho feérico, quando tomavam um amante pela primeira vez. Pior quando significava algo mais.

Dorian e Aedion estavam sentados nas duas poltronas diante da lareira apagada, de braços cruzados.

E o rosto do primo empalidecera com o que poderia ter sido terror quando sentiu o cheiro de Aelin; as marcas visíveis e invisíveis nos dois.

Lysandra estava sentada na cama, com a expressão drenada, mas os olhos se semicerraram para a amiga, e ela ronronou:

— Aproveitou o passeio?

Aedion não ousou se mover e deu um olhar de aviso a Dorian para que fizesse o mesmo. Rowan conteve a raiva ao ver os outros machos próximos de sua rainha, lembrando-se de que eram amigos, mas...

Aquela raiva primordial hesitou quando o guerreiro sentiu o alívio trêmulo de Aelin ao descobrir a metamorfa quase completamente curada e lúcida. A rainha apenas deu de ombros.

— Não é para isso que servem todos esses machos feéricos?

Rowan ergueu as sobrancelhas, rindo ao debater se lembrava a ela de como Aelin tinha implorado enquanto estiveram juntos, como dissera palavras como *por favor* e *pelos deuses* e então mais alguns *por favor* atirados por educação. Ele ia se divertir ao lhe tirar aqueles bons modos quase nunca vistos outras vezes.

Aelin lançou um olhar de raiva para Rowan, desafiando-o a dizer aquilo. E apesar de ter acabado de tomá-la, apesar de ainda lhe sentir o gosto, o guerreiro sabia que, quando quer que caíssem na cama, Aelin não teria descanso.

Cor manchou as bochechas da jovem, como se visse os planos de Rowan se desdobrando, mas então ela ergueu o amuleto ao redor do pescoço, apoiou-o na mesa baixa entre Aedion e Dorian, e falou:

— Descobri que isso era a terceira chave de Wyrd quando ainda estava em Wendlyn.

Silêncio.

Em seguida, como se não tivesse destruído qualquer senso de segurança que ainda possuíam, Aelin sacou o Olho de Elena desgastado da bolsa, atirando-o uma vez no ar, e indicou o rei de Adarlan com o queixo.

— Acho que está na hora de conhecer sua ancestral.

～

Dorian ouviu a história de Aelin.

Sobre a chave de Wyrd que carregara secretamente, sobre o que acontecera na baía, sobre como enganara Lorcan e como aquilo por fim o levaria de volta até eles — ela esperava que com as outras duas chaves em mãos. E, com sorte, já teriam encontrado aquele Fecho que Aelin fora duas vezes ordenada a recuperar do pântano de Pedra; a única coisa capaz de unir as chaves de

Wyrd de volta ao portão do qual foram escavadas e acabar com a ameaça de Erawan para sempre.

Nenhum número de aliados faria diferença se o Rei Sombrio não fosse impedido de usar aquelas chaves e libertar suas hordas valg sobre Erilea. A posse de duas chaves já levara àquela escuridão. Se Erawan obtivesse a terceira e dominasse o portão de Wyrd, podendo abri-lo para qualquer mundo que quisesse e o usasse a fim de conjurar qualquer exército desbravador... Precisavam encontrar aquele Fecho e anular as chaves.

Quando terminou, Aedion irritava-se silenciosamente, Lysandra franzia a testa, e a própria Aelin apagava as velas no quarto com um gesto curto das mãos. Dois volumes enormes e antigos, retirados das bolsas de sela entulhadas de seu primo, estavam abertos na mesa. Ele conhecia os livros; não fazia ideia de que Aelin os pegara de Forte da Fenda. O metal retorcido do amuleto do Olho de Elena fora apoiado sobre um dos livros enquanto Aelin verificava de novo as marcas em uma página manchada pelo tempo.

A escuridão caiu quando ela usou o próprio sangue para entalhar aquelas marcas no piso de madeira.

— Parece que nossa conta de danos à cidade vai aumentar — murmurou Lysandra.

Aelin riu com escárnio.

— Podemos mover o tapete para cobrir. — Ela terminou de fazer a marca; uma marca de Wyrd, percebeu Dorian, com um calafrio, ao recuar um passo e pegar o Olho do punho de Aelin.

— E agora? — indagou Aedion.

— Agora ficamos de boca fechada — respondeu Aelin, com meiguice.

O luar se espalhou pelo chão, devorado pelas linhas escuras que haviam sido gravadas. Ela foi até a beira da cama onde Rowan estava sentado, ainda sem camisa graças à rainha que no momento *vestia* sua camisa, e se colocou ao lado do príncipe feérico, pousando a mão em seu joelho.

Lysandra foi a primeira a notar.

Ela se sentou na cama, e os olhos verdes brilharam com uma força animal quando o luar refletido nas marcas de sangue pareceu reluzir. Aelin e Rowan ficaram de pé. Dorian apenas encarou as marcas, a lua, os raios de luar que entravam pelas portas abertas da sacada.

Como se a própria luz fosse um portal, o feixe de luar se tornou uma figura humanoide.

Ela tremeluziu; a forma mal estava ali, como uma criatura de sonhos.

Os pelos se arrepiaram no braço de Dorian, que teve o bom senso de sair da cadeira e se ajoelhar, fazendo uma reverência com a cabeça.

Foi o único que o fez. O único, percebeu ele, que falara com o parceiro de Elena, Gavin. Havia muito tempo — uma vida atrás. O rapaz tentou não considerar o que significava o fato de ele ainda carregar a espada de Gavin, Damaris. Aelin não a pedira de volta... e não parecia que o faria.

Uma voz feminina abafada, como se chamasse de muito longe, estremecia e se dissipava com a imagem.

— Muito... longe — disse uma voz jovem e suave.

Aelin deu um passo à frente e fechou os antigos livros de feitiços antes de os empilhar com um ruído alto.

— Bem, Forte da Fenda não está exatamente disponível, e sua tumba está destruída, então, *azar*.

A cabeça de Dorian se ergueu, olhando entre a figura tremeluzente do luar e a jovem rainha de carne e osso.

O corpo mal delineado de Elena sumiu e ressurgiu, como se o próprio vento a tivesse perturbado.

— Não posso... segurar...

— Então serei rápida. — A voz de Aelin estava afiada como uma lâmina. — Chega de jogos. Chega de meias-verdades. *Por que* Deanna apareceu hoje? Já entendi: encontrar o Fecho é importante. Mas *o que* é o objeto? E me diga o que ela quis dizer ao me chamar de Rainha Que Foi Prometida.

Como se as palavras tivessem atingido a rainha morta feito um relâmpago, a ancestral de Dorian surgiu, totalmente corpórea.

Ela era linda: o rosto era jovem e sério, os cabelos longos e branco-prateados — como os de Manon — e os olhos... De um azul espantoso e deslumbrante. Ela os fixou nele, com o vestido pálido oscilando em uma brisa fantasma.

— Levante-se, jovem rei.

Aelin riu com escárnio.

— Podemos não jogar o jogo do "espírito antigo mais sagrado"?

Mas Elena observou Rowan e Aedion conforme o pescoço fino e branco ondulou.

E Aelin, pelos deuses, estalou os dedos para a rainha — uma vez, duas —, atraindo a atenção de volta para si.

— Oi, Elena — chamou a jovem. — Que bom vê-la. Quanto tempo, hein? Se importa de responder a algumas perguntas?

Irritação tremeluziu nos olhos da rainha morta. Ainda assim, a cabeça de Elena estava erguida, e os ombros finos, empertigados.

— Não tenho muito tempo. É difícil demais manter a conexão tão longe de Forte da Fenda.

— Que surpresa.

As duas rainhas se encararam.

Elena, maldito Wyrd, cedeu primeiro.

— Deanna é uma deusa. Ela não tem regras, morais e códigos como nós. *Tempo* não existe para ela da forma como existe para nós. Você deixou que magia tocasse a chave, a chave abriu uma porta, e Deanna por acaso observava naquele exato momento. O fato de ela sequer ter falado com você é uma dádiva. O fato de você a ter expulsado antes que ela estivesse pronta... Esse insulto não será esquecido tão cedo, *Majestade*.

— Ela pode entrar na fila — retrucou Aelin.

Elena balançou a cabeça.

— Há... há tanto que não consegui lhe contar.

— Como o fato de que você e Gavin jamais mataram Erawan, mentiram para todos a respeito disso e o deixaram para que lidássemos com ele?

Dorian arriscou olhar para Aedion, mas sua expressão parecia severa, calculista, sempre o general... fixo na rainha morta que estava de pé naquele quarto com eles. Lysandra; Lysandra tinha sumido.

Não, tinha se transformado em leopardo-fantasma, furtivamente indo para as sombras. A mão de Rowan estava sobre a espada, embora a magia de Dorian tivesse varrido o quarto e percebido que a arma seria a distração física do golpe mágico que seria aplicado em Elena, caso ela sequer olhasse diferente para Aelin. De fato, havia um escudo duro de ar entre as duas rainhas naquele momento... que selava o quarto também.

Elena sacudiu a cabeça, e os cabelos prateados oscilaram.

— Você deveria ter recuperado as chaves de Wyrd antes que Erawan chegasse tão longe.

— Bem, não recuperei — disparou Aelin. — Perdoe-me se você não foi totalmente *clara* em suas direções.

— Não tenho tempo de explicar, mas saiba que era a única escolha — replicou Elena. — Para nos salvar, para salvar Erilea, era a única escolha que eu podia fazer. — E, apesar de toda a tensão entre as duas, a rainha expôs a palma das mãos para Aelin. — Deanna e meu pai disseram a verdade. Achei... Achei que estivesse quebrado, mas... se disseram a você para encontrar o Fecho... — Ela mordeu o lábio.

— Brannon disse para ir ao pântano de Pedra de Eyllwe para encontrar o Fecho. *Onde*, precisamente, no pântano? — indagou Aelin.

— Um dia uma grandiosa cidade existiu no coração do pântano — sussurrou Elena. — Está agora meio submersa nas planícies. No templo em seu centro, dispusemos os resquícios do Fecho. Eu não... Meu pai obteve o Fecho a um preço terrível. O preço... do corpo de minha mãe, de sua vida mortal. Um Fecho para as chaves de Wyrd, para selar o portão e trancar as chaves dentro dele para sempre. Não tinha entendido qual era seu propósito; meu pai jamais me contou sobre isso até ser tarde demais. Tudo o que eu sabia era que o Fecho só poderia ser usado uma vez, o poder era capaz de selar *qualquer* coisa que quiséssemos. Então eu o roubei. Usei para mim, para meu povo. Estou pagando por esse crime desde então.

— Usou o Fecho para selar Erawan na própria tumba — disse Aelin, baixinho.

A súplica se dissipou do rosto de Elena.

— Meus amigos morreram no vale das montanhas Sombrias naquele dia para que eu tivesse a chance de impedi-lo. Ouvi seus gritos, mesmo no coração do acampamento de Erawan. Não pedirei desculpas por tentar acabar com o massacre para que os sobreviventes pudessem ter um futuro. Para que *você* pudesse ter um futuro.

— Então usou o Fecho e depois o atirou em uma ruína?

— Nós o colocamos dentro da cidade sagrada na planície, para ser uma celebração das vidas perdidas. Mas um grande cataclismo agitou a terra décadas depois... e a cidade afundou, a água do pântano inundou tudo, e o Fecho foi esquecido. Ninguém jamais o recuperou. O poder já tinha sido usado. Era apenas um pedaço de metal e vidro.

— E agora não é?

— Se tanto meu pai quanto Deanna o mencionaram, deve ser vital para acabar com Erawan.

— Perdoe-me se não confio na palavra de uma deusa que tentou me usar como uma marionete para explodir esta cidade até que virasse caquinhos.

— Os métodos de Deanna são oblíquos, mas provavelmente não quis lhe fazer mal...

— Mentira.

Elena tremeluziu de novo.

— Vá para o pântano de Pedra. Encontre o Fecho.

— Eu disse a Brannon e direi a você: temos assuntos mais urgentes no momento...

— Minha mãe *morreu* para forjar aquele Fecho — disparou a rainha, os olhos incandescentes. — Ela entregou o corpo mortal para que meu pai pudesse forjar o Fecho. Fui eu quem quebrou a promessa de como ele deveria ser usado.

Aelin piscou, e Dorian se perguntou se não deveria ficar realmente preocupado, pois até mesmo sua amiga estava sem palavras. Então a jovem sussurrou:

— Quem era sua mãe?

O jovem rei vasculhou a memória, todas as lições de história sobre a própria casa real, mas não conseguiu se lembrar.

Elena fez um som que poderia ter sido um soluço, a imagem se dissipou em teias e luar.

— Ela que mais amou meu pai. Ela que o abençoou com dons tão poderosos e, então, se prendeu em um corpo mortal e ofereceu a ele o dom do próprio coração.

Os braços de Aelin ficaram inertes ao lado do corpo.

— Merda — soltou Aedion.

Elena deu um riso sem humor ao dizer para Aelin:

— Por que acha que queima tão forte? Não é apenas o sangue de Brannon em suas veias. Mas o de Mala.

— Mala, Portadora do Fogo, era sua mãe — sussurrou Aelin.

Elena já havia sumido.

— Sinceramente, é um milagre que vocês duas não tenham se matado — falou o general.

Dorian não se incomodou em corrigi-lo, dizendo que era tecnicamente impossível, pois uma delas já estava morta. Em vez disso, considerou tudo o que a rainha dissera e exigira. Rowan, permanecendo em silêncio, parecia fazer o mesmo. Lysandra farejou as marcas de sangue, como se as testasse para descobrir quaisquer resquícios da antiga rainha.

Aelin encarou as portas abertas da sacada, com os olhos semicerrados e a boca formando uma linha fina. Ela abriu o punho e examinou o Olho de Elena, ainda na palma da mão.

O relógio soou uma da manhã. Devagar, a jovem se voltou para eles. Para ele.

— O sangue de Mala está em nossas veias — disse ela, rouca, os dedos fechando em torno do Olho antes de o colocar no bolso da camisa.

Dorian piscou, percebendo que de fato estava. Que talvez ambos fossem tão consideravelmente dotados por causa disso. O rapaz perguntou a Rowan, afinal, ele poderia ter ouvido ou testemunhado algo em todas as viagens que fizera:

— É realmente possível... que um deus se torne mortal assim?

O guerreiro, que estivera observando Aelin um pouco cauteloso, se virou para Dorian.

— Nunca ouvi falar de tal coisa. Mas... Feéricos já abriram mão da imortalidade para unir as vidas àquelas dos parceiros mortais. — O jovem rei teve a sensação de que Aelin deliberadamente examinava uma mancha na camisa. — É bem possível que Mala tenha encontrado uma forma de fazê-lo.

— Não é apenas possível — murmurou Aelin. — Ela *fez* isso. Aquele... poço de poder que descobri hoje... Era da própria Mala. Elena pode ser muitas coisas, mas não mentiria quanto a isso.

Lysandra voltou à forma humana, cambaleando a ponto de ter de se apoiar na cama antes que Aedion pudesse se mover para equilibrá-la.

— Então o que fazemos agora? — perguntou ela, com a voz grave. — A frota de Erawan ocupa o golfo de Oro; Maeve veleja para Eyllwe. Mas nenhum dos dois sabe que nós possuímos essa chave de Wyrd, ou que esse Fecho existe... e que está exatamente entre suas forças.

Por um segundo, Dorian se sentiu como um tolo inútil conforme todos, inclusive ele, olharam para Aelin. Ele era o rei de Adarlan, lembrou-se a si mesmo. Em grau de igualdade com ela. Mesmo que as terras e o povo lhe tivessem sido roubados, que a capital tivesse sido capturada.

Aelin esfregou os olhos com o polegar e o indicador, soltando um suspiro longo.

— Odeio muito, muito mesmo essa velha tagarela. — Ela ergueu a cabeça, observando todos, e disse, simplesmente: — Velejamos para o pântano de Pedra de manhã para procurar o tal Fecho.

— E Rolfe e os mycenianos? — perguntou Aedion.

— Ele pode levar metade da frota para encontrar o restante dos mycenianos, onde quer que estejam escondidos. Então poderá velejar com todos para o norte, para Terrasen.

— Forte da Fenda está no meio do caminho, com serpentes aladas patrulhando a cidade — replicou o general. — E esse plano depende de podermos *realmente* confiar em Rolfe para cumprir a promessa.

— Rolfe sabe ficar fora do alcance — disse Rowan. — Não temos muita escolha a não ser confiar nele. E ele honrou a promessa que fez a Aelin com relação aos escravizados dois anos e meio atrás. — Sem dúvida por isso ela o fizera confirmar aquilo tão insistentemente.

— E a outra metade da frota de Rolfe? — insistiu Aedion.

— Uma parte fica para guardar o arquipélago — respondeu Aelin. — E outra vem conosco para Eyllwe.

— Não pode enfrentar a armada de Maeve com uma fração da frota de Rolfe — comentou o primo, cruzando os braços. Dorian conteve a vontade de concordar, deixando o general sozinho. — Muito menos as forças de Morath.

— Não vou até lá comprar briga.

Foi tudo que Aelin disse. E foi isso.

Eles se dispersaram; Aelin e Rowan saíram para o próprio quarto.

Dorian permaneceu acordado, mesmo quando a respiração dos companheiros se tornou pesada e lenta. Ele remoeu cada palavra que Elena havia proferido, remoeu aquela aparição distante de Gavin, que o acordara a fim de impedir a abertura do portal por Aelin. Talvez Gavin tivesse feito aquilo não para poupar Aelin da condenação, mas sim evitar que deuses de olhos frios, à espreita, a tomassem, como fizera Deanna naquele dia.

Dorian afastou a especulação, decidindo analisá-la quando estivesse menos inclinado a chegar a conclusões precipitadas. Mas os fios estavam dispostos em uma trama em sua mente, em tons de vermelho e verde e dourado e azul, reluzindo e latejando, sussurrando segredos em línguas não faladas naquele mundo.

Uma hora depois do alvorecer, eles partiram de baía da Caveira no navio mais rápido emprestado por Rolfe. O lorde pirata não se incomodou em se despedir, já preocupado em preparar a própria frota, antes que saíssem do porto reluzente em direção ao exuberante arquipélago além. No entanto, ele concedeu a Aelin um presente de despedida: coordenadas vagas para o Fecho. O mapa do capitão o encontrara — ou melhor, sua localização geral. Rolfe os advertiu que algum tipo de feitiço de guarda devia proteger o objeto, se a tatuagem não conseguia precisar o local. Mas era melhor que nada, supôs Dorian. Aelin resmungara o mesmo.

Rowan circulava bem no alto, na forma de gavião, vigiando atrás e adiante. Fenrys e Gavriel estavam nos lemes, ajudando a remar para sair do porto; Aedion fazia o mesmo, a uma distância confortável do pai.

O próprio Dorian estava no leme ao lado da capitã baixinha e irritadiça — uma mulher mais velha que não tinha interesse em falar com ele, sendo rei ou não. Lysandra nadava na água abaixo em uma ou outra forma, guardando-os de qualquer ameaça sob a superfície.

E Aelin estava sozinha na proa, com os cabelos dourados soltos e esvoaçantes, tão imóvel que poderia ter sido gêmea da figura de proa poucos metros abaixo. O sol nascente a projetava em dourado tremeluzente, sem nenhum indício do fogo lunar que ameaçara destruir a todos.

Mas... mesmo enquanto a rainha estava imponente diante das sombras do mundo... um sopro frio delineou o coração de Dorian.

E ele se perguntou se Aelin por acaso não observava o arquipélago, os mares e os céus como se jamais fosse vê-los de novo.

∿

Três dias depois, navegavam quase fora do alcance sufocante do arquipélago. Dorian estava novamente no leme, Aelin, na proa, e os demais, espalhados em diversos turnos de reconhecimento e descanso.

A magia do rapaz sentiu algo antes que ele percebesse qualquer coisa. Uma sensação de cautela, de aviso e de despertar.

Dorian analisou o horizonte. Os guerreiros feéricos ficaram em silêncio antes dos demais.

Parecia uma nuvem a princípio — uma pequena nuvem jogada pelo vento no horizonte. Então um grande pássaro.

Quando os marinheiros começaram a correr até as armas, a mente do jovem rei por fim disparou um nome para a besta que mergulhava em sua direção com asas grandes e reluzentes. *Serpente alada.*

Havia apenas uma. E apenas uma montadora sobre ela. Uma montadora que não se movia, cujos cabelos brancos estavam soltos... deslizando para o lado. Assim como a montadora.

A serpente alada se abaixou mais, varrendo a superfície da água. Lysandra se colocou imediatamente a postos, esperando as ordens da rainha para se transformar em qualquer que fosse a forma que a enfrentaria...

— Não. — A palavra irrompeu dos lábios de Dorian antes que ele pudesse pensar. Mas então foi repetida, diversas e diversas vezes, conforme a besta e montadora se aproximavam mais do navio.

A bruxa estava inconsciente, e o corpo se inclinava para o lado, desacordado, coberto de sangue azul. *Não atire, não atire...*

Dorian rugia a ordem enquanto disparava para Fenrys, que sacara o arco longo e apontava uma flecha de ponta preta para o pescoço exposto da bruxa. As palavras foram engolidas pelos gritos dos marinheiros e da capitã. A magia do jovem rei se inflou quando ele desembainhou Damaris...

Mas então a voz de Aelin soou por cima da comoção:

— *Não atirem!*

Todos pararam. A serpente alada se aproximou, depois deu uma volta, circundando o barco.

Sangue azul formava crostas nas laterais cobertas de cicatrizes da besta. Havia tanto sangue. A bruxa mal se continha na sela. O rosto queimado de sol parecia drenado de cor, e os lábios, mais pálidos que osso de baleia.

A serpente alada completou o círculo, voando mais baixo, preparando-se para pousar o mais perto possível do barco. Não para atacar... mas para pedir ajuda.

Em um momento, o animal voava suavemente pelas ondas cobalto. Então a bruxa se curvou tanto que o corpo parecia não ter ossos. Como se, naquele segundo, quando a ajuda estava a poucos metros, qualquer que fosse a sorte que a mantivera na sela a abandonasse, por fim.

O navio ficou em silêncio quando Manon Bico Negro tombou da sela, despencando em meio a vento e corrente, e atingiu a água.

PARTE DOIS

Coração de Fogo

❧ 40 ❧

A fumaça fizera os olhos de Elide arderem durante grande parte da abafada manhã cinzenta.

Molly alegara que eram apenas fazendeiros queimando campos não cultivados, a fim de que as cinzas fertilizassem a terra para a colheita do ano seguinte. Deviam estar a quilômetros de distância, mas a fumaça e as cinzas viajariam longe com o vento ágil em direção ao norte. O vento para seu lar, para Terrasen.

No entanto, eles não se dirigiam para lá. Seguiam para o leste, direto para a costa.

Em breve Elide precisaria cortar para o norte. Tinham passado por uma cidade — apenas uma, e os cidadãos já estavam cansados de atrações itinerantes e de artistas. Mesmo com a noite mal começando, ela sabia que provavelmente só conseguiriam dinheiro suficiente para cobrir as despesas de estadia.

A jovem atraíra o total de quatro clientes para a pequena tenda até então, a maioria rapazes, querendo saber qual das meninas da cidade gostava deles, mal reparando que Elide — sob a maquiagem espessa como creme emplastrada na face — não era mais velha que eles. Escassearam quando os amigos passaram, sussurrando pelas abas de entrada da tenda, pintada com estrelas, que um espadachim fazia um espetáculo imperdível, e que seus braços eram quase do tamanho de troncos de árvore.

Elide ficara com raiva, tanto dos rapazes fracos que sumiram — um sem pagar — quanto de Lorcan, por ter roubado a cena.

Ela esperou dois minutos antes de sair, a peruca enorme e ridícula que Molly colocara em sua cabeça prendendo nas abas. Pedaços de contas e penduricalhos oscilantes pendiam da abertura em arco, e Elide os afastou dos olhos, quase tropeçando nas vestes vermelho-sangue conforme ia ver qual era o motivo da comoção.

Se os rapazes da cidade tinham ficado impressionados com os músculos de Lorcan, não era nada em comparação ao que aqueles músculos faziam com as moças.

E com as mulheres mais velhas, percebeu Elide, sem se incomodar em se espremer em meio à multidão amontoada diante do palco improvisado no qual Lorcan, de pé, fazia malabarismo e atirava espadas e facas.

Ele não era um artista natural. Não, na verdade, tinha a audácia de aparentar *tédio* lá em cima, parecia quase descaradamente emburrado.

Mas o que lhe faltava em charme ele compensava com o corpo sem camisa besuntado em óleo. E pelos deuses...

O semifeérico fazia os rapazes que haviam visitado a tenda se parecerem com... crianças.

Ele equilibrava e atirava as armas, como se não fossem nada, e Elide teve a sensação de que o guerreiro apenas praticava um dos exercícios diários. Mas a multidão ainda assim emitia *uhs* e *ahs* a cada giro e lançamento e pegada, em seguida moedas ainda caíam na panela na beira do palco.

Com as tochas ao redor, os cabelos pretos pareciam engolir a luz enquanto os olhos cor de ônix estavam inexpressivos e entediados. Elide se perguntou se Lorcan imaginava o assassinato de todos que babavam por ele, como cães em volta de um osso. Não podia culpá-lo.

Uma gota de suor deslizou pela mancha espessa de pelos pretos no peito escultural de Lorcan. Elide observou, um pouco hipnotizada, conforme a gota desceu pelas reentrâncias musculosas da barriga. Seguindo mais para baixo.

Não era melhor que aquelas mulheres suspirando, disse a jovem a si mesma, prestes a voltar para a tenda quando Molly comentou ao seu lado:

— Seu marido poderia simplesmente estar sentado ali, ajeitando meias, e mulheres ainda assim esvaziariam os bolsos pela chance de admirá-lo.

— Ele exercia o mesmo fascínio em qualquer lugar a que fôssemos com nossa antiga trupe — mentiu Elide.

Molly emitiu um estalo com a língua.

— Tem sorte — murmurou ela, quando Lorcan atirou a espada para o alto e as pessoas arquejaram. — Por ele ainda olhá-la do jeito que olha.

A jovem se perguntou se Lorcan sequer continuaria olhando na sua cara caso lhe contasse como se chamava, quem era e o que carregava. Ele dormira no chão da tenda todas as noites; não que Elide jamais tivesse se incomodado em oferecer o colchão. O guerreiro costumava chegar depois de ela ter caído no sono, e saía antes que acordasse. Ela não fazia ideia do que ele fazia — talvez exercícios, pois o corpo era... daquele jeito.

Lorcan atirou três facas no ar, fazendo uma reverência sem um pingo de humildade ou diversão para a multidão. Eles arquejaram de novo conforme as lâminas apontaram para a coluna exposta do guerreiro.

Mas, com uma manobra simples e bela, ele rolou, pegando cada lâmina, uma após a outra.

A multidão comemorou, e Lorcan olhou indiferentemente para a panela de moedas.

Mais cobre — e alguma prata — fluía como gotas de chuva.

Molly soltou uma risada baixa.

— Desejo e medo podem abrir qualquer carteira. — Um olhar ríspido. — Não deveria estar em sua tenda?

Elide nem se incomodou em responder, apenas saiu, e podia ter jurado que sentira o olhar de Lorcan se concentrar nela, na peruca e nas contas tilintantes, nas vestes longas e volumosas. Ela continuou sua tarefa e aturou mais alguns rapazes — e algumas moças — curiosos sobre as vidas amorosas, antes de se ver novamente sozinha naquela tenda estúpida, a escuridão somente iluminada por minúsculas velas, penduradas em esferas de cristal.

A jovem esperava pelo grito de Molly, finalmente anunciando o encerramento das atrações, quando Lorcan entrou batendo os ombros nas abas da tenda, limpando o rosto com um pedaço de tecido que muito certamente não era a própria camisa.

— Molly vai implorar para que fique, sabe disso, não? — comentou Elide.

Ele se sentou na cadeira dobrável diante da mesa redonda.

— É sua previsão profissional?

A jovem afastou uma fileira de contas que oscilava contra os olhos.

— Vendeu a camisa também?

Lorcan deu um sorriso feral.

— Consegui dez moedas de cobre da mulher de um fazendeiro.

Elide fez uma careta.

— Que nojo.

— Dinheiro é dinheiro. Suponho que não precise se preocupar com isso, considerando todo o ouro que tem escondido.

Ela o encarou de volta, sem se incomodar em parecer agradável.

— Está estranhamente bem-humorado.

— É o que acontece quando duas mulheres e um homem lhe oferecem a cama pela noite.

— Por que está aqui então? — O tom foi mais afiado do que Elide pretendia.

Lorcan observou as esferas penduradas, o tapete de lã, a toalha de mesa preta, então as pequenas mãos da jovem, com cicatrizes e calos, que seguravam a beirada da mesa.

— Não estragaria seu disfarce se eu saísse de fininho à noite com outra pessoa? Seria esperado que você me expulsasse, que ficasse de coração partido e revoltada pelo resto de seu tempo aqui.

— É melhor aproveitar — retrucou Elide. — Pois vai embora em breve.

— Você também — lembrou Lorcan.

A jovem bateu com um dedo na toalha de mesa, sentindo o atrito do tecido áspero contra a pele.

— O que foi? — indagou ele. Como se fosse inconveniente demonstrar educação.

— Nada.

Não era nada, no entanto. Elide sabia por que estava atrasando aquela virada para o norte, a partida inevitável daquele grupo e a solitária caminhada final.

Mal conseguia causar impacto em um parque de atrações. Que droga faria em uma corte com pessoas tão poderosas — principalmente sem saber ler? Enquanto Aelin podia destruir reis e salvar cidades, que droga ela faria para provar seu valor? Lavar suas roupas? A louça?

— Marion — disse Lorcan, com a voz grave.

Ela ergueu o rosto, surpresa por ele ainda estar ali. Os olhos pretos eram indecifráveis na escuridão.

— Muitos rapazes foram incapazes de tirar os olhos de você esta noite. Por que não se diverte com eles?

— Por quê? — disparou ela. A ideia de um estranho tocando-a, de algum homem sem rosto e sem nome lhe colocando as patas no escuro...

Lorcan ficou imóvel, então disse, muito calmamente:

— Quando estava em Morath, alguém...

— Não. — Elide sabia o que ele queria dizer. — Não... não chegou a esse ponto. — Mas a memória daqueles homens tocando-a, rindo de sua nudez... Ela a afastou. — Nunca estive com um homem. Nunca tive a chance nem o interesse.

Ele inclinou a cabeça, levando os cabelos pretos e sedosos a deslizar sobre o rosto.

— Prefere mulheres?

A jovem piscou para Lorcan.

— Não... acho que não. Não sei o que prefiro. De novo, nunca... nunca tive a oportunidade de sentir... isso. — Desejo, luxúria, ela não sabia. E não sabia como ou por que tinham acabado conversando sobre aquilo.

— Por quê? — E com toda considerável concentração de Lorcan voltada para ela, com a forma como o guerreiro olhava para sua boca pintada de vermelho, Elide quis lhe contar. Sobre a torre, e Vernon, e os pais. Sobre por que, se algum dia sentisse desejo, seria o resultado de confiar tanto em alguém a ponto de aqueles horrores se dissiparem, o resultado de saber que a pessoa lutaria com unhas e dentes para mantê-la livre, e que nunca iria trancafiá-la, feri-la e nem abandoná-la.

Ela abriu a boca. Então os gritos começaram.

Lorcan não sabia por que porcaria de razão estava na ridícula tendinha de oráculo de Marion. Precisava se banhar, precisava limpar o suor e o óleo e a *sensação* de todos aqueles olhares lascivos sobre si.

Mas a notara na multidão enquanto terminava a apresentação deplorável. Não a vira mais cedo na noite, antes de a jovem colocar aquela peruca e aquelas vestes, mas... talvez fossem os cosméticos, o lápis pesado sob os olhos, a forma como os lábios pintados de vermelho faziam a boca parecer um pedaço de fruta fresca, mas... O guerreiro reparara.

Reparara na forma como os homens a tinham notado também. Alguns tinham olhado descaradamente, com admiração e luxúria estampados no corpo, conforme Marion permanecia no limite da multidão, alheia àquilo e o observando.

Linda. Depois de algumas semanas com comida e segurança, a jovem apavorada e macilenta tinha, de alguma forma, passado de bonitinha a linda. O semifeérico terminara a apresentação mais cedo do que pretendia, mas, ao olhar de novo, Marion já tinha ido embora.

Como um maldito cão, ele farejara seu cheiro em meio à multidão e a seguira até a tenda.

Nas sombras e luzes tremeluzentes do lado de dentro, com a peruca e as contas oscilantes e as vestes vermelho-escuras... o oráculo encarnado. Serena, delicada... e completamente proibida.

E Lorcan estivera tão concentrado em se xingar por encarar aquela boca madura e pecaminosa enquanto a jovem admitia que ainda era intocada que não tinha detectado nada estranho até os gritos começarem.

Não, estivera ocupado demais contemplando que sons poderiam vir daquela boca carnuda se ele, devagar e gentilmente, ensinasse a ela as artes da alcova.

Lorcan supôs que o ataque era a forma de Hellas lhe dizer que mantivesse o pau nas calças e a mente longe da sarjeta.

— *Vá para debaixo de uma carruagem e fique lá* — disparou ele, antes de correr para fora da tenda. Não esperou para ver se ela iria obedecer. Marion era esperta, sabia que teria mais chances de sobreviver se o ouvisse e encontrasse abrigo.

Lorcan libertou seu dom pelo parque em pânico — uma onda terrível de poder sombrio varreu o território, então voltou rapidamente para contar o que sentira. Seu poder estava contente, ofegante de uma forma que o guerreiro conhecia muito bem: morte.

Em uma ponta do campo, estavam os limites da cidadezinha. Na outra, um bosque de árvores e a noite infinita... e asas.

Silhuetas imponentes e musculosas mergulharam dos céus; a magia de Lorcan captou quatro. Quatro ilken aterrissaram, com garras estendidas e dentes dilaceradores de carne expostos. Ao que parecia, as asas encouraçadas os marcavam como alguma pequena variação daqueles que os rastrearam na floresta de Carvalhal. Uma variação... ou o aperfeiçoamento de um caçador já implacável.

Pessoas corriam, gritando... na direção da cidade, na direção da cobertura dos campos escuros além.

Aquelas fogueiras distantes não haviam sido feitas por fazendeiros para queimar os campos em desuso.

Haviam sido feitas para cobrir o céu, para ocultar o cheiro daquelas bestas. De Lorcan. Ou de qualquer outro guerreiro com dons.

Marion. Estavam caçando Marion.

O parque estava em caos; os cavalos relinchavam e escoiceavam. Ele disparou para o coração do acampamento, onde os quatro ilken aterrissaram, bem no local em que estivera se apresentando minutos antes, a tempo de ver um deles pousar sobre um rapaz e o derrubar de costas.

O sujeito ainda gritava por deuses que não responderiam quando o ilken se inclinou, erguendo uma garra longa, e abriu sua barriga com um gesto ágil. Ainda gritava quando o ilken abaixou o rosto mutilado e se banqueteou.

— Maldito inferno, o que *são* essas criaturas? — Era Ombriel, com uma espada longa em punho, e segurando-a de um jeito que revelava a Lorcan a competência da jovem em manejá-la. Nik veio em disparada atrás dela, com duas lâminas ásperas e quase enferrujadas nas mãos gordas.

— Soldados de Morath. — Foi tudo o que Lorcan ofereceu. Nik olhava para a lâmina e o machado que o guerreiro tinha sacado, sem nem considerar fingir não saber como usar qualquer um deles, fingir ser um homem simples da natureza. Então ele explicou, com precisão fria: — São naturalmente capazes de atravessar a maioria dos campos mágicos, e apenas a decapitação os derruba.

— Têm quase 2,5 metros — comentou Ombriel, o rosto pálido.

Lorcan os deixou com suas próprias conclusões e medo, entrando no anel de luz no coração do acampamento conforme os quatro ilken terminavam de brincar com o rapaz. O humano ainda estava vivo, silenciosamente proferindo súplicas por ajuda.

O guerreiro disparou o poder e seria capaz de jurar que o rapaz tinha gratidão nos olhos ao sentir o beijo da morte saudá-lo.

Os ilken ergueram os rostos como um único ser, sibilando baixinho. Sangue escorria de seus dentes.

Lorcan rodopiou para dentro do próprio poder, preparando-se para os distrair e atordoar, caso ainda fossem resistentes à magia. Talvez Marion tivesse tempo de fugir. Com gargalhadas dançando na língua cinzenta, o ilken que dilacerara a barriga do rapaz indagou:

— É você quem está no comando?

— Sim — respondeu simplesmente o semifeérico.

Aquilo dizia o bastante. Não sabiam quem ele era, qual fora seu papel na fuga de Marion.

Os quatro ilken sorriram.

— Buscamos uma garota. Ela assassinou alguns dos nossos... e diversos outros.

Será que a culpavam pela morte do ilken semanas antes? Ou será que era uma desculpa para justificar os próprios fins?

— Nós a rastreamos até a travessia do Acanthus... Pode estar escondida aqui, entre seu povo. — Um riso de escárnio.

Lorcan esperava que Nik e Ombriel ficassem de boca fechada. Se começassem a revelá-los, o machado na mão do guerreiro se moveria.

— Vá verificar outro parque. Temos esta equipe há meses.

— Ela é pequena — continuou a criatura, aqueles estranhos olhos humanos brilhando. — Com deficiência de uma perna.

— Não conhecemos ninguém assim.

Eles a caçariam até o fim do mundo.

— Então forme uma fila com sua equipe para que possamos... inspecioná-la.

Queriam fazer com que eles andassem. Para observá-los. Para procurar uma jovem com deficiência de cabelos pretos e com quaisquer outras marcas que o tio tivesse fornecido.

— Você assustou todos para longe daqui. Pode levar dias até que retornem. E, de novo — disse Lorcan, com o machado subindo um pouco mais —, não há ninguém em minha caravana que se encaixa na descrição. — Atrás dele, Nik e Ombriel estavam em silêncio, e o terror era um fedor que se impulsionava para dentro do nariz do semifeérico. Ele esperava que Marion permanecesse escondida.

Os ilken sorriram; o sorriso mais horroroso que Lorcan já vira durante todos os seus séculos.

— Temos ouro. — De fato, a criatura ao lado trazia uma sacola cheia à cintura. — O nome é Elide Lochan. O tio é o lorde de Perranth. Vai recompensá-lo generosamente se a entregar.

As palavras o atingiram como pedras. Marion... *Elide* tinha... mentido. Conseguira impedir que Lorcan sequer sentisse o cheiro da mentira, usara verdades o suficiente e o próprio medo que sentia de forma geral para manter o cheiro oculto...

— Não conhecemos ninguém com tal nome — informou ele de novo.

— Uma pena — cantarolou a sentinela. — Pois, se a tivesse em sua companhia, nós a teríamos levado e partido. Mas agora... — O ilken sorriu para os três companheiros, e as asas pretas farfalharam. — Agora parece que voamos um longo caminho por nada. E estamos famintos.

⇥ 41 ⇤

Elide tinha se espremido em um compartimento secreto no chão da maior das carruagens e rezado para que ninguém a descobrisse. Ou começasse a queimar coisas. A respiração frenética era o único som. O ar ficou sufocante e quente; as pernas tremiam, e ela sentia cãibras devido à posição enroscada em forma de bola, mas, mesmo assim, esperou, mesmo assim, se manteve escondida.

Lorcan saíra correndo; simplesmente correra para a comoção. Elide fugira da tenda a tempo de ver os quatro ilken — ilken *alados* — aterrissarem no acampamento. Não permanecera por tempo suficiente para ver o que aconteceria.

O tempo passou; minutos, ou talvez horas, ela não sabia dizer.

Elide fizera aquilo. Tinha levado aquelas coisas até lá, até aquela gente, até a caravana...

Os gritos ficaram mais altos, então diminuíram. Em seguida nada.

Lorcan podia estar morto. Todos podiam estar mortos.

Ela ouviu com atenção, tentando silenciar a respiração e *escutar* qualquer som de vida, de ação vindo de fora do esconderijo pequeno e quente. Sem dúvida costumava ser usado para contrabando... e de forma alguma fora destinado a um ser humano.

Elide não podia ficar escondida por muito mais tempo. Se os ilken massacrassem todos, procurariam sobreviventes. Provavelmente conseguiriam sentir seu cheiro.

Ela precisaria fugir. Precisaria sair, observar o que conseguisse e correr para os campos escuros, implorando para que nenhuma outra dessas criaturas esperasse por lá. Os pés e as panturrilhas da jovem haviam ficado dormentes minutos antes, e formigavam incessantemente. Talvez nem mesmo conseguisse andar, e a perna idiota e inútil...

Elide ouviu de novo, rezando para que Anneith voltasse a atenção dos ilken para outro lugar.

Apenas silêncio a recebeu. Mais nenhum grito.

Agora. Iria *agora*, enquanto tivesse a proteção da escuridão.

A jovem não deu mais um segundo para que o medo sussurrasse veneno em seu sangue. Tinha sobrevivido a Morath, sobrevivera semanas sozinha. Ela conseguiria, *precisava* conseguir, e não se importaria nem um pouco em ser a maldita lavadora de louças da rainha se isso significasse que *sobreviveria*...

Elide se esticou; os ombros doeram ao levantar silenciosamente o alçapão, fazendo com que o pequeno tapete escorregasse para trás. A jovem observou o interior da carruagem — os bancos vazios de cada lado —, então analisou a noite que a chamava além. Luz se projetava do acampamento atrás dela, mas adiante... havia um mar de escuridão. O campo devia estar a uns 10 metros.

Elide encolheu o corpo com o ranger da madeira enquanto erguia o alçapão o suficiente para poder se arrastar, de barriga para baixo, por cima do piso de tábua. Contudo, o vestido se agarrou, o que a levou a parar. Ela trincou os dentes, puxando indistintamente. Só que a roupa havia se prendido dentro do espaço apertado. Que Anneith a salvasse...

— Diga-me — falou uma grave voz masculina, de perto do assento do motorista atrás de Elide. — O que teria feito se eu fosse um soldado ilken?

Alívio transformou seus ossos em líquido, e ela conteve um soluço. Ao se virar, encontrou Lorcan coberto em sangue escuro, sentado no banco atrás do assento do condutor, as pernas esticadas em frente ao corpo. O machado e a espada estavam jogados ao lado, cobertos naquele sangue escuro também, e ele despreocupadamente mastigava um talo longo de trigo conforme olhava a parede de lona da carruagem.

— A primeira coisa que eu teria feito em seu lugar — ponderou Lorcan, ainda sem olhar para Elide — teria sido descartar o vestido. Cairia de cara no chão se corresse com ele, e o vermelho seria quase como soar uma campainha.

A jovem puxou a roupa de novo, e o tecido rasgou por fim. Com uma expressão de raiva, ela deu tapinhas onde a roupa cedera, encontrando um pedaço solto do painel de madeira.

— A segunda coisa que eu teria feito — continuou o guerreiro, sem sequer se incomodar em limpar o sangue que lhe manchava o rosto — seria dizer a maldita verdade. Sabia que aquelas bestas ilken *adoram* falar com o incentivo certo? E me contaram umas coisas muito, muito interessantes. — Aqueles olhos pretos por fim se voltaram para ela, completamente cruéis. — Mas não me contou a verdade, não foi, Elide?

～

Os olhos da jovem estavam arregalados; a cor tinha se esvaído do rosto sob a maquiagem. Elide perdera a peruca em algum lugar, e a camada escura de cabelos se soltara de alguns dos grampos conforme ela saía do compartimento secreto. Lorcan observava cada movimento, avaliando e considerando e debatendo o que fazer, exatamente.

Mentirosa. Mentirosa espertinha.

Elide Lochan, Lady de Perranth por direito, saiu rastejando, fechou o alçapão e olhou com raiva para o guerreiro de onde estava ajoelhada no chão. Ele lhe devolveu o olhar.

— Por que eu deveria ter confiado em você — retrucou ela, com uma frieza impressionante. — Quando havia me perseguido durante *dias* na floresta? Por que deveria ter contado alguma coisa a meu respeito quando poderia ter me vendido a quem oferecesse mais?

O corpo de Lorcan doía; a cabeça latejava por causa do massacre ao qual sobrevivera por pouco. Os ilken tinham morrido... mas não facilmente. E aquele mantido vivo, aquele que Nik e Ombriel imploraram que ele matasse para acabar logo com aquilo, contara muito pouco, na verdade.

Mas o semifeérico decidira que a *esposa* não precisava saber daquilo. Decidira que estava na hora de ver o que ela poderia revelar se ele soltasse algumas mentiras para enganá-la.

Elide olhou para as armas, para o sangue fétido que o cobria como óleo.

— Você matou todos eles?

Lorcan tirou o talo de trigo da boca.

— Acha que eu estaria sentado aqui se não tivesse matado?

Elide Lochan não era uma reles humana tentando voltar para a terra natal e servir à rainha. Era uma *lady* de sangue real, que queria retornar para aquela vadia cuspidora de fogo no norte e oferecer a ajuda que pudesse. As duas seriam perfeitas uma para a outra, decidiu Lorcan. A mentirosa de rosto doce e a insuportável princesa arrogante.

A jovem afundou no banco, massageando os pés e as panturrilhas.

— Estou arriscando o pescoço por você — disse ele, em voz baixa demais.

— E, ainda assim, decidiu não me contar que seu tio não é um mero comandante em Morath, mas o braço direito de Erawan... e *você* é seu bem valioso.

— Contei o suficiente da verdade. Quem eu sou não faz diferença. E não sou um bem de ninguém.

O temperamento de Lorcan puxou a coleira que o guerreiro cuidadosamente mantivera firme antes de rastrear o cheiro de Elide até aquela carruagem. Do lado de fora, os demais faziam as malas às pressas, preparando-se para fugir durante a noite antes que os aldeões decidissem culpá-los pelo desastre.

— Quem você é faz diferença, sim. Com sua rainha em movimento, seu tio sabe que ela pagaria um preço alto para recuperá-la. Não é apenas um bem para a procriação, é uma ferramenta de negociação. Pode muito bem ser o que fará aquela vadia cair de joelhos.

Raiva lampejou naquele rosto de feições finas.

— Você também guarda muitos segredos, *Lorcan*. — Elide disparou o nome, como uma maldição. — E ainda não consegui decidir se acho um insulto ou uma piada que me ache tão burra a ponto de não perceber. Que tenha me considerado uma menininha tão acuada pelo medo, tão grata pela presença de um guerreiro forte e emburrado que sequer questione por que estava lá ou o que queria ou o que tem a perder com tudo isso. Dei a você exatamente o que queria ver: uma jovem perdida, necessitando de ajuda, talvez um pouco habilidosa com mentiras e enganação, mas, no fim das contas, não digna de mais de um segundo de consideração. E você, com toda a arrogância imortal, não pensou duas vezes. Por que deveria, se humanos são tão inúteis? Por que deveria sequer se incomodar, quando planejava me abandonar assim que conseguisse o que queria?

Lorcan piscou, apoiando os pés no chão. Elide não recuou um centímetro.

O guerreiro não conseguia se lembrar da última vez que alguém falara com ele daquele jeito.

— Eu tomaria cuidado com o que diz.

Ela lançou um sorrisinho de ódio a Lorcan.

— Ou o quê? Vai me vender para Morath? Me usar como seu bilhete de entrada?

— Não tinha pensado nisso, mas obrigado pela ideia.

A jovem engoliu em seco, o único sinal de medo. E ela disse, claramente e sem um pingo de hesitação:

— Se tentar me levar para Morath, tiro minha vida antes que consiga me carregar pela ponte da Fortaleza.

Foi a ameaça, a promessa, que conteve sua raiva, a pura *ira* por... por Elide ter, de fato, encarnado exatamente o papel que ele esperava dela, usando a arrogância e o preconceito de Lorcan. Com cuidado, ele disse:

— O que está carregando que faz com que eles a cacem tão incessantemente? Não é seu sangue real, não é sua magia nem sua utilidade para a procriação. O objeto que carrega consigo... o que é?

Talvez fosse uma noite de verdades, talvez a morte pairasse perto o suficiente e a tornasse um pouco inconsequente, mas ela disse:

— É um presente... para Celaena Sardothien. De uma mulher que foi mantida aprisionada em Morath, que esperou muito tempo para recompensá-la por uma bondade do passado. Mais que isso eu não sei.

Um presente para uma assassina, não para a rainha. Talvez nada importante, mas...

— Deixe-me ver.

— Não.

Eles se encararam de novo. E Lorcan sabia que, se quisesse, poderia esperar até que Elide estivesse dormindo para tomar o objeto e sumir. Ver o que a tornava tão protetora em relação àquilo.

No entanto, ele sabia... alguma parte pequena e estúpida sabia que, se o tomasse daquela mulher que já tivera tanto roubado dela... Não sabia se haveria retorno. Fizera coisas tão desprezíveis e cruéis ao longo dos séculos, e não pensara duas vezes. Deleitara-se com elas, sentira prazer com elas, com a crueldade.

Mas isso... havia um limite. De alguma forma... de alguma forma havia um maldito limite ali.

Elide pareceu captar a decisão de Lorcan... com qualquer que fosse o dom que tivesse. Os ombros da jovem se curvaram, e ela encarou a parede de lona inexpressivamente conforme os ruídos do grupo se aproximaram, com súplicas para que se apressassem e empacotassem as coisas, deixando para trás o que não fizesse falta.

— Marion era o nome de minha mãe — explicou ela baixinho. — Ela morreu defendendo Aelin Galathynius de seu assassino. Minha mãe ganhou tempo para que Aelin fugisse... para que escapasse e, então, pudesse retornar um dia e salvar todos nós. Meu tio, Vernon, apenas observou e sorriu enquanto meu pai, o Lorde de Perranth, foi executado do lado de fora de nosso castelo. Depois ele tomou o título, as terras e o lar de meu pai. E, durante os dez anos seguintes, meu tio me trancou na torre mais alta do Castelo de Perranth, com apenas minha enfermeira como companhia. Quando quebrei o pé e o tornozelo, ele não confiou nos curandeiros para que me tratassem. Havia barras nas janelas da torre a fim de evitar que eu me matasse, e meus tornozelos foram acorrentados para impedir uma fuga. Saí pela primeira vez em uma década quando ele me enfiou em uma carruagem de prisão e me arrastou até Morath. Lá, ele me obrigou a trabalhar como criada, pelo prazer que sente ao humilhar e intimidar. Planejei e sonhei em escapar todos os dias. E quando chegou o momento... Aproveitei a chance. Eu não sabia sobre os ilken, tinha apenas ouvido boatos de coisas desprezíveis sendo criadas nas montanhas além da Fortaleza. Não tenho terras, dinheiro nem um exército para oferecer a Aelin Galathynius. Mas a encontrarei, então ajudarei da forma que puder. Mesmo que seja só para evitar que uma garota, apenas *uma*, jamais sofra o que sofri.

Lorcan permitiu que a verdade do que Elide dissera fosse absorvida. Deixou que as palavras ajustassem a visão que tinha dela. Os... planos dele.

Em seguida disse, bruscamente:

— Tenho mais de 500 anos. Fiz um juramento de sangue à rainha Maeve dos feéricos e sou seu braço direito. Fiz coisas grandiosas e terríveis em seu nome e farei outras antes que a morte me reivindique. Nasci como um bastardo nas ruas de Doranelle, correndo solto com as outras crianças descartadas até perceber que meus talentos eram diferentes. Maeve também reparou nisso. Posso matar mais rápido, assim como posso sentir quando a morte está próxima. Acho que minha magia é a morte, concedida a mim pelo próprio Hellas. Estou nestas terras em nome de minha rainha... embora tenha vindo sem sua permissão. Maeve pode muito bem resolver me caçar e me matar por isso. Se suas sentinelas chegarem me procurando, é mais vantajoso para você fingir não saber quem e o que sou. — Havia mais, porém... Elide ainda mantinha segredos também. Tinham oferecido um ao outro o suficiente por enquanto.

Nenhum medo tingia o cheiro da jovem; nem mesmo um vestígio. Tudo que falou foi:

— Tem família?

— Não.

— Tem amigos?

— Não. — Seu conjunto de guerreiros não contava. Afinal, o desgraçado do Whitethorn não parecera se importar quando os havia abandonado para servir Aelin Galathynius; Fenrys não fazia segredo do fato de que odiava o laço; Vaughan mal aparecia; ele não suportava o autocontrole inabalável de Gavriel; e Connall estava ocupado demais montando Maeve como um animal a maior parte do tempo.

Elide inclinou a cabeça, e os cabelos deslizaram sobre o rosto. Lorcan quase ergueu a mão, afastando-os para interpretar os olhos escuros da jovem. Mas as mãos estavam cobertas por aquele sangue imundo. E tinha a sensação de que Elide Lochan não queria ser tocada, a não ser que pedisse.

— Então — murmurou ela — você e eu somos iguais nesse aspecto, pelo menos.

Sem família e sem amigos. Não parecera tão patético até ser dito por ela em voz alta, até ele subitamente se ver pelos olhos da jovem.

Então Elide gesticulou com os ombros, ficando de pé ao ouvir a voz de Molly disparar próxima a eles.

— Deveria se limpar... parece um guerreiro de novo.

Lorcan não tinha certeza se aquilo fora um elogio.

— Nik e Ombriel, infelizmente, perceberam que você e eu talvez não sejamos o que parecemos.

Alarme disparou nos olhos de Elide.

— Seria melhor partir...

— Não. Eles guardarão nossos segredos. — Ao menos porque o tinham visto atacar aqueles ilken, e sabiam exatamente o que poderia ser feito com eles se sequer respirassem errado na direção de ambos. — Podemos ficar um tempo ainda... até nos livrarmos dessa situação.

Elide assentiu e seguiu para os fundos da carruagem, caminhando com dificuldade. Ela se sentou na beirada para descer, pois o tornozelo destruído era fraco e doía demais para que pudesse saltar. Ainda assim, a jovem se movia com uma dignidade silenciosa, sibilando um pouco ao tocar o pé no chão.

Lorcan a observou caminhar com dificuldade noite adentro sem sequer olhar para trás.

E se perguntou que diabos ele estava fazendo.

era [...] todas [...] que se pode ali [...] Ainda seria [...] ora,
direta, completa, lhe podia estender [...] instante, proximo ao tocar-se
no final.
Lançou a ela mais [...] culpado [...] infinitude [...] admira-la sem [...]
[...] olhar para trás.
Espero mesmo que [...] lábios dele e leva Lorelai.

⊰ 42 ⊱

A morte tinha cheiro de sal e sangue e madeira e podridão.

E doía.

Que a Escuridão a envolvesse, como a dor era infernal. As Anciãs tinham mentido quanto a curar todas as doenças, se a pontada de dor no abdômen era algum indicativo. Sem falar da dor de cabeça latejante, da boca completamente seca, do ardor do outro corte no braço.

Talvez a Escuridão fosse outro mundo, outro reino. Talvez ela tivesse ido para a reino do inferno que os humanos tanto temiam.

Ela odiava a Morte.

E a Morte também podia ir para o inferno...

Manon Bico Negro entreabriu as pálpebras, pesadas demais, queimando demais, e semicerrou os olhos contra a luz tremeluzente da lanterna que pendia de painéis de madeira no quarto onde estava deitada.

Não era um quarto de verdade, percebeu ela por causa do fedor de sal e também por causa do balanço e do ranger do mundo ao redor. Era uma cabine... em um navio.

Bem pequena e aos pedaços, onde mal cabia aquela cama, uma portinhola estreita até mesmo para os ombros de Manon se espremerem...

Ela se levantou subitamente. Abraxos. Onde estava *Abraxos*...

— Relaxe — disse uma voz feminina muito familiar das sombras perto do pé da cama.

Dor irradiou na barriga da bruxa, uma resposta atrasada ao movimento súbito, e ela olhou das ataduras brancas que roçavam seus dedos para a jovem rainha, jogada na cadeira ao lado da porta. Olhou entre a mulher e as correntes que envolviam os próprios pulsos e tornozelos; ancorada às paredes com o que pareciam ser buracos recém-perfurados.

— Parece que tem mais uma dívida de vida comigo, Bico Negro — comentou Aelin Galathynius, com humor frio nos olhos turquesa. *Elide*. Será que Elide havia chegado até lá...

— Sua enfermeira agitadiça em forma de serpente alada está bem, aliás. Não sei como você acabou ficando com uma coisinha doce como aquela por montaria, mas ele fica satisfeito de simplesmente se deitar ao sol no deque da proa. Embora não possa dizer que os marinheiros estejam particularmente felizes, principalmente ao limparem a sujeira.

Encontre algum lugar seguro, dissera Manon a Abraxos. Será que ele de alguma forma encontrara a rainha? De alguma forma soubera que aquele era o único lugar em que ela teria uma chance de sobreviver?

Aelin apoiou os pés no chão, e as botas fizeram um ruído baixo. Havia um tipo sincero de impaciência com qualquer merda que não estivera lá da última vez que Manon vira a mulher. Como se a guerreira que rira durante a batalha no alto do templo de Temis tivesse perdido parte daquela diversão maliciosa, mas tivesse ganhado mais astúcia cruel.

A barriga da bruxa irradiou um pulso de dor que a fez morder o lábio para evitar sibilar.

— Quem quer que tenha causado esse ferimento não estava de brincadeira — comentou a rainha. — Problemas em casa?

Não era de sua conta, nem de mais ninguém.

— Deixe que eu me cure e irei embora — respondeu Manon, a voz rouca, a língua parecendo uma casca seca e pesada.

— Ah, não — ronronou Aelin. — Não vai a lugar algum. Sua montaria pode fazer o que quiser, mas você é agora oficialmente nossa prisioneira.

A cabeça começou a girar, mas a bruxa se obrigou a dizer:

— Nossa?

Um sorrisinho esperto. Então a rainha se levantou graciosamente. Os cabelos estavam mais longos, o rosto mais fino, aqueles olhos turquesa severos e assombrados. Ela falou, simplesmente:

— Eis as regras, Bico Negro. Se tentar fugir, morre. Se ferir alguém, morre. Se de alguma forma nos causar problemas... Acho que entendeu aonde quero chegar com isso. Se der um passo fora da linha, terminarei o que começamos naquele dia na floresta, com ou sem dívida de vida. Dessa vez não precisarei de aço para fazê-lo.

Conforme falava, chamas douradas pareciam lampejar em seus olhos. E Manon percebeu, sem pouca ansiedade, mesmo com a dor, que a rainha poderia, de fato, acabar com sua vida antes que a bruxa se aproximasse o suficiente para matar.

Aelin se voltou para a porta, levando a mão coberta de cicatrizes até a maçaneta.

— Encontrei farpas de ferro em sua barriga antes de curá-la. Sugiro que não minta para quem quer que consiga tolerar ficar perto tempo suficiente para ouvir a história completa. — Ela indicou o chão com o queixo. Havia uma jarra e um copo ali. — Tem água ao lado da cama. Se conseguir alcançar.

Então saiu.

Manon ouviu os passos firmes se afastarem. Nenhuma outra voz ou som além do bater das ondas contra o navio, o ranger da madeira e... gaivotas. Ainda deviam estar ao alcance da costa então. Velejando para onde... Ela teria de descobrir.

Depois que se curasse. Depois que se soltasse dos ferros. Depois que chegasse a Abraxos.

Mas ir para onde? Para quem?

Não havia ninho para recebê-la, nenhum clã a protegeria da avó. E as Treze... Onde estariam? Será que haviam sido caçadas?

O estômago de Manon queimou, mas ela se esticou para pegar a água. Dor irrompeu com tanta força que a bruxa desistiu depois de um segundo.

Tinham ouvido, sem dúvida... o que ela era. As Treze tinham ouvido.

Não apenas uma mistura de Crochan... mas a última rainha Crochan.

E a irmã... a meia-irmã...

Manon encarou o teto de madeira sombreado.

Ela conseguia sentir o sangue daquela Crochan nas mãos. E o manto... aquele manto vermelho estava apoiado na beira da cama. O manto da irmã de Manon. Que a avó a fizera usar, sabendo a quem pertencia, sabendo de quem era a garganta que ela cortara.

Não era mais a herdeira Bico Negro, com ou sem sangue Crochan.

Desespero se aninhou, como um gato, em torno da dor na barriga. Ela não era nada nem ninguém.

Então Manon caiu no sono sem perceber.

~

A bruxa dormiu por três dias depois que Aelin relatou que ela havia acordado. Dorian ia à cabine entulhada com Rowan e a rainha sempre que os dois a curavam um pouco mais, observando a forma como a magia funcionava, mas sem ousar tentar o próprio poder na Bico Negro inconsciente.

Mesmo inconsciente, cada fôlego, cada tremor de Manon consistiam em um lembrete de que era uma predadora nata; o rosto dolorosamente lindo era uma máscara cuidadosa para atrair os incautos até a ruína.

Parecia adequado, de alguma forma, considerando que *eles* estavam provavelmente velejando para a própria desgraça.

Conforme os dois navios de Rolfe os escoltavam pela costa de Eyllwe, tinham se mantido bem longe da praia. Uma tempestade cruel os fizera ancorar entre o pequeno aglomerado de ilhas ao largo das águas de Leriba, e apenas sobreviveram graças aos ventos de Rowan que os protegeram. A maioria, mesmo assim, passou o tempo todo com a cabeça em um balde. Inclusive Dorian.

Já se aproximavam de Banjali — e o rapaz tentara não pensar na amiga morta a cada légua mais perto da linda cidade, mas fracassara. Tentara não considerar se Nehemia estaria com eles naquele exato navio caso as coisas não tivessem dado tão terrivelmente errado, mas fracassara. Tentara não contemplar se aquele toque que ela lhe dera certa vez — a marca de Wyrd que lhe desenhara no peito — tinha de alguma forma... despertado seu poder, mas fracassara. Se aquilo fora uma maldição tanto quanto uma bênção.

Dorian não tivera coragem de perguntar o que Aelin estava sentindo, embora a encontrasse frequentemente encarando a costa; mesmo que não conseguissem vê-la, mesmo que não fossem se aproximar.

Mais uma semana — talvez menos, se a magia de Rowan ajudasse — e chegariam ao limite leste do pântano de Pedra. E depois que estivessem ao alcance... precisariam confiar nas direções vagas de Rolfe para guiá-los.

E evitar a armada de Melisande — a armada de Erawan agora, supôs Dorian —, esperando do outro lado da península no golfo de Oro.

Mas por enquanto... o jovem rei estava de vigia no quarto de Manon, pois ninguém queria arriscar no que dizia respeito à herdeira Bico Negro.

Dorian pigarreou quando as pálpebras da bruxa estremeceram, erguendo os cílios pretos um pouco... então os olhos se abriram inteiramente.

Olhos dourados, anuviados pelo sono, encontraram os do rapaz.

— Oi, bruxinha — cumprimentou ele.

A boca cheia e sensual da bruxa se contraiu de leve, reprimindo uma careta ou um sorriso, Dorian não soube dizer. Mas ela se sentou, os cabelos brancos como o luar deslizando para a frente; as correntes emitiram um clangor.

— Oi, principezinho — respondeu Manon. Pelos deuses, como a voz estava áspera.

Dorian olhou para a jarra de água.

— Quer uma bebida?

A bruxa devia estar seca. Mal tinham conseguido lhe jogar uma gota pela garganta, pois não queriam arriscar que engasgasse nem que soltasse aqueles dentes de ferro de onde quer que os mantivesse.

Manon observou a jarra, então o rapaz.

— Sou sua prisioneira também?

— Minha dívida de vida está paga — retrucou ele, simplesmente. — Não é nada para mim.

— O que aconteceu? — começou Manon, com a voz rouca. Uma ordem, e uma que Dorian permitiu que ela desse.

Ele encheu o copo, tentando não parecer calcular o alcance da bruxa naquelas correntes quando o entregou a ela. Nenhum sinal das unhas de ferro conforme os dedos finos envolveram o copo. Manon encolheu levemente o corpo, então o encolheu mais um pouco ao levar a bebida aos lábios pálidos... e bebeu. E bebeu.

Ela secou o copo. Dorian silenciosamente o encheu de novo. Uma vez. Duas. Três.

Quando ela finalmente terminou, o rapaz disse:

— Sua serpente alada voou reta como uma flecha até nós. Você caiu da sela para a água a quase 50 metros de nosso navio. Como o animal nos encontrou, não sabemos. Tiramos você da água, então Rowan precisou atar sua barriga temporariamente no deque antes que pudéssemos sequer movê-la para cá. É um milagre que não esteja morta só pela perda de sangue. Sem falar na infecção. Há uma semana está aqui embaixo enquanto Aelin e Rowan têm trabalhado em você, precisaram abri-la de novo em alguns pontos para tirar a carne ruim. Você tem acordado e apagado desde então.

Dorian não quis mencionar que fora ele quem saltara na água. Simplesmente... agira, como Manon também tinha agido quando o salvara na torre. Não devia menos à bruxa. Lysandra, na forma de dragão marinho, alcançara os dois momentos depois, então Dorian abraçara Manon, seu peso na água, conforme havia subido no dorso da metamorfa. A bruxa estivera muito pálida, e o ferimento no estômago... O rapaz quase perdera o café da manhã ao ver aquilo. Ela parecia um peixe que tivera as vísceras porcamente limpas.

Estripada, confirmara Aelin uma hora depois ao erguer um pequeno pedaço metálico, por alguém com unhas de ferro muito, muito afiadas.

Nenhum deles mencionara que poderia ter sido uma punição... por ter salvo Dorian.

Manon observava o quarto com olhos que rapidamente despertavam.

— Onde estamos?

— No mar. — Aelin ordenara que não desse a ela informação alguma a respeito dos planos e de seu paradeiro. — Está com fome? — perguntou Dorian, imaginando o que exatamente ela comia.

De fato, aqueles olhos dourados dispararam para a garganta do rapaz.

— Sério? — Ele ergueu uma sobrancelha.

As narinas de Manon se dilataram levemente.

— Apenas como diversão.

— Você não é... parcialmente humana, ao menos?

— Não das formas que importam.

Certo; porque as outras partes... feérica, valg... Fora sangue valg que moldara as bruxas. O exato príncipe que infestou Dorian compartilhava o sangue com Manon. Do poço sombrio de sua memória, imagens e palavras escaparam... daquele príncipe valg encarando os olhos dourados que Dorian fitava no momento, gritando para que se afastasse... Olhos dos reis valg. O rapaz falou, com cautela:

— Isso quer dizer que você se considera mais valg que humana então?

— Os valg são meus inimigos... Erawan é meu inimigo.

— E isso nos torna aliados?

Manon não revelou nem que sim nem que não.

— Há uma jovem na companhia de vocês chamada Elide?

— Não. — Que diabo de pessoa era essa? — Jamais encontramos alguém com esse nome.

A bruxa fechou os olhos por um segundo. A garganta fina ondulou.

— Teve notícias de minhas Treze?

— Vocês são a primeira montadora e serpente alada que vemos em semanas. — Dorian contemplou por que ela teria perguntado, por que ficara tão imóvel. — Não sabe se estão vivas.

E com aquelas lacerações de ferro na barriga...

A voz de Manon veio inexpressiva e fria como a morte:

— Diga a Aelin Galathynius que não se incomode em me usar para negociações. A Matriarca Bico Negro não me reconhecerá como herdeira ou bruxa, e acabarão apenas revelando a localização de vocês.

A magia de Dorian estremeceu.

— O que aconteceu depois de Forte da Fenda?

Ela se deitou de novo, inclinando a cabeça para outra direção. Um borrifo do mar entrou pela portinhola aberta e caiu sobre os cabelos de Manon, fazendo-os brilhar na cabine escura.

— Tudo tem um preço.

E foram aquelas palavras, o fato de que a bruxa voltara o rosto para longe e parecia esperar que a morte a reivindicasse, que fizeram Dorian dizer:

— Certa vez eu disse para você me encontrar de novo, parece que mal pôde esperar para ver meu lindo rosto.

Os ombros da bruxa tensionaram de leve.

— Estou com fome.

O jovem rei sorriu devagar.

Como se tivesse ouvido aquele sorriso, Manon exibiu uma expressão de raiva.

— *Comida.*

Mas ainda havia uma tensão — uma fragilidade limítrofe delineando cada curva do corpo de Manon. O que quer que tivesse acontecido, o que quer que ela tivesse sofrido... Dorian apoiou um braço no encosto da cadeira.

— Vai chegar em alguns minutos. Odiaria que você definhasse até virar nada. Seria uma pena perder a mulher mais linda do mundo tão no início da vida imortal e travessa.

— Não sou uma mulher. — Foi tudo que Manon disse. Ainda assim, temperamento irritadiço envolveu aqueles olhos dourados.

Ele deu de ombros de forma insolente, talvez apenas porque estivesse de fato acorrentada, talvez porque a morte irradiada pela bruxa o agitasse, mas não causasse medo.

— Bruxa, mulher... contanto que as partes importantes estejam aí, que diferença faz?

Manon se sentou devagar, com incredulidade e indignação no exausto rosto perfeito, e exibiu os dentes com um grunhido silencioso.

Dorian ofereceu um sorriso preguiçoso em resposta.

— Acredite ou não, este navio tem um número anormal de homens e mulheres atraentes a bordo. Vai se encaixar direitinho. E acredito que se encaixará muito bem com os imortais mal-humorados.

Ela olhou na direção da porta momentos antes de o rapaz ouvir passos se aproximando. Ficaram em silêncio até a maçaneta girar, revelando o rosto franzido de Aedion.

— Acordada e pronta para rasgar pescoços, parece — comentou o general, à guisa de cumprimento. Dorian se levantou, tomando a bandeja do que aparentava ser ensopado de peixe, e se perguntou se deveria testar a comida para ver se estava envenenada pelo olhar que Aedion lançava à bruxa. Ela olhou com a mesma raiva para o guerreiro de cabelos dourados.

— Eu teria acertado você e aquela minisserpente alada direto no céu se as coisas tivessem sido feitas do meu jeito. Sinta-se grata por minha rainha achá--la mais útil viva — disse o general.

Então ele se foi.

Dorian colocou a bandeja ao alcance de Manon e a observou cheirar a comida. A bruxa deu uma mordida lenta, cautelosa — como se deixasse a comida deslizar para a barriga a fim de sentir como se acomodava ali dentro. Como se, de fato, testasse por veneno. Enquanto esperava, ela perguntou:

— Não dá ordens neste navio?

Foi um esforço não se irritar.

— Conhece minhas circunstâncias. Estou agora à mercê de meus amigos.

— E a rainha de Terrasen é sua amiga?

— Não há ninguém em que eu confie mais para me proteger. — Exceto por Chaol, mas... era inútil pensar nele, sentir sua falta.

Manon por fim deu outra mordida no ensopado de peixe. Então outra. E mais uma.

E Dorian percebeu que a bruxa evitava conversar. Tanto que perguntou:

— Foi sua avó que fez isso com você, não foi?

A colher parou na tigela de madeira lascada. Devagar, ela virou o rosto na direção do rapaz. Indecifrável, o rosto feito de pesadelos e fantasias da meia-noite.

— Sinto muito — admitiu ele. — Se o custo de me salvar naquele dia em Forte da Fenda foi... foi esse.

— Descubra se minhas Treze estão vivas, principezinho. Faça isso, e estarei sob seu comando.

— Onde as viu pela última vez?

Nada. Ela engoliu outra colherada.

— Elas estavam presentes quando sua avó fez isso com você? — insistiu Dorian.

Os ombros de Manon se curvaram um pouco, e ela pegou mais uma colherada de líquido anuviado, mas não o tomou.

— O custo de Forte da Fenda foi a vida de minha imediata. Eu me recusei a pagar. Então garanti a minhas Treze tempo de fuga. No momento em que empunhei a espada contra minha avó, meu título e minha legião foram abdicados. Perdi as Treze enquanto fugia. Não sei se estão vivas ou se foram caçadas. — Os olhos da bruxa dispararam para os de Dorian, brilhando não só por causa do vapor do ensopado. — *Encontre-as* para mim. Descubra se vivem ou se voltaram à Escuridão.

— Estamos no meio do oceano. Não haverá notícia de nada por um tempo.

Manon voltou a comer.

— Elas são tudo o que me resta.

— Então parece que somos ambos herdeiros sem coroa.

Uma risada sem humor. Os cabelos brancos se agitaram à brisa marinha. Ele se levantou e caminhou até a porta.

— Farei o possível.

— E... Elide.

De novo aquele nome.

— Quem é ela?

378

Mas Manon tinha voltado ao ensopado.

— Apenas diga a Aelin Galathynius que Elide Lochan está viva... e procurando por ela.

～

A conversa com o rei exigira tudo de Manon. Depois de comer, depois de beber mais água, ela havia se deitado na cama e dormido.

E dormido.

E dormido.

A porta se escancarara em certo momento, e a bruxa tivera a vaga lembrança da rainha de Terrasen, então seu príncipe general, exigindo respostas sobre algo. Elide, talvez.

Mas Manon ficara deitada ali, semiacordada, sem ânimo de pensar ou falar. Ela chegara a questionar se teria parado de se incomodar em respirar, caso o corpo não fizesse aquilo involuntariamente.

Não percebera o quanto a sobrevivência das Treze poderia, de fato, ser impossível até estar praticamente implorando a Dorian Havilliard que as encontrasse. Até ter se visto desesperada o suficiente para vender a própria espada em busca de notícias.

Mesmo que quisessem servi-la depois de tudo. Uma Bico Negro — e uma Crochan.

E os pais... assassinados pela avó. Tinham prometido ao mundo uma filha da paz. E ela permitira que a avó a forjasse em uma filha da guerra.

Os pensamentos pairavam e rodopiavam, sugando suas forças, abafando cores e sons. Ela acordava e atendia às necessidades quando precisava, comia quando comida era deixada, mas tinha permitido que aquele sono pesado e insignificante lhe tomasse.

Às vezes, Manon sonhava que estava naquele quarto na Ômega, com o sangue da meia-irmã nas mãos e na boca. Às vezes, estava ao lado da avó, uma bruxa crescida, e não a bruxinha que fora na época, ajudando a Matriarca a esviscerar um homem lindo e barbudo que implorava pela vida dela — a vida da própria filha. Às vezes, sobrevoava uma exuberante terra verde, com a canção de um vento oeste cantando o lar da bruxa.

Normalmente, no sonho havia um enorme gato, branco e salpicado como neve antiga sobre granito, sentado na cabine com ela, açoitando o longo rabo para a frente e para trás ao reparar na atenção esmaecida de Manon. Às vezes, havia um sorridente lobo branco. Ou um dourado leão da montanha de olhar tranquilo.

A bruxa desejou que fechassem as mandíbulas em torno de seu pescoço e a esmagassem.

Mas jamais faziam aquilo.

Então Manon Bico Negro dormia. E sonhava.

✄ 43 ✄

Lorcan ainda se perguntava, três dias depois, que diabo estava fazendo. Já haviam deixado aquela cidade nas planícies para trás, mas o terror daquela noite cobria a trupe, como um cobertor pesado, a cada quilômetro de estrada percorrida.

Os demais não sabiam como, exatamente, eles sobreviveram aos ilken — não perceberam que as criaturas eram quase impossíveis de matar, e nenhum simples mortal poderia ter aniquilado sequer um, quanto mais quatro. Nik e Ombriel deram bastante espaço a Lorcan e Elide... e apenas os olhares observadores e cautelosos da dupla itinerante ao redor da fogueira, todas as noites durante o jantar, revelavam que ainda tentavam entender quem e o que Lorcan era.

Elide também se mantinha bem longe do semifeérico. Não tiveram a chance de montar as tendas habituais graças à fuga apressada, mas, naquela noite, a salvo dentro das muralhas de uma pequena cidade nas planícies, precisariam compartilhar um quarto na estalagem barata pela qual Molly relutantemente pagara.

Era difícil não reparar em Elide conforme ela avaliava a cidade e a estalagem — os olhos atentos, o indício de surpresa e confusão que às vezes lhe cruzava o rosto.

Lorcan usava um tendão de magia para manter seu pé estabilizado. Ela jamais comentara a respeito daquilo. E às vezes aquela magia sombria e obscura do guerreiro roçava contra o que quer que fosse que Elide carregava — um presente de uma mulher à beira da morte para uma assassina impulsiva —, e se encolhia.

Ele não insistira para ver o objeto desde aquela noite, embora tivesse passado bastante tempo contemplando o que poderia ter saído de Morath. Colares e anéis provavelmente eram só o começo.

Whitethorn e a rainha vadia não tinham ideia dos ilken — talvez da maioria dos horrores que Elide compartilhara com Lorcan. Ele se perguntou o que uma parede de fogo selvagem poderia fazer contra as criaturas; se perguntou se os ilken estavam de alguma forma treinando contra o arsenal de Aelin Galathynius. Se Erawan fosse esperto, teria algo em mente.

Enquanto os demais se arrastavam para dentro da estalagem em ruínas em busca de comida e descanso, Elide informou Molly que sairia para um passeio ao longo do rio, então seguiu pelas ruas de paralelepípedos. E, embora seu estômago roncasse, Lorcan a seguiu, sempre o marido protetor da linda esposa em uma cidade que já vira dias melhores — décadas melhores. Sem dúvida por causa das construções intermináveis de estradas de Adarlan pelo interior, e o fato de que aquela cidade tinha ficado longe de qualquer via importante no continente.

A tempestade de raios que Lorcan sentira se acumular no horizonte seguia lenta na direção da cidade erguida em pedras, a luz alternando-se entre dourado e prateado. Em minutos, a umidade espessa foi lavada por uma onda bem-vinda de frio. O guerreiro concedeu a Elide três quarteirões antes de caminhar ao lado dela e dizer:

— Vai chover.

Ela lançou um olhar inexpressivo para o semifeérico.

— Sei o que trovão significa.

A cidade murada fora construída flanqueando um pequeno e esquecido rio; duas grandes comportas, uma em cada ponta, exigiam pedágios para entrar, e acompanhavam as mercadorias que passavam. O cheiro de água velha, peixe e madeira podre chegou a Lorcan antes da visão das águas lamacentas e tranquilas, e foi precisamente no limite do cais que Elide parou.

— O que está procurando? — perguntou ele, por fim, de olho no céu que escurecia. Os operários do cais, assim como marinheiros e mercadores, também monitoravam as nuvens conforme se apressavam. Alguns permaneciam para amarrar as longas barcas planas e prender os remos lisos usados para navegar o rio. O guerreiro vira um reino, talvez houvesse trezentos anos, que dependia de barcas para navegar as mercadorias de um lado para o outro. Ele não se lembrava do nome, fora perdido nas catacumbas da memória, mas se perguntou se ainda existiria, enfiado entre duas cadeias montanhosas do outro lado do mundo.

Os olhos brilhantes de Elide acompanharam um grupo de homens bem-vestidos se dirigindo para o que parecia ser uma taverna.

— Tempestade significa achar abrigo — murmurou ela. — Abrigo significa estar preso do lado de dentro sem nada para fazer, a não ser fofocar. Fofoca significa notícias de mercadores e marinheiros sobre o resto do mundo. — Aqueles olhos se voltaram para Lorcan, humor sarcástico dançava ali. — É *isso* que trovão significa.

Ele piscou enquanto a jovem seguiu os homens que entravam na taverna no cais. As primeiras gotas gordas de tempestade caíram nos paralelepípedos salpicados de musgo da rua.

Lorcan a seguiu para o interior do estabelecimento, e parte dele admitia que, apesar dos quinhentos anos sobrevivendo e matando e servindo, jamais encontrara alguém tão... pouco impressionada com ele. Mesmo a maldita Aelin tinha alguma noção da ameaça que o semifeérico representava. Talvez viver com monstros a tivesse desprovido de um medo saudável. Lorcan se perguntou como Elide não se tornara um monstro no processo.

O guerreiro observou os detalhes do salão por instinto e treinamento, sem encontrar nada que valesse um segundo pensamento. O fedor do lugar — corpos sujos, mijo, mofo, lã molhada — ameaçava sufocá-lo. Mas, em apenas alguns momentos, Elide conseguira uma mesa perto de um aglomerado daquelas pessoas do cais e pedira duas canecas de cerveja, mais o que quer que fosse o especial de almoço.

Lorcan se acomodou na antiga cadeira de madeira ao lado, perguntando-se, ao ouvir o móvel ranger, se a maldita coisa desabaria sob ele. Um trovão estalou, e todos os olhos se voltaram para o vão de janelas que dava para o cais. Chuva caiu intensamente, fazendo as barcas oscilarem e se agitarem.

O almoço foi largado diante dos dois, e as tigelas ressoaram, fazendo o pegajoso ensopado marrom transbordar sobre as bordas lascadas. Avaliando o salão, Elide sequer olhou para o conteúdo, nem tocou as cervejas jogadas ali com total desinteresse por uma gorjeta.

— Beba — ordenou ela a Lorcan.

.Ele considerou dizer à jovem que não lhe desse ordens, mas... gostava de ver aquela pequena criatura de ossos finos em ação. Gostava de vê-la mensurar um salão cheio de estranhos e selecionar a presa. Porque era uma caçada — pela melhor e mais segura fonte de informação. A pessoa que não reportaria a um guarda da cidade ainda sob controle de Adarlan que uma moça de cabelos pretos fazia perguntas sobre forças inimigas.

Então Lorcan bebeu e observou Elide enquanto ela observava os demais. Tantos pensamentos calculados sob aquele rosto pálido, tantas mentiras prontas para serem derramadas daqueles lábios em formato de botão de rosa. Parte do guerreiro se perguntou se sua rainha poderia achar a jovem útil — se Maeve também perceberia o fato de que talvez a própria Anneith tivesse ensinado a menina a olhar e ouvir e mentir.

Parte de Lorcan odiou pensar em Elide nas mãos de Maeve. No que ela se tornaria. No que a rainha pediria que a jovem fizesse como espiã ou cortesã. Talvez fosse bom que Elide fosse mortal, com a vida curta demais para que Maeve se incomodasse em aperfeiçoá-la até que se tornasse possivelmente a mais cruel sentinela.

Estava tão ocupado pensando naquilo que quase não reparou quando a jovem recostou o corpo casualmente na cadeira e interrompeu a mesa de mercadores e de capitães atrás da deles.

— Como assim Forte da Fenda se foi?

O semifeérico retomou a atenção. Mas tinham ouvido aquilo semanas antes.

A capitã mais perto da dupla — uma mulher no início dos 30 anos — estudou Elide, depois Lorcan, então respondeu:

— Bem, não se foi, mas... bruxas agora a controlam, em nome do duque Perrington. Dorian Havilliard foi destronado.

Elide, a mentirosinha esperta, pareceu completamente chocada.

— Estamos no coração da floresta há semanas. Dorian Havilliard está morto? — Ela sussurrou as palavras, como se horrorizada... como se para evitar ser ouvida.

Outra pessoa na mesa — um homem mais velho, barbudo — comentou:

— Nenhum corpo foi encontrado, mas, se o duque está declarando que ele não é mais rei, presumo que esteja vivo. Não haveria motivo em fazer proclamações contra um homem morto.

Trovão chacoalhou, quase abafando o sussurro quando a jovem indagou:

— Será que ele... ele iria para o norte? Para... ela?

Sabiam exatamente de quem Elide falava. E Lorcan sabia exatamente por que ela fora até ali.

Iria partir. No dia seguinte, quando a caravana fosse embora. Provavelmente contrataria um daqueles barcos para que a levasse para o norte, e ele... ele iria para o sul. Para Morath.

Os companheiros trocaram olhares, considerando a aparência da moça... então a de Lorcan. Ele tentou sorrir, tentou parecer comum, e não ameaçador. Nenhum deles devolveu o olhar, embora o guerreiro devesse ter feito algo certo, porque o homem barbudo respondeu:

— Ela não está no norte.

Foi a vez de Elide de ficar imóvel.

— Dizem os boatos que esteve em Ilium, destroçando soldados — continuou o sujeito. — Então comentaram que ela estava em baía da Caveira semana passada, conjurando o inferno. Agora veleja para outro lugar, alguns dizem Wendlyn, outros, Eyllwe, há ainda quem diga que está fugindo para o outro lado do mundo. Mas não está no norte. Não estará por um tempo, parece. Se quer saber minha opinião, não acho que seja inteligente deixar o próprio lar sem defesa. Mas mal se tornou mulher; não pode mesmo saber muito sobre guerra.

Lorcan duvidava daquilo e duvidava de que a vadia fizesse um movimento sem que Whitethorn e o filho de Gavriel dessem opiniões. No entanto, Elide expirou, estremecendo.

— Por que sequer deixar Terrasen?

— Vai saber... — A mulher retornou para a comida e sua companhia. — Parece que a rainha tem o hábito de aparecer onde menos se espera, liberando o caos e desaparecendo em seguida. Há um bom dinheiro no bolão de apostas sobre onde ela aparecerá a seguir. Eu digo Banjali, em Eyllwe... Vross aqui diz Varese, em Wendlyn.

— Por que Eyllwe? — insistiu Elide.

— Vai saber. Seria realmente tola se anunciasse os planos. — A capitã lançou um olhar afiado para a jovem, como se a mandasse ficar calada a respeito daquilo.

Elide retornou para a comida e a cerveja enquanto a chuva e os trovões abafavam a conversa no salão.

Lorcan a observou beber a caneca inteira em silêncio. E, quando pareceu menos suspeito, ela se levantou para partir.

Elide foi para duas outras tavernas na cidade — seguindo exatamente o mesmo padrão. A notícia mudava levemente cada vez que era contada, mas o consenso geral era de que Aelin estava em trânsito, talvez para o sul ou leste, e ninguém sabia o que esperar.

A jovem saiu do terceiro bar com Lorcan ao encalço. Não tinham se falado uma vez sequer desde que ela entrara na primeira estalagem. O guerreiro estivera perdido demais contemplando como seria subitamente viajar sozinho de novo. Deixar Elide... e nunca mais vê-la.

Então, encarando a chuva e o trovão, ela falou:

— Era para eu ir em direção ao norte.

Lorcan se viu em uma situação na qual não queria confirmar nem protestar. Como um tolo imprestável, ele se viu... hesitando para incitar a jovem a seguir o caminho original.

Elide abaixou a face; água e luz emolduravam as altas maçãs do rosto.

— Para onde vou agora? Como a encontro?

— O que captou dos boatos? — O semifeérico ousou responder. Lorcan estivera analisando cada pedacinho de informação, mas queria ver aquela mente esperta em ação.

E uma pequena parte queria ver o que Elide decidiria a respeito de seguirem caminhos separados também.

— Banjali, em Eyllwe. Acho que ela vai para Banjali — respondeu ela, baixinho.

Lorcan tentou não parecer aliviado demais. Chegara à mesma conclusão, apenas porque era o que Whitethorn teria feito, e ele próprio o treinara durante algumas décadas.

Elide esfregou o rosto.

— É... é muito longe?

— É longe.

Ela abaixou as mãos, com feições sombrias e brancas como osso.

— Como chego lá? Como... — A jovem esfregou o peitoral.

— Posso arranjar um mapa — disse Lorcan. Apenas para ver se ela pediria que ele ficasse.

A jovem engoliu em seco.

— Seria inútil.

— Mapas são sempre úteis.

— Não se você não sabe ler.

O guerreiro piscou, perguntando-se se teria ouvido direito. Mas vermelho ruborizou as bochechas pálidas de Elide, e os olhos pretos ficaram realmente cobertos por vergonha e desespero.

— Mas você... — Não houvera oportunidade naquelas semanas, percebeu ele, nenhum momento em que pudesse ter revelado aquilo.

— Aprendi o alfabeto, mas quando... quando tudo aconteceu — explicou ela —, e fui colocada naquela torre... Minha enfermeira era analfabeta. Então não aprendi mais. E esqueci o que sabia.

Lorcan se perguntou se teria notado caso Elide não tivesse contado.

— Parece ter sobrevivido impressionantemente bem sem isso.

Ele falou sem considerar, mas parecia a coisa certa a dizer. Os cantos da boca de Elide se repuxaram para cima.

— Acho que sim — ponderou ela.

A magia de Lorcan captou a tropa antes que ouvisse ou sentisse seu cheiro.

O poder deslizou pelas espadas dos homens — armas rudimentares e meio enferrujadas —, então se banhou no medo crescente, na agitação, talvez até em uma pontada de sede de sangue.

Aquilo não era nada bom. Não quando estavam seguindo diretamente até eles.

Lorcan se aproximou de Elide.

— Parece que nossos amigos na trupe queriam ganhar uma moeda fácil.

O desespero impotente no rosto da jovem se afiou, deixando-a esperta e alerta.

— Guardas se aproximam?

O guerreiro assentiu; os passos já estavam perto o suficiente para que ele contasse quantos da tropa se aproximavam, vindos do coração da cidade, sem dúvida com a intenção de encurralá-los entre as espadas e o rio. Se fosse o tipo de sujeito inclinado a apostas, Lorcan apostaria que as duas pontes sobre o rio — a dez quarteirões de cada lado de ambos — já estavam cheias de guardas.

— Tem uma escolha — indicou ele. — Posso acabar com esse problema aqui, e podemos voltar para a estalagem para descobrir se Nik e Ombriel queriam se livrar de nós... — A boca de Elide se contraiu, e Lorcan já sabia qual seria a escolha antes de a oferecer: — Ou podemos entrar em uma daquelas barcas e dar o fora daqui agora mesmo.

— A segunda — sussurrou ela.

— Bom. — Foi a única resposta conforme o semifeérico pegou a mão da jovem e a puxou para a frente. Mesmo com o poder dando apoio a sua perna, Elide era lenta demais...

— Vá em frente — disparou ela.

Então Lorcan a jogou por cima de um ombro, segurando o machado na outra mão, e correu para a água.

~

Elide quicava e se chocava contra o ombro largo do guerreiro, inclinando a cabeça o suficiente para observar a rua atrás deles. Nenhum sinal dos guardas, mas... aquela vozinha que sempre lhe sussurrava ao ouvido repuxava e implorava para que ela fosse embora. Que sumisse.

— Os portões na entrada da cidade — arquejou Elide, conforme músculos e ossos se chocavam contra sua barriga. — Também estarão lá.

— Deixe-os comigo.

Ela tentou não imaginar o que aquilo queria dizer, mas então estavam nas docas e Lorcan correu para uma barca, disparando degrau abaixo no cais e seguindo em direção do longo deque de madeira. A barca era menor que as demais, a câmara de um quarto só, no centro, pintada de verde-claro. Vazia; exceto por algumas caixas de mercadorias na proa.

O guerreiro guardou o machado, e Elide segurou o ombro do guerreiro, enterrando os dedos nos músculos, ao ser passada por cima da borda alta da barca e ser apoiada nas tábuas de madeira. A jovem cambaleou um pouco conforme as pernas se ajustaram à oscilação do rio, mas...

Lorcan já estava se virando na direção do homem alto e magro que vociferava para eles com uma faca em punho.

— Esse barco é *meu* — berrou ele. O sujeito percebeu quem exatamente teria de enfrentar quando atravessou a pequena escada de madeira para o cais e viu o tamanho do semifeérico. Ele segurava tanto o machado *quanto* a espada nas mãos grandes, e trazia uma expressão de morte certa no rosto.

— É nosso barco agora — retrucou Lorcan simplesmente.

O homem olhou entre eles dois.

— Vocês... vocês não passarão pelas pontes ou pelas muralhas da cidade...

Momentos. Tinham apenas momentos antes que os guardas viessem...

— Entre. *Agora* — ordenou o guerreiro.

Mas o sujeito começou a recuar.

Elide apoiou a mão na lateral ampla elevada do barco e disse, com calma:

— Ele vai matá-lo antes que chegue à escada. Tire-nos da cidade, e juro que será libertado assim que atravessarmos.

— Vai cortar minha garganta então como cortaria agora — afirmou o homem, engolindo ar.

De fato, Lorcan balançava o machado como — ela já aprendera — fazia antes de atirá-lo.

— Eu pediria que reconsiderasse — avisou Elide.

O pulso do guerreiro se torceu levemente. Ele faria aquilo; mataria aquele homem inocente apenas para libertá-los...

A faca do homem desceu, então sumiu dentro da bainha na lateral do corpo.

— Há uma curva no rio depois da cidade. Me deixem ali.

Era tudo que Elide precisava ouvir conforme o homem disparava em sua direção, desatando cordas e saltando para o barco com a facilidade de alguém que fizera aquilo milhares de vezes. O sujeito e Lorcan pegaram os remos para empurrarem a barca até o rio, e, assim que estavam soltos, o guerreiro sibilou:

— Se nos trair, estará morto antes que os guardas sequer possam embarcar. — O homem assentiu, virando-os para a saída leste da cidade enquanto Lorcan arrastava Elide para a cabine de um quarto.

O interior tinha janelas por todos os lados, limpas o suficiente para sugerir que o homem se orgulhava do barco. Lorcan praticamente a enfiou sob uma mesa no centro da cabine; o tecido bordado que cobria a superfície protegendo-a de tudo, exceto sons: os passos do semifeérico ficaram silenciosos, embora a jovem conseguisse senti-lo ocupando um esconderijo para monitorar de dentro da câmara os acontecimentos lá fora; as gotas de chuva no telhado plano; a batida do remo ao acertar ocasionalmente a lateral da barca.

O corpo de Elide logo começou a doer por se manter imóvel e calada.

Seria aquela sua vida durante o futuro próximo? Caçada e encurralada mundo afora?

E encontrar Aelin... Como faria aquilo? Poderia voltar a Terrasen, mas não sabia quem governava Orynth. Se Aelin não tinha recuperado o trono... Talvez fosse uma mensagem silenciosa de que havia perigo lá. De que tudo não ia bem no reino.

Mas seguir até Eyllwe baseada em especulação... De todos os boatos que escutara nas últimas duas horas, os motivos dados por aquele capitão tinham sido os mais inteligentes.

O mundo pareceu parar com alguma tensão não dita, uma onda de medo.

Então a voz do homem chamou de novo, e metal rangeu... um portão. O portão da cidade.

Elide permaneceu sob a mesa, contando os fôlegos, pensando em tudo que ouvira. Duvidava de que a trupe sentiria sua falta.

E apostaria todo o dinheiro que levava na bota que Nik e Ombriel tinham sido aqueles que mandaram os guardas até eles, decidindo que o casal era uma ameaça grande demais — principalmente com os ilken atrás de Elide. A jovem se perguntou se Molly soubera o tempo todo, desde o primeiro encontro, que eram mentirosos, permitindo que Nik e Ombriel os entregassem quando a recompensa fora muito boa para recusar e o custo da lealdade, muito alto.

Ela suspirou pelo nariz. Um barulho de água soou, mas o barco seguiu adiante.

Pelo menos tinha levado o pedacinho de pedra consigo, embora fosse sentir falta das roupas, apesar de surradas. Aquele couro ficava abafado sob o calor opressor, e, se fosse para Eyllwe, seria sufocante...

Os passos de Lorcan soaram.

— Saia.

Encolhendo o corpo com a dor no tornozelo, Elide saiu de baixo da mesa e olhou em volta.

— Nenhum problema?

Lorcan fez que não com a cabeça. Estava molhado pela chuva ou pela água do rio. Elide olhou para além dele, onde o homem estivera guiando o barco. Ninguém ali... nem na popa.

— Ele nadou para a margem na curva — explicou o guerreiro.

A jovem expirou.

— Pode muito bem correr até a cidade e contar a eles. Não levará muito tempo para que nos alcancem.

— Lidaremos com isso — replicou Lorcan, virando-se. Rápido demais. Ele lhe evitou os olhos rápido demais...

Elide observou a água, as manchas que tinham surgido nas mangas de sua camisa. Como... como se tivesse lavado as mãos rapidamente, de qualquer jeito.

Ela olhou para o machado na lateral do corpo de Lorcan quando ele saiu da cabine.

— Você o matou, não foi? — Fora esse o som da água. Um corpo sendo jogado pela borda.

Ele parou. Olhou por cima de um ombro largo. Não havia nada humano naqueles olhos sombrios.

— Se quer sobreviver, precisa estar disposta a fazer o que for necessário.

— Ele podia ter uma família que dependesse dele. — Elide não vira uma aliança, mas não queria dizer nada.

— Nik e Ombriel não nos estenderam a mesma cortesia quando nos entregaram à tropa. — Lorcan seguiu para o deque, e Elide disparou atrás. Árvores exuberantes ladeavam o rio, um escudo vivo em torno dos dois.

E ali... havia uma *mancha* nas tábuas, brilhante e escura. O estômago de Elide se revirou.

— Planejava mentir para mim a respeito disso — alegou ela, irritada. — Mas como explicaria *aquilo*?

Um gesto de ombros. Lorcan ergueu o rosto para o remo e se moveu com graciosidade fluida até a lateral da barca, onde os empurrou para longe de um banco de areia que se aproximava.

Ele *matara* aquele homem...

— Eu *jurei* a ele que seria libertado.

— Você jurou, não eu.

Os dedos de Elide se fecharam em punho. E aquela coisa — aquela pedra — envolta naquele pedaço de tecido dentro do casaco começou a se agitar.

Lorcan ficou imóvel, segurando o remo com força.

— O que é isso — disse ele, baixo demais.

Elide se manteve firme. Ele que fosse para o inferno se achasse que ela recuaria, que permitiria que a intimidasse, que a sobrepujasse, que *matasse pessoas* para que pudessem fugir...

— O. Quê. É. Isso.

A jovem se recusou a falar, a sequer tocar o volume no bolso, que latejava e grunhia, uma besta abrindo um olho, mas ela não ousou ir de encontro ao chamado, não ousou sequer reconhecer aquela estranha presença sobrenatural.

Os olhos de Lorcan se arregalaram levemente, então ele apoiou o remo, atravessou o convés e entrou na cabine. Elide hesitou, sem saber se o seguia ou se devia saltar na água e nadar para a margem, mas...

Houve um ruído de metal se chocando contra metal, como se algo fosse partido, então...

O rugido estremeceu o barco, o rio, as árvores. Pássaros fluviais de pernas longas alçaram voo.

Em seguida o guerreiro escancarou a porta com violência, quase a arrancando das dobradiças; depois arremessou o que pareciam ser os cacos de um amuleto quebrado no rio. Ou tentou. Ele atirou com tanta força que os cacos atravessaram o rio por completo e se chocaram contra uma árvore, arrancando um pedaço de madeira.

Lorcan se virou, e a raiva de Elide estacou diante da ira abrasadora que contorcia as feições do guerreiro. O semifeérico andou até ela, pegando o remo como se para evitar esganar a jovem, e falou:

— *O que você carrega?*

E a exigência e a violência e a prepotência e a arrogância fizeram com que Elide também ficasse irada. Então ela retrucou, silenciosamente venenosa:

— Por que simplesmente não corta minha garganta para descobrir?

As narinas de Lorcan se dilataram.

— Se tem um problema com o fato de que matei alguém que *fedia* a vontade de nos trair assim que tivesse a oportunidade, então vai *amar* sua rainha.

Já havia um tempo que ele dava indícios de que a conhecia, de que sabia o suficiente a seu respeito para chamá-la de coisas terríveis, mas...

— O que quer dizer?

Lorcan, pelos deuses, aparentava ter finalmente perdido a cabeça ao explicar:

— Celaena Sardothien é uma assassina de 19 anos; ela se intitula a melhor do mundo. — Um riso de escárnio. — Ela matou e se deleitou e comprou seu caminho pela vida, e jamais pediu desculpas. Ela se vangloriava disso. E então, esta primavera, uma de *minhas* sentinelas, o príncipe Rowan Whitethorn, foi enviado para lidar com ela quando apareceu no litoral de Wendlyn. No fim das contas, ele acabou se apaixonando por Celaena, e ela por ele. No fim das contas, o que quer que maquinassem nas montanhas Cambrian a fez abandonar o nome Celaena e começar a atender pelo verdadeiro. — Um sorriso brutal. — Aelin Galathynius.

Elide mal conseguia sentir o próprio corpo.

— O quê? — Foi só o que conseguiu dizer.

— Sua rainha cuspidora de fogo? É uma maldita assassina. Treinada para ser uma assassina assim que sua mãe morreu para defendê-la. Treinada para ser tão cruel quanto o homem que matou sua mãe e sua família real.

A jovem balançou a cabeça conforme as mãos ficaram inertes.

— O quê? — repetiu ela.

Lorcan gargalhou com ironia.

— Enquanto estava trancafiada naquela torre durante dez anos, ela se refestelava com as riquezas de Forte da Fenda, sendo mimada e paparicada pelo mestre, o rei dos Assassinos, que ela matou a sangue frio nesta primavera. Então descobrirá que sua salvadora há muito perdida é pouco melhor que eu. Descobrirá que ela teria matado aquele homem da mesma forma que eu matei, e que teria tão pouca tolerância para suas reclamações quanto eu.

Aelin... uma assassina. Aelin; a mesma pessoa a quem Elide fora incumbida de entregar a pedra...

— Você sabia — disse ela. — Esse tempo todo em que estivemos juntos, você sabia que procurava a mesma pessoa.

— Eu disse que encontrar uma seria encontrar a outra.

— Você sabia e não me contou. Por quê?

— Ainda não me contou seus segredos. Não vejo por que deveria contar todos os meus também.

Elide fechou os olhos com força, tentando ignorar a mancha escura na madeira — tentando apaziguar a dor das palavras de Lorcan e selar o buraco que se abrira sob seus pés. O que estivera naquele amuleto? Por que ele rugira e...

— Sua rainhazinha — disse Lorcan, com escárnio — é uma assassina e uma ladra e uma mentirosa. Então, se vai me chamar de tais coisas, esteja preparada para atirar os insultos a ela também.

A pele de Elide parecia estar em chamas, e os ossos estavam frágeis demais para suportar a raiva que a tomava. Ela procurou as palavras certas para feri-lo, para machucá-lo, como se fossem punhados de pedras que pudesse atirar contra a cabeça do guerreiro.

— Eu estava errada — sibilou a jovem. — Disse que você e eu éramos iguais, que não tínhamos família ou amigos. Mas não tenho ninguém porque a distância e as circunstâncias me separam deles. Você não tem ninguém porque ninguém suporta estar perto de você. — Ela tentou olhar o guerreiro com superioridade; e conseguiu, se a ira que surgiu nos olhos de Lorcan era alguma indicação, mesmo que ele fosse mais alto. — E sabe qual é a maior mentira que conta a todos, Lorcan? Que prefere que seja dessa forma. Mas sabe o que ouço quando você tagarela sobre minha *rainha vadia*? Só ouço as palavras de alguém profunda e completamente invejoso, e solitário, e *patético*. Só ouço as palavras de alguém que viu Aelin e o príncipe Rowan se apaixonarem e se ressentiu por estarem felizes, porque *você* é tão infeliz. — Elide não conseguiu impedir as palavras depois que começaram a sair. — Então chame Aelin de assassina e ladra e mentirosa. Chame-a de rainha vadia e cuspidora de fogo. Mas me perdoe se deixo para julgar essas coisas quando a conhecer. O que *farei*. — Ela apontou para o lamacento rio cinza que fluía ao redor de ambos. — Vou para Eyllwe. Me leve para a margem e lavarei as mãos em relação a você com a mesma facilidade com que você lavou o sangue daquele homem das suas.

Lorcan a olhou de cima a baixo, os dentes expostos o suficiente para mostrar aqueles caninos levemente alongados. Mas ela não se importava com sua herança feérica, com a idade e nem com sua habilidade para matar.

Depois de um momento, o guerreiro voltou a empurrar o remo contra o leito do rio, não para levá-los até a margem, mas para seguir em frente.

— Não ouviu o que eu disse? *Me leve para a margem.*

— Não.

A raiva de Elide sobrepujou qualquer gota de bom senso, qualquer aviso de Anneith conforme ela disparou até o guerreiro.

— *Não?*

Lorcan deixou que o remo se arrastasse pela água, e voltou o rosto para ela. Nenhuma emoção, nem mesmo raiva, estampada ali.

— O rio virou para o sul há 3 quilômetros. Pelo mapa na cabine, podemos seguir direto para lá, e então encontrar o caminho mais rápido para Banjali.

— Elide limpou a chuva que pingava da testa quando Lorcan aproximou o rosto o suficiente para que os hálitos se misturassem. — Pelo visto, agora também tenho assuntos a tratar com Aelin Galathynius. Parabéns, *milady*. Acabou de conseguir um guia para Eyllwe.

Havia uma luz fria e letal nos olhos do semifeérico, e Elide se perguntou por que diabo ele teria rugido.

Mas aqueles olhos desceram até a boca da jovem, fechada com força devido à ira. E uma parte de Elide, nem remotamente ligada ao medo, ficou imóvel diante da atenção, mesmo quando outras partes se incendiaram um pouco.

Os olhos de Lorcan por fim encontraram os de Elide, e a voz era como um grunhido noturno ao dizer:

— Até onde se sabe, você ainda é minha esposa.

Elide não protestou; mesmo ao retornar para a cabine, com a magia insuportável de Lorcan ajudando-a com o andar incerto, e bater a porta com tanta força que o vidro chacoalhou.

∽

Nuvens de tempestade se afastaram, revelando uma noite salpicada de estrelas e uma lua brilhante o suficiente para que Lorcan navegasse pelo lento rio estreito.

Ele os virava hora após hora, contemplando precisamente como assassinaria Aelin Galathynius sem que Elide ou Whitethorn se colocassem no caminho, e então como cortaria o cadáver e daria aos corvos.

Aelin mentira para ele. Ela e Whitethorn o haviam enganado naquele dia em que o príncipe feérico entregara a chave de Wyrd.

Não houvera nada dentro do amuleto além de um daqueles anéis — um anel de pedra de Wyrd completamente inútil, envolto em um pedaço de pergaminho. E nele estava escrito, em caligrafia feminina:

Espero que descubra termos mais criativos que "vadia" para me chamar quando encontrar isto.
Com todo meu amor,
A.A.G.

Lorcan a mataria. Devagar. Criativamente. Tinha sido forçado a fazer uma promessa de sangue, uma garantia de que o anel de Mala realmente oferecia imunidade dos valg ao ser usado; não pensara em exigir saber se a chave de Wyrd também era real.

E Elide — o que Elide carregava, o que o fizera perceber... Pensaria naquilo depois. Contemplaria o que fazer com a Lady de Perranth depois.

O único consolo era ter roubado de volta o anel de Mala, mas a *vadiazinha* ainda possuía a chave. Se Elide precisava ir até Aelin... Ah, ele encontraria Aelin para Elide.

E faria a rainha de Terrasen rastejar antes que aquilo acabasse.

❧ 44 ❧

O mundo começava e terminava em fogo.

Um mar de fogo sem espaço para ar ou sons além da cascata de terra derretida. O verdadeiro coração de fogo — a ferramenta de criação e destruição. E ela se afogava naquilo.

O peso a sufocava conforme se debatia, procurando uma superfície ou um fundo do qual se impulsionar. Mas não havia nenhum dos dois.

Conforme aquilo lhe inundou a garganta, irrompendo para dentro do corpo e derretendo-a, ela começou a gritar sem emitir som, implorando para que parasse...

Aelin.

O nome, rugido contra o núcleo de chamas no coração do mundo, era um farol, uma convocação. Ela nascera esperando para ouvir aquela voz, procurara-a indistintamente a vida inteira, seguiria a voz até o fim de todas as coisas...

— AELIN.

Ela se curvou para fora da cama, com chamas na boca, na garganta, nos olhos. Chamas vermelhas.

Dourado e azul se entrelaçavam com faixas intensas de vermelho. Chamas de verdade, irrompendo da jovem, tinham queimado os lençóis, mas poupado o quarto e o restante da cama da incineração, poupado o *navio no meio do mar* da incineração, por uma parede de ar irredutível, inquebrável.

Mãos envoltas em gelo apertaram seus ombros, e, em meio às chamas, o rosto franzido de Rowan surgiu, ordenando que ela respirasse...

Aelin tomou fôlego. Mais chamas dispararam de sua garganta.

Não havia um fio ou uma coleira para conter a magia. Pelos deuses, pelos deuses, nem mesmo conseguia sentir a ameaça de um esgotamento por perto. Não havia nada além daquela chama...

Rowan segurou o rosto de Aelin nas mãos, vapor ondulou onde o gelo e o vento encontraram o fogo.

— Você é a mestra; *você* o controla. Seu medo concede a ele o direito de assumir o controle.

O corpo da jovem arqueou para fora do colchão de novo, completamente nu. Devia ter queimado as roupas — a camisa preferida de Rowan. As chamas queimavam mais selvagemente.

O guerreiro a segurou com força, obrigando-a a encará-lo enquanto grunhia:

— Vejo você. Vejo cada parte sua. E não tenho medo.

Não terei medo.

Uma linha na claridade incandescente.

Meu nome é Aelin Ashryver Galathynius...

E não terei medo.

E, com tanta certeza quanto se a estivesse segurando na mão, a coleira surgiu.

Escuridão fluiu para dentro, abençoada e tranquila, onde aquele poço incandescente de chamas queimara.

Ela engoliu uma vez, duas.

— Rowan.

Os olhos do príncipe brilhavam com uma força quase animal, avaliando cada centímetro de Aelin.

As batidas do coração do feérico estavam descontroladas, estrondosas... em pânico.

— Rowan — repetiu ela.

Mesmo assim, ele não se moveu, não parou de fitá-la, procurando sinais de ferimentos. Algo no peito da própria Aelin se moveu diante do pânico de Rowan.

Ela lhe segurou o ombro, enterrando as unhas diante da explosão violenta de cada linha do corpo do príncipe, como se ele tivesse libertado as coleiras que mantinha sobre si, antecipando a luta para manter *Aelin* naquele corpo, não alguma deusa ou coisa pior.

— Acalme-se. *Agora.*

Mas ele não conseguiu. Revirando os olhos, Aelin tirou as mãos do guerreiro do próprio rosto para se inclinar e tirar os lençóis de cima de ambos.

— Estou bem — afirmou ela, pronunciando cada palavra. — Você se certificou disso. Agora me traga água. Estou com sede.

Um comando básico, fácil. Para servir, da forma como Rowan explicara que machos feéricos *gostavam* de ser necessários, para satisfazer alguma parte que queria cuidar e paparicar. Para arrastá-lo de volta ao nível da civilização e da razão.

O rosto de Rowan ainda estava tenso com ira feral — além do terror traiçoeiro que havia por baixo.

Então Aelin se inclinou para perto, mordiscou seu maxilar, certificando-se de que os caninos arranhassem, e disse contra a pele do guerreiro:

— Se não começar a agir como um príncipe, pode dormir no chão.

Ele recuou, o rosto selvagem não era completamente daquele mundo, mas devagar, como se as palavras estivessem sendo absorvidas, as feições se suavizaram. Ainda parecia irritadiço, mas não tão perto de *matar* aquela ameaça invisível contra Aelin, quando se inclinou para perto de sua rainha, mordiscando o maxilar de volta em resposta, e sussurrou no ouvido da jovem:

— Vou fazer você se arrepender de tais ameaças, princesa.

Pelos deuses. Os dedos dos pés de Aelin se contorceram, mas ela lhe deu um sorriso tímido quando ele se levantou, cada músculo do corpo nu se mexendo com o gesto. A jovem o observou andar com graciosidade felina até a pia e a jarra sobre ela.

O desgraçado teve a audácia de olhar Aelin de cima a baixo ao erguer a jarra. Depois lhe deu um sorriso de macho satisfeito ao servir um copo até a borda, parando com precisão hábil.

Aelin considerou lançar uma faixa de chamas para queimar a bunda nua de Rowan conforme ele apoiou a jarra com cuidado e calma enfáticos, então voltou à cama, de olho nela o tempo todo, e colocou o copo de água na mesa de cabeceira.

A jovem se levantou com os joelhos surpreendentemente firmes para encará-lo.

Apenas o ranger do navio e o sibilar das ondas contra o casco preenchiam o quarto.

— O que foi isso? — perguntou ela, baixinho.

Os olhos de Rowan se fecharam.

— Fui eu... perdendo o controle.

— Por quê?

Rowan olhou para a portinhola e para o mar beijado pela lua além dela. Era tão raro que evitasse o olhar de Aelin.

— Por quê? — insistiu ela.

Por fim, ele a encarou.

— Eu não sabia se ela havia tomado você de novo. — Não importava que a chave de Wyrd já não estivesse em volta do pescoço de Aelin, e sim ao lado da cama. — Mesmo quando percebi que estava apenas no transe da magia, ainda... A magia a levou embora. Fazia muito tempo desde que eu não tinha certeza... desde que não sabia como trazê-la de volta. — Ele exibiu os dentes, soltando um fôlego irregular, direcionando a ira para dentro. — Antes que me chame de um desgraçado feérico territorial, permita que eu peça desculpas e explique que é *muito* difícil...

— Rowan. — Ele ficou imóvel. Aelin cruzou a pequena distância entre os dois, cada passo era como a resposta a uma pergunta que ela fizera assim que a alma tinha passado a existir. — Você não é humano. Não espero que seja.

Ele quase pareceu se encolher. Mas Aelin apoiou a mão no peito exposto, sobre o coração dele. Ainda batia forte sob a palma da mão.

Sentindo aquele coração, a jovem disse, baixinho:

— Não me importo se é feérico ou humano, se é valg ou um maldito *skinwalker*. É o que é. E o que quero... o que *preciso*, Rowan, é alguém que não peça desculpas por isso. Por ser quem é. Você nunca fez isso antes. — Ela se inclinou para beijar a pele exposta onde a mão estivera antes. — Por favor, não comece a fazer isso agora. Sim, às vezes me deixa furiosa com essa insanidade territorial feérica, mas... Ouvi sua voz. Ela me acordou. Me tirou daquele... lugar.

Rowan fez uma reverência com a cabeça até que a testa tocasse a de Aelin.

— Queria ter mais para oferecer a você... durante essa guerra e depois.

Ela deslizou os braços em torno da cintura nua do guerreiro.

— Você me oferece mais do que jamais esperei. — Rowan pareceu protestar, mas Aelin o interrompeu: — E, como tanto Darrow quanto Rolfe disseram que eu precisava vender minha mão em casamento pelo bem dessa guerra, acho que eu deveria fazer o oposto.

Um riso de escárnio.

— Típico. Mas se Terrasen precisar...

— Vejo isso da seguinte forma — cortou ela, recuando para examinar a expressão severa de Rowan. — Não temos o luxo do tempo. E um casamento com um reino estrangeiro, com os contratos e as distâncias, além dos meses que leva para levantar e enviar um exército... não *temos* esse tempo. Só temos *agora*. E o que não preciso é de um marido que tentará entrar em uma competição comigo, ou que eu precisarei enclausurar em algum lugar pela própria segurança, ou que se esconderá em um canto quando eu despertar cheia de chamas ao redor. — Ela beijou o peito tatuado do guerreiro de novo, bem sobre aquele coração poderoso e retumbante. — Isto, Rowan... *Isto* é tudo de que preciso. Apenas isto.

As reverberações da respiração profunda e trêmula ecoaram contra a bochecha de Aelin, e Rowan lhe acariciou os cabelos, ao logo das costas nuas. Mais baixo.

— Uma corte que pode mudar o mundo.

Ela beijou o canto da boca de Rowan.

— Encontraremos um jeito... juntos. — As palavras que ele dissera a ela uma vez, as palavras que tinham começado a curar o coração destruído de Aelin. E o dele. — Feri você com... — As palavras saíram roucas.

— Não. — Rowan lhe acariciou o rosto com o polegar. — Não, não me feriu. Nem nada mais.

Algo no peito de Aelin se afrouxou, e o guerreiro a segurou nos braços quando ela enterrou o rosto em seu pescoço. As mãos calejadas do príncipe acariciaram as costas da jovem, sobre cada uma das cicatrizes e das tatuagens que ele fizera.

— Se sobrevivermos a esta guerra — murmurou Aelin depois de um tempo, contra o peito nu de Rowan —, você e eu precisaremos aprender a relaxar. A dormir a noite inteira.

— Se sobrevivermos a esta guerra, princesa — respondeu ele, passando um dedo pela depressão da coluna da jovem —, ficarei feliz em fazer o que quiser. Até mesmo aprender a relaxar.

— E se jamais tivermos um momento de paz, mesmo depois de conseguirmos o Fecho e as chaves, e depois de enviarmos Erawan de volta ao seu mundo infernal?

A diversão se dissipou, sendo substituída por algo mais determinado conforme os dedos de Rowan pararam sobre as costas de Aelin.

— Mesmo que combatamos ameaças de guerra dia sim, dia não, mesmo que precisemos abrigar emissários difíceis, mesmo que tenhamos de visitar reinos terríveis e sermos bonzinhos, ficarei feliz em fazer isso, se você estiver a meu lado.

Os lábios de Aelin tremeram.

— Olhe só. Desde quando aprendeu a fazer discursos tão bonitos?

— Só precisava do incentivo certo para aprender — replicou Rowan, beijando-a na bochecha.

O corpo de Aelin ficou tenso e incandescente nos lugares certos quando a boca do feérico desceu, pressionando beijos carinhosos e rápidos em seu maxilar, sua orelha e seu pescoço. Aelin cravou os dedos nas costas do guerreiro, expondo o pescoço conforme os caninos roçavam de leve.

— Amo você — sussurrou Rowan contra a pele dela e moveu a língua sobre o ponto em que os caninos tinham roçado. — Entraria no coração do próprio inferno em chamas para encontrá-la.

Ele quase o fizera minutos antes, ela queria dizer. Mas apenas arqueou as costas um pouco mais, deixando um ruído baixo e desejoso sair de dentro de si. Aquilo... *ele*... Será que algum dia pararia... o desejo? A necessidade de não apenas estar perto do feérico, mas de tê-lo tão profundamente dentro de si de modo que sentisse as almas se entrelaçando, a magia dançando... O fio que a levara para fora daquele núcleo incandescente de insanidade e destruição.

— Por favor — sussurrou Aelin, as unhas se enterrando na lombar de Rowan com ênfase.

O gemido baixo do príncipe feérico foi a única resposta ao erguê-la. Aelin lhe envolveu a cintura com as pernas, deixando que ele a carregasse não para a cama, mas para a parede, para a sensação da madeira fria às costas, em contraponto ao calor e à firmeza de Rowan pressionando o corpo contra o seu...

Aelin ofegou entre dentes quando o guerreiro, de novo, passou a língua sobre aquele ponto em seu pescoço.

— *Por favor.*

Ela sentiu o sorriso contra a pele conforme Rowan se impulsionou para dentro com um movimento prolongado e poderoso, mordendo seu pescoço.

Uma reivindicação, forte e verdadeira, que Aelin entendeu ser do que ele desesperadamente precisava. Do que *ela* precisava, e com os dentes nela, com o corpo nela... Aelin entraria em combustão, iria se partir devido à *necessidade* sobrepujante...

Os quadris de Rowan começaram a se mover, em um ritmo preguiçoso e suave enquanto mantinha os caninos enterrados no pescoço de Aelin. Enquanto deslizava a língua ao longo de pontos idênticos de prazer marcados pela mais ínfima dor, e ele provou a pura essência da jovem como se fosse vinho.

O guerreiro riu, baixo e malicioso, quando o êxtase a levou a lhe morder o ombro para evitar gritar tão alto que acordaria as criaturas no leito do mar.

Ao retirar finalmente a boca do pescoço de Aelin, curando com magia as pequenas feridas, ele se moveu mais profundamente, com mais força, firmando as mãos nas coxas da jovem e prendendo-a à parede.

Aelin apenas percorreu os cabelos de Rowan com os dedos quando lhe deu um beijo selvagem e sentiu o gosto do próprio sangue na língua do príncipe.

Ela sussurrou contra a boca do feérico:

— Sempre encontrarei um caminho de volta até você.

Dessa vez, quando Aelin ultrapassou o limite, Rowan mergulhou com ela.

∿

Manon Bico Negro acordou.

Não houvera som, cheiro, nenhum indício de *por que* tinha acordado, mas aqueles instintos predatórios haviam captado algo estranho e a tirado do sono.

Ela piscou ao se sentar, o ferimento irradiando apenas uma dor fraca, e percebeu que a cabeça estava livre de qualquer névoa anterior.

O quarto parecia quase totalmente preto, exceto pelo luar que entrava pela portinhola para iluminar a minúscula cabine. Por quanto tempo tinha ficado perdida no sono e na terrível melancolia?

Manon ouviu cuidadosamente o ranger do navio. Um leve grunhir soava acima — Abraxos. Ainda vivo. Ainda... dormindo, de acordo com aquele grunhido preguiçoso e chiado que ela reconhecia.

A bruxa testou as correntes nos pulsos, erguendo-as para olhar a fechadura. Um tipo inteligente de dispositivo, com correntes grossas e firmemente ancoradas na parede. Os grilhões nos tornozelos não eram mais fracos.

Manon não se lembrava da última vez que estivera acorrentada. Como Elide suportara durante uma década?

Talvez fosse atrás da jovem depois que saísse dali. Duvidava de que o rei Havilliard tivesse alguma notícia das Treze mesmo. A bruxa subiria de fininho nas costas de Abraxos, voaria até a costa e encontraria Elide antes de achar sua aliança. E então... não sabia o que faria. Mas era melhor que ficar deitada ali, como um verme ao sol, deixando qualquer que fosse o desespero que tivesse tomado o controle durante aqueles dias ou aquelas semanas atormentá-la.

Então, como se o tivesse conjurado, a porta se abriu.

Dorian estava parado ali, com uma vela na...

Não era uma vela. Chama pura acesa nos dedos. Fazia com que os olhos cor de safira brilhassem forte ao vê-la lúcida.

— Foi você... quem lançou aquela onda de poder?

— Não. — Embora não fosse preciso muita adivinhação para saber quem o fizera, portanto. — Bruxas não têm magia assim.

Dorian inclinou a cabeça, com os cabelos preto-azulados manchados de dourado pelas chamas.

— Mas vivem muito.

Ela assentiu, e o rapaz entendeu aquilo como um convite para se sentar na cadeira de sempre.

— Se chama Renúncia — explicou Manon, com um calafrio percorrendo a espinha. — O pouco de magia que temos. Normalmente não conseguimos conjurar ou empunhar, mas, por um momento na vida de uma bruxa, ela pode conjurar grande poder para disparar sobre os inimigos. O custo é ser incinerada na explosão, o corpo é renunciado à Escuridão. Nas guerras das bruxas, Renúncias foram feitas de ambos os lados durante cada batalha e enfrentamento.

— É suicídio... se explodir até virar cacos... e levar juntos os inimigos.

— É, e não é uma imagem bonita. Quando uma bruxa Dentes de Ferro renuncia a vida à Escuridão, o poder a preenche e é libertado em uma onda cor de ébano. Uma manifestação do que jaz em nossas almas.

— Já viu isso ser feito?

— Uma vez. Por uma bruxa jovem e assustada, certa de que não teria glória de nenhum outro jeito. Mas ela levou metade das forças das Dentes de Ferro, assim como das Crochan.

A mente de Manon estalou diante da palavra. *Crochan*. Seu povo...

Não era seu povo. Manon era uma maldita Bico Negro...

— As Dentes de Ferro usarão isso contra nós?

— Se vocês estiverem enfrentando alianças inferiores, sim. Alianças mais velhas são arrogantes demais, habilidosas demais para escolher a Renúncia à luta. Mas alianças mais jovens e mais fracas se assustam, ou querem ganhar reconhecimento pelo sacrifício.

— É assassinato.

— É guerra. Guerra é assassinato sancionado, não importa de que lado esteja. — Ira lampejou no rosto de Dorian, e Manon perguntou: — Já matou um homem?

Ele abriu a boca para responder que não, mas a luz na mão de Dorian se extinguiu.

Ele o fizera. Quando usava o colar, supôs Manon. O valg dentro do príncipe matara. Diversas vezes. E não de forma limpa.

— Lembre-se do que eles o obrigaram a fazer — disse a bruxa. — Quando os enfrentar de novo.

— Duvido de que algum dia me esqueça, bruxinha. — O rapaz ficou de pé, seguindo até a porta.

— Estas correntes estão machucando minha pele — comentou Manon, então. — Certamente sente alguma empatia por coisas acorrentadas. — Dorian parou. Ela ergueu as mãos, exibindo os grilhões. — Darei minha palavra de que não farei mal algum.

— A decisão não é minha. Agora que consegue falar, talvez consiga amolecer Aelin contando o que ela insiste em saber.

A bruxa não fazia ideia do que a rainha vinha exigindo dela. Nenhuma.

— Quanto mais eu ficar aqui, *principezinho*, maiores as chances de eu fazer algo idiota quando for solta. Deixe-me ao menos sentir o vento no rosto.

— Tem uma janela. Fique de pé diante dela.

Parte de Manon esticou o corpo diante da severidade, da *masculinidade* daquele tom, da posição daqueles ombros largos. Ela ronronou:

— Se eu estivesse dormindo, teria ficado para me encarar durante um tempo? Diversão gélida brilhava ali.

— Teria reclamado?

E talvez a bruxa estivesse inconsequente e selvagem e ainda um pouco idiota devido à perda de sangue, pois respondeu:

— Se planeja entrar aqui de fininho na calada da noite, deveria ao menos ter a decência de se certificar de que eu ganhe algo com isso.

Os lábios de Dorian estremeceram, embora o sorriso fosse frio e sensual de uma forma que a fez se perguntar como seria brincar com um rei abençoado com magia pura. Se ele a faria implorar pela primeira vez durante a longa vida. O rapaz parecia capaz daquilo; talvez disposto a permitir um pouco de crueldade entre quatro paredes. O sangue de Manon latejava.

— Por mais que seja tentador vê-la nua e acorrentada... — A risada baixa de um amante. — Não acho que você apreciaria a perda de controle.

— E já esteve com tantas mulheres a ponto de poder julgar as vontades de uma bruxa tão facilmente?

Aquele sorriso ficou preguiçoso.

— Um cavalheiro jamais deve contar.

— Quantas? — Dorian só tinha 20 anos, embora tivesse sido um príncipe que se tornara rei. Mulheres provavelmente se atiravam para ele desde que engrossara a voz.

— Com quantos homens *você* já esteve? — replicou ele.

Manon riu.

— O suficiente para saber como lidar com as necessidades de principezinhos mortais. Para saber o que o fará implorar. — Embora, na verdade, ela estivesse contemplando o oposto.

Dorian caminhou pelo quarto, além das correntes, chegando ao alcance da respiração da bruxa. Ele se inclinou em sua direção, quase nariz com nariz, não havia nenhum divertimento no rosto de Dorian, no corte da linda boca cruel, ao dizer:

— Não acho que possa lidar com o tipo de coisas de que eu preciso, bruxinha. E nunca mais implorarei por nada na vida.

E depois ele se foi. Manon encarou as costas de Dorian, e um chiado de irritação lhe escapuliu dos lábios. Devido à oportunidade desperdiçada de pegá-lo e mantê-lo refém, e exigir a própria liberdade; diante da arrogância na presunção do rapaz; do calor que tinha se reunido em seu centro e que agora latejava insistentemente a ponto de fazê-la unir as pernas.

Manon jamais fora rejeitada. Homens se despedaçavam, às vezes literalmente, para estar em sua cama. E ela... Ela não sabia o que teria feito se Dorian tivesse aceitado a oferta, se teria decidido descobrir o que exatamente o rei podia fazer com aquela linda boca e com o corpo torneado. Uma distração; e uma desculpa para se odiar ainda mais, supôs a bruxa.

Ainda estava tomada pela raiva e fitava a porta quando ela se abriu de novo.

Dorian se encostou contra a madeira envelhecida; os olhos ainda brilhavam de uma forma que Manon não sabia dizer se era luxúria ou ódio ou ambos. Sem desviar o olhar, o rei deslizou a tranca para fechá-la.

As batidas do coração da bruxa se aceleraram, canalizando toda a concentração imortal na respiração equilibrada, lenta do jovem rei, no rosto indecifrável.

A voz soou áspera quando ele disse:

— Não vou desperdiçar meu fôlego dizendo a você como seria estúpido me tomar como refém.

— Não vou desperdiçar o meu dizendo a você que aceite apenas o que ofereço, nada mais.

Os ouvidos de Manon se concentraram em ouvir, mas mesmo o maldito coração de Dorian era como uma batida sólida. Não havia um sopro de medo.

— Preciso ouvi-la dizer sim — falou ele, os olhos se voltando para as correntes.

Manon levou um momento para entender, mas então soltou uma risada baixa.

— Quanta consideração, principezinho. Mas sim. Faço isso por minha livre e espontânea vontade. Pode ser nosso pequeno segredo.

A bruxa não era mais coisa alguma nem ninguém. Compartilhar a cama com o inimigo não era nada em comparação ao sangue Crochan que lhe fluía nas veias.

Ela começou a desabotoar a camisa branca que vestia, sabiam os deuses desde quando, mas Dorian grunhiu:

— Deixe que eu faço isso.

Ao inferno que o faria. A bruxa tocou o segundo botão.

Mãos invisíveis lhe envolveram os pulsos, com tanta força que Manon soltou a camisa.

Dorian caminhou até ela.

— Eu disse que faria isso. — Manon observou cada centímetro do rapaz quando ele se ergueu sobre ela, então um calafrio de prazer irrompeu pelo corpo da bruxa. — Sugiro que ouça.

A pura *arrogância* masculina naquela afirmação...

— Está cortejando a morte se...

Dorian abaixou a boca até a de Manon.

Foi um toque de pena, mal passou de um sussurro. Determinado, calculado e tão inesperado que ela arqueou levemente o corpo.

Dorian beijou um canto da boca com a mesma suavidade de seda. Então o outro canto. Ela não se moveu nem mesmo respirou — como se cada parte do corpo estivesse esperando para ver o que o rei faria a seguir.

Mas ele recuou, observando os olhos da bruxa com um distanciamento frio. O que quer que tivesse visto ali o fez se afastar.

Os dedos invisíveis nos pulsos de Manon sumiram. A porta se destrancou. E aquele sorriso arrogante retornou quando ele deu de ombros, dizendo:

— Talvez outra noite, bruxinha.

Manon quase berrou quando Dorian saiu pela porta... e não retornou.

⊰ 45 ⊱

A bruxa estava lúcida, porém irritada.

Aedion teve o prazer de lhe servir o café da manhã, e tentou não reparar no cheiro de excitação feminina presente na cabine, ou que o perfume de Dorian estava entrelaçado a ele.

O rei tinha o direito de seguir em frente, lembrou-se ele horas depois enquanto observava o horizonte de fim de tarde no leme do navio. Nas horas tranquilas dos turnos de vigia, Aedion frequentemente remoera o sermão intenso que Lysandra lhe dera a respeito da raiva e da crueldade para com o rei. E era possível — apenas possível — que ela estivesse certa. E talvez o fato de que Dorian podia sequer olhar para uma fêmea com interesse depois de ver Sorscha ser decapitada fosse um milagre. Mas... a bruxa? Era com *aquilo* que ele queria se envolver?

O general perguntou isso a Lysandra quando ela se juntou a ele meia hora depois, ainda ensopada após patrulhar as águas à frente. Tudo limpo.

A metamorfa franziu a testa enquanto penteava a cabeleira preta com os dedos.

— Tive clientes que perderam mulheres ou amantes e buscavam alguma distração. Queriam o oposto da pessoa amada, talvez para que o ato parecesse completamente alheio. O que ele passou mudaria qualquer um. Dorian pode muito bem sentir atração por coisas perigosas agora.

— Ele já tinha uma queda por elas — murmurou Aedion, olhando para onde Aelin e Rowan treinavam luta no convés principal, suor escorrendo dourado conforme a luz da tarde abria espaço para a noite. Dorian estava sentado próximo, nos degraus que subiam ao tombadilho, Damaris apoiada nos joelhos, semiacordada sob o calor. Parte do general sorriu, sabendo que Rowan sem dúvida acabaria com o rapaz por aquilo.

— Aelin era perigosa, mas ainda assim humana — observou Lysandra.

— Manon... não é. Provavelmente isso o atrai. E eu não me meteria se fosse você.

— Não vou interferir naquele desastre, não se preocupe. Mas eu não deixaria aqueles dentes de ferro chegarem perto de minha parte preferida se fosse ele. — Aedion sorriu quando Lysandra inclinou a cabeça para trás, rindo, então acrescentou: — Além do mais, ver Aelin e a bruxa se enfrentarem hoje cedo a respeito de Elide foi o suficiente para me lembrar de ficar bem afastado, e aproveitar o espetáculo.

A pequena Elide Lochan; viva e pelo mundo, procurando por eles. Pelos deuses. O olhar no rosto da prima quando Manon revelara detalhe após detalhe do que Vernon tentara fazer com a menina...

Haveria um acerto de contas em Perranth por causa daquilo. O próprio Aedion enforcaria o lorde pelos intestinos. Enquanto Vernon ainda estivesse respirando. E então começaria a dar o troco pelos dez anos de horror que Elide tinha suportado. Pelo pé machucado e pelas correntes. Pela torre.

Trancada em uma torre — em uma cidade que ele visitara tantas vezes nos últimos dez anos que havia perdido a conta. Ela podia até mesmo ter visto a Devastação daquela torre conforme entravam e saíam da cidade. Possivelmente pensando que Aedion também a esquecera, ou que não se importava com ela.

E agora estava pelo mundo. Sozinha.

Com um pé permanentemente machucado, sem treinamento, sem armas. Se desse sorte, talvez encontrasse a Devastação primeiro. Os comandantes reconheceriam seu nome, eles a protegeriam. Quer dizer, se Elide ousasse se revelar.

Fora preciso todo o autocontrole do general para não estrangular Manon por ter abandonado a menina no meio da floresta de Carvalhal, por não a ter levado, voando, direto a Terrasen.

Aelin, no entanto, não se incomodara em se conter.

Dois golpes, ambos tão rápidos que mesmo a Líder Alada não os viu.

Um golpe com o dorso da mão no rosto da bruxa. Por abandonar Elide.

Então um anel de fogo em torno do pescoço, atirando-a contra a madeira, para obrigá-la a jurar que a informação estava correta.

Rowan secamente lembrara Aelin de que Manon fora responsável pela fuga e pelo resgate de Elide também. Ela apenas retrucara que, se a bruxa não tivesse sido, o fogo já estaria descendo por sua garganta.

E foi isso.

Aelin, pelo fervor com que enfrentava Rowan pelo deque, ainda estava irritada.

A bruxa, pelos grunhidos e pelo cheiro na cabine, ainda estava irritada.

Aedion estava mais que pronto para chegar ao pântano de Pedra — mesmo se o que os esperava pudesse não ser tão agradável.

Havia mais três dias entre eles e a costa leste. Então... então todos veriam o quanto valia a aliança de Rolfe, se o homem era de confiança.

— Não pode evitá-lo para sempre, sabe — comentou Lysandra, atraindo a atenção do general para o *outro* motivo pelo qual precisava sair daquele navio.

O pai estava sentado na proa, perto de onde Abraxos tinha se enroscado, vigiando e observando a serpente alada. Aprendendo como matá-las... onde acertar.

Embora o animal não passasse de um cão grande, dócil o suficiente para não se darem o incômodo de acorrentá-lo. Não tinham mesmo uma corrente grande o bastante, e a besta provavelmente se recusaria a deixar o navio até que Manon o fizesse. Abraxos apenas se movia para caçar peixes ou animais maiores; Lysandra o escoltava na forma de dragão marinho sob as ondas. E, quando a serpente alada se deitava no deque... o Leão lhe fazia companhia.

Aedion mal falara com Gavriel desde baía da Caveira.

— Não o estou evitando — respondeu ele. — Só não tenho interesse em conversar com ele.

A metamorfa jogou os cabelos molhados sobre um ombro, franzindo a testa diante das manchas úmidas na blusa branca.

— Eu bem que gostaria de saber a história de como o caminho do Leão se cruzou com o de sua mãe. É bondoso, para alguém da equipe de Maeve. Melhor que Fenrys.

De fato, Fenrys fazia com que o general quisesse quebrar coisas. Aquele rosto sorridente, o andar prepotente, a arrogância sombria... Era outro espelho, percebeu ele. Contudo, era um que seguia Aelin por toda parte, como um cachorrinho. Ou lobo, supunha.

Aedion não se testara contra o macho no ringue de luta, mas cuidadosamente o observara derrotar Rowan e Gavriel, e ambos o haviam treinado. Fenrys lutara como o general julgava condizente a um guerreiro treinado por dois assassinos letais durante séculos. Mas não presenciara outro lampejo da magia que permitia o salto de Fenrys entre lugares, quase um caminhar por um portal invisível.

Como se os pensamentos tivessem conjurado o guerreiro imortal, ele saiu das sombras sob o deque, andando com arrogância, e sorriu para todos antes de ocupar a posição de sentinela perto do mastro principal. Estavam todos em um cronograma de vigias e patrulhas, com Lysandra e Rowan em geral incumbidos de voar para bem longe da vista para verificar atrás e adiante, ou para se comunicar com os dois navios de escolta. Aedion não ousara contar à metamorfa que costumava contar os minutos até que ela voltasse, que o peito sempre parecia insuportavelmente apertado até vê-la, qualquer que fosse a forma alada ou de barbatanas assumida, voltando para eles.

Como a prima, Aedion não tinha dúvidas de que a metamorfa não aceitaria muito bem a *preocupação*.

Lysandra observava cuidadosamente Aelin e Rowan, espadas como mercúrio conforme se chocavam, golpe após golpe.

— Tem se saído bem em suas lições — elogiou Aedion.

Os olhos verdes da metamorfa se enrugaram. Todos faziam turnos para ensiná-la a manusear diversas armas e a lutar corpo a corpo. Lysandra conhecia algumas coisas do tempo com Arobynn — ele a ensinara como uma forma de assegurar a sobrevivência do próprio *investimento*, contara ela ao general.

Mas a mulher queria saber mais. Como matar homens de diferentes formas. Aquilo não deveria ter animado Aedion tanto assim. Não quando Lysandra rira de sua alegação na praia naquele dia em baía da Caveira. Ela não a mencionara de novo. Aedion também não fora burro o suficiente para fazê-lo.

Ele a seguiu, incapaz de se impedir, quando ela caminhou para onde a rainha e o príncipe feérico lutavam, e Dorian se espremeu nos degraus, oferecendo silenciosamente à metamorfa um espaço. Aedion reconheceu o gesto e o respeito do rei, afastando os próprios sentimentos beligerantes com relação àquilo conforme permaneceu acima dos dois, concentrando-se na prima e em Rowan.

Mas eles tinham chegado a um impasse — tanto que o guerreiro encerrara o treino e embainhara a espada. Então dera um peteleco no nariz de Aelin quando ela pareceu irritadinha por não vencer. Aedion riu baixo, olhando para a metamorfa enquanto a rainha e o príncipe caminhavam para a jarra de água e os copos diante do corrimão da escada a fim de se servir.

Ele estava prestes a oferecer a Lysandra um último turno no ringue antes de o sol se pôr quando Dorian apoiou os braços nos joelhos e disse a Aelin, através do corrimão:

— Não acho que ela fará nada se a soltarmos.

A rainha tomou um belo gole d'água, ainda respirando com dificuldade.

— Chegou a essa conclusão antes, durante ou depois de visitá-la no meio da noite?

Pelos deuses. Seria aquele tipo de conversa.

O rei deu um meio sorriso.

— Você tem preferência por guerreiros imortais. Por que não posso ter a minha?

Foi o leve clique do vidro na pequena mesa que fez Aedion se preparar — realmente começar a calcular a disposição dos diversos deques. Fenrys ainda os monitorava do mastro principal, Lysandra permanecia do outro lado de Dorian. Ele percebeu que, parado acima de Dorian na escada e com Aelin ao lado, estaria bem no meio.

Exatamente onde jurara não estar.

Rowan, do outro lado de Aelin, disse ao jovem rei:

— Há um motivo, Majestade, pelo qual acredite que a bruxa deva ser libertada?

Aelin disparou a ele um olhar que era chama pura. Que bom — que o príncipe feérico lidasse com a ira da prima. Mesmo dias depois da alegação que deixara todos fingindo não notar os dois furos no pescoço de Rowan ou os arranhões delicados e cruéis por cima dos ombros, o guerreiro ainda parecia um macho que mal sobrevivera a uma tempestade, e aproveitara cada segundo daquilo.

Sem falar dos ferimentos gêmeos no pescoço de Aelin naquela manhã. Aedion quase implorara à prima para que encontrasse um lenço.

— Por que não trancamos um de vocês em um quarto — observou Dorian, com o queixo na direção dos guerreiros feéricos do outro lado do deque, na direção de Lysandra à direita dele — para ver como se saem depois de tanto tempo?

— Cada centímetro da bruxa foi projetado para enredar homens. Para fazer com que pensem que é inofensiva — argumentou Aelin.

— Confie em mim, Manon Bico Negro é tudo menos inofensiva.

— Ela e o tipo dela são assassinas — continuou a jovem. — São criadas sem consciência. Independentemente do que a avó tenha feito com ela, sempre será assim. Não arriscarei as vidas das pessoas neste navio para que você possa dormir melhor à noite. — Os olhos de Aelin brilharam com o golpe não pronunciado.

Todos se moveram, e, com o fim da conversa, Aedion estava prestes a chamar Lysandra para lutar quando Dorian disse, um pouco baixo demais:

— Sou rei, sabia?

Olhos turquesa e dourado dispararam para o rapaz. Aedion quase conseguia ver as palavras que Aelin lutava para repassar na mente, o temperamento implorando que abafasse o desafio. Com algumas frases selecionadas, poderia despedaçar o espírito do rei, como um peixe, dilacerando ainda mais os retalhos do homem que permanecera depois que o príncipe valg o violara. E, ao fazer isso, perderia um forte aliado, não apenas naquela guerra, mas caso sobrevivessem. E... aqueles olhos se suavizaram um pouco. Um amigo. Aelin perderia aquilo também.

Ela esfregou as cicatrizes nos pulsos, destacadas pela luz dourada do sol poente. Marcas que deixavam Aedion enjoado só de olhar. Depois de um momento, Aelin disse a Dorian:

— Movimentos controlados. Se ela sair do quarto, ficará sob vigia: um dos feéricos a qualquer momento, além de um de nós. Grilhões nos pulsos, mas não nos pés. Nenhuma corrente no quarto, mas um guarda do lado de fora da porta.

Aedion percebeu o polegar que Rowan roçou sobre uma daquelas cicatrizes no pulso de Aelin.

— Tudo bem — concordou Dorian apenas.

O general pensou em dizer ao rei como o fato da prima ter cedido deveria ser celebrado descaradamente.

Então a voz de Aelin se abaixou até aquele ronronar letal.

— Depois que terminou de flertar com ela naquele dia na floresta de Carvalhal, ela e sua aliança tentaram me matar.

— Você a provocou — replicou Dorian. — E estou sentado aqui hoje por causa do que ela arriscou ao ir até Forte da Fenda *duas vezes*.

Aelin limpou o suor da testa.

— Ela tem motivos próprios, e duvido muito que tenha sido porque, em cem anos de matança, decidiu que seu rostinho bonito a transformaria em uma boa moça.

— O seu fez Rowan largar três séculos de um juramento de sangue.

Foi o pai de Aedion quem falou, tranquilamente, ao deixar o assento perto de Abraxos na proa e se aproximar.

— Sugiro, Majestade, que escolha outra briga.

De fato, cada instinto de Aedion ficara alerta em resposta à raiva congelada que tomava cada músculo do príncipe feérico.

Dorian também reparou e disse, talvez com um pouco de culpa:

— Não quis ofender, Rowan.

Com uma sugestão de sorriso, Gavriel inclinou a cabeça, de modo que os cabelos dourados deslizaram sobre os ombros largos, e comentou:

— Não se preocupe, Majestade. Fenrys já irritou Whitethorn o suficiente para durar mais três séculos.

Aedion piscou diante do humor, do indício de um sorriso.

Mas Aelin o poupou do esforço de decidir se responderia ou não àquele sorriso ao dizer a Dorian:

— Bem? Vejamos se a Líder Alada gostaria de dar uma volta no convés antes do jantar.

O rapaz estava certo em parecer cauteloso, decidiu Aedion. No entanto, Aelin já seguia para o lado oposto do deque enquanto Fenrys saía da posição no mastro principal, com aquele olhar tenso e amargo deslizando sobre todos conforme passavam.

Mas Fenrys iria também, sem dúvida. Ao inferno que soltariam a bruxa sem todos lá. Mesmo a equipe parecia entender aquilo.

Então Aedion seguiu a rainha para a escuridão do navio conforme a noite se estendeu acima deles, rezando para que Aelin e Manon não estivessem prestes a destruir o barco.

～

Compartilhar a cama com uma bruxa. Aelin trincou os dentes conforme seguia para o quarto de Manon.

Dorian tinha uma certa fama quando o assunto eram mulheres, mas *aquilo*... ela riu com escárnio, desejando que Chaol estivesse presente, ao menos para ver o olhar no rosto *do capitão*.

Mesmo que a deixasse com o peito mais aliviado saber que Chaol e Faliq estavam no sul. Talvez levantando um exército para atravessar o mar Estreito e marchar na direção do norte. Se todos tivessem sorte.

Se. Aelin odiava aquela palavra. Mas... a amizade com Dorian já estava bastante frágil. Cedera ao pedido parcialmente por um resquício de bondade, mas em grande parte porque sabia que havia mais a arrancar de Manon sobre Morath. Sobre Erawan. Muito mais.

E ela duvidava de que a bruxa fosse prestativa — principalmente quando a jovem perdera a calma apenas um *pouquinho* naquela manhã. E talvez usar o interesse de Dorian como um véu para amolecer Manon tornasse Aelin uma pessoa manipuladora e terrível, mas... era uma guerra.

A jovem flexionou a mão ao se aproximar do quarto, as luzes oscilando às ondas cada vez mais violentas desde o meio-dia.

Rowan curara o ferimento nos nós de seus dedos causado pelo golpe na bruxa — e Aelin agradecera trancando a porta do quarto e se ajoelhando diante do príncipe. Ela ainda conseguia sentir os dedos do feérico fechados em punho nos cabelos, ainda ouvia seu gemido...

Rowan, um passo ao lado de Aelin, virou a cabeça na sua direção. *Em que diabo está pensando?*

Mas as pupilas do guerreiro se dilataram o suficiente para que a jovem soubesse que ele sabia exatamente onde estava sua mente conforme caminhavam até a cabine da bruxa. E o fato de Fenrys ter ficado bem atrás no corredor disse o bastante a ela sobre a mudança no próprio cheiro.

As coisas de sempre, disparou Aelin para o guerreiro com um sorriso atrevido. *Matar, fazer crochê, como fazer você emitir aqueles sons de novo...*

O rosto de Rowan assumiu uma expressão de dor que a fez sorrir. Principalmente quando a garganta ondulou, engolindo... em seco. *Segundo round*, era o que ele parecia dizer. *Assim que isso acabar. Teremos um segundo round. Dessa vez eu verei quais sons você emite.*

Aelin quase se chocou contra o batente da porta aberta da cabine de Manon. A risada baixa do feérico a fez se concentrar, parar de sorrir como uma idiota cheia de luxúria e paixão...

A bruxa estava sentada na cama, disparando os olhos dourados entre Rowan e Dorian e Aelin.

Fenrys entrou por último, e a atenção foi diretamente para a bruxa. Sem dúvida chocado pela beleza, pela graciosidade, pelo *blá-blá-blá* que a tornava perfeita.

Com a voz baixa e inexpressiva, Manon perguntou:

— Quem é esse?

Dorian ergueu uma sobrancelha, acompanhando o olhar.

— Você o conheceu antes. É Fenrys, guerreiro jurado à rainha Maeve.

Foi o semicerrar dos olhos da bruxa que fez algum instinto formigar. O dilatar das narinas conforme ela farejou o macho, o cheiro quase indetectável na cabine lotada...

— Não, não é — informou Manon.

As unhas de ferro da bruxa se projetaram um segundo antes de Fenrys atacar.

❧ 46 ❧

O instinto de Aelin ainda a fez levar a mão à faca antes de recorrer à magia.

E, quando Fenrys saltou contra Manon com um grunhido, foi o poder de Rowan que o lançou para o outro lado do quarto.

Antes que o macho terminasse de deslizar pelo chão, Aelin já havia erguido uma parede de chamas entre eles.

— Que *diabo*! — exclamou ela.

De joelhos, o guerreiro agarrou a garganta — o ar que Rowan roubava.

A cabine era pequena demais para todos sem que ficassem muito próximos. Gelo dançava na ponta dos dedos de Dorian conforme ele passava para o lado de Manon, ainda acorrentada à cama.

— Como assim aquele não é Fenrys? — perguntou Aelin à bruxa sem tirar os olhos do feérico. Rowan soltou um grunhido atrás da jovem.

E a rainha observou, em um misto de horror e fascinação, quando o peito de Fenrys se expandiu com um fôlego potente. Quando ele ficou de pé, analisando aquela muralha de chamas.

Como se a magia de Rowan tivesse se extinguido.

E conforme a pele de Fenrys pareceu brilhar e se derreter, conforme uma criatura pálida como neve fresca surgiu da ilusão que se dissipou, Aelin lançou um olhar sutil a Aedion por cima do ombro.

Seu primo imediatamente se moveu, as chaves das correntes de Manon surgindo do bolso.

Mas a bruxa não se moveu ao ver a coisa tomar forma; todos os membros magros, as asas bem fechadas, o rosto retorcido e horrível farejando-os...

As correntes se abriram.

— O que é você? — perguntou Aelin para o ser além da muralha de chamas.

Mas Manon respondeu pela criatura:

— O Cão de Caça de Erawan.

A criatura sorriu, revelando cotocos podres e escuros no lugar de dentes.

— A seu dispor — disse aquilo. Disse *ela*, percebeu Aelin ao notar os pequenos seios murchos no peito estreito. — Então suas vísceras ficaram para dentro — ronronou a criatura para a bruxa.

— Onde está Fenrys? — indagou Aelin.

O sorriso da mulher Cão de Caça não hesitou.

— Presumo que esteja patrulhando o navio em outro nível. Ignorante, assim como vocês, ao fato de que alguém do grupo não estava verdadeiramente aqui enquanto eu...

— Ih, outro falastrão — comentou a rainha, passando a trança por cima de um dos ombros. — Deixe-me adivinhar: matou um marinheiro, assumiu seu lugar, descobriu o que precisava a respeito de como tirar Manon deste navio e de nossa patrulha e... o quê? Planejava carregá-la voando noite adentro? — Ela franziu o cenho para o corpo fino da criatura. — Mal parece conseguir levantar um garfo, e pelo visto não faz isso há meses.

A mulher Cão de Caça piscou, então sibilou.

Manon soltou uma risada baixa.

— Sinceramente? — continuou Aelin. — Podia simplesmente ter entrado aqui de fininho e poupado mil etapas idiotas...

— *Metamorfa* — sibilou a coisa, com tanta fome que as palavras de Aelin hesitaram.

Os olhos enormes da criatura haviam ido direto para Lysandra, que rosnava baixo na forma de leopardo-fantasma.

— *Metamorfa* — repetiu ela, com um olhar desejoso contorcendo as feições.

E Aelin teve a sensação de que sabia o que a coisa fora inicialmente. O que Erawan aprisionara e mutilara nas montanhas em volta de Morath.

— Como eu estava dizendo — falou a rainha, com lentidão, no melhor tom que conseguiu. — Você realmente causou isso a si mesma...

— Vim pela herdeira Bico Negro — ofegou a jovem Cão de Caça. — Mas olhem para vocês todos: um tesouro que vale seu peso em ouro.

Os olhos ficaram anuviados, como se não estivesse mais ali, como se tivesse flutuado para outra sala...

Merda.

Aelin atacou com as chamas.

A mulher Cão de Caça gritou...

E as chamas se derreteram em vapor.

Rowan estava imediatamente ali, empurrando-a para trás, a espada em punho. A magia...

— Deveria ter me dado a bruxa. — A criatura gargalhou e arrancou a portinhola da lateral do navio. — Agora ele sabe com quem viaja, qual navio veleja...

A mulher disparou para a portinhola que abrira na lateral do navio enquanto borrifos de água entraram.

Uma flecha de ponta preta a atingiu no joelho, então outra.

Ela caiu a um centímetro da liberdade.

Grunhindo ao entrar no quarto, Fenrys disparou outra flecha e prendeu o ombro da criatura nas tábuas de madeira.

Aparentemente, não aceitava muito bem ser personificado. Ele lançou a Rowan um olhar de raiva que comprovava o fato. E que indagava como não tinham notado a diferença.

Ainda assim, a mulher Cão de Caça se levantou, e sangue escuro borrifou o quarto, preenchendo-o com seu fedor. Aelin tinha uma adaga inclinada, pronta para disparar; Manon estava prestes a avançar; o machado de Rowan estava erguido...

Então a criatura atirou uma tira de couro preto no centro do quarto.

Manon parou subitamente.

— Sua imediata gritou quando Erawan a deixou destruída — revelou a jovem Cão de Caça. — Sua Majestade Sombria enviou isto para que se lembre dela.

Aelin não ousou tirar os olhos da criatura. Mas poderia ter jurado que Manon oscilara.

Em seguida a coisa disse para a bruxa:

— Um presente de um rei dos Valg... para a última rainha das Crochan viva.

Manon encarou incessantemente aquela faixa de couro trançado — aquela que Asterin usara todos os dias, mesmo quando a batalha não exigia —, sem se importar com o que a mulher Cão de Caça tinha declarado aos demais. Sem se importar se era herdeira do clã Bico Negro ou rainha das Crochan. Sem se importar se...

A bruxa não terminou o pensamento por cima do rugido que silenciou tudo em sua mente.

O rugido que saiu da própria boca ao se atirar contra a criatura.

As flechas atravessadas na besta a arranharam quando ela empurrou aquele corpo esguio e ossudo contra a madeira. Garras e dentes atacaram em direção ao rosto da bruxa, mas ela levou as mãos ao pescoço da criatura, rasgando a pele úmida com ferro.

Então aquelas garras foram prendidas à madeira por mãos fantasmas conforme Dorian se aproximou, o rosto determinadamente insensível. A mulher Cão de Caça se debateu, tentando desvencilhar as garras...

A criatura gritou quando as mãos invisíveis lhe esmagaram ossos.

Então os atravessaram.

Manon olhou boquiaberta para as mãos decepadas antes de a coisa gritar, tão alto que os ouvidos da própria bruxa zuniram. Mas Dorian cantarolou:

— Acabe com isso.

Ela ergueu a outra mão, querendo que ferro dilacerasse a criatura, e não aço. Os demais assistiam de trás, armas em punho.

Mas então a Cão de Caça ofegou:

— Não quer saber o que sua imediata disse antes de morrer? Pelo que ela *implorou?*

Manon hesitou.

— Que marca horrível na barriga... *impura.* Foi você mesma quem fez aquilo, Bico Negro?

Não. Não, não, não...

— Um bebê; ela disse que deu à luz uma bruxinha natimorta.

A bruxa congelou por completo.

E realmente não se importou quando a criatura disparou para seu pescoço, os dentes expostos.

Não foram chamas ou vento que quebraram o pescoço da mulher Cão de Caça.

Mas mãos invisíveis.

O ruído ecoou pelo quarto, e Manon se virou para Dorian Havilliard. Os olhos cor de safira estavam totalmente desprovidos de piedade. A bruxa grunhiu.

— Como *ousa* tomar minha morte...

Homens no deque começaram a gritar, e Abraxos rugiu.

Abraxos.

Manon se virou onde estava e disparou pela parede de guerreiros, seguindo para o corredor e subindo a escada...

As unhas de ferro arrancaram pedaços da madeira escorregadia conforme ela se impulsionou para cima, com a barriga doendo. O ar noturno abafado a atingiu, depois o cheiro do mar, então...

Havia seis delas.

A pele não era branca como osso, igual à da Cão de Caça, mas de uma escuridão manchada — feitas para as sombras e para a dissimulação. Eram criaturas aladas, todas com rostos e corpos humanoides...

Ilken, uma delas sibilou ao estripar um homem com um golpe das garras. *Somos os ilken e viemos nos banquetear.* De fato, havia piratas mortos no convés, e o sangue emitia um odor acobreado que preencheu os sentidos de Manon quando ela correu para onde o rugido de Abraxos soara.

Mas ele estava no ar, batendo as asas no alto, a cauda agitada.

A metamorfa em forma de serpente alada estava ao lado.

Atacando três das figuras menores, tão mais ágeis conforme...

Chamas irromperam na noite, junto de vento e gelo.

Um ilken derreteu. O segundo teve as asas partidas. E o terceiro... o terceiro congelou em um bloco sólido e se estilhaçou no deque.

Mais oito ilken aterrissaram, um deles rasgando o pescoço de um marinheiro que gritava no convés de proa...

Os dentes de ferro de Manon dispararam para baixo. Chamas irromperam de novo, atingindo os terrores que se aproximavam.

Apenas para que os ilken as atravessassem.

O navio se tornou um campo confuso de batalha conforme asas e garras rasgavam delicada pele humana, conforme os guerreiros imortais avançavam contra os ilken que aterrissavam no deque.

∽

Aedion disparou atrás de Aelin assim que a serpente alada rugiu.

Ele conseguiu chegar somente até o deque principal antes de aquelas *coisas* atacarem.

Antes de as chamas de Aelin irromperem do convés adiante e ele perceber que a prima podia cuidar de si, porque, *merda*, o rei valg estivera ocupado. *Ilken*, era como se chamavam.

Havia dois deles diante de Aedion no tombadilho, para onde correra para salvar o imediato e o capitão de terem os órgãos da barriga dilacerados. Os seres tinham quase 2,5 metros e pareciam ter nascido de pesadelos, mas os olhos... aqueles eram olhos humanos. E os cheiros... como carne podre, mas... humana. Parcialmente.

Estavam entre o general e as escadas que levavam de volta ao deque principal.

— Que tesouro essa caçada revelou — disse um deles.

Aedion não ousou desviar a atenção dos ilken, embora tivesse vagamente ouvido Aelin ordenar a Rowan que ajudasse os outros navios. Vagamente ouvido o grunhido de um lobo e de um leão, e sentido o beijo do frio gélido se chocando contra o mundo.

Ele segurou a espada, girando-a uma vez, duas. Será que o lorde pirata os vendera a Morath? A forma como a mulher Cão de Caça olhara para Lysandra...

O ódio se tornou uma canção no sangue.

As criaturas o analisaram, e Aedion girou a espada de novo. Dois contra um — ele podia ter uma chance.

Foi então que o terceiro ilken avançou das sombras atrás do general.

Aelin matou um ilken com Goldryn. Decapitação.

Os outros dois... Não ficaram muito felizes com isso, se os gritos incessantes nos momentos que se seguiram eram algum indício.

O rugido de um leão partiu a noite, e ela rezou para que Gavriel estivesse com Aedion em algum lugar...

Os dois seres diante da jovem, bloqueando o caminho para o deque inferior, finalmente pararam com os chiliques sibilados por tempo suficiente e perguntaram:

— Onde estão suas chamas agora?

Aelin abriu a boca. Mas então Fenrys saltou de um canto escuro da noite, como se simplesmente tivesse atravessado uma porta, e se chocou contra o ilken mais próximo. Ao que parecia, tinha um ajuste de contas a fazer.

O maxilar do feérico envolveu o pescoço de um ilken, e o outro se virou, as garras estendidas.

Aelin não foi rápida o bastante para impedir que dois conjuntos de garras cortassem a pelagem branca, atravessando o escudo que Fenrys mantinha sobre si, e o grito de dor do imortal ressoou pela água.

Espadas gêmeas de chamas mergulharam nos pescoços dos ilken.

Então cabeças rolaram no deque escorregadio de sangue.

Fenrys cambaleou para trás, dando um passo antes de cair sobre as tábuas. Aelin correu até o guerreiro, xingando.

Havia sangue e ossos e um lodo esverdeado... veneno. Como aqueles nas caudas das serpentes aladas.

Como se soprasse mil velas, ela afastou as chamas para reunir aquele poder de cura da água. Fenrys se transformou de novo em macho, soltando xingamentos baixos e asquerosos entre dentes enquanto apoiava a mão sobre as costelas rasgadas.

— *Não se mexa* — disse Aelin ao feérico.

Ela mandara Rowan imediatamente para os outros navios. Ele tentara discutir, mas... acabou obedecendo. Aelin não fazia ideia de onde estava a Líder Alada; a *rainha Crochan*. Pelos deuses.

A jovem preparou a magia, tentando acalmar o coração revolto...

— Os demais — disse Aedion, ofegando e seguindo com dificuldade na direção deles, coberto em sangue preto — estão bem. — Aelin quase soluçou de alívio, até que reparou na forma como os olhos do primo brilhavam e que... que Gavriel, ensanguentado e caminhando com mais dificuldade que o filho, estava um passo atrás deste. Que droga havia acontecido?

Fenrys grunhiu, e Aelin voltou a se concentrar nos ferimentos, naquele veneno que escorria para o sangue do feérico. Ela abriu a boca para lhe dizer que abaixasse a mão, então asas bateram.

Não do tipo que Aelin amava.

Aedion estava imediatamente diante deles, com a espada em punho e uma expressão de dor; mas um dos ilken ergueu a mão com garras. *Conferência.*

O general parou. Mas Gavriel se aproximou imperceptivelmente do ilken que farejava Fenrys e sorria.

— Não se incomode — informou a coisa a Aelin, rindo baixinho. — Ele não tem muito mais tempo de vida.

Aedion grunhiu, levando as mãos às facas de luta. A prima reuniu chamas. Apenas a mais quente das chamas podia matar as criaturas; qualquer coisa mais fraca, e elas permaneciam ilesas. A rainha pensaria nas implicações a longo prazo mais tarde.

— Fui enviado para mandar uma mensagem — disse o ilken, sorrindo por cima do ombro na direção do horizonte. — Obrigada por confirmar em baía da Caveira que carrega o que Sua Majestade Sombria busca.

O estômago de Aelin pesou.

A chave. Erawan sabia que ela estava com a chave de Wyrd.

❧ 47 ❧

Rowan correu de volta à embarcação, a magia quase o catapultando pelos ares.

Os outros dois navios foram deixados em paz — até mesmo tiveram a audácia de indagar qual era a droga do motivo de toda a gritaria.

Antes de partir, o guerreiro não se incomodou em explicar nada além de que era um ataque inimigo e ordenar que ancorassem até que acabasse. Então voltou para a carnificina.

Voltou com o coração batendo tão forte que quase vomitou de alívio ao guinar para pousar e ver Aelin ajoelhada no deque. Até que notou Fenrys sangrando sob as mãos da rainha.

Até que o último ilken aterrissou diante do grupo.

O ódio de Rowan se afiou em uma lança letal, a magia se acumulando conforme ele mergulhou para o céu, mirando o deque. Explosões concentradas, descobrira o feérico, podiam atravessar qualquer escudo repelente embutido nas criaturas.

Rowan arrancaria a cabeça da besta de uma só vez.

Mas então o ilken gargalhou bem no momento em que o feérico pousou e se transformou, olhando por cima do ombro magro.

— Morath está ansiosa para recebê-los — zombou a criatura com um riso de escárnio, lançando-se em seguida para o céu, antes que Rowan pudesse avançar em sua direção.

Aelin, no entanto, não se moveu. Gavriel e Aedion, ensanguentados e se arrastando, mal se moviam também. Fenrys, com o peito em uma confusão de sangue e gosma verde — *veneno*...

Poder brilhou nas mãos da rainha quando ela se ajoelhou sobre o macho feérico, concentrando-se naquele pouco de água que recebera, uma gota d'água no mar de fogo...

Rowan abriu a boca para oferecer ajuda no momento em que Lysandra saiu ofegante das sombras:

— Alguém vai lidar com aquela coisa, ou devo eu?

De fato, o ilken batia as asas para o litoral distante, mal passava de um ponto escuro contra o céu, disparando para a costa, sem dúvida voando direto em direção a Morath para relatar.

Rowan pegou o arco caído de Fenrys e as aljavas de flechas com pontas pretas.

Nenhum deles o impediu de seguir para o corrimão, sangue esguichando sob as botas.

Os únicos ruídos eram as ondas contra o casco, os soluços dos feridos e o gemido do poderoso arco conforme ele posicionou uma flecha e puxou. Mais e mais. Os braços reclamaram, mas o guerreiro se concentrou naquele ponto escuro voando.

— Aposto uma moeda de ouro que ele erra — brincou Fenrys, a voz rouca.

— Guarde o fôlego para sua cura — disparou Aelin.

— Aposto duas — respondeu Aedion atrás de Fenrys. — Para mim, ele acerta.

— Podem ir para o inferno — grunhiu Aelin, mas então acrescentou: Aposto cinco. Dez moedas que derruba a criatura no primeiro disparo.

— Fechado — gemeu Fenrys, a voz rouca de dor.

Rowan trincou os dentes.

— Lembre-me de por que dou atenção a qualquer um de vocês.

Então ele disparou.

A flecha era quase invisível ao seguir pela noite.

E, com a visão feérica, Rowan observou com clareza perfeita quando a flecha encontrou o alvo.

Bem na cabeça da criatura.

Aelin riu baixinho ao ver o ilken atingir a água; o jato visível mesmo de longe.

O guerreiro se virou e fez uma careta para ela. Luz reluziu às pontas dos dedos quando Aelin as ergueu sobre o peito destruído de Fenrys. Então Rowan voltou o olhar de irritação para o macho e para Aedion, falando:

— Podem pagar, idiotas.

O general riu, mas Rowan viu a sombra nos olhos de Aelin conforme ela voltou a curar a antiga sentinela. Entendeu por que ela fizera piada, mesmo com Fenrys ferido diante de si. Porque se Erawan já sabia seu paradeiro... precisavam agir. Rápido.

E rezar para que as coordenadas de Rolfe até o Fecho não estivessem erradas.

～

Aedion estava de saco cheio de surpresas.

De saco cheio de sentir o coração quase sair pela boca.

Como acontecera quando Gavriel saltara para salvá-lo dos ilken. O Leão rasgara as criaturas com uma ferocidade que o deixara parado ali, como um novato com a primeira espada de treino.

O desgraçado idiota havia se ferido no processo, garantindo um corte no braço e nas costelas que o fizeram rugir de dor. Felizmente o veneno que cobria aquelas garras tinha sido gasto com outros homens.

Mas fora o cheiro do sangue do pai que lançara Aedion em ação — aquele odor acobreado e mortal. Gavriel apenas havia piscado para o filho, que então ignorou a dor latejante na perna, cortesia de um golpe logo acima do joelho momentos antes. Eles lutaram costas contra costas até que as criaturas não passassem de pilhas de ossos e carne se contorcendo.

Ele não lançara uma palavra ao macho antes de embainhar a espada e o escudo às costas e correr para encontrar Aelin.

Ainda ajoelhada sobre Fenrys, ela não ofereceu a Rowan nada além de um tapinha na coxa antes de o guerreiro disparar para ajudar os outros feridos. Um tapinha na coxa — por acertar um disparo que Aedion tinha quase certeza de que a maioria dos homens na Devastação teria considerado impossível.

Ele apoiou o balde de água que Aelin pedira que pegasse para Fenrys, tentando não encolher o corpo enquanto ela limpava o veneno verde que escorria. A alguns metros, o pai de Aedion cuidava de um pirata balbuciante — com não mais que um corte na coxa.

Fenrys sibilou, e a própria Aelin soltou um grunhido de dor. Aedion se aproximou.

— O quê?

Sua prima balançou a cabeça uma vez, em uma dispensa brusca, mas ele permaneceu, observando-a fixar os olhos em Fenrys; fixá-los e os concentrar de uma forma que disse a Aedion que, o que quer que estivesse prestes a fazer, doeria. Ele vira aquele mesmo olhar passar entre curandeira e soldado centenas de vezes em campos de batalha, assim como nas tendas dos curandeiros depois.

— Por que — ofegou Fenrys — apenas — outro ofegar — não os derreteu?

— Porque eu queria arrancar alguma informação antes que atacasse, seu feérico desgraçado e mandão. — Ela trincou os dentes de novo, e Aedion apoiou a mão nas costas da rainha conforme o veneno sem dúvida tocou sua magia. Conforme Aelin tentava limpar o guerreiro. Ela se apoiou um pouco no toque do primo.

— Posso me curar sozinho — resmungou Fenrys, rouco, notando seu esforço. — Vá até os demais.

— Ah, por favor — disparou ela. — Vocês são todos uns insuportáveis. Aquela besta tinha *veneno* nas garras...

— Os demais...

— Diga-me como sua magia funciona... como pode saltar entre lugares daquela forma. — Uma forma inteligente e fácil de mantê-lo concentrado em outra coisa.

Aedion verificou o deque, certificando-se de que não era necessário, então cuidadosamente limpou o sangue e o veneno que escorriam do peito de Fenrys. Aquilo devia causar uma dor infernal. O latejar insistente na própria perna provavelmente não era nada em comparação.

— Ninguém sabe de onde vem, o que é — explicou Fenrys, entre fôlegos breves, com os dedos se curvando e se abrindo nas laterais do corpo. — Mas me dá a possibilidade de deslizar entre dobras no mundo. Apenas distâncias curtas, e apenas algumas vezes antes de me esgotar, mas... é útil em um campo de batalha. — Ele ofegou entre dentes quando as bordas exteriores do corte começaram a repuxar, uma em direção à outra. — Tirando isso, não tenho nada especial. Velocidade, força, cura rápida... mais que o feérico comum, mas a mesma quantidade de dons. Consigo erguer escudos para mim e para outros, mas não consigo conjurar um elemento.

A mão de Aelin oscilou levemente sobre o ferimento.

— De que é feito seu escudo, então?

O guerreiro tentou, mas fracassou em gesticular com o ombro. Então Gavriel, que trabalhava no pirata ainda chorando, murmurou:

— Arrogância.

Aelin riu com escárnio, mas não ousou tirar os olhos do ferimento quando disse:

— Então você tem senso de humor, Gavriel.

O Leão de Doranelle deu um sorriso ponderado por cima do ombro. O sorriso raramente visto e contido, gêmeo daquele de Aedion. Aelin o chamara de *tio Gatinho* apenas uma vez antes de o primo grunhir cruelmente, fazendo-a pensar duas vezes antes de usar o termo de novo. Gavriel, para seu crédito, apenas soltara um suspiro longo e sofrido que parecia ser usado somente quando ela ou Fenrys estavam por perto.

— Esse senso de humor só aparece uma vez a cada século — comentou Fenrys, com a voz rouca. — Então é melhor torcer para que você Estabilize, ou é a última vez que o verá. — Aelin riu, embora a risada tenha se dissipado rapidamente. Algo frio e oleoso deslizou para o estômago de Aedion. — Desculpe — acrescentou o guerreiro, encolhendo-se diante das palavras ou da dor.

A jovem perguntou, antes que Aedion deixasse as palavras serem absorvidas:

— De onde veio? Sei que Lorcan era um bastardo dos cortiços.

— Lorcan era um bastardo no palácio de Maeve também, não se preocupe — zombou Fenrys, o rosto pálido. Os lábios de Aelin se contorceram na direção de um sorriso. — Connall e eu éramos filhos de nobres, residentes na parte sudeste das terras de Maeve... — Ele sibilou.

— Seus pais? — insistiu Aedion, quando a própria Aelin parecia buscar as palavras com dificuldade. Ele a vira curar pequenos cortes e vagarosamente consertar os ferimentos de Manon ao longo de dias, mas...

— Nossa mãe era uma guerreira — contou Fenrys, pronunciando cada palavra lentamente. — Ela nos treinou para que o fôssemos também. Nosso pai também era um, mas sempre estava longe, servindo em guerras. Nossa mãe tinha a incumbência de defender nosso lar, nossas terras. E de se reportar a Maeve. — Fôlegos roucos e difíceis saíam dos dois. Aedion se moveu para que Aelin pudesse se apoiar completamente nele, afastando a dor que o peso extra colocava sobre o joelho já inchado. — Quando Con e eu tínhamos 30 anos, estávamos ansiosos para acompanhá-la a Doranelle... ver a cidade, conhecer a rainha e fazer... o que jovens gostam de fazer com dinheiro no bolso e a companhia da juventude. Só que Maeve olhou uma vez para nós e... — Ele precisou de mais tempo para recuperar o fôlego daquela vez. — As coisas não seguiram bem daí em diante.

Aedion sabia do resto; Aelin também.

O restante da gosma verde escorreu do peito do guerreiro, e a rainha sussurrou:

— Ela sabe que você odeia o juramento, não sabe?

— Sabe — respondeu Fenrys. — E não tenho dúvida de que me enviou aqui com o intuito de me torturar com a liberdade temporária.

As mãos de Aelin estavam trêmulas e o corpo estremecia contra o de Aedion. Ele deslizou o braço pela cintura da prima.

— Sinto muito por estar preso a ela. — Foi tudo que a assassina conseguiu dizer.

Os ferimentos no peito do feérico começaram a cicatrizar. Rowan caminhou até ela, como se tivesse pressentido o enfraquecimento de Aelin.

O rosto de Fenrys ainda parecia cinzento, ainda tenso, conforme olhava para Rowan, então ele disse a Aelin:

— É o que estamos destinados a fazer... proteger, servir, cuidar. O que Maeve oferece é... um deboche disso. — Ele observou os ferimentos que se curavam no peito, remendando-se devagar. — Mas é o que invoca o sangue de um macho feérico, o que o guia. O que estamos todos procurando, mesmo quando dizemos o contrário.

O pai de Aedion ficara imóvel próximo ao pirata ferido.

Aedion, surpreendendo-se a si mesmo, falou por cima do ombro para Gavriel:

— E você acha que Maeve atende a isso... ou pensa como Fenrys?

O guerreiro piscou, praticamente todo o choque demonstrado, depois se esticou, com o marinheiro ferido diante de si caindo no sono depois da cura. Aedion encarou os olhos amarelados de Gavriel, tentando abafar o pingo de esperança que brilhou no olhar do Leão.

— Venho de uma casa nobre também, o mais jovem de três irmãos. Não herdaria as terras nem governaria, então me tornei um soldado. Isso levou ao interesse e a uma proposta de Maeve. — Não havia... não há honra maior.

— Isso não é resposta — disse Aedion, baixinho.

O pai endireitou os ombros. Inquieto.

— Só odiei servi-la uma vez. Só quis ir embora uma vez.

Gavriel não continuou. Mas Aedion sabia quais eram as palavras não ditas.

Aelin afastou uma mecha de cabelo do rosto.

— Você a amava tanto assim?

Aedion tentou não manifestar a gratidão por ela ter feito a pergunta.

Os nós dos dedos de Gavriel ficaram brancos quando as mãos se fecharam em punhos.

— Ela era uma estrela luminosa em séculos de escuridão. Eu teria seguido aquela estrela até o fim do mundo se ela tivesse permitido. Mas não permitiu, e respeitei seus desejos para que eu ficasse longe. Para que nunca mais a procurasse. Fui para outro continente e não me permiti olhar para trás.

Os rangidos do navio e os gemidos dos feridos eram os únicos sons. Aedion conteve a vontade de se levantar e ir embora. Pareceria uma criança; não um general que lutara com sangue na altura dos joelhos em campos de batalha.

Como ele não conseguia dizer as palavras, novamente Aelin as falou:

— Teria tentado quebrar o juramento de sangue por ela? Por eles?

— Honra é meu código — respondeu Gavriel. — Mas, se Maeve tivesse tentado feri-lo ou a ela, Aedion, eu teria feito tudo em meu poder para salvá-los.

As palavras o atingiram, então ecoaram por seu corpo. O general não se deixou pensar nelas, na verdade que sentira a cada uma. Na forma como seu nome havia soado nos lábios do pai.

O feérico verificou o pirata machucado em busca de mais feridas, então seguiu para outro tripulante. Aqueles olhos amarelos deslizaram para o joelho inchado de Aedion sob a calça.

— Precisa cuidar disso, ou ficará enrijecido demais para movimentar em algumas horas.

Aedion sentiu a atenção de Aelin disparar para ele, observando-o em busca de lesões, mas o general devolveu o olhar do pai e disse:

— Sei como tratar de meus ferimentos. — Os curandeiros de campos de batalha e da Devastação o haviam ensinado o suficiente ao longo dos anos. — Cuide dos seus. — De fato, sangue formava crostas na camisa do macho. Sorte... fora muita sorte que o veneno já tivesse sido esvaziado daquelas garras. Gavriel piscou e olhou para si, com a faixa de tatuagens ondulando ao engolir em seco, então continuou sem mais uma palavra.

Aelin se afastou do primo por fim, tentando se levantar, mas fracassando. Aedion estendeu a mão para ela quando a concentração se esvaiu dos olhos opacos, mas Rowan já estava lá, suavemente a puxando para cima antes que caísse de cara no piso de tábuas. Rápido demais; devia ter drenado as reservas rápido demais e sem comida alguma no organismo.

Rowan encarou o general também, os cabelos de Aelin oscilaram quando ela apoiou a cabeça contra o peito do príncipe. O esforço... o estômago de Aedion se revirou diante daquilo. Morath sabia o que estava enfrentando. *Quem* estava enfrentando. Erawan fizera seus comandantes de acordo. O guerreiro assentiu como se confirmasse suas suspeitas, mas apenas disse:

— Eleve esse joelho.

Fenrys caíra em um sono leve antes de Rowan carregar Aelin para baixo.

Então Aedion ficou sozinho durante o resto da noite: primeiro montando guarda, depois apoiado no mastro no tombadilho durante algumas horas, com o joelho realmente elevado, sem vontade de descer até o interior claustrofóbico e escuro.

O sono finalmente começava a chamá-lo quando ouviu madeira ranger alguns metros atrás. Aedion sabia que o som fora emitido de propósito, para evitar assustá-lo.

O leopardo-fantasma se sentou ao seu lado, agitando a cauda, e o encarou por um momento antes de apoiar a enorme cabeça na coxa do general.

Em silêncio, eles observaram as estrelas brilharem por cima das ondas calmas, com Lysandra roçando a cabeça contra seu quadril.

A luz das estrelas parecia manchar a pelagem da metamorfa com um tom prata fosco, e um leve sorriso lampejou nos lábios de Aedion.

❧ 48 ❧

Eles trabalharam noite adentro, descendo âncora somente para a tripulação consertar o buraco no quarto de Manon. O remendo aguentaria por enquanto, disse o capitão a Dorian, mas que os deuses os ajudassem se enfrentassem outra tempestade antes de chegar ao pântano.

Eles cuidaram dos feridos durante horas, e, enquanto remendava corpos, Dorian ficou grato pela pouca magia de cura que Rowan lhe ensinara. Fingir que era um quebra-cabeça ou pedaços de tecido rasgado impedia que o jantar, mesmo pouco, retornasse. Mas o veneno... ele deixou isso com Rowan, Aelin e Gavriel.

Quando a manhã se tornou um cinza nauseante, os rostos de todos pareciam borrões macilentos e escuros, com olhos profundos. Fenrys, ao menos, estava caminhando com dificuldade pelo barco, e Aedion deixara que Aelin cuidasse do joelho apenas por tempo suficiente para que caminhasse de novo, mas... Tinham visto dias melhores.

As pernas de Dorian fraquejavam um pouco conforme ele verificava o deque coberto de sangue. Alguém jogara os corpos das criaturas ao mar, com a pior parte do sangue, ainda assim... Se o que a mulher Cão de Caça dissera fosse verdade, não podiam se dar ao luxo de parar em um porto e consertar o restante dos danos.

Um grunhido baixo e trêmulo ressoou, levando-o a olhar para a proa do outro lado do deque.

A bruxa ainda estava ali. Ainda cuidava dos ferimentos de Abraxos, como fizera a noite inteira. Uma das criaturas o mordera algumas vezes — felizmente sem veneno nos dentes, mas... a serpente alada perdera bastante sangue. Manon não havia deixado ninguém chegar perto do animal.

Aelin tentara uma vez e, quando Manon grunhiu para ela, a jovem xingara o bastante para fazer todos pararem, dizendo que a bruxa merecia se a maldita besta morresse. Manon ameaçara arrancar a espinha de Aelin, que devolvera o insulto com um gesto vulgar. Depois disso, Lysandra fora forçada a monitorar o espaço entre as duas durante uma hora, empoleirada nas cordas do mastro principal na forma de leopardo-fantasma, a cauda se agitando à brisa.

Mas no momento... os cabelos brancos de Manon se moviam, o vento morno da manhã puxando preguiçosamente as mechas conforme ela se recostava na lateral de Abraxos.

Dorian sabia que pisava em terreno perigoso. Na outra noite, estivera pronto para despir vagarosamente a bruxa, para dar bom uso àquelas correntes. No entanto, quando vira os olhos dourados devorando-o com tanto desejo quanto ele queria devorar outras partes da Bico Negro...

Como se sentisse o escrutínio, Manon olhou para o rei.

Mesmo do outro lado do convés, cada centímetro entre os dois era tenso.

É lógico que Aedion e Fenrys imediatamente repararam, parando onde limpavam o sangue do deque, e o último riu com escárnio. Ambos haviam se curado o suficiente para andar, mas nenhum deles se moveu para interferir quando Manon caminhou na direção de Dorian. Se a bruxa não fugira ou atacara até então, deviam ter decidido que não se incomodaria em fazer isso naquele instante.

Ela ocupou um espaço no corrimão, olhando para a água infinita enquanto fiapos de nuvens cor-de-rosa borravam o horizonte. Sangue escuro lhe manchava a camisa e as palmas das mãos.

— Tenho você a agradecer por essa liberdade?

Dorian apoiou os antebraços no parapeito de madeira.

— Talvez.

Olhos dourados se voltaram para ele.

— A magia... o que era?

— Não sei — respondeu o rapaz, estudando as próprias mãos. — Parecia uma extensão de mim. Como se fossem mãos de verdade que eu pudesse comandar.

Por um segundo, ele pensou na sensação ao lhe segurar os pulsos, como o corpo da bruxa reagira, relaxado e tenso onde Dorian costumava gostar que fosse, conforme a boca do rei acariciara brevemente a de Manon. Os olhos dourados se incendiaram, como se também se lembrassem, e ele se viu dizendo:

— Eu não machucaria você.

— Mas gostou de matar a mulher Cão de Caça.

Não se incomodou em afastar o gelo dos olhos.

— Sim.

Manon se aproximou o suficiente para roçar o dedo sobre a faixa pálida no pescoço de Dorian, e ele se esqueceu de que havia um navio cheio de pessoas assistindo.

— Poderia tê-la feito sofrer... escolheu um golpe limpo em vez disso. Por quê?

— Porque mesmo com nossos inimigos há um limite.

— Então tem sua resposta.

— Não fiz uma pergunta.

Manon riu com escárnio.

— Passou a noite inteira com essa expressão nos olhos... como se estivesse se tornando tão monstro quanto o restante de nós. Da próxima vez que matar, lembre-se desse limite.

— Qual é seu limite, bruxinha?

Ela o encarou, como se desejasse que Dorian visse um século de tudo que fizera.

— Não sou mortal. Não obedeço a suas regras. Matei e cacei homens por esporte. Não me confunda com uma mulher humana, *principezinho*.

— Não tenho interesse em mulheres humanas — ronronou ele. — São frágeis demais.

Ao dizer aquilo, as palavras atingiram algum ferimento profundo e doloroso dentro de si.

— Os ilken — disse ele, afastando a dor. — Sabia sobre eles?

— Presumo que são parte do que quer que esteja naquelas montanhas.

Uma voz feminina rouca disparou:

— O que quer dizer com *o que quer que esteja naquelas montanhas?*

Dorian quase saltou para fora da própria pele. Ao que parecia, Aelin andava pegando dicas com a amiga leopardo-fantasma. Mesmo Manon piscou para a rainha ensopada de sangue que surgira atrás deles.

A bruxa olhou para Aedion e Fenrys, que tinham ouvido a indagação e já se aproximavam, seguidos por Gavriel. A camisa de Fenrys ainda estava em frangalhos. Pelo menos Rowan montava guarda das cordas naquele momento, e Lysandra voava acima, verificando se havia perigos ao redor.

— Nunca vi os ilken — explicou Manon. — Apenas ouvi falar deles, ouvi seus gritos conforme morriam, então ouvi os rugidos ao serem refeitos. Não sabia que eram isso. Ou que Erawan os enviaria para tão longe do ninho. Minhas Sombras tiveram um lampejo apenas uma vez. A descrição combina com o que atacou ontem à noite.

— Os ilken são na maioria batedores ou guerreiros? — perguntou Aelin.

O ar fresco parecia ter deixado Manon mais à vontade para divulgar informações, porque ela se recostou contra o corrimão, encarando o grupo de assassinos em volta, e continuou:

— Não sabemos. Usaram a cobertura das nuvens em vantagem própria. Minhas Sombras conseguem encontrar qualquer coisa que não queira ser encontrada, e, no entanto, não conseguiram caçar nem rastrear aquelas coisas.

Aelin ficou um pouco tensa, olhando com raiva para a água que fluía além. Sem dizer nada, como se as palavras tivessem se dissipado e a exaustão — algo mais pesado que isso — tivesse se instalado.

— Saia dessa — soltou Manon.

Aedion grunhiu, em aviso.

Devagar, a rainha ergueu os olhos para a bruxa, fazendo com que Dorian se preparasse.

— E daí que calculou errado? — prosseguiu a bruxa. — E daí que a encontraram? Não se distraia pelas pequenas derrotas. Isso é guerra. Cidades serão perdidas, pessoas massacradas. E, se eu fosse você, estaria mais preocupada com *por que* mandaram tão poucos ilken.

— Se você fosse eu — murmurou Aelin, em um tom de voz que fez a magia de Dorian subir. Gelo lhe resfriou as pontas dos dedos enquanto a mão de Aedion deslizou para a espada. — Se você fosse eu. — Uma risada baixa e amarga. O rei não ouvira aquele som desde... desde um quarto ensopado de sangue em um castelo de vidro que não existia mais. — Bem, você *não* é, Bico Negro, então confio que manterá suas opiniões sobre o assunto para si.

— Não sou uma Bico Negro — respondeu Manon.

Todos a encararam. Mas a bruxa simplesmente observou a rainha.

Com um gesto de mãos marcadas por cicatrizes, Aelin disse:

— Certo. *Essa* questão. Vamos ouvir a história então.

Dorian se perguntou se começariam a golpear, mas Manon apenas esperou alguns segundos, olhou de novo para o horizonte e respondeu:

— Quando minha avó me tirou o título de herdeira e Líder Alada, também tirou minha ascendência. Ela me contou que meu pai era um príncipe Crochan e que ela o matou, assim como minha mãe, por eles conspirarem para acabar com a rixa entre nossos povos e quebrar a maldição de nossas terras.

Dorian olhou para Aedion. O rosto do Lobo do Norte estava tenso; os olhos Ashryver brilhavam forte, remoendo as possibilidades de tudo que a bruxa contava.

Um pouco entorpecida, como se fosse a primeira vez que dizia aquilo a si mesma, Manon afirmou:

— Sou a última rainha Crochan... a última descendente direta da própria Rhiannon Crochan.

Aelin apenas inspirou entre dentes, erguendo a sobrancelha.

— E — continuou ela —, independentemente de minha avó reconhecer ou não, sou herdeira do clã Bico Negro. Minhas bruxas, que lutaram a meu lado durante cem anos, passaram a maior parte deles matando as Crochan. Sonhando com uma terra natal a qual *eu* prometi levá-las de volta. E agora estou banida e minhas Trezes estão espalhadas e perdidas. Sou herdeira da coroa de nossas inimigas. Então não é a única, *Majestade*, que tem planos que dão errado. Então se recomponha e descubra o que fazer a seguir.

Duas rainhas; havia duas rainhas entre eles, percebeu Dorian.

Aelin fechou os olhos, então soltou uma risada áspera e rouca. Aedion novamente ficou tenso, como se aquela risada pudesse facilmente acabar em violência ou paz, mas Manon ficou parada. Considerando a tempestade.

Ao abrir os olhos, com o sorriso contido, porém tenso, Aelin disse para a rainha bruxa:

— Eu sabia que tinha salvado sua vida miserável por um motivo.

O sorriso de resposta de Manon foi assustador.

Os machos pareceram soltar um suspiro tenso, inclusive o próprio Dorian.

Então Fenrys repuxou o lábio inferior, observando o céu.

— O que não entendo é por que esperar tanto tempo para fazer tudo isso? Se Erawan quer vocês mortos — um aceno de cabeça na direção de Dorian e Aelin —, por que deixar que amadurecessem, que ficassem poderosos?

O jovem rei tentou não estremecer ao pensar naquilo. Como estiveram despreparados.

— Porque eu escapei de Erawan — explicou Aelin. Dorian tentou não recordar aquela noite dez anos atrás, mas a memória o atravessou, assim como Aelin e Aedion. — Ele achou que eu estava morta. E Dorian... o pai o protegeu. O melhor que pôde.

O rapaz afastou aquela memória também. Principalmente quando Manon inclinou a cabeça em indagação.

— Maeve sabia que você estava viva. Apostaria que Erawan também sabia — comentou Fenrys.

— Talvez ela tenha contado a Erawan — sugeriu Aedion.

Fenrys voltou a cabeça para o general.

— Ela jamais teve qualquer contato com Erawan ou Adarlan.

— Até onde você sabe — ponderou ele. — A não ser que a rainha curta jogar conversa fora na cama.

Os olhos do guerreiro ficaram sombrios.

— Maeve não compartilha poder. Via Adarlan como um inconveniente. Ainda vê.

— Todos podem ser comprados a um preço — replicou o general.

— O preço da aliança de Maeve é inominável — respondeu Fenrys. — Não pode ser comprado.

Aelin ficou completamente quieta ao ouvir as palavras do guerreiro.

Ela piscou para ele, franzindo as sobrancelhas, e os lábios silenciosamente repetiram as palavras ditas.

— O que foi? — indagou Aedion.

— Meu preço é inominável — murmurou ela. O primo abriu a boca, sem dúvida para perguntar o que atiçara o interesse de Aelin, mas ela franziu a testa para Manon. — Seu tipo consegue ver o futuro? Como um oráculo?

— Algumas — admitiu a bruxa. — As Sangue Azul alegam que conseguem.

— Outros clãs conseguem?

— Dizem que, para as Anciãs, passado e presente e futuro se mesclam.

Aelin balançou a cabeça e caminhou na direção da porta que levava ao corredor de cabines minúsculas. Rowan saiu voando das cordas e se transformou, os pés atingindo as tábuas quando terminou. Sequer olhou para o grupo ao seguir a rainha até o corredor, fechando a porta atrás de ambos.

— O que foi aquilo? — perguntou Fenrys.

— Uma Anciã — ponderou Dorian, então murmurou para Manon: — Baba Pernas Amarelas.

Todos se voltaram para ele. Mas os dedos da bruxa tocaram a clavícula; onde o colar de cicatrizes de Aelin, cingido pela Pernas Amarelas, ainda lhe envolvia o pescoço com um branco contrastante.

— Nesse inverno, ela estava em seu castelo — disse Manon a Dorian. — Trabalhando como vidente.

— E o quê... ela falou algo desse tipo? — Aedion cruzou os braços. Ele soubera da visita, lembrou-se o rei. O general sempre estivera de olho nas bruxas, em todos os jogadores poderosos do reino, dissera ele certa vez.

Manon encarou Aedion.

— Pernas Amarelas *era* uma vidente... um oráculo poderoso. Aposto que sabia quem era a rainha assim que a viu. E viu coisas que planejou vender a quem pagasse mais. — Dorian tentou não encolher o corpo diante da memória. Aelin massacrara Pernas Amarelas porque a bruxa ameaçara contar os segredos *dele*. A jovem jamais tinha indicado uma ameaça contra os próprios segredos. Manon continuou: — Pernas Amarelas não teria contado nada diretamente à rainha, apenas de forma velada. Para que ela não perdesse a cabeça quando entendesse.

Um olhar significativo para a porta pela qual Aelin sumira.

Ninguém disse mais nada, mesmo mais tarde, enquanto comiam mingau frio de café da manhã.

O cozinheiro, ao que parecia, não havia sobrevivido à noite.

Rowan bateu à porta do banheiro particular. Aelin a trancara. Entrara no quarto, fora ao banheiro e trancara o príncipe feérico do lado de fora.

E estava lá dentro, vomitando as tripas.

— Aelin — grunhiu Rowan, baixinho.

Uma inspiração irregular, então um engasgo, em seguida... mais vômito.

— *Aelin* — rosnou ele, debatendo durante quanto tempo seria socialmente aceitável até arrombar a porta. *Aja como um príncipe*, resmungara Aelin para ele na outra noite.

— Não estou me sentindo bem. — Veio a resposta abafada. A voz estava vazia, inexpressiva, de uma forma que Rowan não ouvia havia algum tempo.

— Então me deixe entrar para que eu possa cuidar de você — pediu ele, o mais calma e racionalmente possível.

Aelin o trancara do lado de fora... *o trancara do lado de fora.*

— Não quero que me veja assim.

— Já vi você se mijar. Posso lidar com você vomitando. O que *também* já vi antes.

Dez segundos. Mais dez segundos pareciam uma quantidade de tempo justa antes que Rowan se apoiasse na maçaneta e destruísse a tranca.

— Apenas... apenas me dê um minuto.

— O que a respeito das palavras de Fenrys atingiu você? — Ele ouvira tudo do lugar no mastro.

Silêncio absoluto. Como se estivesse recolhendo o terror puro para dentro do corpo, enfiando-o em um lugar onde não procuraria por ele, ou o sentiria, ou o reconheceria. Nem falaria a respeito.

— *Aelin.*

A maçaneta virou.

O rosto da jovem estava cinzento e os olhos, vermelhos. A voz da jovem falhou ao dizer:

— Quero falar com Lysandra.

O guerreiro olhou para o balde que Aelin enchera pela metade, então para os lábios brancos, para o suor que formava gotas em sua testa.

O coração do feérico pareceu parar no peito ao contemplar que... que ela podia não estar mentindo.

E ao contemplar por que razão podia estar doente. Rowan tentou sentir o cheiro de Aelin, mas o vômito estava pungente demais, o espaço era muito pequeno e envolto em maresia. Cambaleante, ele recuou um passo, afastando os pensamentos. Sem mais uma palavra, deixou o quarto.

O feérico sentia-se entorpecido ao sair atrás da metamorfa — já de volta e na forma humana, devorando um café da manhã frio e velho. Com um olhar de preocupação, Lysandra silenciosamente fez como Rowan ordenou.

Ele se transformou e voou tão alto que o navio se transformou em um ponto oscilante abaixo. Nuvens resfriaram suas penas; o vento rugiu por cima do pânico puro latejando em seu coração.

O príncipe planejava se perder no céu do alvorecer enquanto vigiava por perigos, planejava se recompor antes de voltar para ela e começar a fazer perguntas cujas respostas podia não estar pronto para ouvir.

Mas a costa surgiu — e apenas a magia o impediu de cair rolando do céu diante do que os primeiros raios de sol revelaram.

Rios amplos, reluzentes, e córregos serpenteantes fluíam pelas cores esmeralda e dourada que ondulavam, cobrindo os campos gramados e de junco, o ouro queimado dos bancos de areia flanqueando as margens.

E onde pequenas aldeias de pescadores um dia observaram o mar... Fogo.

Dezenas daquelas aldeias queimavam.

No navio abaixo, marinheiros começaram a gritar, chamando uns aos outros conforme a costa por fim surgiu no horizonte e a fumaça se tornou visível.

Eyllwe.

Eyllwe queimava.

❧ 49 ❧

Elide não falou com Lorcan durante três dias.

Não teria falado com ele por mais três, talvez por malditos três meses, se a necessidade não tivesse exigido a quebra do silêncio de ódio.

O ciclo da jovem chegara. E, por causa de qualquer que fosse a dieta substancial e saudável que andava consumindo no último mês, passara de um pingar inconsistente para o dilúvio que a acordara naquela manhã.

Ela havia disparado da cama estreita da cabine para o pequeno banheiro a bordo, vasculhara cada gaveta e caixa que conseguira encontrar, mas... obviamente uma mulher jamais passara tempo naquele barco infernal. Elide tinha então rasgado a toalha de mesa bordada para usar como absorvente, e, ao terminar de se limpar, Lorcan já estava acordado, guiando o barco.

— Preciso de suprimentos — comunicou ela, inexpressiva.

— Ainda está fedendo a sangue.

— Suspeito que *vou* feder a sangue durante vários dias, e vai piorar antes de melhorar, então *preciso* de suprimentos. *Agora*.

Lorcan se virou do lugar de sempre, perto da proa, farejando uma vez. O rosto de Elide estava vermelho, e a barriga era uma confusão tensa de cólicas.

— Paro na próxima cidade.

— Quando será isso? — O mapa era inútil para ela.

— Ao anoitecer.

Eles tinham velejado direto por cada cidade ou povoado pelo rio, sobrevivendo com os peixes que Lorcan pescava. Elide estivera tão irritada com a própria impotência que, depois do primeiro dia, começara a lhe copiar os movimentos — o que tinha garantido uma gorda truta no processo. Ela o fizera matar o peixe e limpar as vísceras e cozinhar, mas... pelo menos pegara a coisa.

— Tudo bem — respondeu Elide.

— Tudo bem — disse Lorcan.

Conforme ela seguia para a cabine para encontrar mais tecidos para conter o sangue, o guerreiro falou:

— Você mal sangrou da última vez.

A última coisa que ela queria era ter aquela conversa.

— Talvez meu corpo tenha finalmente se sentido seguro o suficiente para ser normal.

Porque, mesmo com o assassinato do homem, a mentira e então a verdade sobre Aelin jogada em seu rosto... Lorcan enfrentaria qualquer ameaça sem pensar duas vezes. Talvez pela própria sobrevivência, mas prometera proteção a Elide. A jovem conseguia dormir uma noite inteira porque o semifeérico se deitava no chão entre ela e a porta.

— Então... não há nada de errado. — Lorcan não se incomodou em olhar para Elide ao dizer isso.

Ainda assim, ela inclinou a cabeça, analisando os músculos tensos das costas do guerreiro. Mesmo se recusando a falar com Lorcan, Elide o estivera observando — e inventara desculpas para observar conforme ele fazia os exercícios diários, em geral sem camisa.

— Não, não há nada de errado — retrucou a jovem. Era o que esperava, pelo menos. Finnula, a enfermeira de Elide, sempre tinha emitido um estalo com a língua, dizendo que os ciclos da jovem eram escassos demais, muito leves e irregulares. Pois aquele viera exatamente um mês depois... Ela não sentia vontade de pensar muito a respeito.

— Que bom. Nos atrasaria se houvesse — comentou Lorcan.

Ela revirou os olhos para as costas do semifeérico, nada surpresa com a resposta, e caminhou com dificuldade até a cabine.

⌒

Tinha mesmo de parar, disse Lorcan a si mesmo conforme observava Elide negociar pelos suprimentos de que precisava com uma dona de estalagem na cidade.

444

Ela envolvera os cabelos pretos em um abandonado lenço vermelho que devia ter encontrado naquela barquinha deprimente, e até mesmo usara um sotaque anasalado ao falar com a mulher, o comportamento inteiro era bem diferente da mulher graciosa e quieta que o guerreiro passara três dias ignorando.

O que fora tranquilo. Ele tinha usado aqueles três dias para organizar os planos com relação a Aelin Galathynius, como devolveria o favor que ela lhe fizera.

A estalagem parecia segura o bastante, então Lorcan deixou Elide negociando — no fim das contas, ela também queria *roupas* novas — e saiu perambulando pelas ruas malcuidadas da cidadezinha esquecida em busca de suprimentos.

As ruas estavam cheias de mercadores fluviais e pescadores aportando para a noite. Intimidando os comerciantes, Lorcan conseguira comprar uma caixa de maçãs, cervo seco e aveia por metade do preço normal. Apenas para afastá-lo, o mercador no cais em ruínas acrescentara algumas peras — para a linda moça, dissera o homem.

Com os braços cheios de mercadorias, o guerreiro quase alcançava a barca quando as palavras ecoaram na mente, com uma sensação estranha.

Não levara Elide por aquela parte do cais. Não vira o sujeito enquanto aportava nem quando tinham saído. Boatos poderiam explicar aquilo, mas era uma cidade fluvial: estranhos sempre iam e vinham, e pagavam pelo anonimato.

Lorcan correu de volta até a barca. Névoa subira do rio, cobrindo a cidade e a margem oposta. Enquanto largava a caixa e as mercadorias no barco, sem nem se incomodar em prendê-las, as ruas tinham ficado vazias.

A magia se agitou. Lorcan verificou a névoa e as manchas douradas onde velas brilhavam nas janelas. *Não está certo, não está certo, não está certo*, sussurrou o poder.

Onde ela estava?

Rápido, desejou Lorcan, contando os quarteirões que haviam tomado até a estalagem. Ela deveria ter voltado àquela altura.

A névoa se intensificou. As botas do semifeérico emitiam guinchos.

O guerreiro grunhiu para os paralelepípedos quando ratos passaram correndo... na direção da água. Eles se atiraram ao rio, rastejando e se engalfinhando.

Não havia algo vindo; algo já tinha *chegado*.

A dona de estalagem insistiu para que Elide experimentasse as roupas antes de comprá-las. Ela as colocou em um montinho nos braços da jovem e apontou na direção de um quarto nos fundos.

Homens encararam — desejosos demais — quando Elide passou, caminhando por um corredor estreito. Era típico de Lorcan deixá-la enquanto ia buscar o que quer que precisasse. A jovem entrou no quarto, achando-o escuro e frio, então se virou para procurar uma vela e uma pederneira.

A porta bateu, selando-a do lado de dentro.

Elide avançou para a maçaneta ao ouvir aquela vozinha sussurrar: *corra corra corra corra corra corra.*

Ela se chocou contra algo musculoso, ossudo e encouraçado.

Fedia a carne podre e sangue velho.

Uma vela se acendeu de repente do outro lado do quarto. Revelando uma mesa de madeira, uma lareira vazia, janelas seladas e...

Vernon. Sentado do outro lado da mesa, sorrindo para Elide, como um gato.

Mãos fortes com garras pontudas se fecharam nos ombros da jovem, com as unhas cortando a roupa de couro. O ilken a segurava com força conforme o tio falava, sem pressa:

— Que aventura você teve, Elide.

❧ 50 ☙

— Como me encontrou? — sussurrou Elide, o fedor do ilken era quase o bastante para fazê-la vomitar.

O tio se levantou, com um movimento fluido e lento, arrumando a túnica verde.

— Fazendo perguntas para ganhar tempo? Inteligente, mas previsto. — Com o queixo, ele indicou a criatura, que soltou um ruído baixo, gutural de estalo.

A porta se abriu atrás da besta, revelando dois outros ilken no corredor, com aquelas asas e rostos terríveis. Pelos deuses. Pelos deuses.

Pense pense pense pense pense.

— A última coisa que ouvimos era que seu companheiro estava colocando suprimentos no barco e soltando-o do porto. Você provavelmente deveria ter lhe pagado mais.

— Ele é meu marido — sibilou Elide. — Não tem direito de me tirar dele... *nenhum.* — Porque, uma vez que estivesse casada, o controle de Vernon sobre sua vida terminava.

Ele soltou uma risada baixa.

— Lorcan Salvaterre, braço direito de Maeve, é seu marido? Está bem, Elide. — Vernon gesticulou preguiçosamente para os ilken. — Partimos agora.

Lutar naquele instante; já, antes que tivessem a chance de movê-la, de levá-la para longe.

Mas para onde fugiria? A dona da estalagem a tinha entregado, alguém traíra sua localização naquele rio...

O ilken a puxou. Elide enterrou os calcanhares nas tábuas de madeira, o que pouco adiantaria.

A criatura soltou uma risada baixa, então levou a boca ao ouvido da jovem.

— Seu sangue tem um cheiro limpo.

Ela se encolheu, mas a besta a segurou com força, a língua cinzenta fez cócegas na lateral do pescoço de Elide. Embora se debatesse, ainda não havia nada que pudesse fazer conforme era levada para o corredor, na direção dos ilken que esperavam ali. Para a porta dos fundos, a menos de 3 metros, já aberta para a noite afora.

— Está vendo do que a protegi em Morath, Elide? — cantarolou Vernon, seguindo atrás. A jovem bateu com os pés no piso de madeira, diversas vezes, forçando-se contra a parede, contra qualquer coisa que a ajudasse a lutar contra o ilken...

Não.

Não.

Não.

Lorcan partira; ele tinha conseguido tudo de que precisava com Elide e partira. Ela o atrasara, levara inimigo após inimigo até ele.

— E como será de volta em Morath — ponderou Vernon — agora que Manon Bico Negro está morta?

O coração de Elide se partiu ao ouvir as palavras. *Manon...*

— Estripada pela própria avó e atirada do precipício da Fortaleza por desobediência. É lógico que eu a protegerei de suas *parentes*, mas... Erawan ficará interessado em saber o que andou fazendo. O que você... pegou de Kaltain.

A pedra no bolso do casaco.

O objeto latejava e sussurrava, despertando conforme a jovem dava pinotes.

A estalagem ficara silenciosa, e ninguém no outro lado do corredor tinha se incomodado em aparecer e investigar os gritos sem palavras de Elide. Outro ilken surgiu no campo visual logo além da porta dos fundos aberta.

Quatro deles. E Lorcan tinha partido...

A pedra no seio de Elide começou a esquentar.

Mas uma voz que era jovem e velha, sábia e doce, sussurrou: *Não a toque. Não a use. Não reconheça sua existência.*

O objeto estivera dentro de Kaltain — deixando-a descontrolada. Transformara a jovem naquela... carcaça.

Uma carcaça para que outra coisa a ocupasse.

A porta aberta esperava.

Pense pense pense.

Elide não conseguia respirar o suficiente para pensar, com o fedor do ilken ao seu redor, prometendo os tipos de horrores ela sofreria quando voltassem para Morath...

Não, não voltaria. Não deixaria que a levassem, que a destruíssem e usassem...

Uma chance. Teria uma chance.

Não, sussurrou a voz na mente de Elide. *Não*...

Mas havia uma faca do lado do corpo do tio, que saíra pela porta e seguia à frente. Era tudo de que a jovem precisava. Vira Lorcan usando-a vezes o bastante enquanto caçava.

Vernon parou no pátio dos fundos diante de uma grande caixa de ferro retangular.

Havia uma pequena janela no compartimento.

E alças em duas das pontas.

Elide entendeu para que serviriam os ilken quando três outros se posicionaram em torno da caixa.

Eles a enfiariam lá dentro, trancariam a porta e *voariam* com ela de volta a Morath.

A caixa era pouco maior que um caixão erguido.

A porta já estava aberta.

O ilken precisaria soltá-la para atirar Elide dentro. Por um segundo, a deixariam. Precisaria usar aquilo em vantagem própria.

Vernon esperou ao lado da caixa. A jovem não ousou olhar para a faca.

Um soluço escapou de sua garganta. Morreria ali; naquele pátio imundo, com aquelas coisas terríveis ao redor. Elide jamais veria o sol de novo, ou riria, ou ouviria música...

Os ilken se moveram em torno da caixa, as asas farfalhando.

Um metro e meio. Um metro. Meio metro.

Não, não, não, implorava a sábia voz a Elide.

Ela não seria levada de volta a Morath. Não deixaria que a tocassem e a corrompessem...

O ilken a empurrou para a frente, um empurrão violento com o propósito de fazê-la cambalear para dentro da caixa.

Elide se virou, dando de cara com a borda do compartimento e esmagando o nariz. Ainda assim, ela se voltou para o tio. O tornozelo reclamou conforme o peso do corpo foi apoiado sobre ele para a jovem disparar até a faca na lateral do corpo de Vernon.

Ele não teve tempo de perceber o que a sobrinha pretendia fazer quando ela libertou a faca da bainha do quadril. Quando virou a faca nos dedos, envolvendo o cabo com a outra mão.

Quando os ombros se curvaram para dentro, o peito se contraiu e Elide disparou a lâmina para o alvo.

~

Lorcan tinha o alvo na mira.

Escondido na névoa, os quatro ilken não conseguiam detectá-lo conforme o homem que ele tinha certeza de ser o tio de Elide fazia com que uma das criaturas empurrasse a jovem na direção da caixa-prisão.

Era contra aquele sujeito que Lorcan mirava o machado.

Elide soluçava. Com terror e desespero.

Cada som afiava a raiva do guerreiro, tornando-o algo tão letal que Lorcan mal conseguia ver direito.

Então os ilken a atiraram na caixa de ferro.

E Elide provou que não estava blefando quando alegara que jamais voltaria para Morath.

Lorcan ouviu o nariz dela se quebrar ao bater na borda do compartimento, ouviu o grito de surpresa do tio de Elide conforme ela virou e avançou contra ele...

Pegando a adaga. Não para matá-lo.

Pela primeira vez em cinco séculos, o guerreiro conheceu medo de verdade ao ver Elide virar aquela faca contra si, a lâmina inclinada para mergulhar para cima, no coração.

Ele atirou o machado.

No momento em que a ponta da adaga perfurou o couro por cima das costelas, o cabo de madeira do machado se chocou contra o pulso de Elide.

A jovem caiu com um grito, e a adaga saiu voando...

Lorcan já tinha se movido quando se viraram para o local onde estivera agachado no telhado. O semifeérico saltou para o telhado mais próximo, até as armas que colocara ali minutos antes, sabendo que eles sairiam por aquela porta...

A faca seguinte atravessou a asa de um ilken. Então outra foi disparada para manter a criatura no chão antes que descobrissem sua localização. Mas Lorcan já corria para o terceiro telhado que margeava o pátio. Até a espada que deixara ali. Ele atirou a arma direto no rosto do ilken mais próximo.

Restavam dois, além de Vernon, que gritava a fim de que colocassem a jovem na caixa...

Elide corria desesperadamente para o beco estreito fora do pátio, e não para a rua ampla. O beco pequeno demais para os ilken — principalmente com todos os destroços e lixo acumulados ali. Boa menina.

Lorcan saltou e rolou para o telhado seguinte, para as duas adagas que restavam...

Ele as atirou, mas os ilken já tinham aprendido como mirava, qual era o estilo de lançamento do semifeérico.

Não tinham aprendido qual era o de Elide, no entanto.

Ela não fora para o beco apenas para se salvar. Fora atrás do machado.

E Lorcan observou aquela mulher se aproximar de fininho por trás do ilken distraído e lhe enterrar o machado nas asas.

Com o pulso ferido. Com sangue do nariz escorrendo pelo rosto.

O ilken gritou, debatendo-se para pegá-la, mesmo ao cair de joelhos.

Onde Elide o queria.

O machado estava de novo em movimento antes que o grito da criatura terminasse.

O som foi interrompido um segundo depois, quando a cabeça quicou nas pedras.

Lorcan disparou do telhado, mirando no ilken restante que olhava para Elide com ódio...

Mas a criatura se virou e correu para onde Vernon se acovardava, à porta, com o rosto pálido.

Soluçando, com o próprio sangue escorrendo nas pedras, Elide se virou para o tio também. O machado já se erguia.

Mas o ilken chegou ao homem, pegando-o com braços fortes, e levantou voo com os dois.

Elide atirou o machado mesmo assim.

A arma errou a asa da besta por um fio de cabelo.

O machado se chocou contra os paralelepípedos, arrancando um pedaço de pedra. Bem ao lado do ilken com as asas despedaçadas — que rastejava na direção da saída do pátio.

Lorcan observou Elide pegar o machado e caminhar até a besta destruída, que sibilava.

A criatura a atacou com as garras, mas a jovem facilmente desviou do golpe.

O ilken gritou conforme Elide pisou na asa alquebrada, impedindo-o de rastejar para a liberdade.

Quando a besta ficou em silêncio, a jovem falou, com um tom de voz baixo e impiedoso que Lorcan jamais a ouvira usar, nítido apesar do sangue que lhe entupia uma narina:

— Quero que Erawan saiba que, da próxima vez que os enviar até mim como uma matilha de cães, devolverei o favor. Quero que Erawan saiba que da próxima vez que eu o vir, entalharei o nome de Manon em seu maldito coração. — Lágrimas escorriam pelo rosto de Elide, silenciosas e intermináveis enquanto a ira esculpia as feições, transformando-as em algo de uma beleza poderosa e terrível.

— Mas parece que esta noite não é realmente sua noite — disse ela ao ilken, erguendo o machado de novo por cima do ombro. Talvez a criatura estivesse chorando conforme Elide dava um sorriso sombrio. — Porque apenas um é necessário para entregar uma mensagem. E seus companheiros já estão a caminho.

O machado desceu.

Carne e osso e sangue se derramaram nas pedras.

Ela ficou parada ali, encarando o cadáver, o sangue fétido que escorria do pescoço.

Lorcan, talvez um pouco entorpecido, se aproximou e tirou o machado das mãos da jovem. Como conseguira usar a arma com o pulso dolorido...

Elide sibilou e soluçou com aquele gesto. Como se qualquer que fosse a força impelida por seu sangue tivesse desaparecido, deixando apenas dor para trás.

Elide segurou o punho em completo silêncio enquanto Lorcan circundava os ilken mortos e lhes cortava a cabeça. Um após o outro, recuperando as próprias armas ao fazer aquilo.

Pessoas dentro da estalagem se movimentavam, perguntando-se a respeito do barulho, se era seguro sair para ver o acontecido com a garota que tão ansiosamente traíram.

Por um segundo, Lorcan considerou matar a dona da estalagem.

Mas Elide falou:

— Chega de morte.

Lágrimas escorriam pelo sangue escuro borrifado em suas bochechas — sangue que era uma imitação do padrão de sardas. Sangue, carmesim e puro, escorria do nariz de Elide até a boca e o queixo, mas já secava.

Então Lorcan embainhou o machado e a pegou nos braços. Ela não protestou.

Ele a carregou em meio à cidade envolta em névoa, até onde o barco estava ancorado. Curiosos tinham se reunido, sem dúvida para saquear os suprimentos depois que os ilken partissem. Um grunhido do guerreiro fez com que disparassem pela névoa.

Quando subiram a bordo e a embarcação oscilou, Elide falou:

— Ele me disse que você tinha partido.

Lorcan ainda não a havia soltado, elevando-a com um dos braços enquanto desatava as cordas.

— Você acreditou nele.

A jovem limpou o sangue do rosto, então se encolheu devido ao pulso sensível... e ao nariz quebrado. Lorcan precisaria cuidar daquilo. Mesmo assim, poderia muito bem ficar levemente torto para sempre. Ele duvidava de que Elide fosse se importar.

Sabia que ela talvez visse aquele nariz torto como um sinal de que tinha lutado e sobrevivido.

O guerreiro a apoiou por fim sobre a caixa de maçãs — bem onde conseguia vê-la. A jovem ficou sentada em silêncio enquanto Lorcan pegou o remo e os empurrou para longe do cais, para longe daquela cidade odiosa, feliz pela cobertura da névoa conforme navegavam rio abaixo. Talvez pudessem perder mais dois dias no rio antes de desviarem para terra firme a fim de despistar quaisquer inimigos em seu encalço. Que bom que estavam perto o bastante de Eyllwe para alcançá-la em alguns dias a pé.

Quando não havia nada além de névoa flutuante e ondas do rio contra o barco, Lorcan voltou a falar:

— Você não teria impedido aquela adaga.

Elide não respondeu, e o silêncio se prolongou por tanto tempo que ele se voltou para a jovem sentada na caixa.

Lágrimas lhe escorriam pelo rosto enquanto encarava a água.

O guerreiro não sabia como a reconfortar, como a acalmar; não da forma como ela precisava.

Então apoiou o remo e se sentou ao seu lado na caixa. A madeira rangeu.

— Quem é Manon?

Lorcan ouvira a maior parte do que Vernon sibilara dentro daquela sala de jantar particular enquanto montava a armadilha no pátio, mas alguns detalhes tinham escapado.

— A Líder Alada da legião das Dentes de Ferro — respondeu Elide, a voz trêmula, as palavras ressoando no sangue que entupia o nariz.

— Foi ela quem a tirou de lá. — Ele arriscou um palpite. — Naquele dia... por causa dela você vestia o couro das bruxas, por isso acabou na floresta de Carvalhal.

Um aceno de cabeça.

— E Kaltain... quem era ela? — A pessoa que dera a Elide o objeto que ela carregava.

— Amante de Erawan... sua escravizada. Tinha minha idade. Ele colocou a pedra dentro do braço dela e a transformou em um fantasma vivo. Ela deu a mim e a Manon tempo para fugirmos; ao fazer isso, incinerou a maior parte de Morath, assim como a si mesma.

Elide levou a mão ao bolso; a respiração estava pesada, e lágrimas ainda lhe escorriam pelo rosto. Lorcan prendeu o fôlego quando a jovem tirou um pedaço de tecido preto do bolso.

O cheiro remanescente no pano era feminino, estrangeiro — destruído e triste e frio. Mas havia outro cheiro por baixo, um que o guerreiro conhecia e odiava...

— Kaltain disse para dar isso a Celaena... não a Aelin — explicou Elide, tremendo com lágrimas. — Porque Celaena... ela deu a Kaltain um manto quente em uma masmorra fria. E não a deixaram levar o manto consigo quando a transferiram para Morath, mas ela conseguiu guardar este retalho. Para se lembrar de retribuir Celaena por aquela bondade. Mas... que tipo de presente é esta coisa. O que é isto? — Ela puxou a dobra do tecido, revelando uma lasca de pedra preta.

Cada gota do sangue de Lorcan ficou fria e quente, desperta e morta. Elide chorava baixinho.

— Por que isso é uma retribuição? Meus ossos me dizem para não a tocar. Minha... uma voz me disse para nem mesmo pensar nela...

Era errada. A coisa na mão linda e imunda de Elide era errada. Não pertencia ali, não devia *estar* ali...

O deus que cuidara de Lorcan durante a vida inteira tinha se encolhido. Até mesmo a morte temia o objeto.

— Guarde isso — ordenou ele, a voz áspera. — Imediatamente.

Com a mão trêmula, ela o fez. Apenas depois de o objeto ser escondido no casaco, Lorcan disse:

— Vamos limpá-la primeiro. Consertar o nariz e o pulso. E direi o que sei enquanto faço isso.

Elide assentiu, olhando para o rio.

O guerreiro estendeu a mão, segurando o queixo da jovem e a forçando a olhar para ele. Olhos inexpressivos e sem esperança encontraram os de Lorcan. Ele afastou uma lágrima perdida com o polegar.

— Prometi protegê-la. Não quebrarei essa promessa, Elide.

Ela fez menção de se afastar, mas Lorcan a segurou com um pouco mais de força, mantendo os olhos da jovem sobre ele.

— Sempre a encontrarei — jurou ele. Elide engoliu em seco. — Prometo — sussurrou Lorcan.

Elide pensou em tudo que Lorcan contara enquanto limpava seu rosto, inspecionando o nariz e o pulso. Ele atara o último em um tecido macio, depois rapidamente, mas não brutalmente, consertara seu nariz.

Chaves de Wyrd. Portões de Wyrd.

Aelin tinha uma chave de Wyrd. Estava procurando pelas outras duas.

Em breve seria apenas uma, quando Elide desse a ela a chave que levava.

Duas chaves — contra uma. Talvez vencessem aquela guerra.

Mesmo que Elide não soubesse como Aelin poderia usá-las sem se destruir. Mas... Deixaria isso por conta da rainha. Erawan podia ter os exércitos, mas... se Aelin tivesse duas chaves...

Ela tentou não pensar em Manon. Vernon mentira sobre Lorcan ter partido — para destruí-la, para fazer com que retornasse por vontade própria. Talvez a bruxa também não estivesse morta.

Elide não acreditaria até que tivesse provas. Até que o mundo inteiro gritasse para ela que a Líder Alada tinha morrido.

Lorcan havia voltado para a proa enquanto ela fora vestir uma das camisas do semifeérico, pois as vestes de couro estavam secando. O pulso latejava, uma dor constante, insistente, e o rosto não parecia muito melhor. Além disso, Lorcan avisara que Elide provavelmente ficaria com um olho roxo, mas... a mente seguia aguçada.

A jovem se aproximou do guerreiro, observando-o empurrar o remo contra o leito lodacento do rio.

— Matei aquelas criaturas.

— Fez um bom trabalho — comentou ele.

— Não me arrependo.

Olhos pretos profundos se voltaram para ela.

— Que bom.

Elide não sabia por que o dissera, por que sentira a necessidade de fazê-lo ou sentira que tinha algum valor para ele, mas a jovem ficara na ponta dos pés e beijara a bochecha áspera devido à barba por fazer, então falara:

— Sempre o encontrarei também, Lorcan.

Ela tinha sentido o olhar sobre ela, mesmo ao se afastar para deitar minutos mais tarde.

Quando acordou, havia faixas limpas de linho para seu ciclo ao lado da cama.

A camisa do próprio Lorcan, lavada e seca durante a noite... fora cortada para que ela usasse como quisesse.

❧ 51 ❧

A costa de Eyllwe estava em chamas.

Durante três dias, velejaram de cidade a cidade. Algumas ainda queimavam, algumas eram apenas cinzas. E, em cada uma, Aelin e Rowan trabalharam a fim de apagar as chamas.

O guerreiro, na forma de falcão, podia voar para o interior, mas... Isso a deixava arrasada. Completamente arrasada por não poderem parar tempo suficiente a fim de ir até a praia. Então Aelin o fazia do navio, enterrava-se profundamente no poder, estendendo-o o máximo possível sobre mar e céu e areia, para extinguir aquelas fogueiras uma a uma.

No fim do terceiro dia, estava se esgotando, com tanta sede que nenhuma quantidade de água conseguia apaziguá-la, os lábios rachados e descascados.

Rowan fora para o litoral três vezes para perguntar quem fizera aquilo.

A resposta era sempre a mesma: escuridão os varrera durante a noite, do tipo que apaga as estrelas, então as aldeias ficaram em chamas sob flechas acesas, vistas apenas quando atingiam o alvo.

Mas de onde vinha aquela escuridão e as forças de Erawan... não havia sinal.

Nenhum sinal de Maeve também.

Rowan e Lysandra tinham voado alto e longe, buscando cada um dos exércitos, mas... nada.

Alguns aldeões começaram a alegar que fantasmas os tinham atacado. Fantasmas de entes desenterrados, voltando para casa de terras distantes.

Até que começaram a sussurrar outro boato.

De que a própria Aelin Galathynius queimava Eyllwe, cidade após cidade. Por vingança porque não tinham ajudado seu reino há dez anos.

Não importava que estivesse apagando as chamas. Não acreditaram em Rowan quando ele tentara explicar quem abafava as fogueiras do navio distante.

O príncipe feérico dissera a ela que não desse atenção àquilo, que não deixasse que a atingisse. Então ela tentara.

E fora durante uma dessas vezes que Rowan tinha passado o polegar sobre a cicatriz na palma da mão de Aelin, inclinando-se para beijar seu pescoço. Ele lhe inspirara o cheiro, e a jovem percebera como Rowan detectara a resposta à pergunta que o fizera fugir naquela manhã no navio. Não, Aelin não carregava o filho dele.

Só tinham discutido a questão uma vez — na semana anterior. Quando ela havia desmontado do guerreiro, ofegante e coberta de suor, e ele perguntara se ela estava tomando um tônico. Aelin simplesmente respondera que não.

Rowan ficara imóvel.

Então ela havia explicado que, se herdara tanto do sangue feérico de Mab, poderia muito bem ter herdado a dificuldade feérica em conceber. E, mesmo que o momento fosse terrível... se aquela seria a única oportunidade de dar a Terrasen uma linhagem, um futuro... Aelin não a desperdiçaria. Os olhos verdes do guerreiro ficaram distantes, mas ele tinha assentido e beijado o ombro de Aelin. E fora isso.

A jovem não conseguira reunir coragem para perguntar se o feérico queria gerar seus filhos. Se *queria* ter filhos, considerando o que acontecera com Lyria.

E, durante aquele breve momento antes de Rowan voar de volta à praia a fim de apagar mais chamas, Aelin também não tivera coragem para explicar por que vomitara as tripas naquela manhã.

Os últimos três dias foram um borrão. Desde o momento que Fenrys proferira aquelas palavras, *Meu preço é inominável*, tudo fora uma névoa de fumaça e chamas e ondas e sol.

Mas, ao pôr do sol do terceiro dia, Aelin mais uma vez afastou aqueles pensamentos conforme o navio de escolta começou a sinalizar adiante, a tripulação freneticamente trabalhando para descer a âncora.

Havia gotas de suor em sua testa, e a língua estava seca como um pergaminho. Contudo, ela se esqueceu da sede, assim como da exaustão, ao ver o que os homens de Rolfe tinham avistado momentos antes.

Um terreno plano e alagado sob um céu nublado se estendia terra adentro, até onde a vista alcançava. Vegetação verde-musgo e branca como osso cobria as saliências e as depressões; eram pequenas ilhas de vida em meio à água cinzenta e lisa como espelho. E entre essas ilhas, projetando-se da água salobra e da terra saliente, como se fossem os membros de um cadáver mal enterrado... ruínas. Ruínas enormes e destroçadas, uma cidade certa vez linda, afogada na planície.

O pântano de Pedra.

~

Manon deixou que os humanos e os feéricos se reunissem aos capitães dos outros dois navios.

Ela ouviu a notícia logo em seguida: o que buscavam estava a um dia e meio continente adentro. Não sabiam precisamente onde — nem quanto tempo levaria para encontrar a localização exata. Até que voltassem, os navios permaneceriam ancorados ali.

E, ao que parecia, a bruxa se juntaria a eles na viagem por terra firme. Como se a rainha suspeitasse de que, caso fosse deixada para trás, a pequena frota não estaria intacta quando retornassem.

Mulher esperta.

Mas esse era o outro problema. O que encarava Manon naquele momento, já parecendo ansioso e desapontado.

A cauda de Abraxos se agitou um pouco, os espinhos de ferro rasparam e arranharam o impecável deque do navio. Como se tivesse ouvido a ordem da rainha um minuto antes: *a serpente alada precisa partir.*

Na extensão plana e aberta do pântano, ele se destacaria demais.

A bruxa apoiou a mão no focinho cheio de cicatrizes, encarando os olhos pretos profundos.

— Precisa ficar escondido em algum lugar.

Um bufo quente e triste na palma da mão.

— Não reclame — respondeu Manon, embora algo se contorcesse e encolhesse em sua barriga. — Fique fora de vista, mantenha-se alerta e volte em quatro dias. — Ela se aproximou e apoiou o cotovelo contra o focinho da serpente alada. O grunhido de Abraxos ecoou nos ossos de Manon. — Temos sido uma dupla, você e eu. Alguns dias não são nada, meu amigo.

459

Abraxos cutucou a cabeça da bruxa com a dele.

Ela engoliu em seco.

— Você salvou minha vida. Muitas vezes. Jamais lhe agradeci por isso.

A serpente soltou outro choro baixo.

— Você e eu — prometeu ela. — De agora até a Escuridão nos reivindicar.

Manon obrigou-se a se afastar. Obrigou-se a acariciar o focinho de Abraxos apenas mais uma vez. Então recuou um passo. E depois outro.

— Vá.

Ele não se moveu. Manon exibiu os dentes de ferro.

— *Vá.*

Abraxos lhe lançou um olhar cheio de reprovação, mas o corpo ficou tenso e as asas se ergueram.

E ela decidiu que jamais odiara alguém mais do que odiava a rainha de Terrasen e os amigos. Por obrigarem Abraxos a partir. Por promoverem a separação quando tantos perigos não foram capazes de afastar os dois.

Mas o animal já estava no céu, as velas do navio gemiam ao vento das asas, e Manon o observou até que fosse uma manchinha no horizonte, até que os botes estivessem preparados para levá-los em direção à vegetação alta e à água cinza e estagnada do pântano adiante.

A rainha e a corte se prepararam, pegando armas como algumas pessoas se adornam com joias, movendo-se em perguntas e respostas uns aos outros. Tão parecidos com as Treze de Manon — parecidos o bastante para que ela precisasse se virar, encolher-se nas sombras do mastro dianteiro e conter a respiração até chegar a um ritmo tranquilo.

As mãos tremiam. Asterin não estava morta. As Treze não estavam mortas.

Ela havia guardado os pensamentos a respeito daquilo. Mas, naquele momento, com a serpente alada farejadora de flores desaparecendo no horizonte...

O último pedaço da Líder Alada desaparecera com ele.

Um vento abafado a puxou para a terra... na direção do pântano. Arrastando também o manto vermelho.

Manon passou um dedo pelo manto carmesim que se obrigara a vestir naquela manhã.

Rhiannon.

A bruxa jamais ouvira um sussurro de que a linhagem real das Crochan tinha saído viva daquele último campo de batalha cinco séculos antes. Ela se perguntou se alguma das Crochan, além de sua meia-irmã, sabia que a filha de Lothian Bico Negro e um príncipe Crochan sobrevivera.

Manon soltou o broche que prendia o manto nos ombros, sopesando o monte espesso de tecido nas mãos.

Com alguns movimentos ágeis das unhas, ela cortou uma faixa fina do manto. Mais alguns movimentos e a amarrou na ponta da trança, o vermelho contrastando com os cabelos brancos como a lua.

A bruxa emergiu das sombras atrás do mastro principal, então olhou por cima da borda do navio.

Ninguém comentou quando ela jogou a capa da meia-irmã no mar.

O vento a carregou alguns metros sobre as ondas antes que oscilasse, como uma folha morrendo, e repousasse sobre um dos acúmulos de água. Uma poça de sangue — era o que parecia a distância, quando a maré carregou o manto para longe, bem longe no oceano.

Manon encontrou o rei de Adarlan e a rainha de Terrasen esperando no corrimão do convés principal enquanto os companheiros entravam no bote que aguardava sobre as ondas.

A bruxa encarou os olhos cor de safira, depois aqueles turquesa e dourados.

Ela sabia que haviam visto a cena. Talvez não tivessem entendido o que o manto significara, mas... entenderam o que fora o gesto.

Manon recolheu os dentes de ferro e as unhas ao se aproximar.

— Nunca deixamos de ver seus rostos — comentou Aelin Galathynius, baixinho.

Somente quando remavam para o litoral, os jatos d'água os borrifando, a bruxa percebeu que a rainha não falava das Treze. E ela se perguntou se Aelin também tinha visto aquele manto flutuando para o mar e pensado que parecia sangue derramado.

❧ 52 ❧

Eles não chegaram a Leriba. Ou Banjali. Não chegaram nem perto.

Lorcan sentira o empurrão no ombro que o guiara e moldara o curso da própria vida — aquela mão invisível e insistente de sombra e morte. Então rumaram para o sul, depois oeste, velejando rapidamente pela rede aquática de Eyllwe.

Elide não havia protestado nem questionado quando ele explicou que, se o próprio Hellas o cutucava, a rainha procurada estava provavelmente naquela direção. Aonde quer que os levasse. Não havia cidades ali, apenas infinitos campos gramados que beiravam a ponta mais ao sul da floresta de Carvalhal, assim como pântanos. Uma península abandonada cheia de ruínas entre brejos.

Mas, se era para lá que deveria ir... O toque do deus sombrio no ombro de Lorcan jamais o levara pelo caminho errado. Então veria o que encontraria.

Ele não se permitira remoer demais o fato de que Elide carregava uma chave de Wyrd. Que tentava levar o objeto para sua inimiga. Talvez a conjuração do poder do guerreiro levasse os dois até lá; até ela.

E então ele teria duas chaves... se jogasse direito.

Se fosse mais esperto e mais rápido e mais implacável que os demais.

Depois viria a parte mais perigosa de todas: viajar na posse de duas chaves para o coração de Morath em busca da terceira. Velocidade seria a melhor aliada de Lorcan e a única chance de sobrevivência.

E provavelmente jamais veria Elide ou os outros de novo.

Tinham finalmente abandonado a barca naquela manhã, entulhando os suprimentos que coubessem nas mochilas antes de saírem pelo gramado irregular. Horas depois, a respiração de Elide estava ofegante conforme subiam uma colina íngreme nas profundezas da planície. Lorcan vinha sentindo cheiro de maresia havia dois dias — deviam estar perto do limite do pântano. Elide engoliu em seco, e o guerreiro passou a ela o cantil conforme subiam o pico da colina.

Mas a jovem parou, os braços inertes ao lado do corpo.

E o próprio Lorcan congelou diante do que se estendia à frente.

— O que é este lugar? — sussurrou ela, como se temesse que a própria terra ouvisse.

Até onde era possível ver, fluindo para o horizonte, a terra tinha afundado uns bons 10 metros — uma rachadura séria e violenta desde a beirada do penhasco no qual estavam, e não da colina, como se algum deus furioso tivesse batido com um pé na planície e deixado uma impressão.

Água salobra e prateada cobria a maior parte do local, imóvel como um espelho, interrompida apenas por ilhas de vegetação e montes de terra — e ruínas raras e desmoronadas.

— Este lugar é ruim — murmurou Elide. — Não deveríamos estar aqui.

De fato, os pelos nos braços de Lorcan tinham se arrepiado, cada instinto parecia alerta conforme ele verificava o pântano, as ruínas, os destroços e a folhagem espessa que cobria parte das ilhas.

Mesmo o deus da morte havia parado de cutucá-lo e se escondido atrás do ombro do semifeérico.

— O que sente?

Os lábios de Elide estavam pálidos.

— Silêncio. Vida, mas tanto... silêncio. Como se...

— Como se o quê? — insistiu Lorcan.

As palavras da jovem eram como o tremor de um fôlego.

— Como se todo o povo que um dia residiu aqui, há muito tempo, ainda estivesse preso no interior... ainda... abaixo. — Ela apontou para uma ruína, um domo curvo e quebrado do que provavelmente fora um salão de baile anexo à torre. Um palácio. — Não acho que este é um lugar para os vivos, Lorcan. As bestas nestas águas... Não acho que toleram invasores. Nem os mortos.

— É a pedra ou a deusa que a vigia dizendo essas coisas?

— É meu coração que murmura um aviso. Anneith está calada. Não acho que queira proximidade. Não acho que seguirá conosco.

— Ela foi a Morath, mas não continuará aqui?

— O que há dentro desses pântanos? — perguntou Elide então. — Por que Aelin se dirige a eles?

Essa parecia ser a pergunta. Pois, se tinham captado aquilo, certamente a rainha e Whitethorn também o sentiriam; e apenas uma grande recompensa ou ameaça os levaria até ali.

— Não sei — admitiu Lorcan. — Não há nenhuma cidade ou aldeia perto daqui. — No entanto, fora para onde o deus sombrio o havia levado, e para onde aquela mão ainda o empurrava, a fim de que se aventurasse, mesmo que hesitante.

Nada além de ruínas e folhagens densas naquelas ilhotas de segurança, uma proteção contra o que quer que morasse sob a água vítrea.

Mas o guerreiro obedeceu ao deus que o cutucava no ombro e guiou a Lady de Perranth adiante.

⁓

— Quem morava aqui? — perguntou Elide, encarando o rosto erodido da estátua que se projetava de uma muralha de pedra quase em ruínas.

A figura se equilibrava no limite exterior da ilhota na qual estavam de pé, e a mulher salpicada de musgo e entalhada sem dúvida fora linda um dia, assim como servira de apoio para vigas e um telhado que, desde então, apodrecera. Contudo, o véu entalhado como vestimenta da mulher parecia uma mortalha. Elide estremeceu.

— Este lugar foi esquecido e destruído séculos antes de até mesmo eu ter nascido — comentou Lorcan.

— Pertencia a Eyllwe?

— Fazia parte de um reino que agora se foi, um povo perdido que vagou e se fundiu com aqueles de diferentes terras.

— Deviam ser muito talentosos, considerando suas lindas construções.

O guerreiro murmurara em concordância. Foram dois dias seguindo lentamente pelo pântano; nenhum sinal de Aelin. Haviam dormido no abrigo das ruínas, embora nenhum dos dois tivesse descansado de verdade. Os sonhos de Elide tinham sido povoados por rostos pálidos, de olhos leitosos, de pessoas que jamais conhecera, gritando súplicas conforme a água lhes descia pelas gargantas, pelos narizes. Mesmo acordada, a jovem conseguia vê-los, ouvia os gritos ao vento.

Apenas a brisa entre as pedras, resmungara Lorcan naquele primeiro dia. Mas Elide vira nos olhos do guerreiro. Ele também ouvia os mortos.

Ouvia o estrondo do cataclismo que fizera ceder a terra bem abaixo das pessoas, ouvia a água corrente que devorara todos antes que conseguissem correr. Bestas curiosas do mar e do pântano e dos rios tinham convergido até ali nos anos seguintes, tornando as ruínas um local de caça, banqueteando-se umas das outras quando acabaram os cadáveres presos na água. Mudando, adaptando-se... ficando mais gordas e mais espertas que foram os ancestrais.

Graças àquelas bestas, eles levaram muito tempo para atravessar o pântano. Lorcan verificava a água parada absolutamente imóvel entre as ilhotas de segurança. Às vezes estava livre para andarem pela água salgada na altura do peito. Às vezes, não.

Às vezes mesmo as ilhas não eram seguras. Por duas vezes, Elide vira uma cauda longa e escamosa — com a disposição de uma armadura — atrás de uma parede de pedra ou de uma pilastra quebrada. Por três vezes, vira grandes olhos amarelos com pupilas em fenda observando do junco.

Lorcan a colocava sobre o ombro e corria sempre que notava não estarem a sós.

Então havia as cobras... que gostavam de se pendurar das árvores retorcidas como vinhas, sugando alguma subsistência das ilhas. E os insetos mordendo-os incessantemente... nada se comparados às nuvens de mosquitos que às vezes os cercavam por horas. Ou até que Lorcan lançasse uma onda do poder sombrio contra eles, fazendo todos caírem na terra como chuva escura.

Mas sempre que o guerreiro matava... Elide sentia a terra tremer. Não por medo... mas como se começasse a despertar. Ouvindo.

Perguntando-se quem ousava caminhar sobre ela.

Na quarta noite, a jovem estava tão cansada, tão no limite que quis chorar quando se aninharam em um raro abrigo: um corredor em ruínas, com parte do mezanino intacto. Ficava a céu aberto, e vinhas cobriam as três paredes, mas a escada de pedras era sólida — e elevada o suficiente para que nada rastejasse para fora da água a fim de predá-los. Lorcan amarrara a base e o topo da escada com armadilhas de vinhas e galhos; para alertá-los caso alguma besta rastejasse degraus acima.

Não ousaram acender uma fogueira, mas estava quente o bastante para que Elide não sentisse falta de uma. Deitada ao lado do semifeérico, o corpo do guerreiro como uma muralha sólida entre ela e a pedra à esquerda, a jovem observou as estrelas reluzentes; o zumbido sonolento dos insetos era um ruído constante nos ouvidos. Então algo rugiu ao longe.

Os insetos pausaram. O pântano pareceu voltar a atenção para aquele rugido feral e grave.

Depois, devagar, a vida retornou — mas mais silenciosa.

— Durma, Elide — murmurou Lorcan.

Ela engoliu em seco, o medo espesso no sangue.

— O que foi aquilo?

— Uma das bestas... pode ter sido um canto de acasalamento ou um aviso territorial.

A jovem não queria saber qual era o tamanho das bestas. Lampejos de olhos e caudas bastavam.

— Conte-me a respeito dela — sussurrou Elide. — De sua rainha.

— Duvido de que a ajude a dormir melhor.

Ela se voltou para o outro lado e viu Lorcan deitado de barriga para cima, observando o céu.

— Ela vai mesmo o matar pelo que fez? — Um aceno de cabeça. — Mas mesmo assim se arrisca... pelo bem dela. — Elide apoiou a cabeça erguida sobre um punho. — Você a ama?

Aqueles olhos, mais escuros que os espaços entre as estrelas, se voltaram para ela.

— Sou apaixonado por Maeve desde a primeira vez que a vi.

— Você... você é amante dela? — Elide não tinha ousado perguntar, não sentira vontade de realmente saber.

— Não. Ofereci certa vez. Ela riu de mim pela insolência. — A boca de Lorcan se contraiu. — Então me fiz valioso de outras formas.

De novo, aquele rugido ao longe que silenciava o mundo por alguns segundos. Estava mais perto, ou Elide tinha imaginado? Quando olhou de volta para o guerreiro, os olhos de Lorcan estavam sobre sua boca.

— Talvez ela use seu amor em vantagem própria — argumentou Elide.

— Talvez seja de seu interesse arrastá-lo consigo. Talvez mude de ideia quando parecer mais propenso a... partir.

— Tenho um juramento de sangue com ela. Jamais partirei.

O peito da jovem doeu ao ouvir aquilo.

— Então ela pode ficar segura, sabendo que a desejará por toda a eternidade.

As palavras saíram mais afiadas do que Elide pretendera, e ela fez menção de olhar para as estrelas, mas Lorcan lhe segurou o queixo mais rápido que ela conseguiu detectar. Ele a olhou nos olhos, avaliando-os.

— Não cometa o erro de acreditar que sou um tolo romântico. Não tenho uma gota de esperança por ela.

— Então isso não parece nada com amor.

— E o que sabe sobre amor? — Lorcan estava tão perto, tinha se aproximado sem que ela percebesse.

— Acho que o amor deveria deixá-lo feliz — respondeu Elide, lembrando-se da mãe e do pai. Em quantas vezes tinham sorrido e gargalhado, como tinham se olhado. — Deveria fazer com que se tornasse sua melhor versão.

— Está querendo dizer que não sou nenhuma dessas coisas?

— Acho que você nem sabe o que é felicidade.

O rosto de Lorcan ficou sério, pensativo.

— Não me incomodo... de estar a seu lado.

— Isso é um elogio?

Um meio sorriso atravessou o rosto firme como granito do semifeérico. E ela quis... quis tocá-lo. Aquele sorriso, aquela boca. Com os dedos, os próprios lábios. Aquilo o deixava mais jovem, o deixava... bonito.

Então Elide ergueu a mão com dedos trêmulos e tocou os lábios de Lorcan. Ele congelou, ainda um pouco acima dela, os olhos sérios e determinados.

Mas a jovem traçou o contorno da boca, encontrando uma pele macia e quente, um contraste tão grande com as palavras duras que costumavam sair dali.

Ao chegar ao canto exterior dos lábios, ele virou o rosto para a mão de Elide, apoiando a bochecha áspera na palma da mão da jovem. Os olhos de Lorcan ficaram pesados quando ela roçou o polegar sobre a parte plana e áspera de sua maçã do rosto.

— Eu esconderia você — sussurrou Elide. — Em Perranth. Se você... se fizer o que precisa fazer e precisar de algum lugar para ir... Teria um lugar lá. Comigo.

Os olhos do guerreiro se abriram, mas não havia nada severo, nada frio, a respeito da luz que brilhava neles.

— Eu seria um macho desonrado, isso refletiria mal em você.

— Se alguém pensar assim, essa pessoa não terá lugar em Perranth.

A garganta de Lorcan oscilou.

— Elide, você precisa...

Mas ela se levantou devagar e colocou a boca onde os dedos estavam antes. O beijo foi suave, e silencioso, e rápido. Mal passou de um roçar dos lábios contra os dele.

Elide achou que Lorcan talvez estivesse tremendo quando ela recuou. Quando calor floresceu em suas bochechas. Ainda assim, a jovem se obrigou a dizer, surpresa ao ver que a voz estava firme:

— Não precisa me responder agora. Ou jamais. Pode aparecer em minha porta daqui a dez anos, e a oferta ainda estará de pé. Mas há um lugar para você, em Perranth, se precisar de um, ou se o desejar.

Algo como agonia passou pelos olhos de Lorcan, a expressão mais humana que Elide vira no guerreiro.

Mesmo assim, ele se inclinou para a frente e, apesar do pântano, apesar do que se reunia no mundo, pela primeira vez em dez anos, Elide se viu sem medo nenhum quando Lorcan lhe acariciou os lábios com os dele. Não teve medo de nada quando ele o fez de novo, beijando um canto de sua boca, então o outro.

Beijos tão delicados e pacientes — as mãos igualmente carinhosas e cuidadosas conforme acariciavam os cabelos da jovem para afastá-los da testa, conforme traçavam os quadris, as costelas. Elide ergueu as próprias mãos até o rosto de Lorcan e passou os dedos pelos cabelos sedosos, arqueando o corpo contra o do guerreiro, desejando o peso do corpo de Lorcan sobre o seu.

A língua do semifeérico roçou contra a linha da boca de Elide, e ela ficou maravilhada com como pareceu natural abrir a boca para ele, como o corpo *cantou* ao sentir o contato, a dureza contra a própria maciez. O guerreiro gemeu na primeira carícia da língua, os quadris roçavam contra os de Elide de uma forma que a fez incendiar, fez o corpo ondular contra o dele, como uma resposta e uma exigência.

Lorcan a beijou mais intensamente diante daquele pedido; a mão deslizou para segurar a coxa de Elide e abrir um pouco mais as pernas da jovem a fim de que pudesse se acomodar completamente entre elas. E, ao alinhar o corpo inteiro com ela... Elide percebeu que sentia-se ofegante conforme roçava contra ele, conforme via Lorcan se afastando de sua boca para beijar o maxilar, o pescoço, a orelha.

Estava trêmula; não com medo, mas com *desejo* quando Lorcan sussurrou seu nome diversas vezes contra sua pele.

Como uma oração, era assim que o nome de Elide soava nos lábios de Lorcan. Ela segurou o rosto do guerreiro nas mãos e viu que os olhos pareciam incandescentes, a respiração irregular como a dela.

Elide ousou passar os dedos da bochecha para o pescoço de Lorcan, logo abaixo do colarinho da camisa. A pele era como seda aquecida. Ele estremeceu ao toque, curvando a cabeça de forma que os cabelos pretos como nanquim caíram sobre a testa de Elide, e os quadris mergulharam contra os dela, apenas o suficiente para que um leve arquejo saísse de dentro da jovem. Mais, percebeu ela — queria *mais*.

Lorcan a encarou com uma pergunta silenciosa; a mão de Elide parou sobre a pele acima do coração do guerreiro. Batia selvagem e estrondosamente.

A jovem ergueu a cabeça para beijá-lo, e, quando a boca novamente encontrou a dele, Elide sussurrou a resposta...

A cabeça de Lorcan se ergueu subitamente. Ele ficou de pé em seguida, virando-se para nordeste.

Onde uma escuridão começara a se espalhar pelas estrelas, apagando-as uma a uma.

Qualquer gota de calor, de desejo, se extinguiu em Elide.

— Isso é uma tempestade?

— Precisamos correr — avisou ele. Mas era a calada da noite, faltava ainda pelo menos seis horas para o alvorecer. Atravessar o pântano naquele momento... Mais e mais estrelas foram engolidas por aquela escuridão crescente.

— O que é aquilo? — A escuridão se espalhava mais a cada segundo. Até mesmo as bestas distantes no pântano pararam de rugir.

— Ilken — murmurou Lorcan. — É um exército de ilken.

Elide sabia que não vinham atrás dela.

❧ 53 ❧

Depois de dois dias no labirinto interminável que era o pântano de Pedra — *dois*, e não o dia e meio que o maldito Rolfe sugerira —, Aelin sentia vontade de queimar o lugar inteiro até o chão. Com a água e a umidade, ela nunca estava seca, mas sempre suando e grudenta. E pior de tudo: os insetos.

A rainha mantinha os pequenos demônios longe com um escudo de chamas invisíveis, revelado apenas pelos zunidos dos insetos se chocando contra ele. Poderia ter se sentido mal caso não tivessem tentado comê-la viva no primeiro dia. Caso não tivesse coçado as dezenas de inchadas mordidas vermelhas até que a pele sangrasse — e que Rowan se intrometesse para curá-las.

Depois do ataque da mulher Cão de Caça, as habilidades de cura da própria Aelin tinham permanecido esgotadas. Então Rowan e Gavriel bancavam os curandeiros para todos eles, cuidando das mordidas que coçavam, dos hematomas de plantas urticantes, dos arranhões devido aos pedaços submersos e pontiagudos das ruínas, que os cortavam se não tomassem cuidado enquanto caminhavam pela água salobra.

Apenas Manon parecia imune às dificuldades do pântano, achando a beleza feral e pútrida do lugar agradável. Ela de fato lembrava Aelin uma das terríveis bestas fluviais que dominavam aquele lugar — os olhos dourados, os dentes afiados e reluzentes... A rainha tentou não pensar muito a respeito daquilo. Tentou imaginar como seria *sair* daquele lugar e seguir para terra firme e seca.

Mas no coração daquela pútrida extensão morta estava o Fecho de Mala.

470

Em forma de gavião, Rowan voava adiante, fazendo reconhecimento conforme o sol se aproximava do horizonte, e Lysandra avaliava as águas entre as pequenas colinas no corpo de algum ser do pântano pegajoso e escamoso para o qual Aelin fizera uma careta, o que garantira um chiado de indignação de uma língua bifurcada antes de a metamorfa cair na água.

A rainha fez outra careta quando subiu uma daquelas pequenas colinas, coberta de arbustos espinhentos e encimada por duas pilastras caídas. Um labirinto destinado a arranhar e furar e rasgar.

Então ela lançou uma explosão de chamas pela área, transformando-a em cinzas que grudaram nas botas molhadas conforme Aelin passou, originando uma sujeirada cinzenta e ensopada.

Fenrys riu ao seu lado ao descerem a colina.

— Bem, essa é uma forma de atravessar. — Ele estendeu a mão para guiar a jovem pela água, e parte da rainha hesitou diante da ideia de ser escoltada, mas... maldita fosse se caísse em um poço de água. Tinha uma ideia muito, muito boa do que havia bem abaixo deles. Não tinha interesse algum em nadar em pútridos restos mortais de pessoas.

O guerreiro lhe segurou a mão com força ao caminharem pela água na altura do peito. Ele a empurrou para a margem primeiro, saindo em seguida. Fenrys sem dúvida conseguiria saltar de uma ilha para a outra na forma de lobo, como Gavriel poderia. Por que tinham permanecido em forma feérica estava além da compreensão de Aelin.

Ela usou a magia para se secar o melhor possível, então usou um pouco para secar as roupas de Fenrys e Gavriel também.

Um gasto inofensivo e casual de poder. Mesmo tendo se esgotado ao usá-lo durante três dias seguidos na costa em chamas de Eyllwe. Não as chamas, mas apenas... fisicamente. Mentalmente. Aelin ainda sentia que poderia dormir por uma semana. Mas a magia murmurava. Incessantemente, incansavelmente. Mesmo que *ela* estivesse cansada... o poder exigia mais. Secar as roupas entre mergulhos na água do pântano, pelo menos, mantinha a maldita coisa calada. Por enquanto.

A cabeça horrenda de Lysandra emergiu de um emaranhado de arbustos, e Aelin gritou, recuando um passo. A metamorfa sorriu, revelando duas presas muito, muito afiadas. Fenrys soltou uma risada baixa, observando-a conforme ela deslizava alguns metros adiante.

— Então pode mudar pele e osso, mas a marca permanece?

Lysandra parou a alguns centímetros da água, e Aedion pareceu ficar tenso na ilha adiante, embora tivesse seguido em frente. Que bom. Pelo menos Aelin não era a única que rasgaria o pescoço de quem quer que ousasse debochar da metamorfa. Mas a amiga se transformou, brilhando e expandindo, até que tomou a forma humanoide... feérica.

Até que Fenrys estivesse olhando para si mesmo, embora em versão menor, para caber nas roupas da mulher. Gavriel, atravessando a margem atrás do grupo, tropeçou ao ver aquilo.

Com o jeito de falar quase idêntico ao de Fenrys, Lysandra comentou:

— Suponho que sempre me delatará. — Ela estendeu o pulso, puxando a manga do casaco para revelar a pele marrom do guerreiro, maculada pela marca.

Lysandra continuou olhando para si mesma conforme eles seguiam caminhando e subindo, então finalmente observou:

— Sua audição é realmente melhor. — A metamorfa passou a língua pelos caninos levemente alongados. Fenrys se encolheu um pouco. — Qual é a função destes? — perguntou ela.

Gavriel se aproximou e a cutucou para que prosseguisse, caminhando alguns passos à frente com ela.

— Fenrys é a última pessoa a quem perguntar. Se quer uma resposta adequada, quero dizer.

Lysandra gargalhou, depois sorriu para o Leão conforme subiam a colina. Estranho — vê-la sorrir com o rosto do feérico. Fenrys viu o olhar de Aelin e fez outra careta, sem dúvida achando igualmente irritante. Ela riu.

Asas bateram adiante, e Aelin parou um momento e se maravilhou enquanto Rowan voava forte e rapidamente até eles. Ágil, determinado — irredutível.

Gavriel voltou a recuar alguns passos quando Lysandra parou ao lado de Aedion no alto da colina e passou para sua forma humana. A metamorfa oscilou um pouco, e Aelin avançou — mas o general chegou primeiro, segurando-a com delicadeza por baixo do cotovelo enquanto Rowan aterrissava e se transformava também. Todos precisavam de um bom e longo descanso.

— Nada adiante... chegaremos lá amanhã à tarde — informou o príncipe feérico.

Quando quer que visse Rolfe de novo, Aelin teria uma conversinha sobre como, exatamente, ele calculava distâncias naquele seu mapa infernal.

Mas o rosto de Rowan ficara pálido sob as tatuagens. Depois de um momento, ele acrescentou:

— Posso senti-lo... minha magia pode senti-lo.

— Diga que não está sob seis metros de água.

Uma recusa ágil e curta com a cabeça.

— Não queria arriscar me aproximar demais. Mas me lembra do templo do Devorador de Pecados.

— Então será um lugar bem bonito, acolhedor e relaxante — zombou Aelin.

Aedion riu baixinho com os olhos no horizonte. Dorian e Manon saltaram para a margem abaixo, ensopados; a bruxa verificou o mar de ilhas adiante. Se reparou em alguma coisa, não disse nada.

Rowan observou a ilha sobre a qual estavam: alta, protegida por uma despedaçada muralha de pedra de um lado, e espinhos do outro.

— Acamparemos aqui hoje à noite. É seguro o suficiente.

Aelin quase desabou de alívio. Lysandra proferiu um leve agradecimento aos deuses.

Em minutos, tinham percorrido a área geral, por meio de trabalho físico e mágico, para encontrar assentos entre os imensos blocos de pedras, e Aedion começara a cozinhar: uma refeição bem triste de pão duro e de criaturas do pântano que Gavriel e Rowan haviam caçado, considerando-as seguras para comer. Aelin não observou enquanto o primo cozinhava, preferindo não saber que porcaria estava prestes a enfiar goela abaixo.

Os demais pareciam querer desviar a atenção daquilo também, e, embora Aedion tivesse conseguido usar os temperos escassos com talento surpreendente, parte da carne ficara... borrachuda. Pegajosa. Lysandra, educada, porém, definitivamente, tivera ânsia de vômito em certo momento.

A noite caiu, e um mar de estrelas brilhou ao ganhar vida. Aelin não conseguia se lembrar da última vez em que estivera tão longe da civilização; talvez na travessia oceânica de ida e volta para Wendlyn.

Aedion, sentado ao lado da prima, passou o cantil leve demais de vinho. Ela tomou um gole, feliz pelo líquido amargo que lavou qualquer gosto remanescente da carne.

— Jamais me conte o que era essa comida — murmurou Aelin para ele, observando os demais terminarem as próprias refeições em silêncio. Lysandra murmurou em concordância.

Aedion sorriu um pouco malicioso, também analisando todos. A alguns metros de distância, meio nas sombras, Manon monitorava tudo. Então o olhar do general parou em Dorian, e Aelin se preparou, mas o sorriso ficou mais suave ao comentar:

— Ele ainda come como uma donzela.

A cabeça de Dorian disparou para cima — e Aelin conteve uma risada diante da lembrança. Dez anos antes, eles se sentaram a uma mesa juntos e ela dissera ao príncipe Havilliard o que achava de seus modos à mesa. O rapaz piscou quando a lembrança, sem dúvida, voltou à mente, mesmo enquanto os demais olhavam entre os dois.

O rei fez uma reverência magnânima.

— Tomarei isso como um elogio. — De fato, as mãos estavam praticamente limpas, e as roupas, já secas, imaculadas.

As mãos da própria Aelin... Ela buscou o lenço em um bolso. A coisa estava tão imunda quanto o restante da jovem, mas... melhor que usar a calça. A jovem tirou o Olho de Elena de onde costumava ficar enrolado, apoiando-o no joelho enquanto limpava as manchas de temperos e gordura dos dedos, oferecendo em seguida o retalho de seda a Lysandra. A rainha casualmente passou os dedos sobre o metal retorcido do Olho enquanto a metamorfa limpava as mãos, a pedra azul no centro reluzindo com fogo cobalto.

— Pelo que me lembro — continuou Dorian, com um sorriso malicioso —, vocês dois...

O ataque aconteceu tão rápido que Aelin não o sentiu ou viu até que tivesse terminado.

Em um momento, Manon estava sentada no limite da fogueira; o pântano era uma extensão escura atrás da bruxa.

No seguinte, escamas e dentes brancos reluzentes disparavam para ela, irrompendo da vegetação na margem. E então... quietude e silêncio quando a enorme besta do pântano congelou no lugar.

Impedida por mãos invisíveis... fortes.

A espada da bruxa estava quase em punho, a respiração ficara irregular ao encarar a leitosa garra cor-de-rosa aberta o suficiente para lhe arrancar a cabeça. Os dentes eram, cada um, tão longos quanto o polegar de Aelin.

Aedion xingou. Os demais sequer se moveram.

Mas a magia de Dorian mantinha a besta parada, congelada sem gelo à vista. O mesmo poder que usara contra a mulher Cão de Caça. Aelin o observou em busca de alguma corda, algum fio reluzente de poder, e não encontrou nenhum. Ele nem mesmo erguera a mão para direcionar o poder. Interessante.

O rapaz disse a Manon, que ainda olhava boquiaberta para a morte a centímetros do próprio rosto:

— Devo matá-lo ou libertá-lo?

Aelin certamente tinha uma opinião sobre o assunto, mas um olhar de aviso de Rowan a fez calar a boca. E olhar para o príncipe feérico um pouco boquiaberta.

Ah, seu velho desgraçado e ardiloso. O rosto tatuado e severo do guerreiro não revelou nada.

Manon olhou na direção de Dorian.

— Liberte-o.

O rosto do rei ficou mais tenso; então a besta foi atirada para a escuridão, como se um deus a tivesse jogado pelo pântano. Um distante ruído de água soou.

Lysandra suspirou.

— Não são lindos?

Aelin virou o olhar para ela. A metamorfa sorriu.

Mas então ela voltou a olhar para Rowan, encarando-o. *Que conveniente que seu escudo sumiu bem no momento em que aquela coisa se aproximou. Que oportunidade excelente para uma lição de magia. E se tivesse dado errado?*

Os olhos do guerreiro brilharam. *Por que acha que o buraco se abriu perto da bruxa?*

A rainha engoliu a risada de preocupação. No entanto, Manon Bico Negro estudava o rei, a mão ainda na espada. Aelin não se incomodou em fingir não os observar quando a bruxa voltou aqueles olhos dourados para ela. Para o Olho de Elena que continuava apoiado no joelho da jovem.

O lábio da bruxa se afastou dos dentes.

— Onde conseguiu isso?

Os pelos nos braços de Aelin se arrepiaram.

— O Olho de Elena? Foi um presente.

Então Manon olhou de novo para Dorian — como se a ter salvo daquela coisa... Ah, Rowan não abaixara o escudo apenas por uma lição de magia, não é mesmo? Aelin não ousou olhar para ele dessa vez, não quando Manon mergulhou os dedos na terra lamacenta para desenhar uma forma.

Um grande círculo... e dois círculos menores sobrepostos dentro da circunferência.

— Esta é a Deusa de Três Rostos — explicou a bruxa, em um tom de voz baixo. — Chamamos isto... — Ela desenhou uma linha tosca no círculo do centro, no espaço com formato de olho onde eles se sobrepunham. — O Olho da Deusa. *Não* de Elena. — A bruxa circulou o exterior de novo. — Idosa — indicou ela sobre a circunferência mais exterior. Manon envolveu o círculo interior superior de novo: — Mãe. — Ela circulou a base: — Donzela. — A bruxa furou o olho dentro do círculo: — E o coração da Escuridão dentro dela.

Foi a vez de Aelin balançar a cabeça. Os demais nem mesmo piscaram.

— Esse é um símbolo das Dentes de Ferro — repetiu Manon. — Profetas Sangue Azul o têm tatuado sobre os corações. E aquelas que conquistaram reconhecimento em batalha, quando morávamos no deserto... antigamente recebiam isso. Para marcar nossa glória... o fato de sermos abençoadas pela Deusa.

Aelin considerou atirar o maldito amuleto no pântano, mas disse:

— Quando vi Baba Pernas Amarelas pela primeira vez... o amuleto ficou pesado e quente em sua presença. Achei que tivesse sido um aviso. Talvez tenha sido em... reconhecimento.

Manon observou o colar de cicatrizes que marcava o pescoço da rainha.

— O poder funcionava mesmo com a magia contida?

— Fui informada de que certos objetos eram... isentos. — A voz de Aelin ficou hesitante. — Baba Pernas Amarelas sabia toda a história das chaves de Wyrd e dos portões. Foi ela quem me contou a respeito deles. Isso também é parte de sua história?

— Não. Não nesses termos — respondeu a bruxa. — Mas Pernas Amarelas era uma Anciã... sabia coisas que atualmente estão perdidas para nós. Ela mesma derrubou as muralhas da cidade das Crochan.

— As lendas dizem que o massacre foi... catastrófico — comentou Dorian.

Sombras tremeluziram nos olhos de Manon.

— Aquele campo de batalha, pela última notícia que tive, ainda está estéril. Nenhum fiapo de grama cresce ali. Dizem que é por causa da maldição de Rhiannon Crochan. Ou devido ao sangue que o encharcou durante as três últimas semanas daquela guerra.

— Qual é exatamente a maldição? — perguntou Lysandra, franzindo a testa.

Manon examinou as unhas de ferro por tanto tempo que Aelin achou que a bruxa não responderia. Aedion jogou o cantil de vinho de volta à perna da prima, e ela bebeu quando Manon, por fim, respondeu:

— Rhiannon Crochan manteve de pé os portões da cidade durante três dias e três noites contra as três Matriarcas Dentes de Ferro. As irmãs estavam mortas ao redor, os filhos, massacrados, o consorte empalado em uma das caravanas de guerra das Dentes de Ferro. A última rainha Crochan, a última esperança para a dinastia de mil anos... Rhiannon não cedeu facilmente. Somente quando ela caiu ao alvorecer do quarto dia, a cidade foi realmente perdida. E enquanto jazia, moribunda, naquele campo de batalha, enquanto as Dentes de Ferro derrubavam a muralha da cidade em volta e massacravam o povo... ela nos amaldiçoou. Amaldiçoou as três Matriarcas e, por meio delas, todas as Dentes de Ferro. Amaldiçoou a própria Pernas Amarelas, a qual deu a Rhiannon o golpe fatal.

Nenhum deles se moveu ou falou ou respirou alto demais.

— Rhiannon jurou com o último suspiro que venceríamos a guerra, mas não a terra. Que pelo que tínhamos feito, herdaríamos a terra apenas para vê-la morrer em nossas mãos. Nossas bestas definhariam e cairiam mortas; nossas bruxinhas seriam natimortas, envenenadas pelos córregos e rios. Peixes apodreceriam em lagos antes que conseguíssemos pescá-los. Coelhos e cervos fugiriam pelas montanhas. E o reino das bruxas, um dia exuberante, se tornaria um deserto.

"As Dentes de Ferro riram disso, bêbadas com o sangue das Crochan. Até que a primeira bruxinha nasceu... morta. E então outra e outra. Até que o gado apodreceu nos campos, e as plantações definharam da noite para o dia. Ao fim do mês, não havia comida. No segundo mês, os três clãs Dentes de Ferro se voltavam uns contra os outros, destroçando-se. Então as Matriarcas ordenaram que fôssemos para o exílio. Separaram os clãs para atravessar as montanhas e perambularmos como quiséssemos. A cada poucas décadas, elas enviavam grupos para tentar trabalhar a terra, para ver se a maldição ainda prevalecia. Os grupos jamais voltavam. Somos errantes há quinhentos anos... a ferida foi agravada pelo fato de que humanos, por fim, a tomaram para si. E a terra respondeu a eles."

— Mas ainda planeja retornar? — perguntou Dorian.

Aqueles olhos dourados não eram desse mundo.

— Rhiannon Crochan disse que havia uma forma, apenas uma, de quebrar a maldição. — Manon engoliu em seco e recitou com voz fria, contida: — *Sangue para sangue e alma para alma, juntas fizemos essa guerra, e apenas juntas a dissolveremos. Seja a ponte, seja a luz. Quando ferro derreter, quando flores brotarem de campos de sangue, que a terra seja testemunha e retorne ao lar.* — A bruxa brincou com a ponta da trança, com o retalho de manto vermelho que amarrara em torno dela. — Cada bruxa Dentes de Ferro no mundo ponderou a respeito dessa maldição. Durante cinco séculos, tentamos quebrá-la.

— E seus pais... sua união foi feita para quebrar a maldição? — insistiu Aelin, com cuidado.

Um aceno brusco.

— Eu não sabia... que a linhagem de Rhiannon tinha sobrevivido. — E que corria pelas próprias veias azuis.

— Elena veio um milênio antes da guerra das bruxas — ponderou Dorian. — O Olho não tem nada a ver com isso. — Ele esfregou o pescoço. — Certo?

Manon não respondeu, apenas estendeu um pé para limpar o símbolo que traçara na terra.

Aelin entornou o restante do vinho e enfiou o Olho de volta no bolso.

— Talvez agora entenda — disse ela a Dorian — por que achei Elena apenas um *pouquinho* difícil de lidar.

A ilha era ampla o suficiente para que se tivesse uma conversa sem que fosse entreouvida.

Rowan supôs que era precisamente o que a antiga equipe queria quando o encontraram de vigia no alto da decrépita escada espiralada coberta de vinhas que dava para a ilha e os arredores; recostado contra uma parte que, certa vez, fora a parede curva.

— O que foi? — indagou ele.

— Devia afastar Aelin mais de mil quilômetros daqui. Esta noite — respondeu Gavriel.

Uma onda de magia e os instintos aguçados lhe disseram que tudo estava seguro na vizinhança imediata, acalmando a ira letal que lhe invadira ao pensar naquilo.

— O que quer que nos espere amanhã está à espera há muito tempo, Rowan — comentou Fenrys.

— E como vocês dois sabem disso?

Os olhos amarelos de Gavriel brilharam, como os de um animal na escuridão.

— A vida de sua amada e a da bruxa estão interligadas. Foram atraídas para cá, por forças que nem mesmo nós podemos entender.

— Pense bem — insistiu Fenrys. — Duas fêmeas cujos caminhos se cruzaram esta noite de uma forma que poucas vezes testemunhamos. Duas rainhas, que podem controlar cada metade deste continente, dois lados de uma moeda. Ambas de linhagem mista. Manon, Dentes de Ferro *e* Crochan. Aelin...

— Humana e feérica — terminou Rowan por ele.

— Entre elas, abrigam as três principais raças desta terra. Entre as duas, são mortal e imortal; uma adora o fogo, a outra a Escuridão. Preciso continuar? Parece que estamos caindo direto nas mãos de quem quer que esteja comandando este jogo... há eras.

Rowan o encarou de uma forma que costumava fazer homens recuarem. Mesmo enquanto pensava naquilo.

Gavriel interrompeu para dizer:

— Maeve está à espera, Rowan. Desde Brannon. Por alguém que a levará às chaves. Por sua Aelin.

Maeve não mencionara o Fecho naquela primavera. Não mencionara o anel de Mala também. Devagar, as palavras soando como uma promessa de morte, Rowan disse:

— Maeve os enviou aqui por causa desse Fecho também?

— Não — respondeu Fenrys. — Não... ela jamais mencionou isso. — Ele alternou o peso do corpo entre os pés, virando-se na direção de um rugido distante e brutal. — Se Maeve e Aelin forem à guerra, Rowan, se elas se encontrarem em um campo de batalha...

Rowan tentou não imaginar aquilo. A carnificina cataclísmica e a destruição. Talvez devessem ter permanecido no norte, reunindo as defesas.

— Maeve não se deixará perder. Já substituiu você — sussurrou Fenrys.

Rowan se voltou para Gavriel.

— *Quem?*

Os olhos de leão ficaram sombrios.

— Cairn.

O sangue de Rowan gelou, tornando-se mais frio que a própria magia.

— Ela perdeu o juízo?

— Nos contou sobre essa promoção um dia antes de partirmos. Cairn sorria como um gato com um canário na boca conforme saímos do palácio.

— É um sádico. — Cairn... Nenhum treinamento, tanto fora quanto dentro dos campos de batalha, tinha quebrado a inclinação do guerreiro feérico por crueldade. Rowan o trancafiara, açoitara, disciplinara, usara qualquer gota de compaixão que pudesse reunir em si mesmo... nada. Cairn nascera saboreando o sofrimento de outros.

Então o príncipe feérico o expulsara do próprio exército... atirando-o no colo de Lorcan. Cairn durara cerca de um mês com o semifeérico antes de ser enviado para uma legião isolada, comandada por um general que não era da equipe e que não tinha interesse em ser. As histórias do que Cairn fazia com os soldados e os inocentes que encontrava...

Havia poucas leis contra assassinato entre os feéricos. E Rowan considerara poupar o mundo da crueldade de Cairn sempre que o vira. O fato de Maeve o ter indicado para a equipe, dando a ele poder e influência quase ilimitados...

— Apostaria cada moeda de ouro que ela vai deixar Aelin quase se destruir para derrotar Erawan... então irá golpear quando ela estiver mais fraca — ponderou Fenrys.

O fato de Maeve não ter dado a cada um dos machos uma ordem para que se calassem pelo juramento de sangue... Ela queria que ele — queria que Aelin — tivesse aquele conhecimento. Que se preocupasse e especulasse.

Fenrys e Gavriel trocaram olhares cautelosos.

— Nós ainda a servimos, Rowan — murmurou Gavriel. — E ainda precisamos matar Lorcan quando chegar a hora.

— Por que sequer mencionar isso? Não impedirei vocês. E Aelin também não, acreditem em mim.

— Porque — retrucou Fenrys — o estilo de Maeve não é executar. É punir... devagar. Ao longo de anos. Mas ela quer Lorcan *morto*. E não meio morto ou com a garganta cortada, mas irrevogavelmente morto.

— Decapitado e queimado — completou Gavriel, sombriamente.

Rowan expirou.

— Por quê?

Fenrys lançou o olhar para o limite das escadas, onde Aelin dormia com os cabelos dourados brilhando ao luar.

— Lorcan e você são os machos mais poderosos no mundo.

— Esquecem que ele e Aelin não suportam compartilhar o mesmo ar. Duvido que haja chance de uma aliança entre os dois.

— Só estamos dizendo — explicou Fenrys — que Maeve não toma decisões sem motivos consideráveis. Esteja pronto para tudo. Mandar a armada, onde quer que esteja, é apenas o início.

As bestas do pântano rugiram, e Rowan quis rugir de volta. Se Aelin e Cairn algum dia se encontrassem, se Maeve tivesse algum plano além da ganância pelas chaves...

Aelin se virou no sono, fazendo cara feia para a comoção; Lysandra cochilava ao lado em forma de leopardo-fantasma, agitando a cauda felpuda. Rowan se afastou da parede, mais que pronto para se juntar à rainha. Então viu que Fenrys a encarava também, o rosto tenso e contido. A voz do guerreiro foi um sussurro partido ao dizer:

— Me mate. Se essa ordem for dada. Me mate, Rowan, antes que eu precise cumpri-la.

— Estará morto antes que consiga se aproximar 30 centímetros dela.

Não era uma ameaça... mas uma promessa e a simples afirmação de um fato. Os ombros de Fenrys desabaram em agradecimento.

— Fico feliz, sabe — disse ele, com seriedade incomum —, por ter este tempo. Por Maeve, sem intenção, ter me dado isso. Por eu ter podido saber como é... estar aqui, como parte disso.

Rowan não tinha palavras, então olhou para Gavriel.

Mas o Leão apenas assentia enquanto olhava o pequeno acampamento abaixo. Para o filho que dormia.

❧ 54 ❧

A última parte da caminhada naquela manhã era a mais longa até então, pensou Manon.

Perto; tão perto daquele Fecho que a rainha com um emblema de bruxa no bolso procurava.

Ela caíra no sono perguntando-se como poderia estar conectado, mas não tinha chegado a conclusão alguma. Todos acordaram antes do alvorecer, despertos pela umidade opressora, tão densa que parecia um cobertor pesado sobre os ombros de Manon.

A rainha estava em grande parte silenciosa de onde caminhava, à frente da caravana. O parceiro fazia reconhecimento adiante, e o primo e a metamorfa a flanqueavam, a última vestindo a pele de uma víbora de pântano verdadeiramente horrível. O Lobo e o Leão seguiam pela retaguarda, farejando e escutando em busca de algo errado.

As pessoas que certa vez moraram naquelas terras não tiveram um fim fácil ou agradável. Ela ainda conseguia sentir a dor, sussurrando entre as pedras, ondulando pela água. Aquela besta do pântano que se aproximara de fininho na noite anterior era o menor dos horrores ali. Ao lado da bruxa, o rosto queimado de sol e tenso de Dorian Havilliard parecia sugerir que ele sentia o mesmo.

Ela caminhou submersa até a cintura em uma piscina de água morna e espessa, então perguntou, ao menos para tirar aquilo de onde ressoava em sua mente:

— Como ela vai usar as chaves para banir Erawan e os valg? Ou melhor, como vai se livrar das coisas que ele criou e que não são de seu reino original, mas algum tipo de híbrido?

Os olhos cor de safira se voltaram para a bruxa.

— O quê?

— Há uma forma de separar quem pertence e quem não pertence? Ou todos aqueles com sangue valg — Manon levou a mão ao peito encharcado — serão enviados para o reino de escuridão e frio?

Os dentes de Dorian reluziram conforme ele os trincou.

— Não sei — admitiu o rei, observando Aelin saltar agilmente sobre uma pedra. — Se souber como, presumo que nos contará quando for mais conveniente para ela.

E menos conveniente para eles, o rapaz não precisou acrescentar.

— E ela terá o poder de decidir, suponho? Quem fica e quem vai?

— Banir pessoas para viverem com os valg não é algo que Aelin faria de boa vontade.

— Mas é ela quem decide, no fim das contas.

Dorian parou no alto de uma pequena colina.

— Quem quer que tenha aquelas chaves decide. E é melhor rezar a quaisquer deuses travessos que você adore para que seja Aelin com elas no final.

— E quanto a você?

— Por que eu deveria querer chegar perto daquelas coisas?

— É tão poderoso quanto ela. Poderia usá-las. Por que não?

Os demais se adiantavam rapidamente, mas Dorian permaneceu parado. Até mesmo teve a audácia de segurar o pulso de Manon, com força.

— Por que não? — Havia uma frieza tão irredutível naquele lindo rosto que a bruxa não conseguiu desviar o olhar. Uma brisa quente e úmida passou, levantando-lhe os cabelos. O vento não tocou Dorian, não farfalhou um fio do cabelo preto como um corvo. Um escudo, ele se protegia. Contra ela, ou o que quer que estivesse naquele pântano? Bem baixo, o rapaz respondeu:

— Porque fui eu quem fez isso.

Manon esperou.

Os olhos cor de safira eram como lascas de gelo.

— Matei meu pai. Destruí o castelo. Expurguei minha corte. Então, se eu tivesse as chaves, Líder Alada — terminou ele enquanto lhe soltava o pulso —, não tenho dúvidas de que faria o mesmo de novo, no continente inteiro.

— Por quê? — sussurrou Manon, o sangue gelando.

Ela ficou realmente um pouco assustada com a ira gélida que saía de Dorian quando ele explicou:

— Porque ela morreu. E, mesmo antes de isso acontecer, este mundo se certificou de que ela sofresse e sentisse medo e estivesse sozinha. E, apesar de ninguém se lembrar de quem ela era, eu me lembro. Nunca me esquecerei da cor de seus olhos, ou da forma como sorria. E nunca lhes perdoarei por terem levado isso embora.

Frágeis demais — dissera ele sobre mulheres humanas. Não era surpreendente que tivesse procurado Manon.

A bruxa não tinha resposta e sabia que o rei não buscava uma, mas, ainda assim, falou:

— Que bom.

Manon ignorou o vislumbre de alívio que percorreu o rosto de Dorian conforme ela se adiantou.

∽

Rowan não tinha errado os cálculos: chegaram até o Fecho ao meio-dia.

Aelin imaginou que, mesmo que ele não tivesse feito o reconhecimento adiante, a partir do momento em que viram o complexo alagado e labiríntico de pilastras destruídas, teria sido óbvio que o Fecho provavelmente estaria no domo de pedra em ruínas no centro. Em grande parte, porque tudo — cada erva daninha e gota d'água — parecia se inclinar *para longe* deste. Como se o complexo fosse o coração sombrio e ondulante do pântano.

Rowan se transformou ao aterrissar onde todos se reuniam, sobre um trecho gramado e seco de terra nos arredores do amplo complexo, sem hesitar um passo ao caminhar até a rainha. Ela tentou não parecer aliviada demais por ele ter retornado em segurança.

Aelin percebeu que realmente os torturava ao se colocar em perigo sempre que tinha vontade. Talvez tentasse melhorar em relação àquilo, se o que eles sentiam se parecesse com o pesar que ela estava sentindo.

— Este lugar está quieto demais — comentou Rowan. — Verifiquei a área, mas... nada.

Aedion sacou a Espada de Orynth das costas.

— Circundaremos o perímetro, avançando por trechos mais curtos até chegarmos ao próprio prédio. Sem surpresas.

Lysandra recuou um passo, preparando-se para a transformação.

— Ficarei com a água; se ouvirem dois rugidos, passem para um lugar mais elevado. Um rugido breve e está livre.

Aelin assentiu em confirmação e como ordem para que ela seguisse em frente. Quando Aedion chegou até a parede mais afastada do complexo, Lysandra já havia deslizado para a água, cheia de escamas e garras.

Rowan indicou Gavriel e Fenrys com o queixo. Os dois machos silenciosamente se transformaram, então saíram caminhando adiante; o segundo se juntou a Aedion, e o primeiro pegou a direção oposta.

O príncipe feérico permaneceu ao lado de Aelin, com Dorian e a bruxa à retaguarda, enquanto esperavam pelo sinal de que o caminho estava livre.

Quando o rugido solitário e breve de Lysandra partiu o ar, Aelin murmurou para o guerreiro:

— Qual é a cilada? *Onde* está a cilada? Está fácil demais. — De fato, não havia nada nem ninguém ali. Nenhuma ameaça além do que poderia estar apodrecendo nos poços e nos sumidouros.

— Acredite em mim, venho pensando nisso.

Ela quase conseguia senti-lo deslizando para aquele lugar congelado e tempestuoso — onde instinto nato e séculos de treinamento o faziam ver o mundo como um campo de batalha, tornando-o disposto a fazer tudo para erradicar quaisquer ameaças a ela. Não apenas a natureza feérica, mas a natureza *de Rowan*. Proteger, defender, lutar por que e por quem amava.

Aelin se aproximou e o beijou no pescoço. Aqueles olhos verde-pinho ficaram levemente mais carinhosos ao se voltarem da ruína para o rosto da jovem.

— Quando retornarmos para a civilização — disse Rowan, com a voz mais intensa ao beijar a bochecha, a orelha, a testa de Aelin —, vou encontrar para você a melhor estalagem de todo o maldito continente.

— Ah, é?

Ele beijou a boca de Aelin. Uma vez, duas.

— Com boa comida, uma cama absurdamente confortável e uma grande banheira.

Mesmo no pântano era fácil se inebriar com o guerreiro, com o gosto e o cheiro e o som e a sensação de Rowan.

— De que tamanho? — murmurou Aelin, sem se importar com o que os demais pensavam conforme voltavam.

— Grande o bastante para dois — replicou o feérico contra os lábios da rainha.

O sangue de Aelin reluziu diante da promessa. Ela o beijou uma vez; rápida mas profundamente.

— Não tenho defesas contra tais ofertas. Principalmente aquelas feitas por um macho tão lindo.

Rowan fez careta à menção de *lindo*, mordiscando a orelha da rainha com os caninos.

— Eu faço uma lista, sabia, princesa? Para, da próxima vez que estivermos sozinhos, me lembrar de retribuir as coisas verdadeiramente maravilhosas que diz.

Os dedos dos pés de Aelin se contraíram dentro das botas ensopadas. Então ela deu tapinhas no ombro de Rowan, olhando-o de cima a baixo com total irreverência, e disse ao caminhar adiante:

— Certamente espero que me faça implorar.

O grunhido de resposta vindo de trás fez com que calor florescesse dentro dela.

A sensação durou cerca de um minuto, no entanto. Depois de algumas voltas no labirinto de paredes e pilastras em ruínas, deixando Dorian para cuidar da entrada e com Rowan se adiantando, Aelin se viu ao lado da bruxa... que parecia mais entediada que nunca. Justo. Afinal de contas, ela fora arrastada até ali.

Caminhando o mais silenciosamente que conseguia pelo arco imponente e pelas pilastras de pedra, Rowan fez sinal de um cruzamento adiante. Estavam se aproximando.

Aelin desembainhou Goldryn, e Manon sacou a própria espada em resposta.

A rainha ergueu as sobrancelhas, olhando de uma espada para outra.

— Qual é o nome de sua espada?

— Ceifadora do Vento.

Aelin emitiu um estalo com a língua.

— Bom nome.

— A sua?

— Goldryn.

Um lampejo de dentes de ferro ao exibir um meio sorriso.

— Não é um nome tão bom.

— Pode culpar meu ancestral. — Ela certamente o culpava. Por muitas, muitas coisas.

Eles chegaram a um cruzamento; uma estrada dava para a esquerda, a outra, para a direita. Nenhuma oferecia um indício do caminho direto para o centro da ruína.

— Pegue a esquerda. Assobie se encontrar algo — disse Rowan a Manon.

A bruxa saiu caminhando entre as pedras e a água e o junco, com ombros tensos o suficiente para sugerir que não tinha gostado da ordem, mas não era burra o suficiente para discutir.

Aelin sorriu um pouco ao pensar nisso conforme ela e Rowan seguiram em frente. Percorrendo a mão livre pelas paredes entalhadas às quais passavam, a jovem disse, casualmente:

— Naquele alvorecer em que Mala apareceu para você... o que ela disse exatamente?

Rowan disparou um olhar na direção de Aelin.

— Por quê?

O coração da jovem retumbava, e talvez fosse uma covarde por dizer isso naquele momento...

Rowan lhe segurou o cotovelo ao interpretar os sinais do corpo, ao sentir o cheiro do medo e da dor.

— Aelin.

Ela se preparou; não havia nada além de pedras e água e escombros ao redor, então virou uma esquina.

E ali estava.

Até mesmo o guerreiro se esqueceu de exigir uma resposta para o que Aelin estivera prestes a contar conforme observaram o espaço aberto, flanqueado por paredes em ruínas e pontuado por pilastras caídas. E na ponta norte...

— Que surpresa — murmurou ela — Há um altar.

— É um baú — corrigiu Rowan, com um meio sorriso. — Tem tampa.

— Melhor ainda — comentou Aelin, cutucando-o com um cotovelo. Sim, sim, contaria mais tarde.

A água que os separava do baú estava parada; era prateada e brilhante; enlameada demais para discernir se havia um fundo além dos degraus para o altar. Aelin buscou a magia de água, esperando que sussurrasse o que havia sob aquela superfície, mas as chamas queimavam alto demais.

Barulho de água se agitando ressoou, e Manon surgiu do outro lado, por uma parede oposta. Sua concentração passou para o imenso baú de pedra nos fundos do espaço, cuja pedra estava rachada e transbordando de ervas daninhas e vinhas. A bruxa começou a caminhar pela água, um passo de cada vez.

— Não toque no baú — avisou Aelin.

Manon apenas a olhou por um bom tempo e continuou seguindo para o altar.

Tentando não escorregar no piso pegajoso, a rainha atravessou o espaço, agitando água sobre os degraus do altar conforme subia, com Rowan logo atrás.

A bruxa se inclinou sobre o baú para avaliar a tampa, mas não o abriu. Estava estudando, percebeu Aelin, as incontáveis marcas de Wyrd entalhadas na pedra.

Nehemia soubera como usar as marcas. Fora ensinada e era fluente o bastante para usar seu poder. Ela jamais perguntara como ou por que ou quando.

Mas lá estavam as marcas de Wyrd, bem nas profundezas de Eyllwe.

Aelin se aproximou de Manon, examinando a tampa com mais atenção.

— Sabe o que são?

A bruxa afastou os longos cabelos brancos.

— Nunca vi tais marcas.

Aelin examinou algumas, buscando a tradução na memória.

— Alguns são símbolos que não vi antes. Outros já vi. — Ela coçou a cabeça. — Será que deveríamos atirar uma pedra... e ver o que acontece? — perguntou Aelin, virando-se para onde estava Rowan, que olhava por cima do ombro da jovem.

Mas um pulsar oco de ar passou entre eles, silenciando o zunido incessante dos habitantes do pântano. E foi aquele silêncio absoluto, assim como o latido de surpresa de Fenrys, que fez com que Aelin e Manon passassem para posições gêmeas de defesa. Como se tivessem feito aquilo centenas de vezes antes.

Rowan ficara imóvel conforme avaliava o céu cinzento, as ruínas, a água.

— O que foi? — sussurrou Aelin.

Antes que o príncipe feérico pudesse responder, ela sentiu algo de novo. Um vento pulsante e escuro *exigindo* sua atenção. Não eram os valg. Não, aquela escuridão nascera de outra coisa.

— Lorcan — sussurrou Rowan, a mão na espada, mas sem a sacar.

— Isso é a magia do semifeérico? — Aelin estremeceu quando aquele vento beijado pela morte a empurrou. Ela o afastou como se fosse um mosquito, então o vento avançou contra a jovem em resposta.

— É seu sinal de aviso — murmurou o guerreiro.

— Contra o quê? — perguntou Manon, bruscamente.

Rowan estava logo se movendo, escalando as paredes altas com facilidade, mesmo conforme pedras caíam. Ele se equilibrou no topo para observar o terreno do outro lado do muro.

Então desceu suavemente, e o ruído ao aterrissar ecoou pelas pedras.

Lysandra rastejou em torno de um aglomerado de ervas e parou com um golpe ágil da cauda escamosa ao ouvir o guerreiro dizer, calmo demais:

— Há uma legião aérea se aproximando.

— Dentes de Ferro? — indagou Manon.

— Não — respondeu Rowan, encarando Aelin com uma tranquilidade gélida que o fizera atravessar séculos de batalha. — Ilken.

— Quantos? — A voz da rainha ficou distante, oca.

O guerreiro engoliu em seco, e Aelin percebeu que ele estivera observando o horizonte em volta não em busca de alguma chance de vencer a batalha que certamente viria, mas à procura de alguma chance de tirá-la dali. Mesmo que o restante precisasse ganhar tempo para ela com as próprias vidas.

— Quinhentos.

❧ 55 ❧

A garganta de Lorcan queimava a cada inalação, mas ele continuou corren-do pelo pântano, com Elide se arrastando ao lado, sem jamais reclamar, apenas verificando o céu com arregalados olhos pretos.

O guerreiro lançou outra explosão tremeluzente de poder. Não na direção do exército alado que voava um pouco adiante, e sim para mais longe — na direção de onde quer que Whitethorn e sua rainha vadia estivessem naquele lugar pútrido. Se os ilken chegassem a eles muito antes do semifeérico, aque-la chave de Wyrd que a vaca levava estaria perdida. E Elide... Lorcan afastou os pensamentos.

As criaturas voavam com determinação e rapidez, seguindo na direção do que devia ser o coração do pântano. Que diabo levara a rainha até lá?

Elide fraquejou, e Lorcan a segurou pelo cotovelo para mantê-la de pé quando a jovem tropeçou em um pedaço de pedra irregular. Mais rápido. Se os ilken os pegassem desprevenidos, se roubassem sua vingança e aquela chave...

Lorcan lançava rompante após rompante do poder em todas as direções.

Além da questão das chaves, ele não queria ver o olhar de Elide caso os ilken chegassem lá primeiro. E eles depois... encontrando o que quer que ti-vesse restado da cuspidora de fogo e sua corte.

Não havia para onde ir.

No coração daquela planície pútrida, não havia para onde correr, ou onde se esconder.

Erawan os seguira até lá. Enviara quinhentos ilken para buscá-los. Se as criaturas os tinham encontrado no mar e nessa interminável terra vazia, sem dúvida conseguiriam encontrá-los se tentassem se esconder entre as ruínas.

Estavam todos em silêncio ao se reunir em uma colina gramada no alto das ruínas, observando aquela massa escura tomar forma. Bem nas profundezas dos escombros atrás do grupo, o baú ainda esperava. Intocado.

Aelin sabia que o Fecho não poderia ajudar — a não ser desperdiçando o tempo — se abrissem o receptáculo. Brannon poderia entrar na fila das reclamações.

E Lorcan... em algum lugar por ali. Ela pensaria nisso depois. Pelo menos Fenrys e Gavriel tinham permanecido, em vez de disparar para cumprir a sentença de assassinato de Maeve.

Com os olhos fixos no horizonte, naquelas ágeis asas de couro ao longe, Rowan disse:

— Usaremos a ruína em nossa vantagem. Forçaremos os ilken a se acumularem em áreas cruciais. — Como um grupo de gafanhotos, eles bloqueavam as nuvens, a luz, o céu. Um tipo de calma entorpecida e distante tomou conta de Aelin.

Oito contra quinhentos.

Fenrys rapidamente prendeu os cabelos loiros.

— Podemos dividi-los e derrubá-los. Antes que consigam se aproximar o suficiente. Enquanto ainda estiverem no ar. — Ele bateu com o pé no chão e esticou os ombros, como se afastasse a mão do juramento de sangue, que rugia para que caçasse Lorcan.

— Tem outra forma — disse Aelin, com voz rouca.

— Não. — Foi a resposta de Rowan.

Ela engoliu em seco e ergueu o queixo.

— Não há nada nem ninguém aqui. O risco de usar a chave seria mínimo...

Os dentes do guerreiro apareceram quando ele grunhiu:

— Não, e isso é definitivo.

— Você não me dá ordens — rebateu Aelin, baixo demais.

Ela viu tanto quanto sentiu o temperamento de Rowan se alterar com uma velocidade atordoante.

— Precisará arrancar aquela chave de minhas mãos frias e mortas.

E a afirmação fora sincera — faria com que Aelin o matasse antes de deixá-la usar a chave de qualquer forma que não fosse empunhar o Fecho.

O primo soltou uma risada baixa e amarga.

— Você queria mandar uma mensagem para nossos inimigos sobre seu poder, Aelin. — Aquele exército ficava cada vez mais próximo, e o gelo e o vento de Rowan a tocavam conforme ele descia para a própria magia. Aedion indicou com o queixo a força que se aproximava. — Parece que Erawan enviou a própria resposta.

— Está me culpando por isto? — sibilou Aelin.

Os olhos do general ficaram sombrios.

— Deveríamos ter ficado no norte.

— Não tive escolha, caso não se lembre.

— Teve, sim — sussurrou ele, nenhum dos demais, nem mesmo Rowan, se intrometeu. — Sempre teve uma escolha e optou por exibir sua magia por aí.

A jovem sabia muito bem que os olhos brilhavam com chamas quando deu um passo na direção do primo.

— Então acho que aquela fase do "você é perfeita" acabou.

Aedion exibiu os dentes.

— Isto não é um jogo. Isto é *guerra*, e você insistiu e insistiu para que Erawan mostrasse a mão dele. Você se recusou a dividir seus planos conosco primeiro, a nos deixar dar opiniões, quando *nós* já lutamos em guerras...

— Não *ouse* me culpar por isto. — Aelin olhou para dentro de si, para o poder ali. Que descia mais e mais, até aquele poço de fogo eterno.

— Não é o momento — sugeriu Gavriel.

O general estendeu a mão na direção do Leão, uma ordem silenciosa e cruel para que calasse a boca.

— Onde estão nossos aliados, Aelin? Onde estão nossos exércitos? Só o que temos como resultado de nossos esforços é um lorde pirata que pode muito bem mudar de ideia se souber disso pela boca errada.

A rainha conteve as palavras. *Tempo.* Precisara de *tempo...*

— Se quisermos uma chance — intrometeu-se Rowan —, precisamos nos posicionar.

Brasas dispararam dos dedos de Aelin.

— Faremos isso juntos. — Ela tentou não parecer ofendida pelas sobrancelhas elevadas e as bocas levemente abertas. — Magia pode não durar contra eles, mas aço irá durar. — Aelin indicou Rowan e Aedion com o queixo. — Façam planos.

E assim fizeram. O guerreiro se colocou ao lado da rainha com a mão em sua lombar. O único conforto que mostraria; pois sabia, ambos sabiam, que a briga não era dele para que se metesse. Ele disse aos machos feéricos:

— Quantas flechas?

— Dez aljavas cheias — informou Gavriel, olhando para Aedion, que retirava a Espada de Orynth das costas e a prendia de volta na lateral do corpo.

De volta à forma humana, Lysandra seguira para o limite da margem, as costas tensas conforme os ilken se reuniam no horizonte.

Aelin deixou os machos para decidirem as posições e passou para o lado da amiga.

— Não precisa lutar. Pode ficar com Manon... vigiar a outra direção.

De fato, a bruxa já escalava uma das paredes das ruínas, uma aljava com perturbadoras poucas flechas jogada sobre as costas ao lado de Ceifadora do Vento. Aedion ordenara que ela vigiasse a outra direção em busca de surpresas desagradáveis. Manon parecera pronta para discutir, até perceber que, pelo menos naquele campo de batalha, não era o predador mais forte.

Lysandra fez uma trança frouxa nos cabelos pretos; a pele parecendo pálida.

— Não sei como eles conseguiram fazer isso tantas vezes. Durante *séculos*.

— Sinceramente, também não sei — retrucou Aelin, olhando por cima do ombro para os machos feéricos que analisavam a disposição do pântano, a direção do vento, o que mais pudessem usar em vantagem própria.

A metamorfa esfregou o rosto, então alongou os ombros.

— As bestas do pântano se irritam facilmente. Como alguém que conheço. — Aelin acertou a amiga com um cotovelo, levando-a a rir com deboche, mesmo com o exército adiante. — Posso irritá-las... ameaçar os ninhos. Assim, se os ilken aterrissarem...

— Não vão ter de lidar somente conosco. — A rainha deu um sorriso sombrio para a metamorfa.

Mas a pele de Lysandra ainda estava pálida, e a respiração um pouco irregular. Aelin passou os dedos pela mão da mulher, então apertou com força.

Lysandra apertou de volta uma vez antes de soltar para se transformar, murmurando:

— Sinalizarei quando tiver terminado.

Aelin apenas assentiu, permanecendo na margem por um momento para observar o pássaro branco de pernas longas sobrevoar o pântano... na direção daquela escuridão crescente.

Ela se voltou de novo para os demais a tempo de ver Rowan indicar com o queixo Aedion, Gavriel e Fenrys.

— Vocês três os arrebanhem... até nós.

— E vocês? — perguntou Aedion, olhando para Aelin, Rowan e Dorian.

— Eu dou o primeiro disparo — respondeu a rainha, chamas dançando nos olhos.

Rowan inclinou a cabeça.

— Minha senhora quer o primeiro disparo. Então ela terá o primeiro disparo. E, quando estiverem se dispersando em pânico, entraremos.

Aedion lançou um olhar demorado para Aelin.

— Não erre desta vez.

— Idiota — disparou ela.

Sem que o sorriso chegasse aos olhos, o general caminhou para pegar armas sobressalentes das bolsas, levando uma aljava de flechas em cada mão e jogando um dos arcos longos sobre as costas largas junto do escudo. Manon já estava posicionada no alto da parede atrás deles, grunhindo ao esticar o outro arco de Aedion.

Rowan dizia a Dorian:

— Rompantes curtos. Encontre seus alvos, o centro de grupos, e use apenas a magia que for necessária. Não desperdice tudo de uma vez. Mire as cabeças se puder.

— E depois que começarem a aterrissar? — perguntou o rapaz, analisando o território.

— Proteja-se com o escudo, ataque quando puder. Mantenha a parede às costas o tempo todo.

— Não serei seu prisioneiro de novo.

Aelin tentou não pensar no que o rei queria dizer com aquilo.

Mas, da parede acima, com uma flecha frouxa já engatilhada no arco, Manon disse:

— Se chegar a isso, principezinho, mato você antes que consigam pegá-lo.

— Não vai fazer nada disso — sibilou Aelin.

Ambos a ignoraram, e Dorian respondeu:

— Obrigado.

— *Nenhum* de vocês será levado como prisioneiro — grunhiu Aelin, então saiu andando.

E não haveria segundo ou terceiro disparos.

Apenas o primeiro disparo. Apenas seu disparo.

Talvez estivesse na hora de ver qual era a profundidade daquele novo poço de poder. O que morava dentro dele.

Talvez estivesse na hora de Morath aprender a gritar.

Aelin foi até a beira da água, então saltou para a ilha de grama e pedra próxima. Rowan silenciosamente se aproximou, acompanhando cada passo da rainha. Somente quando chegaram à colina seguinte, o príncipe inclinou o rosto na direção da rainha, com a pele esticada pela tensão, os olhos frios como os da própria Aelin.

Só que aquela raiva estava direcionado a ela — talvez com mais intensidade do que a jovem vira desde Defesa Nebulosa. Ela exibiu os dentes com um sorriso feral e sombrio.

— Eu sei, eu sei. Apenas acrescente "sugerir usar a chave de Wyrd" àquela lista de todas as coisas horríveis que eu faço e digo.

Asas encouraçadas e imensas bateram no ar, então gritos agudos finalmente começaram a vir em sua direção. Os joelhos de Aelin fraquejaram, mas ela conteve o medo, sabendo que ele conseguia farejá-lo, sabendo que os demais também conseguiam.

Aelin se obrigou a dar outro passo na direção da planície encharcada e coberta de junco — na direção daquele exército ilken. Estariam ali em minutos; talvez menos.

E o terrível e miserável do Lorcan tinha lhes garantido aquele tempo a mais. Onde quer que o desgraçado estivesse.

Rowan não protestou quando a rainha deu outro passo, em seguida mais um. Ela precisava colocar distância entre todos eles — precisava se certificar de que cada brasa seria capaz de alcançar o exército, e de que não desperdiçaria força viajando uma distância longa para fazê-lo.

O que significava caminhar pelo pântano sozinha. Para esperar até que aquelas coisas estivessem perto o suficiente para ver seus dentes. Deviam saber quem estava marchando entre o junco em sua direção. O que Aelin faria com eles.

Mas mesmo assim os ilken avançavam.

Ao longe, à direita, criaturas do pântano começaram a rugir — sem dúvida devido ao despertar de Lysandra. Ela rezou para que as bestas estivessem famintas. E para que não se incomodassem com carne criada em Morath.

— Aelin. — A voz de Rowan percorreu água e plantas e vento. Ela parou, olhando por cima do ombro para o banco de areia onde o feérico estava de pé, como se fosse impossível *não* a seguir.

Os ossos fortes e irredutíveis de seu rosto estavam determinados com aquela brutalidade de guerreiro. Contudo, os olhos verde-pinho brilhavam forte — quase suaves — enquanto ele disse:

— Lembre-se de quem você é. A cada passo em direção ao fundo e a cada passo de volta. Lembre-se de quem você é. E de que é minha.

Aelin pensou nas cicatrizes novas e delicadas nas costas de Rowan — marcas de suas unhas que ele se recusara a curar com magia, tratando, em vez disso, com água do mar, para que o sal as deixasse no lugar antes de o corpo imortal conseguir alisá-las. As marcas de reivindicação da jovem, sussurrara o guerreiro contra a boca da rainha da última vez que estivera dentro dela. Para que Rowan e qualquer um que as visse soubessem que ele pertencia a Aelin. Que era dela, assim como ela era dele.

E porque ele era dela, porque eles eram *todos* dela...

Aelin virou as costas para o guerreiro e correu pela planície.

A cada passo na direção do exército cujas asas ela já começava a discernir, Aelin reparava naquelas bestas que Lysandra agitara, mesmo ao iniciar uma descida ágil e letal até o núcleo da própria magia.

Aelin estivera pairando em torno do trecho central do poder havia dias, com um olho no abismo fervilhante e derretido bem abaixo. Rowan sabia. Fenrys e Gavriel, definitivamente. Protegendo-os, secando suas roupas, matando os insetos que os perturbavam... todas pequenas formas de aliviar a tensão, de se manter equilibrada, de se acostumar com a profundidade e a pressão.

Pois, quanto mais profundamente seguia para dentro do poder, mais o corpo e a mente ficavam espremidos sob aquela pressão. Aquele era o esgotamento — quando a pressão vencia, quando a magia era drenada rápido demais ou com ganância demais, quando era gasta e mesmo assim o portador tentava alcançar mais profundamente do que deveria.

Aelin parou subitamente no coração da planície. Os ilken a tinham visto correndo e batiam as asas em sua direção.

Alheios ao fato de que havia três machos à espreita ao longe, com arcos em punho para empurrar os soldados de Erawan direto para as chamas de Aelin.

Se ela pudesse queimar as defesas pelo meio. Precisaria puxar cada centímetro do poder e incinerar todos. O verdadeiro poder de Aelin Portadora do Fogo. Nem uma brasa a menos.

Então ela abandonou cada vestígio de civilização e consciência e regras e humanidade, e mergulhou no fogo.

A jovem disparou por aquele abismo em chamas, ciente apenas ao longe da umidade que lhe cobria a pele em uma camada espessa, da pressão que se acumulava na mente.

Aelin seguiria direto para baixo... e tomaria impulso na base, levando todo aquele poder consigo até a superfície. O esforço seria imenso. E seria o teste, o verdadeiro teste, de controle e de força. Fácil... era tão fácil perfurar o coração de fogo e cinzas. A parte difícil seria puxá-lo para cima; seria quando a rachadura ocorreria.

Mais e mais profundamente, a rainha disparou para dentro do poder. Através de olhos distantes e mortais, ela reparou que os ilken se aproximavam. Uma misericórdia — se um dia tivessem sido humanos, talvez matá-los fosse uma misericórdia.

Aelin sabia que tinha chegado ao antigo limite do poder graças aos sinos de aviso no sangue que soaram quando ela passou. Que soaram assim que ela se atirou nas profundezas incandescentes do inferno.

A Rainha de Chamas e Sombra, a Herdeira do Fogo, Aelin do Fogo Selvagem, Coração de Fogo...

Ela passou queimando por cada título, transformando-se neles, tornando-se aquilo que os embaixadores estrangeiros haviam sibilado quando relataram sobre o poder crescente e instável de uma rainha criança em Terrasen. Uma promessa que fora sussurrada na escuridão.

A pressão começou a se acumular em sua mente e nas veias.

Bem atrás, a uma distância segura do alcance, Aelin sentiu os lampejos da magia de Rowan e de Dorian, que reuniam as explosões que responderiam ao próprio poder.

Aelin disparou pelo núcleo ainda não desbravado do poder.

O inferno se prolongava mais e mais.

⊰ 56 ⊱

Lorcan sabia que ainda estavam lentos demais, com ou sem sinal de alerta.

Elide arquejava, sem fôlego, oscilando de pé, enquanto ele estava parado no limite de uma imensa planície alagada. A jovem afastou do rosto uma mecha solta de cabelo, o anel de Athril reluzia no dedo. Elide não questionara de onde viera ou o que a joia fazia quando Lorcan a enfiara em seu dedo naquela manhã. Ele apenas tinha avisado à jovem que jamais tirasse o anel, pois poderia ser a única coisa que a manteria a salvo dos ilken e de Morath.

O exército varrera na direção norte, para longe de onde os dois tinham corrido, sem dúvida para garantir alguma abordagem melhor. E na outra ponta da planície, distante demais para que os olhos humanos da jovem discernissem com nitidez, os cabelos prateados de Whitethorn brilhavam, com o rei de Adarlan ao lado. Magia, reluzente e fria, rodopiava em torno de ambos. E mais longe...

Pelos deuses. Gavriel e Fenrys estavam no junco, arcos em punho. E o filho de Gavriel. Mirando o exército que se aproximava. Esperando por...

Lorcan rastreou o local para onde todos olhavam.

Não era para o exército que se aproximava.

Mas para a rainha de pé sozinha no coração da planície alagada.

Lorcan percebeu, um momento tarde demais, que ele e Elide estavam do lado errado das linhas de demarcação — muito ao norte de onde os companheiros de Aelin estavam, em segurança, atrás da rainha.

Percebeu no mesmo segundo em que os olhos de Elide recaíram sobre a mulher de cabelos dourados que encarava o exército.

Seus braços ficaram inertes ao lado do corpo. O rosto estava sem cor.

A jovem cambaleou um passo — um passo na direção de Aelin, com um ruído baixo saindo de dentro de si.

Foi quando Lorcan sentiu algo.

Ele sentira aquilo uma vez antes, naquele dia em Defesa Nebulosa. Quando a rainha de Terrasen devastara os príncipes valg, quando o poder fora um gigante irrompendo das profundezas, fazendo o mundo tremer.

Mas não tinha sido nada — *nada* — comparado ao poder que agora rugia em direção ao mundo.

Elide tropeçou, olhando boquiaberta a terra esponjosa conforme a água do pântano ondulava.

Quinhentos ilken se aproximavam. Tinham sentido o alerta de Lorcan... e montado uma armadilha.

E aquele poder... aquele poder que Aelin puxava de qualquer que fosse o buraco dentro de si, de qualquer poço selvagem que tivesse sido condenada a cultivar... O rastro varreria a todos.

— O que é... — sussurrou Elide, mas Lorcan disparou para ela, lançando os dois ao chão e cobrindo o corpo da jovem com o seu. O guerreiro projetou um escudo sobre eles, mergulhando com força e rapidez na própria magia, a queda quase descontrolada. Não teve tempo de fazer nada a não ser despejar cada gota de poder no escudo, em uma única barreira que evitaria que fossem derretidos em nada.

Não devia ter desperdiçado o esforço alertando-os. Não quando era provável que aquilo fizesse com que ele e Elide fossem mortos.

Whitethorn sabia — mesmo em Defesa Nebulosa — que a rainha ainda não tinha mergulhado no que era seu por direito. Sabia que aquele tipo de poder surgia uma vez a cada era, e servi-lo, servir a *ela*...

Uma corte que não apenas mudaria o mundo. Mas que recomeçaria o mundo.

Uma corte que poderia conquistar aquele mundo... e qualquer outro que desejasse.

Se desejasse. Se aquela mulher na planície assim desejasse. E era essa a questão, não era?

— Lorcan — sussurrou Elide, a voz falhando, fosse por ansiedade pela rainha ou por pavor, ele não sabia dizer.

Não teve tempo de adivinhar, pois um rugido feral subiu pelo junco. Um comando.

E então uma saraivada de flechas, precisas e brutalmente miradas, saiu voando do pântano para atingir as fileiras exteriores dos ilken. Lorcan identificou os disparos de Fenrys pelas flechas de ponta preta que encontravam com facilidade os alvos. O filho de Gavriel também não errou. Ilken caíam, rolando do céu, enquanto outros entravam em pânico, batendo-se uns contra os outros, desviando para dentro.

Exatamente para onde a rainha de Terrasen libertava a força total da própria magia sobre eles.

$\backsim$

Assim que Lysandra rugiu o sinal de que as bestas do pântano estavam agitadas e de que ela estava em segurança atrás das fileiras, assim que os ilken se aproximaram tanto que Aedion conseguia acertá-los para derrubá-los do céu, como gansos, a rainha irrompeu.

Mesmo com a mira longe, mesmo com o escudo de Rowan, o coração daquele fogo *queimou*.

— Pelos deuses — disse Aedion, espantado e cambaleando para trás em meio ao junco, caindo mais para dentro da fileira do ataque. — Pelos malditos deuses.

O coração da legião não teve chance de gritar conforme foram varridos por um mar de chamas.

Aelin não era uma salvadora atrás da qual se amontoar, mas um cataclismo a ser sobrevivido.

O fogo ficou mais quente; os ossos de Aedion gemiam enquanto suor formava gotas em sua testa. Mas o general assumiu um novo posto, olhando para se certificar de que o pai e Fenrys fizeram o mesmo do outro lado da planície alagada, e mirou para os ilken que desviavam do caminho das chamas, fazendo as flechas valerem a pena.

Cinzas caíam na terra, como uma neve lenta e constante.

Não rápido o suficiente. Como se sentissem o ritmo lento de Aelin, gelo e vento irromperam acima.

Quando chamas douradas e vermelhas não derretiam a legião de Erawan, Dorian e Rowan os despedaçavam.

Os ilken ainda mantinham posição, como se fossem uma mancha bem difícil de varrer.

Mesmo assim, Aelin continuava queimando. Aedion sequer conseguia vê-la no coração daquele poder.

Havia um custo — devia haver um custo para tanto poder.

Aelin nascera sabendo o peso da própria coroa, da magia. Sentira o isolamento muito antes de chegar à adolescência. E aquilo parecera punição suficiente, mas... devia haver um preço.

Meu preço é inominável. Era o que a bruxa dissera.

A compreensão estremeceu no fundo da mente do general, logo além do alcance. Ele disparou a penúltima flecha, bem entre os olhos de um ilken frenético.

Um a um, os ilken, cuja resistência desprezível à magia fora forjada, cederam àqueles golpes de gelo e vento e chamas.

E então Whitethorn começou a caminhar para a tempestade de fogo 15 metros adiante. Na direção de Aelin.

∽

Lorcan prendeu Elide contra a terra, jogando cada última sombra e bolsão de escuridão naquele escudo. As chamas eram tão quentes que o suor lhe pingava pela testa, caindo direto nos cabelos sedosos da jovem, espalhados no musgo verde. A água pantanosa em volta fervia.

Fervia. Peixes flutuavam de barriga para cima. A grama secou e pegou fogo. O mundo inteiro era um reino infernal, sem fim e sem começo.

A alma sombria e partida de Lorcan inclinou a cabeça para trás e rugiu em uníssono com a canção incandescente do poder de Aelin.

Elide se encolhia, os punhos fechados na camisa de Lorcan, o rosto enterrado contra o pescoço do guerreiro, que trincava os dentes para suportar a tempestade de fogo. Não apenas fogo, percebeu o semifeérico. Mas vento e gelo. Mais duas magias poderosas tinham se unido à de Aelin — despedaçando os ilken. Assim como seu escudo.

Onda após onda, a magia se chocava contra o poder do semifeérico. Um dom inferior poderia ter se partido contra ela; uma magia inferior poderia ter tentado revidar, e não apenas permitir que o poder passasse por eles.

Se Erawan colocasse um colar em volta do pescoço de Aelin Galathynius... seria o fim.

Encoleirar aquela mulher, aquele poder... Será que um colar sequer seria capaz de conter *aquilo*?

Houve movimento em meio às chamas.

Whitethorn estava caminhando pelo pântano fervendo, lentamente.

As chamas rodopiaram em torno do domo do escudo de Rowan, recuando com o vento gélido.

Apenas um macho que tivesse perdido a maldita cabeça sairia andando para o interior daquela tempestade.

Os ilken morriam e morriam e morriam, devagar e de forma nada limpa, conforme a magia sombria que possuíam fracassava. Os que tentavam fugir das chamas ou do gelo ou do vento eram derrubados por flechas. Aqueles que conseguiam pousar eram destroçados por emboscadas de garras e presas e açoites de caudas escamosas.

O grupo tinha feito cada minuto do aviso de Lorcan contar, facilmente montando uma armadilha para os ilken. Na qual as criaturas caíram muito rapidamente...

Rowan chegou à rainha no coração do pântano quando as chamas se apagaram. Quando o vento do próprio guerreiro se extinguiu e rajadas de gelo implacável destruíram os poucos ilken que batiam as asas no céu.

Cinzas e gelo reluzente choviam, espessos e rodopiantes como neve, com brasas dançando entre os pedaços de ilken. Não havia sobreviventes. Sequer um.

Lorcan não ousou desfazer o escudo.

Não quando o príncipe feérico foi até a pequena ilha em que a rainha ocupava. Não quando Aelin se virou na direção de Rowan, e a única chama que permaneceu foi uma coroa de fogo no alto de sua cabeça.

Lorcan observou em silêncio conforme o guerreiro passou uma das mãos pela cintura de Aelin, segurando a lateral de seu rosto em concha com a outra, e beijou a rainha.

Brasas se agitaram nos cabelos soltos da jovem quando ela envolveu o pescoço de Rowan com os braços e se aproximou. Uma coroa dourada de chamas se acendeu e ganhou vida sobre a cabeça do feérico — gêmea daquela que Lorcan vira queimando naquele dia em Defesa Nebulosa.

Ele conhecia Whitethorn. Sabia que o guerreiro não era ambicioso — não da forma como imortais podiam ser. Ele provavelmente teria amado a mulher se ela fosse comum. Mas aquele poder...

No deserto da própria alma, Lorcan sentiu aquele puxão. Odiou aquilo.

Por isso Whitethorn tinha caminhado até ela — por isso Fenrys estava já a meio caminho da planície, atordoado, com a atenção completamente fixa onde os dois estavam, entrelaçados um ao outro.

Elide se moveu sob ele.

— Já... já acabou?

Considerando o ardor com que a rainha beijava o príncipe, Lorcan não tinha certeza absoluta do que dizer à jovem. Mas deixou que ela se espremesse para sair de baixo dele. Elide se virou ao ficar de pé para ver as duas figuras no horizonte. Ele se levantou, observando com a jovem.

— Mataram todos eles — sussurrou ela.

Uma legião inteira... desaparecera. Não com facilidade, mas... tinham conseguido.

Cinzas continuavam caindo, acumulando-se nos cabelos sedosos e pretos como a noite de Elide. Lorcan cuidadosamente os limpou um pouco, então colocou um escudo sobre ela para evitar que caíssem de novo.

O guerreiro não a tocara desde a noite anterior. Não houvera tempo, e Lorcan não quisera pensar no que o beijo fizera a ele. Como o havia devastado completamente e ainda fazia o estômago do guerreiro revirar de formas com as quais ele não tinha certeza se conseguiria viver.

— O que fazemos agora? — perguntou Elide.

Foi preciso um momento para que percebesse do que ela falava. Aelin e Rowan por fim se desvencilharam, embora o príncipe tivesse se inclinado para tocar o pescoço da rainha.

Poder chamava poder entre os feéricos. Talvez Aelin Galathynius tivesse tido a má sorte de a equipe haver sido atraída para o poder de Maeve muito antes de ela nascer, de ter se acorrentado a ela.

Talvez eles fossem os azarados, por não terem esperado por algo melhor.

Lorcan sacudiu a cabeça para afastar os pensamentos inúteis e traidores.

Aquela era Aelin Galathynius parada ali. Com o poder esgotado.

Ele podia sentir naquele momento — a total falta de som ou sentimentos ou calor onde houvera uma tempestade tão revolta momentos antes. Um frio rastejante.

Aelin esvaziara seu suprimento. Todos o fizeram. Talvez Whitethorn tivesse ido até ela e colocado os braços em torno da rainha não porque queria montá-la no meio do pântano, mas para mantê-la de pé após o poder ter se esgotado. Após ela ficar vulnerável.

Com a guarda baixa para ataques.

O que fazemos agora?, perguntara Elide.

Lorcan sorriu levemente.

— Chegamos lá para dar oi.

A jovem parou diante da mudança no tom de voz do semifeérico.

— Não estão em termos amigáveis.

Certamente não, e não estavam prestes a ficar, não quando a rainha estava ao alcance de sua visão. Não quando tinha aquela chave de Wyrd... irmã da chave que Elide carregava.

— Não me atacarão — disse Lorcan, então começou a seguir para eles. A água do pântano estava quase escaldante, e o guerreiro fez uma careta para os peixes que flutuavam, com olhos leitosos arregalados para o céu. Sapos e outras bestas boiavam entre eles, oscilando nas ondulações provocadas pelo guerreiro.

Elide sibilou ao entrar na água quente, mas o seguiu.

Devagar, Lorcan se aproximou da presa, concentrado demais na vadia cuspidora de fogo para reparar que Fenrys e Gavriel tinham desaparecido das próprias posições no junco.

⊰ 57 ⊱

Cada passo na direção de Aelin era uma eternidade — e cada passo era, de alguma forma, bem ágil.

Elide jamais estivera mais ciente de seu claudicar. Ou das roupas sujas, dos cabelos longos e disformes, do pequeno corpo e da falta de dons discerníveis.

Tinha imaginado o poder de Aelin, sonhara com a forma como o castelo de vidro fora estilhaçado.

Ela não considerara que ver o poder ser liberado ao vivo faria seus ossos encolherem de terror. Nem que os demais possuiriam dons perturbadores também — gelo e vento entrelaçados com fogo, até que apenas morte chovesse do céu. Elide quase se sentiu mal pelos ilken que haviam matado. Quase.

Lorcan estava em silêncio. Tenso.

A jovem já conseguia ler seus humores, os pequenos indícios que Lorcan acreditava indetectáveis. Mas ali... aquele leve tremor do lado esquerdo da boca. Era a tentativa de suprimir a raiva que o tomava por qualquer que fosse o motivo. E ali, aquela leve inclinação da cabeça para a direita... Era o modo de o guerreiro avaliar e reavaliar tudo ao redor, cada arma e obstáculo à vista. O que quer que fosse aquele encontro, Lorcan não achava que acabaria bem.

Ele esperava lutar.

Mas Aelin — *Aelin* —, em pé naquele monte de grama, acabara de se voltar em sua direção. O príncipe de cabelos prateados se virou com ela. Deu um passo casual para a frente da rainha. Ela o contornou. Ele tentou bloqueá-la de novo. A jovem o cutucou com o cotovelo e se manteve ao seu lado. O príncipe de Doranelle — amante da rainha de Elide. Quanto será que a opinião do guerreiro pesava para Aelin? Se ele odiava Lorcan, será que o desprezo por Elide e a falta de confiança também seriam imediatos?

Ela deveria ter pensado nisso... em como aparentaria estar com Lorcan. Aproximar-se com ele.

— Arrependendo-se de sua escolha de aliados? — comentou Lorcan, com uma calma afiada. Como se também conseguisse lhe decifrar os indícios.

— Isso manda uma mensagem, não é?

Elide podia jurar que algo como mágoa lampejou nos olhos do guerreiro. Mas era típico de Lorcan; mesmo quando ela avançara contra ele naquela barca, o semifeérico mal se encolhera.

— Parece que nosso acordo mútuo está chegando ao fim de qualquer forma — falou ele, friamente. — Farei questão de explicar os termos, não se preocupe. Odiaria que pensassem que você estava se rebaixando a meu nível.

— Não foi o que quis dizer.

Lorcan riu com escárnio.

— Não me importo.

Elide parou, querendo chamá-lo de mentiroso, em parte porque sabia que ele *estava* mentindo, e em parte porque seu peito se apertou diante das palavras. Mas a jovem se manteve em silêncio, deixando-o caminhar à frente, aumentando aquela distância entre eles a cada passo brusco.

Mas o que sequer diria a Aelin? *Oi? Como vai? Por favor, não me queime? Desculpe por eu estar tão imunda e maltrapilha?*

Aquela mão gentil tocou o ombro de Elide. *Preste atenção. Olhe ao redor.*

A jovem ergueu o rosto, tenso diante das próprias roupas sujas. Lorcan estava a, talvez, 6 metros adiante, os demais eram meras silhuetas próximas do horizonte.

A mão invisível no ombro de Elide apertou. *Observe. Veja.*

Ver o quê? Cinza e gelo choviam à direita, ruínas se erguiam à esquerda; nada além de pântanos abertos se estendiam à frente. Mas ela parou, observando o mundo ao redor.

Algo estava errado. Algo fez todas as criaturas que haviam sobrevivido ao turbilhão de magia ficarem em silêncio de novo. A grama queimada farfalhou e suspirou.

Lorcan continuou andando, as costas tensas, embora não tivesse levado a mão às armas.

Veja veja veja.

Ver *o quê?* Elide se virou onde estava, mas não encontrou nada. Então abriu a boca para chamar Lorcan.

Olhos dourados reluziram na vegetação menos de trinta passos adiante.

Olhos dourados enormes, fixos no guerreiro, que caminhava a poucos metros da jovem. Um leão da montanha, pronto para avançar, para rasgar carne e partir osso...

Não...

A besta explodiu da grama queimada.

Elide gritou o nome de Lorcan.

Ele se virou, mas não para o leão. Para ela, aquele rosto furioso disparou para *ela...*

Mas Elide já começara a correr, a perna urrando de dor, quando Lorcan finalmente sentiu o ataque prestes a cair sobre si.

O leão da montanha o alcançou, descendo as garras espessas enquanto os dentes foram direto ao pescoço.

Lorcan sacou a faca de caça, tão rápido que pareceu apenas um brilho cinza de aço.

A besta e o macho caíram, bem na água lamacenta.

Elide disparou para ele, e um grito inarticulado irrompeu de dentro dela. Não era um leão da montanha normal. De jeito algum. Pela forma como conhecia cada movimento de Lorcan ao rolarem pela água, conforme desviavam e varriam e avançavam, sangue jorrando, magia se chocando, escudo contra escudo...

Então o lobo atacou.

Um imenso lobo branco, surgindo do nada, selvagem de ódio inteiramente concentrado em Lorcan.

O guerreiro se desvencilhou do leão, com sangue escorrendo pelo braço e pela perna, ofegante. Mas o lobo desaparecera no *vazio.* Onde estava, onde estava...

O animal reapareceu do nada, como se tivesse atravessado uma ponte invisível a 3 metros de Lorcan.

Não era um ataque. Era uma execução.

Elide cobriu o espaço entre dois montes de terra, grama gélida lhe cortou as palmas das mãos, algo estalou contra a perna...

O lobo saltou para as costas vulneráveis de Lorcan; os olhos estavam vítreos pela sede de sangue, os dentes reluziam.

Elide disparou para cima da pequena colina, o tempo fugia.

Não não não não não não.

Presas brancas cruéis se aproximaram da espinha do semifeérico.

Então ele ouviu Elide, ouviu o soluço trêmulo quando ela se atirou sobre ele.

Os olhos escuros de Lorcan se incendiaram com o que pareceu terror conforme a jovem se chocou contra suas costas desprotegidas.

Conforme ele reparou que o golpe mortal não viria do leão à frente, mas do lobo cujas presas se fecharam no braço de Elide em vez de no pescoço de Lorcan.

Ela podia ter jurado que os olhos do lobo lampejaram com horror quando ele tentou evitar o golpe físico, quando um escudo sombrio e duro se chocou contra Elide, tomando seu fôlego com a solidez irredutível...

Sangue e dor e osso e grama e fúria vociferante.

O mundo girou conforme Elide e Lorcan caíram, o corpo da jovem jogado sobre o dele, o maxilar do lobo se soltando de seu braço.

Ela se enroscou sobre o guerreiro, esperando que o lobo e o leão da montanha acabassem com aquilo, que lhe tomassem o pescoço nas presas e o esmagassem.

Mas nenhum ataque veio. Silêncio partiu o mundo.

Lorcan a virou, a respiração irregular, o rosto ensanguentado e pálido ao analisar o rosto e o braço da jovem.

— *Elide Elide Elide...*

Ela não conseguia inspirar, não conseguia ver além da sensação de que o braço não passava de carne destruída e osso partido...

Lorcan segurou o rosto de Elide antes que ela pudesse olhar e disparou:

— Por que fez aquilo? *Por quê?* — Não esperou por uma resposta. Ele ergueu a cabeça, rosnando de forma tão cruel que ecoou pelos ossos da jovem, fez com que a dor no braço irradiasse tão violentamente que ela chorou.

Lorcan grunhiu para o leão e para o lobo; o escudo era como um vento rodopiante de obsidiana em torno de ambos.

— Estão mortos. Vocês dois estão *mortos*...

Elide virou a cabeça o suficiente para ver o lobo branco os encarando. Encarando Lorcan. Para ver o lobo se transformar com um clarão de luz no homem mais lindo que já vira. O rosto marrom ficou tenso ao reparar no braço de Elide. Seu braço, seu braço...

— Lorcan, recebemos ordens — disse uma voz masculina desconhecida e suave de onde estivera o leão, que também havia se transformado em um macho feérico.

— Ao inferno com essas malditas ordens, seu desgraçado estúpido...

O lobo-guerreiro sibilou, elevando o peito.

— Não podemos lutar contra o comando por muito mais tempo, Lorcan...

— Abaixe o escudo — pediu o mais calmo. — Posso curar a garota. Deixe que ela saia.

— Vou matar vocês dois — jurou Lorcan. — *Vou matar vocês...*

Elide olhou para o braço.

Faltava um pedaço. Do antebraço. Havia sangue jorrando nos resquícios queimados de grama. Osso branco se projetava para fora...

Talvez ela tivesse começado a gritar ou soluçar ou tremer silenciosamente.

— *Não olhe* — disse Lorcan, apertando o rosto da jovem de novo para atrair seu olhar para o dele. A expressão do semifeérico estampava tanta ira que Elide mal o reconhecia, mas ele não agiu contra os machos.

Seu poder havia drenado. Quase o esgotara quando se protegera das chamas de Aelin e quem quer que tivesse empunhado aquela outra magia no campo. Aquele escudo... era tudo que restava.

E... se o descesse para que pudessem curar Elide... eles o matariam. Lorcan avisara sobre o ataque e mesmo assim o matariam.

Aelin; onde estava *Aelin*...

O mundo escurecia nas bordas; o corpo da jovem implorava para ceder em vez de suportar a dor que reordenava tudo em sua vida.

Lorcan ficou tenso, como se sentisse a inconsciência que pairava.

— Cure Elide — disse ele para o macho de olhos gentis. — Depois continuamos...

— Não — murmurou Elide, com dificuldade. Não por aquilo, não por *ela*...

Os olhos cor de ônix pareciam indecifráveis conforme Lorcan estudava o rosto dela. Então o guerreiro falou, baixinho:

— Eu queria ir para Perranth com você.

E desfez o escudo.

Não tinha sido uma escolha difícil. E não o assustara. Não tanto quanto o ferimento fatal no braço de Elide o assustava.

Fenrys atingira uma artéria. Ela sangraria até a morte em minutos.

Lorcan nascera da escuridão e fora presenteado com aquele poder. Retornar não era uma tarefa difícil.

Mas permitir que aquela luz linda e brilhante diante de si se extinguisse... Nos ossos antigos e amargos, não podia aceitar aquilo.

Elide fora esquecida... por todos e tudo. E mesmo assim tivera esperanças. E mesmo assim fora boa com ele.

E mesmo assim oferecera a Lorcan um lampejo de paz durante o tempo em que conviveram.

Oferecera um lar a ele.

O guerreiro sabia que Fenrys não conseguiria lutar contra a ordem de Maeve. Sabia que Gavriel honraria sua palavra e curaria Elide, mas que Fenrys não podia se conter com relação ao comando do juramento de sangue.

Ele sabia que o desgraçado se arrependeria. Sabia que o lobo tinha ficado horrorizado assim que Elide saltara entre os dois.

Lorcan liberou o escudo, rezando para que a jovem não visse quando o derramamento de sangue começasse. Quando ele e Fenrys se enfrentassem garra contra garra, presa contra presa. Lorcan resistiria. Até que Gavriel se juntasse a eles.

O escudo sumiu, e Gavriel imediatamente se ajoelhou, estendendo as mãos largas para o braço de Elide. Dor a paralisou, mas ela tentou dizer a Lorcan que fugisse, que reerguesse o escudo...

O semifeérico permaneceu ali, ignorando suas súplicas.

Ele encarou Fenrys, que estava trêmulo enquanto tentava se conter, fechando as mãos na lateral do corpo para que não disparassem para as armas.

A jovem ainda chorava, ainda implorava a ele.

As feições tensas de Fenrys estampavam arrependimento.

Lorcan apenas sorriu para o guerreiro.

Aquilo o fez perder o controle.

A sentinela saltou contra ele, a espada erguida, e Lorcan levantou a própria, já sabendo qual movimento Fenrys planejava usar. Ele o ensinara a fazer aquilo. E sabia que Fenrys baixaria a guarda do lado esquerdo, apenas por um segundo, expondo o pescoço...

Fenrys aterrissou diante de Lorcan, golpeando baixo e desviando para a direita.

Lorcan inclinou a lâmina para o pescoço vulnerável.

Então ambos foram atirados para trás por um vento gélido e implacável. Ou o que quer que tivesse restado deste depois da batalha.

Fenrys ficou de pé, perdido na fúria sanguinária, mas o vento se chocou contra ele. De novo. E de novo. Segurando-o no chão. Lorcan lutava contra o vento, mas o escudo que Whitethorn projetara sobre os dois, o poder puro que usava para mantê-los presos, era forte demais quando a magia do semi-feérico já estava esgotada.

Botas esmagaram a grama queimada, e Lorcan, jogado na elevação de uma pequena colina, ergueu a cabeça. Whitethorn ficou entre ele e Fenrys, os olhos vítreos de ira.

Rowan analisou Gavriel e Elide, que ainda chorava, implorando para que aquilo parasse. Mas o braço...

Um arranhão marcava aquele braço branco como a lua, mas a cura grosseira de campo de batalha preenchera os buracos, a carne que faltava e os ossos quebrados. Devia ter usado toda a magia para...

Gavriel oscilou levemente.

A voz de Whitethorn soou como cascalho.

— Isto acaba agora. Vocês dois não tocarão neles. Estão sob a proteção de Aelin Galathynius. Se os ferirem, será considerado um ato de guerra.

Palavras específicas e antigas, a única forma de uma ordem de sangue ser detida. Não sobreposta, apenas adiada. Para que todos ganhassem tempo.

Fenrys ofegou, mas alívio lampejou em seus olhos. Gavriel se curvou um pouco.

Os olhos escuros de Elide ainda estavam vítreos com dor; a profusão de sardas nas bochechas contrastavam com o branco nada natural da pele.

— Estamos entendidos sobre a merda que acontecerá se saírem da linha? — perguntou Whitethorn a Fenrys e Gavriel.

Para choque eterno de Lorcan, eles abaixaram a cabeça e responderam:

— Sim, príncipe.

Rowan deixou que os escudos baixassem, então Lorcan disparou para Elide, que se sentou com dificuldade, olhando boquiaberta para o braço quase todo curado. Gavriel, sabiamente, recuou. O semifeérico examinou o braço e o rosto da jovem, precisando tocá-la, sentir-lhe o cheiro...

Ele não reparou que os passos leves na grama não pertenciam aos ex--companheiros.

Mas reconheceu a voz feminina que indagou atrás dele:

— Que droga está acontecendo aqui?

⟡

Elide não tinha palavras para expressar a Lorcan o que sentira no momento em que ele desfizera o escudo. O que sentira quando o príncipe-guerreiro tatuado e de cabelos prateados impedira o derramamento de sangue fatal.

Mas ficara absolutamente sem fôlego ao olhar por cima do ombro largo do semifeérico e ver a mulher de cabelos dourados que caminhava em sua direção.

Jovem, mas o rosto... Era um rosto antigo, cauteloso e ardiloso, e envolto em poder. Linda, com a pele queimada de sol, os olhos turquesa vibrantes. Olhos turquesa, com um aro dourado em torno da pupila.

Olhos Ashryver.

Iguais aos do homem bonito de cabelos dourados que também se aproximava, o corpo musculoso tenso conforme avaliava se precisaria derramar sangue, um arco pendendo da mão.

Dois lados da mesma moeda de ouro.

Aelin. Aedion.

Ambos a encaravam com aqueles olhos Ashryver.

Aelin piscou. E o rosto se contraiu ao perguntar:

— Você é Elide?

A jovem só conseguiu assentir. Lorcan parecia tenso como uma corda de arco, o corpo ainda meio inclinado sobre ela.

Aelin se aproximou, sem jamais tirar os olhos do rosto de Elide. Jovem... se sentia tão jovem em comparação com a mulher que se aproximava. Havia cicatrizes espalhadas pelas mãos dela, pelo pescoço, pelos pulsos... onde grilhões tinham estado.

A rainha se ajoelhou a menos de 30 centímetros de Elide, então lhe ocorreu que deveria se curvar, levar a cabeça à terra...

— Você parece... tanto com sua mãe — comentou Aelin, a voz falhando. Aedion silenciosamente se ajoelhou também, apoiando a mão larga no ombro da prima.

Sua mãe, que não sucumbira facilmente, que morrera lutando para que aquela mulher pudesse viver...

— Sinto muito — disse Aelin, curvando os ombros para dentro, abaixando a cabeça conforme lágrimas começaram a escorrer pelas bochechas coradas. — Sinto muito mesmo. — Por quantos anos aquelas palavras haviam ficado trancafiadas?

O braço de Elide doía, mas aquilo não a impediu de tocar a mão da rainha, fechada sobre a perna.

Tocar aquela mão coberta de cicatrizes. A pele morna e pegajosa encontrou as pontas dos dedos da jovem.

Real. Aquilo era — *Aelin* era — real.

Como se Aelin percebesse o mesmo, a cabeça se ergueu. A rainha abriu a boca, mas os lábios estremeceram, levando-a a fechá-los.

Ninguém da companhia reunida falou.

E por fim Aelin disse a Elide:

— Ela ganhou tempo para mim.

A jovem sabia de quem a rainha falava.

A mão de Aelin começou a tremer. A voz da rainha falhou de vez ao dizer:

— Estou viva hoje por causa de sua mãe.

Elide apenas sussurrou:

— Eu sei.

— Ela me disse para dizer a você... — Uma inspiração trêmula. Mas Aelin não deixou de olhar para a jovem, mesmo enquanto lágrimas continuavam a escorrer pela sujeira em suas bochechas. — Sua mãe me disse para dizer a você que ela a ama... muito. Essas foram suas últimas palavras para mim. "Diga a minha Elide que eu a amo muito."

Por mais de dez anos, Aelin fora a única portadora daquelas palavras finais. Dez anos, atravessando morte, desespero e guerra, a rainha as carregara por reinos.

E ali, no limite do mundo, tinham se encontrado de novo. Ali, no limite do mundo, apenas por um segundo, Elide sentiu a mão quente da mãe lhe tocar o ombro.

Lágrimas ardiam e escorriam dos olhos de Elide. Então a grama estalou atrás de ambas.

E a jovem viu o cabelo branco primeiro. Depois os olhos dourados.

E ela soluçou quando Manon Bico Negro surgiu, sorrindo levemente.

Quando a bruxa viu Elide com Aelin, ambas ajoelhadas na grama, ela articulou uma palavra.

Esperança.

Não estava morta. Nenhuma delas estava morta.

— Por acaso seu braço está... — falou Aedion, com voz rouca.

Aelin o segurou... com cuidado. Inspecionando o corte raso, a nova pele rosada que revelava o que estivera faltando momentos antes. Ela se virou de joelhos, grunhindo para o guerreiro-lobo.

O macho desviou o olhar ao ver a insatisfação da rainha.

— Não foi culpa dele — comentou Elide.

— A mordida — replicou Aelin, secamente, com olhos turquesa lívidos — sugeriria o contrário.

— Desculpe — pediu ele; se foi para a rainha ou para Elide, não era possível dizer. Os olhos de Fenrys se voltaram para Aelin; havia algo como devastação ali.

Ela ignorou as palavras. O feérico se encolheu. E o príncipe de cabelos prateados pareceu lançar a ele um breve olhar de pena.

Mas se a ordem de matar Lorcan não viera de Aelin...

A rainha disse ao *outro* macho de cabelos dourados atrás de Elide, aquele que a curara... o leão:

— Presumo que Rowan tenha explicado o acordo a você. Se tocar neles, morre. Se respirar errado na direção deles, está morto.

Elide tentou não se encolher diante da crueldade. Principalmente quando Manon deu um sorriso de prazer malicioso.

Aelin ficou tensa conforme a bruxa se aproximou por suas costas expostas, mas permitiu que Manon parasse à direita. Que olhasse Elide de cima a baixo com os olhos dourados.

— Muito bem, bruxinha — disse Manon a ela, então olhou para Lorcan no mesmo instante que Aelin.

A rainha riu com escárnio.

— Parece que já viu dias melhores.

— Igualmente — disparou ele.

O sorriso de Aelin foi assustador.

— Recebeu meu bilhete, não é?

A mão de Aedion deslizara para a espada...

— A Espada de Orynth — soltou Elide ao reparar no punho de osso, nas marcas antigas. Aelin e Lorcan pararam de se atacar. — A espada... você...

Vernon havia debochado a respeito daquilo certa vez. Dissera que fora levada pelo rei de Adarlan e derretida. Queimada com o trono de chifres.

Os olhos turquesa de Aedion se suavizaram.

— Ela sobreviveu. Nós sobrevivemos.

Os três, os resquícios da corte, de suas famílias.

Mas Aelin de novo observava Lorcan, irritada conforme aquele sorriso malicioso retornava.

— Sobrevivi, Majestade — revelou Elide, baixinho. — Por causa dele. — Então indicou com o queixo Manon. — E por causa dela. Estou aqui hoje por causa de ambos.

A bruxa assentiu, dirigindo a concentração ao bolso no qual vira Elide esconder aquela lasca de pedra. A confirmação que procurava. O lembrete da terceira parte do triângulo.

— Estou aqui — continuou a jovem quando Aelin fixou aqueles olhos perturbadoramente vívidos sobre ela — por causa de Kaltain Rompier.

Elide sentiu um nó na garganta, mas ela o afastou conforme os dedos trêmulos pescaram aquele pedacinho de tecido do bolso interno. A *sensação* sobrenatural do objeto pulsou na palma de sua mão.

— Ela disse para dar isto a você. A Celaena Sardothien, quero dizer. Ela não sabia que elas... que vocês eram a mesma pessoa. Disse que era uma retribuição por... por um manto quente oferecido em um calabouço frio. — Elide não teve vergonha das lágrimas que caíram, não em honra do que aquela mulher havia feito. Aelin estudou o retalho de tecido na palma trêmula da jovem. — Acho que ela guardou isso como um lembrete de bondade — comentou Elide, a voz rouca. — Eles... eles a destruíram e a feriram. E ela morreu sozinha em Morath. Morreu sozinha para que eu não... para que eles não pudessem... — Nenhum deles falou ou se moveu. Ela não sabia dizer se aquilo piorava as coisas. Se a mão que Lorcan apoiara em suas costas a fizera chorar mais forte.

As palavras saíram aos tropeços da boca trêmula.

— Ela disse p-para você lembrar de sua promessa de punir todos eles. E d-disse que você pode abrir qualquer porta se tiver a ch-chave.

Aelin apertou os lábios e fechou os olhos.

Um homem belo, de cabelos pretos, se aproximou então. Talvez fosse alguns anos mais velho que ela, mas se portava com tanta graciosidade que Elide se sentiu pequena e desestruturada diante dele. Os olhos cor de safira se fixaram nela, inteligentes e inabalados... e tristes.

— Kaltain Rompier salvou sua vida? E deu isso a você?

Ele a conhecia... conhecera.

Com uma voz fraca e interessada, Manon Bico Negro disse:

— Lady Elide Lochan de Perranth, conheça Dorian Havilliard, rei de Adarlan. — O rei ergueu as sobrancelhas para a bruxa.

— M-majestade — gaguejou a jovem, inclinando a cabeça. Realmente devia se levantar. Parar de ficar deitada no chão como um verme. Mas o tecido e a pedra ainda estavam em sua mão.

Aelin limpou o rosto úmido na manga da roupa, em seguida se esticou.

— Sabe o que é isso que carrega, Elide?

— S-sim, Majestade.

Olhos turquesa, assombrados e cansados, se ergueram até os dela. Depois se desviaram para Lorcan.

— Por que não a tomou? — A voz estava oca e ríspida. Elide suspeitava que teria sorte se aquele tom jamais fosse usado com ela.

Lorcan encarou Aelin sem se encolher.

— Não era minha para que a tomasse.

A rainha olhava entre os dois, vendo demais. E, embora não exibisse cordialidade no rosto, ela disse a Lorcan:

— Obrigada... por trazê-la para mim.

Os demais pareciam tentar não demonstrar o quanto estavam chocados diante das palavras.

Então Aelin se voltou para Manon.

— Eu a reivindico. Com ou sem sangue de bruxa nas veias, é Lady de Perranth e é *minha*.

Olhos dourados reluziram com a empolgação do desafio.

— E se eu a reivindicar para as Bico Negro?

— Bico Negro... ou Crochan? — ronronou Aelin.

Elide piscou. Manon... e as Crochan? Afinal, o que a Líder Alada *estava fazendo* ali? Onde estava Abraxos?

— Cuidado, Majestade — comentou a bruxa. — Com seu poder reduzido a brasas, precisará lutar comigo da forma antiga de novo.

Aquele sorriso perigoso retornou.

— Sabe, estava mesmo torcendo por um segundo round.

— Damas — intrometeu-se o príncipe de cabelos prateados, os dentes trincados.

Ambas se voltaram, dando a Rowan Whitethorn sorrisos assustadoramente inocentes. O feérico, para seu crédito, apenas se encolheu depois que as duas viraram os rostos de novo.

Elide desejou que pudesse se esconder atrás de Lorcan quando as mulheres fixaram aquela atenção quase feral nela novamente. Manon estendeu o braço, virando a mão da jovem para onde a de Aelin esperava.

— Pronto, acabou — declarou a bruxa.

A rainha se encolheu levemente, mas guardou o tecido e a chave no bolso. Uma sombra imediatamente se ergueu do coração de Elide, uma presença sussurrada tinha silenciado.

— De pé — ordenou Manon. — Estávamos no meio de algo.

Ela estendeu a mão para puxar Elide, mas Lorcan se intrometeu e o fez. A jovem tentou não se acomodar no calor do semifeérico que ainda lhe segurava o braço. Tentou não fazer parecer que tinha acabado de encontrar a rainha, a amiga, a corte e... de alguma forma Lorcan passara a ser o mais seguro de todos.

Manon sorriu para o guerreiro.

— Sua reivindicação sobre ela, macho, está no fim da lista. — Dentes de ferro deslizaram para fora, tornando aquele lindo rosto apavorante. Lorcan não a soltou. A bruxa cantarolou daquela forma que costumava querer dizer morte: — Não. Toque. Nela.

— Não me dá ordens, bruxa — retrucou Lorcan. — E não tem direito de se meter no que há entre nós.

Elide franziu a testa para ele.

— Está piorando as coisas.

— Gostamos de chamar isso de "besteiras territoriais de macho" — confidenciou Aelin. — *Ou* "desgraçado feérico territorial" funciona bem também.

O príncipe feérico tossiu atrás de Aelin para chamar atenção.

A rainha olhou por cima do ombro com as sobrancelhas erguidas.

— Estou esquecendo outro termo carinhoso?

Os olhos do guerreiro brilharam, mesmo quando o rosto permaneceu fixo com determinação predatória.

— Acho que não.

Aelin piscou um olho para Lorcan.

— Se a ferir, derreterei seus ossos — advertiu ela, simplesmente, então saiu andando.

O sorriso revestido de ferro de Manon aumentou, e ela inclinou a cabeça debochadamente para Lorcan, depois seguiu a rainha.

Aedion olhou o semifeérico de cima a baixo e riu com escárnio.

— Aelin faz o que quer, mas acho que me deixaria ver quantos de seus ossos posso quebrar antes de os derreter. — Então ele também saiu caminhando na direção das duas fêmeas. Uma prateada, uma dourada.

Elide quase gritou quando um leopardo-fantasma surgiu do nada, estremeceu o bigode na direção do guerreiro, então saiu trotando atrás das mulheres, a cauda felpuda oscilando atrás de si.

Em seguida o rei partiu, assim como os machos feéricos. Até que apenas o príncipe Rowan Whitethorn estivesse ali. Ele olhou para Elide.

A jovem imediatamente se desvencilhou do abraço de Lorcan. Aelin e Aedion tinham parado adiante, esperando por ela. Sorrindo levemente — de modo acolhedor.

Então Elide seguiu para eles, até sua corte, sem olhar para trás.

~

Rowan ficara quieto durante os últimos minutos, observando.

Lorcan estivera disposto a morrer por Elide. Estivera disposto a deixar de lado a missão para Maeve a fim de que Elide vivesse. E então agira de forma territorial o suficiente para fazer com que Rowan se perguntasse se ele parecia tão ridículo assim quando estava perto de Aelin.

Ao ficarem sozinhos, ele perguntou:

— Como nos encontrou?

Um sorriso afiado.

— O deus sombrio me empurrou até aqui. O exército ilken fez o resto.

O mesmo Lorcan que o príncipe feérico conhecia havia séculos e, no entanto... não. Algum contorno mal acabado fora lixado... não, *amaciado*.

O semifeérico encarou a fonte daquele amaciamento, mas contraiu o maxilar quando a concentração passou para Aelin, que caminhava ao lado dela.

— Sabe que aquele poder pode destruí-la com a mesma facilidade, não é?

— Eu sei — admitiu Rowan. O que fizera minutos antes, o poder que conjurara e libertara... Fora uma canção que fizera a própria magia irromper em uníssono.

Quando a resistência ilken finalmente cedera sob as chamas e o gelo e o vento, Rowan não conseguira conter o desejo de caminhar para dentro do coração incandescente daquele poder e vê-la brilhando com a mágica.

Na metade do caminho, ele percebera que não era apenas a atração por aquilo que o puxava. Era a mulher dentro do poder que poderia precisar de contato físico com outro ser vivo para se lembrar do próprio corpo e das pessoas que a amavam, assim como para trazê-la de volta daquela calma letal que tão impiedosamente limpara os ilken dos céus. Mas então as chamas sumiram conforme os inimigos caíram como cinzas e gelo e cadáveres, e ela o havia olhado... Pelos deuses, ao olhar para ele, Rowan quase desabara de joelhos.

Rainha e amante e amiga... e mais. O guerreiro não tinha se importado que tivessem uma plateia. *Ele* tivera a necessidade de tocá-la, para assegurar--se de que ela estava bem, para *sentir* a mulher que podia fazer coisas tão grandiosas e terríveis e ainda olhar para ele com aquela vida atraente e vibrante nos olhos.

Você me faz querer viver, Rowan.

Ele se perguntou se Elide Lochan tinha de alguma forma feito Lorcan querer o mesmo.

— E quanto a sua missão? — perguntou Rowan ao antigo comandante.

Qualquer suavidade sumiu das feições esculpidas em granito do semifeérico.

— Por que não me diz por que está neste buraco e então discutiremos *meus* planos.

— Aelin pode decidir o que contar a você.

— Bom cachorrinho.

Rowan lhe lançou um sorriso preguiçoso, mas se absteve de comentar sobre a jovem delicada de cabelos pretos que, pelo visto, segurava a coleira do próprio Lorcan.

⚞ 58 ⚟

Kaltain Rompier acabara de virar o jogo daquela guerra.

Dorian jamais havia se sentido mais envergonhado.

Deveria ter sido melhor. Deveria ter *visto* melhor. Todos deveriam.

Os pensamentos giravam e espiralavam conforme ele se mantinha afastado no complexo quase afogado do templo, silenciosamente observando Aelin estudar o baú no altar, como se fosse um oponente.

A rainha estava acompanhada de Lysandra, deitada a seus pés na forma de leopardo-fantasma, e de Lady Elide, com Manon do outro lado da garota de cabelos pretos.

O poder concentrado naquele aglomerado era estonteante. E Elide... Manon murmurara algo a Aelin durante a caminhada de volta às ruínas sobre a jovem ser vigiada por Anneith.

Vigiada, assim como o restante deles parecia ser por outros deuses.

Lorcan entrou nas ruínas com Rowan ao lado. Fenrys, Gavriel e Aedion se aproximaram, colocando as mãos nas espadas, os corpos ainda latejando com a tensão conforme mantinham Lorcan à vista. Principalmente os guerreiros de Maeve.

Outro anel de poder.

Lorcan — Lorcan, abençoado pelo próprio Hellas, dissera Rowan a ele naquela viagem de barco até as ilhas Mortas. Hellas, deus da morte. Que viajara até ali com Anneith, sua consorte.

Os pelos nos braços de Dorian se arrepiaram.

Descendentes — cada um deles tocado por um deus diferente, cada um deles subitamente, silenciosamente, guiado até ali. Não era coincidência. Não podia ser.

Manon reparou no rapaz parado a poucos metros, interpretou qualquer que fosse a cautela em seu rosto e se separou do círculo de mulheres que falavam baixo para se aproximar de Dorian.

— O que foi?

O rei trincou o maxilar.

— Tenho uma sensação ruim a respeito disso.

Ele esperou pela dispensa, pelo deboche. Contudo, a bruxa apenas disse:

— Explique.

Dorian abriu a boca, mas então Aelin subiu ao altar.

O Fecho... o Fecho que impediria as chaves de Wyrd, que permitiria que ela as colocasse de volta no portão. Graças a Kaltain, graças a Elide, só precisavam de mais uma. Onde quer que Erawan a mantivesse. No entanto, pegar aquele Fecho...

Rowan estava imediatamente ao lado da rainha conforme ela fitava o baú.

Devagar, ela olhou para os dois. Para Manon.

— Venha até aqui — chamou Aelin, com uma voz perturbadoramente calma.

Manon, sabiamente, não se recusou.

— Não é a hora nem o lugar para explorar isso — comentou Rowan. — Vamos levá-lo ao navio, e veremos como prosseguir de lá.

Aelin murmurou em concordância, o rosto empalidecendo.

— O Fecho esteve aqui em algum momento anterior? — perguntou Manon.

— Não sei. — Dorian jamais ouvira a amiga proferir aquelas palavras. Aquilo bastou para fazê-lo disparar escada acima, jogando água para trás conforme olhava também.

Não havia Fecho. Não da forma como tinham esperado, não da forma como fora prometido à rainha e como ela fora instruída a encontrar.

O baú de pedra continha apenas uma coisa:

Um espelho envolto em ferro, cuja superfície estava quase dourada devido à idade, manchada e coberta de sujeira. E, ao longo da borda entrelaçada e complexamente entalhada, enfiado no campo superior direito...

A marca do Olho de Elena. Um símbolo de bruxas.

— Que diabo é isso? — indagou Aedion, dos degraus abaixo.

Foi Manon quem respondeu, olhando de esguelha para a rainha de expressão fechada:

— É um espelho de bruxa.

— Um o quê? — perguntou Aelin. Os demais se aproximaram.

Manon bateu com uma unha na borda de pedra do baú.

— Quando matou Pernas Amarelas, ela deu algum indício sobre por que estava lá, o que queria de você ou do antigo rei? — Dorian vasculhou a própria memória, mas não encontrou nada.

— Não. — Aelin olhou para o rei de forma inquisidora, e ele fez que não com a cabeça também. A rainha perguntou à bruxa:

— *Você* sabe por que ela estava lá?

Um indício de aceno. Um fôlego de hesitação. Dorian se preparou.

— Pernas Amarelas estava lá para se encontrar com o rei e mostrar a ele como funcionavam seus espelhos mágicos.

— Eu quebrei a maioria deles — comentou Aelin, cruzando os braços.

— O que quer que tenha destruído eram truques baratos e réplicas. Os verdadeiros espelhos de bruxa... Não se pode quebrar. Não facilmente, pelo menos.

Dorian tinha uma sensação horrível a respeito do caminho que aquela conversa tomava.

— O que eles podem fazer?

— É possível ver futuro, passado, presente. É possível falar entre espelhos, se alguém tiver um vidro irmão. E há também as pratas raras, cuja forja exige algo vital de quem as faz. — A voz de Manon ficou mais baixa. O jovem rei se perguntou se mesmo entre as Bico Negro aqueles contos haviam sido apenas sussurrados nas fogueiras dos acampamentos. — Outros espelhos ampliam e contêm rompantes de poder bruto, para ser libertado caso o vidro esteja apontado para algo.

— Uma arma — afirmou Aedion, o que garantiu um aceno de cabeça da bruxa. O general devia estar juntando as peças também, porque, antes que Dorian pudesse falar, ele indagou: — Pernas Amarelas se encontrou com ele para discutir essas armas, não foi?

Manon ficou em silêncio por tanto tempo que Aelin estava prestes a insistir, percebeu Aedion. Mas Dorian lhe deu um olhar de aviso para que ficasse quieta. Então a rainha ficou. Todos ficaram.

Por fim, a bruxa falou:

— Eles têm construído torres. Imensas, mas capazes de serem empurradas por campos de batalha, alinhadas com aqueles espelhos. Para que Erawan pudesse usar com seus poderes, para incinerar seus exércitos com poucas explosões.

Aelin fechou os olhos. Rowan apoiou a mão no ombro da rainha.

— Isto é... — Dorian indicou o baú e o espelho ali dentro. — Um dos espelhos que planejam usar? — perguntou ele.

— Não — respondeu Manon, observando o espelho de bruxa dentro do baú. — O que quer que *este* espelho seja... Não tenho certeza de qual é seu propósito. O que sequer pode fazer. Mas certamente não é o Fecho que procuravam.

Aelin pescou o Olho de Elena do bolso, sopesando-o na mão, então soltou um suspiro sombrio e afiado pelo nariz.

— Estou pronta para o dia de hoje acabar.

Milha após milha, os machos feéricos revezaram o espelho entre si.

Rowan e Aedion insistiram com Manon por detalhes sobre aquelas torres de bruxas. Duas já tinham sido construídas, mas ela não sabia quantas mais seriam feitas. Estavam posicionadas no desfiladeiro Ferian, porém possivelmente havia mais em outro lugar. Não, ela não sabia o meio de transporte. Ou quantas bruxas por torre.

Aelin deixou que as palavras se assentassem em alguma parte profunda e silenciosa de si. Pensaria naquilo no dia seguinte... depois que dormisse. Pensaria a respeito do maldito espelho de bruxas no dia seguinte também.

Sua magia estava esgotada. Pela primeira vez em dias, o poço de magia dormia.

Aelin podia dormir por uma semana. Um mês.

Cada passo pelo pântano, de volta para onde os três navios estariam esperando, era um esforço. Lysandra frequentemente se oferecia para se transformar em um cavalo e carregá-la, mas a amiga recusava. A metamorfa também estava exausta. Todos estavam.

Ela queria falar com Elide, queria perguntar sobre tantas coisas com relação àqueles anos separadas, mas... A exaustão que a corroía tornava a fala quase impossível. Aelin sabia que tipo de sono a chamava — o sono profundo e restaurador que o corpo exigia depois de gastar muita magia, depois de tê-la guardado por tanto tempo.

Então a rainha mal falou com Elide, deixando que a jovem se apoiasse em Lorcan conforme se apressavam para a costa. Conforme carregavam o espelho.

Segredos demais — ainda havia segredos demais com Elena e Brannon e a antiga guerra. Será que o Fecho sequer existira? Ou o espelho de bruxa era o Fecho? Muitas perguntas com pouquíssimas respostas. Aelin desvendaria aquilo. Depois que estivessem de volta à segurança. Depois que tivesse a chance de dormir.

Depois... que todo o restante se encaixasse também. Assim, caminharam pelo pântano sem descanso.

Com os sentidos de leopardo, foi Lysandra quem percebeu algo a 800 metros da praia de areia branca e do calmo mar cinzento além, apesar da parede de dunas e da vegetação que bloqueava a vista.

Todos sacaram as armas ao subirem a duna, a areia deslizando sob eles. Rowan não se transformou; a única prova de sua completa exaustão. O príncipe feérico subiu a colina primeiro, sacando a espada das costas.

O ar queimou a garganta de Aelin quando parou ao lado de Rowan, Gavriel e Fenrys cuidadosamente apoiando o espelho do outro lado.

Ao verem cem velas cinza se espalhando adiante, cercando seus navios.

As embarcações estavam distribuídas pelo horizonte oeste, em completo silêncio, exceto pelos homens mal discerníveis a bordo. Navios do oeste... do golfo de Oro.

A frota de Melisande.

E na praia, esperando por eles... havia um grupo de vinte guerreiros, liderados por uma mulher de capa cinza. As garras de Lysandra se projetaram das patas, e ela soltou um grunhido baixo.

Lorcan empurrou Elide para trás de si.

— Recuamos para o pântano — disse ele a Rowan cujo rosto estava petrificado ao mensurar o grupo na praia, a frota à espera. — Podemos correr mais rápido que eles.

Aelin colocou as mãos nos bolsos.

— Não vão atacar.

Lorcan riu com desprezo.

— Acha isso baseando-se em seus muitos anos de experiência com guerra?

— Cuidado — grunhiu Rowan.

— Isso é absurdo! — disparou Lorcan, virando-se, como se fosse agarrar Elide cujo rosto estava pálido ao lado do semifeérico. — Nossas reservas estão drenadas...

Ele foi impedido de colocar a jovem sobre o ombro por uma parede de chamas fina como papel. O máximo que Aelin conseguiria conjurar.

E por Manon e as unhas de ferro que se colocaram diante do guerreiro conforme a bruxa grunhiu:

— Não vai levar Elide a lugar algum. Nem agora, nem nunca.

Lorcan se retesou por completo. E, antes que pudessem destruir tudo com aquela discussão, Elide colocou a mão delicada no braço do guerreiro — cuja mão estava envolta no cabo da espada.

— Eu escolho isso, Manon.

A bruxa apenas olhou para a mão no braço de Lorcan.

— Discutiremos depois.

De fato. Aelin olhou para o semifeérico de cima a baixo e inclinou o queixo.

— Vá ficar emburrado em outro lugar. — A mulher encapuzada na praia, com os soldados atrás, caminhava em sua direção.

— Isso não está acabado, esse negócio entre nós — grunhiu Lorcan.

Aelin sorriu um pouco.

— Acha que não sei disso?

Então Lorcan caminhou até Rowan, o poder sombrio tremeluzindo e irradiando pelas ondas, como um estrondo silencioso de trovão, e assumiu uma posição defensiva.

A rainha olhou para o príncipe feérico de rosto petrificado, então para Aedion, com a espada e o escudo inclinados e prontos, então para os demais.

— Vamos dizer oi.

Rowan se assustou.

— Aelin...

Mas ela já caminhava pela duna, fazendo o possível para não escorregar na areia traiçoeira, para manter a cabeça erguida. Os outros a seguiram, tensos como cordas de arco, embora a respiração continuasse tranquila, prontos para qualquer coisa.

Os soldados usavam armaduras pesadas e gastas; os rostos severos e cheios de cicatrizes os mensuravam conforme se aproximavam da areia. Fenrys grunhiu para um deles, fazendo com que o homem desviasse o olhar.

Ao chegar mais perto, a mulher encapuzada retirou o capelo com uma graciosidade felina e parou a talvez 3 metros.

Aelin lhe conhecia cada detalhe.

Sabia que tinha 20 anos. Sabia que os cabelos médios de um vermelho--vinho eram naturais. Sabia que os olhos castanho-avermelhados eram os únicos que encontrara assim, em qualquer terra, em qualquer aventura. Sabia que a cabeça de lobo no punho da poderosa espada ao lado do corpo era o brasão de sua família. Conhecia a mancha de sardas, a boca carnuda e risonha, conhecia os braços aparentemente finos, mas que, na verdade, escondiam músculos duros como pedras ao serem cruzados.

Aquela boca carnuda se entreabriu em um meio sorriso quando Ansel de Penhasco dos Arbustos, rainha dos desertos, lentamente disse:

— Quem deu a você permissão de usar meu nome em ringues de luta, *Aelin*?

— Eu me dei permissão para usar seu nome como eu quiser, *Ansel*, no dia em que poupei sua vida em vez de acabar com você como a covarde que é.

Aquele sorriso arrogante se abriu.

— Olá, vadia — ronronou Ansel.

— Olá, traidora — ronronou Aelin de volta, verificando a armada que se estendia diante deles. — Parece que chegou a tempo no fim das contas.

❧ 59 ❧

Aelin sentiu o choque total dos companheiros quando Ansel fez uma reverência dramática e disse, gesticulando para os navios ao mar:

— Conforme pedido: sua frota.

A rainha riu com escárnio.

— Seus soldados parecem ter visto dias melhores.

— Ah, eles sempre têm essa aparência. Já tentei várias vezes fazer com que se concentrem no *exterior* tanto quanto se empenham na beleza interior, mas... sabe como são os homens.

Aelin riu. Mesmo ao sentir que o choque dos companheiros se transformava em algo incandescente.

Manon deu um passo adiante, a brisa do mar soprando mechas dos cabelos brancos sobre o rosto, então disse a Aelin:

— A frota de Melisande se curva a Morath. Você pode muito bem assinar uma aliança com Erawan se vai trabalhar com esta... pessoa.

O rosto de Ansel perdeu a cor diante dos dentes de ferro, das unhas. E Aelin se lembrou da história contada certa vez pela assassina, agora rainha, sussurrada no topo das areias altas do deserto e sob o tapete de estrelas. Uma amiga de infância... devorada viva por uma bruxa Dentes de Ferro.

Mais tarde, a própria Ansel, depois do massacre da família, fora poupada quando tinha se deparado com um acampamento de bruxas Dentes de Ferro.

— Ela não é de Melisande. O deserto é aliado de Terrasen — explicou Aelin.

Aedion se espantou ao avaliar os navios da mulher diante deles.

Em um tom de voz parecido com a morte, Manon Bico Negro indagou:

— Quem é ela para falar pelos desertos?

Ah, pelos deuses! Aelin contraiu o rosto com irreverência inexpressiva e gesticulou entre as duas mulheres.

— Manon Bico Negro, herdeira do clã de bruxas Bico Negro e agora a última rainha Crochan... conheça Ansel de penhasco dos Arbustos, assassina e rainha dos desertos do oeste.

~

Um rugido tomou conta da cabeça de Manon conforme voltavam ao navio, sendo interrompido apenas pelas batidas dos remos em meio às ondas calmas.

Ela mataria a vadia de cabelos vermelhos. Devagar.

Permaneceram em silêncio até chegar ao navio imponente, então subiram pela lateral.

Nenhum sinal de Abraxos.

Manon verificou o céu, a frota, o mar. Não havia uma escama.

O ódio no estômago se transformou em outra coisa, algo pior, e a bruxa deu um passo na direção do capitão de rosto vermelho para exigir respostas.

Mas Aelin casualmente se colocou no caminho, dando um sorriso viperino ao olhar entre Manon e a mulher de cabelos vermelhos recostada contra o mastro da escada.

— Vocês duas deveriam ter uma conversinha mais tarde.

A bruxa passou em disparada por Aelin.

— Ansel de penhasco dos Arbustos não fala pelos desertos.

Onde estava Abraxos...

— Mas você fala?

E Manon precisou se perguntar se de alguma forma... de alguma forma ela se entrelaçara aos planos que a rainha tecera. Principalmente quando se viu obrigada a parar de novo, obrigada a se virar para a rainha, que sorria sarcasticamente, e retrucar:

— Sim, falo.

~

Até mesmo Rowan piscou diante do tom de voz de Manon Bico Negro; a voz que não era de bruxa, de guerreira ou de predadora. Rainha.

A última rainha Crochan.

O feérico considerou a luta potencialmente explosiva entre Ansel de Penhasco dos Arbustos e Manon Bico Negro.

Ele se lembrou de tudo que Aelin tinha contado sobre Ansel — a traição enquanto as duas treinavam no deserto e a luta até a morte que fizera com que Aelin poupasse a ruiva. Uma dívida de vida.

Aelin cobrara a dívida de vida para com ela.

Empoleirada nas escadas do tombadilho, Ansel, com uma arrogância prepotente que explicava perfeitamente por que ela e Aelin se tornaram amigas tão rápido, respondeu para Manon:

— Bem, a última coisa que ouvi foi que nem bruxas Crochan nem Dentes de Ferro se incomodaram em cuidar dos desertos. Como alguém que alimentou e protegeu seu povo durante os últimos dois anos, acho que tenho o direito de falar por eles, sim. E decidir quem ajudamos e como fazemos isso. — Ela sorriu com ironia para Aelin, ignorando o fato de que a bruxa olhava para seu pescoço, como se fosse dilacerá-lo com os dentes de ferro. — Você e eu moramos ao lado uma da outra, afinal de contas. Não seria uma boa vizinha se não ajudasse.

— Explique — exigiu Aedion, contido, embora o coração ressoasse alto o suficiente para que Rowan ouvisse. Era a primeira palavra que o general proferia desde que Ansel tinha retirado o capuz. Desde que se deparara com a surpresinha de Aelin à espera na praia.

Ansel inclinou a cabeça, os sedosos cabelos vermelhos refletiram a luz, parecendo do mais encorpado vinho tinto, percebeu Rowan. Exatamente como Aelin certa vez os descrevera.

— Bem, há meses eu estava cuidando da vida nos desertos quando recebi uma mensagem do nada. De Aelin. Ela me mandou um recado direto de Forte da Fenda. Lutando em ringues. — Ansel riu, balançando a cabeça. — E eu entendi que deveria me preparar. Começar a mover meu exército para o limite das montanhas Anascaul.

A respiração de Aedion falhou. Apenas séculos de treinamento evitaram que o mesmo ocorresse com Rowan. Sua equipe permanecia sólida na retaguarda, em posições que tinham assumido centenas de vezes ao longo dos séculos. Prontos para o derramamento de sangue... ou para a fuga, lutando.

Ansel sorriu, um sorriso vencedor.

— Metade deles já está a caminho. Prontos para se juntar a Terrasen. A terra de minha amiga Celaena Sardothien, que não a esqueceu, mesmo quando estava no Deserto Vermelho, e que não parou de olhar para o norte todas as noites em que conseguíamos ver as estrelas. Não havia presente melhor que eu pudesse oferecer em retribuição que salvar seu reino jamais esquecido. E isso foi antes de eu receber outra carta meses atrás, na qual revelava quem era e dizia que me mataria se eu não auxiliasse sua causa. Eu já estava a caminho com meu exército, mas... então uma nova carta chegou. Dizendo para seguir em direção ao golfo de Oro. Para encontrá-la aqui e obedecer a um conjunto específico de instruções.

Aedion voltou a cabeça para Aelin, água salgada ainda reluzindo no rosto devido à viagem de bote até ali.

— Os envios de Ilium...

Aelin gesticulou com a mão preguiçosa para Ansel.

— Deixe a mulher terminar.

A ruiva caminhou até Aelin e deu o braço a ela, unindo-as pelos cotovelos e rindo como um demônio.

— Imagino que vocês saibam o quanto Sua Majestade é mandona. Mas segui as instruções. Trouxe a outra metade do exército quando desviei para o sul, e caminhamos pelas montanhas Canino Branco até Melisande. A rainha local presumiu que tínhamos chegado para lhe oferecer ajuda, então nos deixou passar direto pelos portões da entrada.

Rowan prendeu a respiração.

Ansel soltou um assobio agudo, então cascos e relinchos soaram no navio mais próximo.

Em seguida um cavalo Asterion surgiu dos estábulos.

O cavalo era uma tempestade em carne e osso.

O príncipe feérico não se lembrava da última vez que vira Aelin sorrir com alegria pura ao sussurrar:

— Kasida.

— Sabiam — continuou Ansel — que gosto muito de pilhar? E com as tropas de Melisande tão dispersas por conta de Morath, a rainha realmente não teve escolha a não ser ceder. Embora tenha ficado particularmente furiosa ao me ver reivindicar o cavalo, o que só piorou quando tirei a mulher do calabouço e revelei a bandeira de Terrasen oscilando ao lado de meu lobo em sua maldita casa.

— O quê!? — disparou Aedion.

Aelin e Ansel os encararam, as sobrancelhas erguidas. Dorian cambaleou um passo adiante ao ouvir aquelas palavras, e a rainha dos desertos lhe lançou um olhar que transparecia a vontade de pilhar *Dorian*.

Ansel indicou os navios ao redor com um gesto amplo do braço.

— A frota de Melisande é nossa agora. E a capital também. — Ela indicou Aelin com o queixo. — De nada.

Manon Bico Negro caiu na gargalhada.

Aedion não sabia com quem ficava mais furioso: Aelin, por não contar a ele sobre Ansel de Penhasco dos Arbustos *e* o maldito exército que a prima silenciosamente ordenara que saqueasse Melisande e tomasse a frota da cidade, ou com ele mesmo, por não confiar em sua rainha. Por questionar onde estavam seus aliados, por sugerir tudo o que tinha sugerido naqueles momentos antes do ataque dos ilken. Aelin simplesmente ouvira.

Conforme as palavras de Ansel eram absorvidas pela companhia ainda reunida no deque principal, Aelin falou, baixinho:

— Melisande queria ajudar Morath a dividir norte e sul. Não tomei a cidade por glória ou conquista, mas não permitirei que nada se coloque entre mim e a derrota de Morath. Melisande agora entenderá claramente o custo de se aliar a Erawan.

Ele tentou não se irritar. Era o príncipe-general de Aelin. Rowan era o consorte — ou perto o suficiente disso. No entanto, a jovem não confiara neles com aquilo. Aedion nem mesmo contemplara os desertos como aliados. Talvez por isso ela não tivesse dividido os planos. Ele teria dito à prima que não se incomodasse.

— Melisande provavelmente já mandou notícias a Morath — disse o general a Ansel. — Seus exércitos sem dúvida correm de volta para a cidade--capital. Leve o restante de seus homens para o outro lado das montanhas Canino Branco outra vez. Podemos liderar a armada daqui.

A ruiva olhou para Aelin, que assentiu em concordância. Então a rainha dos desertos perguntou a ele:

— E em seguida marchamos para o norte em direção a Terrasen e atravessamos as passagens de Anascaul?

Aedion deu um único aceno de confirmação, já calculando onde colocaria os homens da aliada, a quem na Devastação passaria o comando. Sem ver os homens de Ansel lutarem... ele começou a seguir na direção das escadas para o tombadilho, sem se incomodar em esperar por permissão.

Mas Aelin o impediu com um pigarreio.

— Fale com Ansel, antes de ela partir amanhã de manhã, sobre para onde levar o exército dela depois que estiver inteiro de novo.

Ele apenas assentiu e continuou a subir as escadas, ignorando o olhar de preocupação do pai. Os demais, por fim, se separaram, e Aedion não queria nem saber para onde iam, apenas queria alguns minutos sozinho.

O general se recostou contra o corrimão, olhando o mar que batia contra a lateral do navio, tentando não reparar nos homens nos navios ao redor, que perscrutavam ele e os companheiros.

Alguns dos sussurros o atingiram do outro lado da água. *O Lobo do Norte; general Ashryver*. Alguns começaram a contar histórias; muitas eram mentiras descaradas, algumas estavam bem próximas da verdade. Ele deixou que o ruído escoasse para o choque e o sibilar das ondas.

O cheiro sempre em mutação o atingiu, e algo no peito de Aedion relaxou. Afrouxou-se um pouco mais ao ver os esbeltos braços quando ela os apoiou no corrimão ao lado dos dele.

Lysandra olhou por cima do ombro para o mastro principal, onde a bruxa e Elide — pelos deuses, *Elide* — tinham ido se sentar, e onde conversavam baixinho. Provavelmente contando as próprias aventuras desde a separação.

A armada não velejaria até o amanhecer, ele ouvira o capitão dizer. Aedion duvidava de que tivesse algo a ver com algum desejo de Aelin em descobrir se a montaria perdida da Líder Alada retornaria.

— Não deveríamos nos demorar — comentou ele, avaliando o horizonte norte. Os ilken tinham vindo daquela direção e, se os tinham encontrado tão facilmente, mesmo com uma armada agora os circundando... — Estamos carregando duas chaves e o Fecho, ou o que quer que seja de fato aquele maldito espelho de bruxa. A maré está conosco. Deveríamos ir.

Lysandra lhe lançou um olhar afiado.

— Vá resolver isso com Aelin.

O general a observou da cabeça aos pés.

— O que a está incomodando?

A metamorfa tinha andado distante nos últimos dias. Mas naquele momento Aedion praticamente conseguia ver a máscara de cortesã se posicionar, tentando fazer com que os olhos se alegrassem, com que a boca contraída se suavizasse.

— Nada. Estou apenas cansada.

Algo a respeito da forma como ela olhou na direção do mar o incomodou.

— Estamos lutando para atravessar o continente — disse ele, com cautela. — Mesmo depois de dez anos, isso ainda me exaure. Não só fisicamente, mas... em meu coração.

Lysandra passou o dedo pela madeira lisa do corrimão.

— Achei... Tudo parecia uma grande aventura. Mesmo quando o perigo era tão terrível, ainda era novo, e eu não estava mais enjaulada em vestidos e quartos. Mas naquele dia em baía da Caveira, parou de ser tudo isso. Começou a ser... sobrevivência. E alguns de nós talvez não sobrevivam. — Sua boca estremeceu um pouco. — Nunca tive amigos, não como tenho agora. E hoje, naquela praia, quando vi a frota e achei que pertencia a nosso inimigo... Por um momento, desejei que jamais tivesse conhecido nenhum de vocês. Porque pensar em qualquer um de vocês... — Lysandra inspirou. — Como consegue? Como aprendeu a entrar no campo de batalha com sua Devastação e não se arrasar com o terror de que talvez nem todos saiam com vida?

Aedion ouvia cada palavra, avaliava cada fôlego trêmulo. Então respondeu, simplesmente:

— Não tem escolha a não ser aprender a encarar isso. — Ele desejou que Lysandra não precisasse pensar em tais coisas, que não tivesse um peso tão grande sobre si. — O medo da perda... pode destruí-la tanto quanto a própria perda.

Ela o encarou por fim. Aqueles olhos verdes... a tristeza o atingiu como um golpe no estômago. Foi um esforço não levar a mão até ela. Em seguida a metamorfa disse:

— Acho que nós dois vamos precisar nos lembrar disso nos tempos por vir.

Aedion assentiu, suspirando pelo nariz.

— E nos lembrar de aproveitar o tempo que temos.

Lysandra provavelmente aprendera isso tanto quanto ele.

O pescoço fino e lindo oscilou, e ela olhou de esguelha para o general sob os cílios baixos.

— Eu gosto, sabe... disso, o que quer que seja.

O coração de Aedion martelou a um ritmo estrondoso. Ele se perguntou se deveria escolher a sutileza ou não, então se permitiu a duração de três fôlegos para decidir. No fim, optou pelo método de sempre, o qual lhe servira bem tanto dentro quanto fora dos campos de batalha: um tipo preciso de ataque brusco, com suficiente arrogância descarada para deixar o oponente desequilibrado.

— O que quer que isso seja — repetiu ele, com um meio sorriso — entre *nós*?

Lysandra de fato entrou na defensiva e mostrou as cartas.

— Sei que minha história não é... agradável.

— Acho melhor parar por aí — interrompeu Aedion, ousando dar um passo adiante. — E vou dizer que não há nada desagradável a seu respeito. *Nada*. Já estive com tantas pessoas quanto você. Mulheres, homens... Já vi e tentei de tudo.

As sobrancelhas da metamorfa se ergueram. O general deu de ombros.

— Sinto prazer com ambos, dependendo de meu humor e da pessoa. — Um dos ex-amantes de Aedion ainda era um de seus amigos mais próximos, assim como um dos comandantes mais habilidosos da Devastação. — Atração é atração. — O general conteve a ansiedade. — E sei o suficiente a respeito disso para entender que você e eu... — Algo estremeceu nos olhos de Lysandra, e as palavras lhe escaparam. Cedo demais. Cedo demais para aquele tipo de conversa. — Podemos ir descobrindo. Não fazer exigências um do outro além da honestidade. — Era realmente a única coisa que ele se importava em pedir. Não era nada mais do que pediria de um amigo.

Um pequeno sorriso brincou nos lábios da jovem.

— Sim — sussurrou ela. — Vamos começar por aí.

Aedion ousou dar outro passo mais para perto, sem se importar com quem observava do deque ou das cordas ou da armada ao redor. Cor ruborizou o alto daquelas lindas maçãs, e foi difícil não passar o dedo ali e então pela boca de Lysandra. Provar sua pele.

Mas ele se demoraria. Aproveitaria cada momento, como dissera a ela que fizesse.

Porque aquela seria sua última caçada. O general não tinha intenção de desperdiçar cada momento glorioso de uma só vez. De desperdiçar qualquer dos momentos que o destino lhe garantira, e tudo que queria mostrar a ela.

Cada córrego e floresta e mar em Terrasen. Queria vê-la rir durante as rodas de danças outonais; trançar fitas pelos mastros na primavera; e ouvir, de olhos arregalados, contos antigos de guerra e de fantasmas diante das fogueiras estrondosas na entrada das montanhas. Tudo isso. Aedion mostraria tudo isso a ela. E caminharia até aqueles campos de batalha diversas e diversas vezes para se certificar de que poderia fazer aquilo.

Então ele sorriu para Lysandra e lhe tocou a mão.

— Fico feliz por concordarmos, pelo menos uma vez.

❧ 60 ❧

Aelin e Ansel brindaram com garrafas de vinho sobre a mesa longa e marcada na cozinha do navio, então beberam intensamente.

Deveriam velejar à primeira luz do dia seguinte. Norte... de volta ao norte. Para Terrasen.

Aelin apoiou os antebraços na mesa escorregadia.

— Um brinde a entradas dramáticas.

Lysandra, enroscada no banco na forma de leopardo-fantasma e com a cabeça sobre o colo de Aelin, soltou uma risadinha felina. Ansel piscou, maravilhada.

— E agora?

— Seria interessante — resmungou Aedion na outra ponta da mesa, onde ele e Rowan olhavam com raiva para as duas — ser incluído em apenas *um* de seus esquemas, Aelin.

— Mas a expressão de vocês é tão maravilhosa quando os revelo — cantarolou a jovem.

Ele e Rowan grunhiram. Ah, ela sabia que estavam irritados. Muito irritados por não ter contado sobre Ansel. Mas a ideia de desapontá-los, de fracassar... Queria fazer aquilo sozinha.

Rowan, aparentemente, dominou a irritação por tempo suficiente para perguntar a Ansel:

— Os ilken ou valg não estavam em Melisande?

— Está sugerindo que minhas forças não seriam boas o suficiente para tomar a cidade se este fosse o caso? — A mulher ruiva bebeu o vinho, gargalhadas dançavam em seus olhos. Dorian sentara à mesa entre Fenrys e Gavriel, os três permaneciam sabiamente quietos. Lorcan e Elide estavam no deque, em algum lugar. — Não, príncipe — continuou ela. — Perguntei à rainha de Melisande sobre a ausência de horrores criados em Morath, e, depois de algum convencimento, ela me informou que, por qualquer ardil ou trama, tinha conseguido manter as garras de Erawan longe dela. E dos próprios soldados.

Aelin endireitou um pouco o corpo, desejando mais vinho que aquele terço de garrafa já consumido ao ouvir Ansel acrescentar:

— Quando essa guerra acabar, Melisande não terá a desculpa de estar sob o transe de Erawan nem dos valg. Tudo que ela e os exércitos fizeram, a escolha de se aliar a ele... foi uma escolha humana. — Um olhar significativo para a parte mais escura da cozinha, onde Manon Bico Negro se sentava sozinha. — Pelo menos Melisande terá as Dentes de Ferro com quem chorar.

Os dentes de ferro da bruxa reluziram à luz fraca. Aparentemente, ninguém havia visto nem tido notícias da serpente alada desde que partira. E ela e Elide tinham conversado por mais de uma hora no convés naquela tarde.

Aelin decidiu fazer um favor a todos e interromper:

— Preciso de mais homens, Ansel. E não tenho a habilidade de estar em tantos lugares ao mesmo tempo. — Todos voltaram a atenção para ela.

Ansel apoiou a garrafa.

— Quer que eu levante *outro* exército para você?

— Quero que encontre as bruxas Crochan perdidas.

Manon se endireitou.

— O quê?

Aelin passou a mão em um sulco da mesa.

— Estão escondidas, mas ainda estão por aí, se são caçadas pelas Dentes de Ferro. Podem existir em números consideráveis. Prometa compartilhar os desertos com elas. Você controla penhasco dos Arbustos e metade da costa. Dê a elas o interior do continente e o sul.

Manon se aproximava com morte estampada nos olhos.

— Você não tem o direito de prometer tais coisas. — As mãos de Rowan e de Aedion dispararam para as espadas conforme Lysandra abriu um olho preguiçoso, estendendo uma pata no banco e revelando as garras afiadas como agulhas entre as canelas de Manon e de Aelin.

— Não pode ficar com a terra, não com a maldição — retrucou a rainha. — Ansel a conquistou, por sangue, perdas e a própria inteligência.

— É *meu* lar, o lar de meu povo...

— Foi esse o preço pedido, não foi? As Dentes de Ferro recuperam o lar, e Erawan deve ter prometido quebrar a maldição. — Diante dos olhos arregalados de Manon, Aelin riu com escárnio. — Ah... as Anciãs não contaram isso para você, não é? Que pena. Foi o que os espiões de Ansel descobriram. — Ela olhou a Líder Alada de cima a baixo. — Se você e seu povo se provarem melhores que as Matriarcas, haverá um lugar para você naquela terra também.

Manon apenas caminhou de volta para onde estivera sentada e olhou para o pequeno braseiro da cozinha como se pudesse congelá-lo.

— Tão sensíveis, essas bruxas — murmurou Ansel.

Aelin contraiu os lábios, mas Lysandra soltou outra sussurrada risada felina. As unhas da bruxa estalaram umas contra as outras do outro lado da sala. A metamorfa apenas respondeu com o estalar das próprias garras.

— Encontre as Crochan — repetiu Aelin a Ansel.

— Todas se foram — interrompeu Manon de novo. — Nós as caçamos até quase a extinção.

Aelin olhou devagar por cima do ombro.

— E se fossem convocadas pela própria rainha?

— Sou a rainha delas tanto quanto você.

Isso eles veriam. Aelin apoiou a mão aberta na mesa.

— Mande qualquer coisa e qualquer um que encontrar para o norte — disse ela a Ansel. — Saquear a capital de Melisande sorrateiramente ao menos irritará Erawan, mas não queremos ficar presos aqui quando Terrasen for atacada.

— Acho que Erawan provavelmente já nasceu irritado. — Apenas Ansel, que certa vez rira da morte ao saltar por uma ravina e convencer Aelin a quase morrer fazendo o mesmo, debocharia de um rei valg. Mas em seguida a jovem acrescentou: — Farei isso. Não sei o quanto será eficiente, mas preciso ir para o norte de qualquer modo. Embora ache que Hisli ficará de coração partido ao se despedir de Kasida de novo.

Não era surpresa alguma que Ansel tivesse conseguido manter Hisli, a égua Asterion que roubara para si. Mas Kasida... Ah, Kasida estava tão linda quanto Aelin se lembrava, ainda mais depois de ter sido guiada por uma rampa para dentro do navio. Ela escovara a égua após a ter levado para os estábulos entulhados e úmidos, subornando-a com uma maçã para que lhe perdoasse.

Ansel bebeu da garrafa.

— Eu ouvi, sabia? Quando foi para Endovier. Ainda estava lutando para chegar ao trono, enfrentando a horda de Lorde Loch com os senhores que eu havia conseguido reunir, mas... mesmo nos desertos, soubemos quando foi enviada para lá.

Aelin mexeu mais na mesa, bastante ciente de que os demais ouviam.

— Não foi divertido.

Ansel assentiu.

— Depois que matei Loch, precisei ficar para defender meu trono, para ajeitar as coisas para meu povo de novo. Mas sabia que, se alguém podia sobreviver a Endovier, seria você. Então parti no verão passado. Tinha chegado às montanhas Ruhnn quando recebi notícias de que havia saído. Levada para a capital por... — Ela olhou para Dorian, de expressão petrificada do outro lado da mesa. — Ele. Mas não podia ir para Forte da Fenda. Era longe demais, e eu estava fora havia muito tempo. Aí dei meia-volta e retornei para casa.

— Tentou me tirar de lá? — As palavras de Aelin saíram falhando.

O fogo se projetava nos cabelos de Ansel em tons de rubi e ouro.

— Não houve uma hora em que não pensei no que fiz no deserto. Em como você disparou aquela flecha depois de 21 minutos. Me disse 20, que dispararia mesmo que eu não estivesse fora de alcance. Eu estava contando; sabia quantos minutos tinham sido. Você me deu um minuto a mais.

Lysandra se espreguiçou, cutucando com o focinho a mão de Ansel, que coçou a metamorfa distraidamente.

— Você era meu espelho — explicou Aelin. — Aquele minuto a mais foi tanto para mim quanto para você. — Ela brindou com a garrafa contra a de Ansel de novo. — Obrigada.

— Não me agradeça ainda — replicou, apenas, a jovem ruiva.

A rainha se endireitou. Os demais pararam de comer, largando os talheres no ensopado.

— Os incêndios na costa não foram causados por Erawan — informou Ansel, com aqueles olhos castanho-avermelhados tremeluzindo à luz da lanterna. — Nós interrogamos a rainha de Melisande e seus tenentes, mas... não foi uma ordem de Morath.

540

O grunhido baixo de Aedion indicou a ela que todos sabiam a resposta antes que fosse dita.

— Recebemos um relato de que soldados feéricos foram vistos começando os incêndios. Disparando de navios.

— Maeve — murmurou Gavriel. — Mas queimar não é seu estilo.

— É o meu — comentou Aelin. Todos a olharam. Ela soltou uma risada sem humor.

Ansel apenas assentiu.

— Ela os está começando e a culpando por eles.

— Com qual propósito? — perguntou Dorian, passando a mão pelos cabelos preto-azulados.

— Para enfraquecer Aelin — afirmou Rowan. — Para fazer com que ela pareça uma tirana, e não uma salvadora. Como uma ameaça contra a qual vale a pena se unir, em vez de se aliar.

Aelin inspirou entre dentes.

— Maeve joga bem, preciso admitir.

— Então ela chegou a este litoral — constatou Aedion. — Mas em que porcaria de lugar está?

Um peso de medo embrulhou o estômago de Aelin. Não conseguia dizer no norte. Sugerir que talvez Maeve estivesse velejando para a desprotegida Terrasen. Um olhar para Fenrys e Gavriel revelou que os dois já sacudiam as cabeças em uma resposta silenciosa ao olhar significativo de Rowan.

— Partiremos à primeira luz do dia — avisou Aelin.

∾

À luz fraca da cabine particular uma hora depois, Rowan traçou uma linha sobre o mapa estendido no centro do chão, então uma segunda linha ao lado daquela, então uma terceira ao lado dessa. Três linhas, grosseiramente espaçadas, trechos amplos do continente entre elas. Parada a seu lado, Aelin as estudou.

O guerreiro desenhou uma flecha apontada para dentro da linha mais à esquerda até aquela no centro e disse, baixinho, para que os demais nos quartos adjacentes ou no corredor não pudessem ouvir:

— Ansel e seu exército avançam das montanhas a oeste. — Outra flecha em uma direção oposta, para a linha mais à direita. — Rolfe, os mycenianos e sua armada atacam da costa leste. — Uma flecha apontava para a seção à direita do pequeno desenho, onde as duas flechas se encontrariam. — A Devastação e a outra metade do exército de Ansel varrem pelo centro, vindo das montanhas Galhada do Cervo até o coração do continente, todos convergindo em Morath. — Aqueles olhos eram como fogo verde. — Você vem posicionando exércitos.

— Preciso de mais — disse ela. — E preciso de mais tempo.

As sobrancelhas de Rowan se franziram.

— E em qual exército lutará? — Um dos cantos da boca do feérico se ergueu. — Presumo que não serei capaz de persuadi-la a ficar atrás das linhas.

— Sabe que não deve sequer tentar.

— Não teria graça nenhuma mesmo, não é? Se eu conseguisse toda a glória enquanto você ficasse sentada, sem fazer nada. Eu jamais pararia de falar nisso.

Aelin riu com escárnio, então observou os outros mapas que haviam espalhado pelo piso da cabine. Juntos, formavam um remendo de seu mundo — não apenas do continente, mas das terras além. A jovem ficou de pé, erguendo-se sobre o mapa, como se pudesse ver aqueles exércitos, tanto perto quanto longe.

Rowan, ainda ajoelhado, olhou para o mundo que se estendia aos pés da jovem.

E ela percebeu que de fato seria isso — caso vencesse aquela guerra, caso recuperasse o continente.

Aelin avaliou a extensão do mundo, o qual certa vez parecera tão amplo e, no momento, aos seus pés, parecia tão... frágil. Tão pequeno e frágil.

— Você poderia, sabe? — comentou Rowan, com a tatuagem contrastante à luz da lanterna. — Tomar isso para si. Tomar tudo. Usar as manobras de merda de Maeve contra ela. Cumprir aquela promessa.

Não havia julgamento. Apenas cálculo sincero e contemplação.

— E você se juntaria a mim se eu o fizesse? Se me tornasse conquistadora?

— Você unificaria, não saquearia e queimaria. E sim... para qualquer que seja o fim.

— Essa é a ameaça, não é? — ponderou ela. — Os outros reinos e territórios passarão o resto da existência se perguntando se algum dia ficarei entediada em Terrasen. Farão o possível para se certificar de que fiquemos felizes dentro de nossas fronteiras e de que os achemos mais úteis como aliados e parceiros de comércio do que como potenciais conquistas. Maeve atacou a costa de Eyllwe, fazendo-se passar por mim, talvez para voltar aquelas terras estrangeiras contra mim, para reforçar o que afirmei com meu poder em baía da Caveira... e usar aquilo contra nós.

Rowan assentiu.

— Mas se pudesse... você o faria?

Por um segundo, Aelin conseguiu ver; ver o próprio rosto entalhado em estátuas, em reinos tão distantes que nem mesmo sabiam da existência de Terrasen. Uma deusa viva — herdeira de Mala e conquistadora do mundo conhecido. Traria música e livros e cultura, acabaria com a corrupção que apodrecia em cantos da terra...

— Agora não — respondeu Aelin, baixinho.

— Mas depois?

— Se ser rainha me entediar... Quem sabe não considere me tornar imperadora? Para dar a meus filhos não apenas um reino para herdar, mas tantos quanto estrelas.

Não havia mal em dizer aquilo, de toda forma. Em pensar a respeito disso, por mais idiota e inútil que fosse. Mesmo que contemplar as possibilidades... talvez não a tornasse melhor que Maeve ou Erawan.

Rowan indicou com o queixo o mapa mais próximo... na direção dos desertos.

— Por que perdoou Ansel? Depois do que ela fez a você e aos demais no deserto?

Aelin se agachou de novo.

— Porque ela fez uma escolha ruim, tentando curar uma ferida que jamais poderia remendar. Tentando se vingar das pessoas que amava.

— E realmente colocou tudo isso em prática quando estávamos em Forte da Fenda? Quando estava lutando naqueles ringues?

Ela piscou um olho de forma maliciosa para o guerreiro.

— Eu sabia que, se usasse o nome de Ansel de penhasco dos Arbustos, de algum modo chegaria a ela a notícia de que uma jovem de cabelos ruivos massacrava soldados treinados no Fossas sob *seu* nome. E que Ansel saberia que era eu.

— Então os cabelos vermelhos naquela época... não eram apenas para Arobynn.

— Nem de perto. — Aelin franziu a testa para os mapas, insatisfeita por não ter visto nenhum outro exército escondendo-se pelo mundo.

Rowan lhe passou a mão pelo cabelo.

— Às vezes eu queria saber todos os pensamentos nessa cabeça, cada trama e maquinação. Então me lembro do quanto me dá prazer quando você os revela, em geral no momento em que é mais provável que faça meu coração parar no peito.

— Eu sabia que você era um sádico.

Ele a beijou na boca uma vez, duas, então seguiu para a ponta do nariz, mordiscando com os caninos. Aelin sibilou e o afastou, então a risada grave do guerreiro ressoou contra as paredes de madeira.

— Isso é por não ter me contado — comentou ele. — *De novo.*

Mas apesar das palavras, apesar de tudo, ele parecia tão... feliz. Perfeitamente contente e feliz por estar ali, ajoelhado entre aqueles mapas, com a lanterna quase no fim, e o mundo indo para o inferno.

O macho frio e sem alegria que Aelin conhecera, aquele que estivera esperando por um oponente bom o bastante para lhe trazer a morte... Agora olhava para ela com felicidade no rosto.

Aelin lhe pegou as mãos, segurando com força.

— Rowan.

A faísca se extinguiu dos olhos do feérico.

Aelin apertou os dedos do guerreiro.

— Rowan, preciso que faça algo por mim.

Manon estava deitada, enroscada de lado na cama estreita, sem conseguir dormir.

Não era devido às condições precárias do lugar — não, dormira em coisa muito pior, mesmo considerando o buraco remendado às pressas na lateral da parede.

A bruxa encarou aquela falha na parede e o luar que entrava com a brisa salgada de verão.

Não iria atrás das Crochan. Não importava do que a rainha de Terrasen a tivesse chamado, admitir a linhagem era diferente de... reivindicá-la. Manon duvidava de que as Crochan estivessem dispostas a servir, de qualquer modo, considerando que matara sua princesa. A própria meia-irmã.

E, mesmo que escolhessem servi-la, lutar por ela... Manon levou a mão à cicatriz espessa sobre a barriga. As Dentes de Ferro não compartilhariam os desertos.

Mas foi essa mentalidade, pensou a bruxa ao virar de costas, tirando o cabelo do pescoço grudento de suor, que mandou todas para o exílio.

Mais uma vez ela olhou entre as falhas naquele buraco, para o mar além. Esperando ver uma sombra no céu noturno, ouvir o estrondo de asas poderosas.

Abraxos já deveria ter voltado. Manon afastou o pesar que se encolhia na barriga.

Mas, em vez de asas, passos soaram no corredor do lado de fora.

Um segundo depois, a porta se abriu nas dobradiças quase silenciosas, então foi fechada de novo. Trancada.

— O que está fazendo aqui? — Manon não se sentou ao falar.

O luar passou entre os cabelos preto-azulados do rei.

— Não tem mais correntes.

Ela se sentou ao ouvir aquilo, examinando o ferro preso à parede.

— É mais excitante para você se eu as usar?

Olhos cor de safira pareceram brilhar no escuro quando Dorian se recostou contra a porta fechada.

— Às vezes é.

Manon riu com escárnio, mas se viu dizendo:

— Você nunca deu uma opinião.

— Sobre o quê? — perguntou o rei, embora soubesse do que a bruxa falava.

— O que sou. Quem eu sou.

— Minha opinião importa para você, bruxinha?

Ela caminhou até Dorian, parando a poucos metros de distância, ciente de cada centímetro de noite entre ambos.

— Não parece irritado por Aelin ter saqueado Melisande sem contar a ninguém, não parece se importar que sou uma Crochan...

— Não confunda meu silêncio com falta de sentimentos. Tenho bons motivos para guardar meus pensamentos para mim.

Gelo reluziu na ponta dos dedos do jovem.

Manon observou a magia.

— Me pergunto se será você ou a rainha contra Erawan no final.

— Fogo contra escuridão dá uma história melhor.

— Sim, mas despedaçar um rei demônio sem usar as mãos também daria.

Um meio sorriso.

— Consigo pensar em formas melhores de usar minhas mãos, invisíveis ou de carne e osso.

Um convite e uma pergunta. Manon o encarou.

— Então termine o que começou — sussurrou ela.

O sorriso de resposta foi suave... com um toque daquele brilho de crueldade que fazia o sangue da bruxa se aquecer como se a própria Rainha de Fogo tivesse soprado chamas sobre ele.

Manon permitiu que Dorian a encostasse contra a parede. Permitiu que ele a encarasse enquanto abria os laços superiores de sua camisa.

Um. A. Um.

Permitiu que se aproximasse para roçar a boca no pescoço exposto, bem sob a orelha.

Ela arqueou levemente o corpo ao sentir aquela carícia. Ao sentir a língua que se movia contra o ponto no qual estiveram os lábios de Dorian. Então ele se afastou. Para longe.

Enquanto aquelas mãos fantasmas continuaram subindo pelos quadris de Manon, até a cintura. A boca do rapaz se abriu levemente, o corpo tremia com autocontrole. Autocontrole, quando a maioria dos machos tomava e tomava o que Manon oferecia, banqueteando-se. Então Dorian Havilliard disse:

— A mulher Cão de Caça estava mentindo naquela noite. O que disse sobre sua imediata. Senti a mentira... o gosto.

Alguma parte apertada no peito da bruxa se aliviou.

— Não quero falar sobre isso.

Ele se aproximou de novo, e aquelas mãos fantasmas seguiram sob seus seios. A bruxa trincou os dentes.

— E sobre o que você quer falar, Manon?

Ela não tinha certeza se Dorian tinha dito seu nome algum dia antes. E a forma como o pronunciou...

— Não quero falar, ponto — replicou Manon. — E você também não — acrescentou ela, com um olhar significativo.

De novo, aquele sorriso sombrio e tenso surgiu. E, ao se aproximar mais uma vez, as mãos de Dorian substituíram as mãos fantasmas.

Traçando o quadril, a cintura, os seios. Círculos indolentes e lentos que Manon permitiu simplesmente porque ninguém jamais ousara. Cada toque de pele contra pele deixava um rastro de fogo e gelo. Ela se viu hipnotizada por aquilo — por cada carícia atraente e lasciva. A bruxa nem mesmo considerou protestar quando ele lhe puxou a blusa e observou a pele nua, cheia de cicatrizes.

O rosto do rei se tornou faminto ao ver os seios de Manon, a parte reta da barriga; a cicatriz que a cortava.

A fome se tornou algo gélido e cruel.

— Certa vez me perguntou qual era minha posição no limite entre matar para proteger e matar por prazer. — Os dedos de Dorian roçaram a borda da cicatriz sobre o abdômen de Manon. — Cruzarei o limite quando encontrar sua avó.

Um calafrio percorreu o corpo da bruxa, fazendo os seios se enrijecerem. O rapaz os observou, então circulou um deles com um dedo. Depois se curvou para que a boca acompanhasse o caminho por onde o dedo tinha passado. Então a língua. Manon mordeu o lábio para conter o gemido que subia pela garganta, deslizando as mãos pelas mechas sedosas dos cabelos de Dorian.

A boca ainda estava em torno da ponta do seio de Manon quando o rei novamente a encarou, o olhar cor de safira emoldurado por cílios cor de ébano, e falou:

— Quero sentir o gosto de cada centímetro seu.

A bruxa deixou toda pretensão de razão de lado conforme Dorian ergueu a cabeça e lhe reivindicou a boca.

E com todo o desejo do rei de sentir seu gosto, ao abrir a boca para ele, Manon encontrou um gosto de mar, como uma manhã de inverno, algo tão estranho, mas familiar, que por fim aquele gemido lhe foi arrancado do interior.

Os dedos de Dorian deslizaram para o maxilar da bruxa, virando o rosto para tomar a boca por completo, cada movimento da língua era uma promessa sensual que a fazia arquear o corpo contra o dele. Que a fazia ir de encontro a ele, carícia após carícia, conforme Dorian explorava e provocava até que Manon mal conseguisse pensar direito.

Ela jamais contemplara como seria... perder o controle. E aquilo não ser uma fraqueza, mas uma liberdade.

As mãos deslizaram pelas coxas de Manon, como se saboreassem os músculos ali, então em volta — segurando em concha suas costas, roçando-a contra cada centímetro rígido dele. O ruído baixo na garganta da bruxa foi interrompido quando Dorian a puxou da parede com um movimento suave.

Manon entrelaçou as pernas em volta da cintura do rapaz ao ser carregada até a cama, a boca do rei jamais se afastando conforme a devorava mais e mais. Conforme a deitava sob ele. Conforme abria a calça da bruxa, botão após botão, para retirá-la.

Mas Dorian se afastou por fim, deixando-a ofegante enquanto a observava, completamente nua diante de si. O rei fez carícias na lateral da coxa de Manon com o dedo. Subindo.

— Eu quis você desde o primeiro momento em que a vi na floresta de Carvalhal — confessou Dorian, a voz baixa e áspera.

A bruxa ergueu a mão para tirar a camisa do rei, deslizando o tecido branco e revelando a pele queimada de sol e os músculos esculturais.

— Sim. — Foi tudo o que Manon disse. Ela lhe abriu o cinto, as mãos trêmulas. — Sim — repetiu a bruxa, quando Dorian lhe roçou o centro com o dorso do dedo. Ele soltou um grunhido de aprovação para o que tinha encontrado.

As roupas do jovem se juntaram às de Manon no chão. A bruxa permitiu que ele elevasse seus braços sobre a cabeça, a magia carinhosamente prendendo os pulsos ao colchão conforme o rei a tocava. Primeiro com aquelas mãos maliciosas. Depois com a boca maliciosa. E, quando ela precisou lhe morder o ombro para abafar o gemido ao chegar ao limite, Dorian Havilliard se enterrou bem fundo dentro da bruxa.

Ao se mover, Manon não se importou com quem era, com quem tinha sido e com o que certa vez prometera ser. Ela passou as mãos pelos cabelos espessos de Dorian, por cima dos músculos das costas que se contraíam a cada investida, levando-a em direção àquele limite reluzente de novo. Ali, não passava de carne e fogo e ferro; ali, havia apenas a necessidade egoísta do corpo de Manon, do corpo de Dorian.

Mais. Ela queria mais; queria *tudo*.

Manon devia ter sussurrado aquilo, talvez tivesse suplicado. Porque, que a Escuridão a salvasse, Dorian deu isso a ela. Aos dois.

Ele continuou sobre a bruxa quando por fim parou de se mover; os lábios estavam à distância de um fio de cabelo acima do rosto de Manon... pairando depois do beijo brutal que lhe dera para segurar o rugido quando chegara ao êxtase.

Manon tremia com... o que quer que Dorian tivesse feito com ela, com seu corpo. Ele afastou uma mecha de cabelo do rosto da bruxa, os próprios dedos tremendo.

Ela não percebera o quanto o mundo estava silencioso — o quanto poderiam ter sido barulhentos, principalmente com tantos ouvidos feéricos por perto.

Dorian ainda estava sobre ela, dentro dela. Aqueles olhos cor de safira se voltaram para a boca da bruxa, ainda levemente ofegante.

— Isso devia aliviar a tensão.

Manon manteve as palavras baixas conforme as roupas de Dorian deslizaram para perto, impulsionadas por mãos fantasmas.

— E aliviou?

Ele traçou o lábio inferior da bruxa com o polegar e estremeceu quando ela chupou o dedo para dentro da boca, virando-o com a língua.

— Não. Nem de perto.

Mas a luz cinzenta do alvorecer entrava no quarto, manchando as paredes de prateado. Dorian pareceu notar no mesmo momento que Manon. Gemendo baixo, ele se separou dela. A bruxa pegou as roupas com eficiência treinada, e, apenas quando estava amarrando a blusa, Dorian disse:

— Não terminamos, você e eu.

E foi a pura *promessa* masculina que a fez exibir os dentes.

— A não ser que queira descobrir exatamente quais partes de mim são feitas de ferro da próxima vez que me tocar, eu decido essas coisas.

Ele deu outro sorriso puramente masculino, erguendo as sobrancelhas, e saiu pela porta tão silenciosamente quanto chegara. Pareceu pausar no portal rapidamente, como se alguma palavra lhe tivesse atiçado o interesse, mas então continuou, fechando a porta com pouco mais de um clique. Inabalado, completamente calmo.

Manon olhou para a porta com os olhos arregalados, xingando o próprio sangue por ter se aquecido de novo, por... pelo que permitira que ele fizesse.

A bruxa se perguntou o que Dorian diria se ela contasse que jamais deixara um macho ficar por cima daquela forma. Nenhuma vez. Ela se perguntou o que o rei diria se contasse que tivera vontade de enterrar os dentes em seu pescoço e descobrir qual era o gosto daquela pele. Colocar a boca em outras partes para ver qual era seu gosto ali.

Manon passou as mãos pelos cabelos e afundou no travesseiro.

Que a Escuridão a envolvesse.

A bruxa fez uma oração silenciosa visando ao retorno rápido de Abraxos. Tempo demais — tempo demais passara entre aqueles malditos humanos e machos feéricos. Precisava partir. Elide ficaria segura ali; a rainha de Terrasen podia ser muitas coisas, mas Manon sabia que ela protegeria a jovem.

Contudo, com as Treze dispersadas e provavelmente mortas, independentemente do que Dorian alegara, ela não tinha certeza absoluta de para onde seguiria depois da partida. O mundo jamais parecera tão amplo.

E tão vazio.

∽

Mesmo completamente exausta, Elide mal dormira durante a longa noite em que ela e Lorcan se balançaram nas redes com os outros marinheiros. Os cheiros, os sons, a oscilação do mar... Tudo isso a incomodava, nada a acalmava. Um dedo parecia continuar cutucando-a para que acordasse, como se lhe dissesse para permanecer alerta, mas... não havia nada.

Lorcan se revirou durante horas. Como se a mesma força implorasse para que ele acordasse.

Como se esperasse algo.

A magia do guerreiro estivera falhando quando chegaram ao navio, embora o macho não tivesse dado sinais de cansaço além de um leve contrair de boca. Mas Elide sabia que ele estava perto do que tinha descrito como esgotamento. Sabia porque, durante horas depois daquilo, a pequena tipoia de magia em torno de seu calcanhar ficara tremeluzindo e saindo do lugar.

Depois de Manon informar a ela sobre os destinos incertos das Treze, a jovem se mantivera, em grande parte, longe dos companheiros, permitindo que conversassem com aquela mulher de cabelos vermelhos que os encontrara na praia. Assim como Lorcan. Ele os ouvira debater e planejar, o rosto contraído, como se algo encolhido dentro do semifeérico se apertasse mais a cada momento passado.

Ao observá-lo dormir a poucos centímetros, aquele rosto severo suavizado pelo sono, uma pequena parte de Elide se perguntou se teria de alguma forma levado outro perigo para a rainha. Ela se perguntou se os demais haviam reparado na frequência com que o olhar de Lorcan se fixara nas costas de Aelin. *Mirara* suas costas.

Como se sentisse a atenção, o guerreiro abriu os olhos e a encarou sem sequer piscar. Por um segundo, Elide absorveu aquele olhar infinito a poucos centímetros, parecendo etéreo devido à luz prateada que precedia o alvorecer. Lorcan estivera disposto a oferecer a vida pela de Elide.

Algo se suavizou no rosto duro quando os olhos se voltaram para o braço de Elide que pendia da rede, a pele ainda um pouco inflamada, mas... milagrosamente curada. A jovem já agradecera duas vezes a Gavriel, mas ele dispensara o agradecimento com um aceno suave de cabeça e um dar de ombros.

Um leve sorriso se abriu na boca rígida de Lorcan conforme ele estendeu a mão pelo espaço entre os dois e passou os dedos calejados naquele braço.

— Você escolhe isto? — murmurou Lorcan, para que não soasse como mais que o rangido das cordas da rede. Ele acariciou a palma da mão de Elide com o polegar.

A jovem engoliu em seco, mas absorveu cada linha naquele rosto. Norte... iriam para *casa* naquele dia.

— Achei que fosse óbvio — disse ela, com um silêncio igual, as bochechas se aquecendo.

Os dedos do guerreiro se entrelaçaram nos dela, e alguma emoção que ela não conseguiu identificar lampejou como estrelas nos olhos pretos.

— Precisamos conversar — avisou Lorcan, a voz rouca.

Foi o grito de quem estava de guarda que os sobressaltou. Um grito de puro terror.

Elide quase caiu da rede, e marinheiros passaram correndo. Ao afastar os cabelos dos olhos, Lorcan já tinha sumido.

Os diversos deques estavam lotados, e a jovem precisou caminhar, com dificuldade, até as escadas para ver o que os agitara. Os demais navios estavam acordados e em frenesi. Com bom motivo.

Velejando pelo horizonte oeste, outra armada seguia para eles.

E Elide sabia nos próprios ossos que aquela não fora tramada e planejada por Aelin.

Não quando Fenrys, subitamente ao seu lado nos degraus, sussurrou:

— Maeve.

⊰ 61 ⊱

Não havia escolha a não ser encontrá-los. A armada de Maeve tinha o vento e a corrente a seu favor; nem mesmo chegariam à praia antes de serem pegos. E tentar fugir de soldados feéricos... Não era uma opção.

Rowan e Aedion dispuseram todas as alternativas para Aelin. Todos os caminhos levavam ao mesmo destino: confronto. E ela ainda sentia-se tão desgastada, tão exausta, que... Sabia como aquilo terminaria.

Maeve tinha um terço a mais de navios. E guerreiros imortais. Com magia.

Foi preciso muito pouco tempo para que aquelas velas escuras preenchessem o céu, para que vissem a superioridade dos barcos do inimigo, seus soldados mais treinados. Rowan e a equipe haviam supervisionado muito daquele treinamento — e os detalhes fornecidos não eram encorajadores.

Maeve enviou um bote com entalhes ornamentais até eles, portando uma mensagem.

Rendam-se... ou serão enviados ao fundo do oceano. Aelin tinha até o alvorecer do dia seguinte para decidir.

Um dia inteiro. Para que o medo apodrecesse e se espalhasse entre os homens.

Ela se reuniu com Rowan e Aedion de novo. A equipe não foi convocada pela rainha feérica, embora Lorcan caminhasse de um lado ao outro, como uma besta enjaulada. Elide o observava, com uma expressão que, impressionantemente, nada revelava.

Não havia solução. Dorian permaneceu quieto, embora de vez em quando olhasse entre Aelin e Manon. Como se algum quebra-cabeça estivesse disposto diante de si. Jamais chegou a dizer o que era.

Aedion insistiu para que atacassem... para que silenciosamente reunissem os barcos e atacassem. Mas Maeve anteciparia essa manobra. E podiam investir mais rápido com magia que disparando flechas e arpões.

Tempo. Era tudo com que Aelin podia jogar.

Debateram e teorizaram e planejaram. Rowan fez uma tentativa decente de tentar sugerir que ela fugisse. Aelin deixou que o príncipe feérico falasse, apenas para que percebesse, ao fazer isso, quão estúpida era aquela ideia. Depois da noite anterior, Rowan deveria estar bastante ciente de que Aelin não o deixaria. Não voluntariamente.

Então o sol se pôs. E a armada de Maeve esperou, a postos e observando. Uma pantera descansando, pronta para atacar à primeira luz.

Tempo. A única ferramenta... e sua derrocada. E o tempo de Aelin acabara.

Ela contou aquelas velas escuras diversas e diversas vezes conforme a noite os cobria.

E não tinha ideia do que fazer.

～

Era inaceitável, decidira Rowan, durante as longas horas em que debateram.

Inaceitável que tivessem feito tanto, apenas para serem impedidos, não por Erawan, mas por Maeve.

Ela não ousara aparecer. Mas esse não era o estilo de Maeve.

Faria aquilo ao alvorecer. Aceitaria a rendição de Aelin pessoalmente, com todos os olhos sobre elas. E depois... o guerreiro não sabia o que ela faria então. O que Maeve queria, além das chaves.

Aelin estivera tão calma. Choque, percebera ele. Aelin entrara em choque. Rowan a vira se revoltar e matar e rir e chorar, mas jamais a vira... perder. E se odiava por isso, mas não conseguia encontrar uma saída. Não conseguia encontrar uma forma de *ela* sair daquilo.

A jovem dormia profundamente enquanto Rowan encarava o teto acima da cama, deslizando em seguida o olhar para ela. O guerreiro observou as linhas do rosto da rainha, as ondas douradas dos cabelos, cada cicatriz branca como a lua e o redemoinho escuro de tinta. Inclinando-se, tão silenciosamente quanto neve em um bosque, Rowan beijou a testa de Aelin.

Não deixaria que acabasse ali, não deixaria que aquilo os destruísse.

O feérico conhecia as bandeiras das casas que oscilavam sob o brasão da própria Maeve. Contara e catalogara-as o dia todo, vasculhando as catacumbas da memória.

Ele vestiu as roupas rapidamente e esperou chegar sorrateiramente ao corredor para afivelar o cinto de espadas. Ainda segurando a maçaneta, permitiu-se olhar uma última vez para ela.

Por um momento, o passado o envolveu; por um momento, Rowan viu Aelin como quando a conhecera nos telhados de Varese, bêbada e arrasada. Estivera na forma de falcão, avaliando a nova missão, e ela reparara no animal — destruída e se recompondo, mesmo assim o vira ali. E tinha mostrado a língua para Rowan.

Se alguém tivesse dito a ele que a mulher bêbada, briguenta e amarga se tornaria a única coisa sem a qual ele não poderia viver... O guerreiro fechou a porta.

Aquilo era tudo que podia oferecer.

O príncipe feérico chegou ao deque principal e se transformou, pouco mais que um brilho de luar quando ergueu um escudo sobre si e voou pela noite envolta em maresia... para o coração da frota de Maeve.

O primo de Rowan teve o bom senso de não tentar matá-lo assim que o viu.

Eram próximos o bastante em termos de idade, e Rowan crescera com ele, sendo criado ao lado do primo na casa do tio, depois que os pais haviam passado para o Além-mundo. Se o tio algum dia também se fosse, seria Enda quem ocuparia o posto de chefe da casa; um príncipe de título, propriedade e armas consideráveis.

Enda, para seu crédito, sentiu a chegada antes que Rowan entrasse de fininho pelo escudo frágil nas janelas. E permaneceu sentado na cama, apesar de vestido para batalha, a mão na espada.

O primo olhou Rowan de cima a baixo quando ele se transformou.

— Assassino ou mensageiro, príncipe?

— Nenhum dos dois — respondeu o guerreiro, inclinando levemente a cabeça.

Como ele, Enda tinha cabelos prateados, embora os olhos verdes fossem salpicados de um marrom que às vezes engolia o esverdeado se o feérico estivesse enfurecido.

Se Rowan havia sido criado e moldado para os campos de batalha, Enda fora esculpido para as intrigas e maquinações da corte. O primo, embora alto e musculoso o bastante, não tinha a largura de ombros do guerreiro nem a compleição sólida — por mais que isso também pudesse ser devido aos diferentes tipos de treinamento recebidos. Enda sabia o suficiente sobre como lutar para que isso lhe garantisse estar ali, liderando as forças do pai, mas as próprias educações tinham se cruzado pouco depois daquelas primeiras décadas de juventude, quando juntos haviam corrido soltos na principal propriedade da família.

Enda mantinha a mão no cabo da espada fina, completamente calmo.

— Você parece... diferente — disse o primo, as sobrancelhas se contraindo na direção uma da outra. — Melhor.

Houvera uma época quando Enda fora amigo de Rowan — antes de Lyria. Antes... de tudo. E talvez o guerreiro quisesse explicar quem e o que eram responsáveis por aquela mudança, mas não tinha tempo. Não, tempo não era seu aliado naquela noite.

Então apenas comentou:

— Você também parece diferente, príncipe.

Enda deu um meio sorriso.

— Pode agradecer meu parceiro por isso.

Em outra época, aquilo poderia ter lançado uma pontada de agonia por dentro dele. O fato de Enda falar aquilo o lembrava de que talvez, ele não fosse um guerreiro forjado para a batalha, mas o membro da corte era tão bom quanto qualquer outro em notar detalhes importantes — em reparar no cheiro de Aelin, agora para sempre entrelaçado ao de Rowan. Então o guerreiro assentiu, sorrindo um pouco também.

— Era o filho de Lorde Kerrigan, não era?

De fato, havia outro cheiro entrelaçado ao de Enda, a reivindicação profunda e verdadeira.

— Era. — Ele sorriu de novo, olhando para um anel no dedo. — Firmamos a parceria e nos casamos no início do verão.

— Quer dizer que esperou cem anos por ele?

O macho deu de ombros, afrouxando a mão da espada.

— Quando se trata da pessoa certa, príncipe, esperar cem anos vale a pena. Ele sabia. Entendia tão bem que o peito doeu ao pensar naquilo.

— Endymion — começou Rowan, com a voz rouca. — Enda, preciso que ouça.

Havia muita gente que poderia ter chamado os guardas, mas ele conhecia Enda... ou conhecera. Era apenas um de vários primos que se meteram em seus assuntos durante anos. Tentaram, pensava Rowan naquele momento, não pela fofoca, mas... para lutar a fim de manter uma pequena parte do guerreiro viva. Enda mais que qualquer um.

Então Endymion deu a ele o dom de ouvir. O príncipe tentou ser conciso, tentou evitar que as mãos tremessem. No fim, imaginou que era um pedido simples. Quando terminou, seu primo o observou, qualquer resposta estava escondida por trás da máscara de neutralidade treinada na corte.

Então falou:

— Vou considerar.

Era o melhor que Rowan podia esperar. Sem dizer mais nada, ele se transformou de novo e saiu voando pela noite; na direção de outra bandeira ao lado da qual tinha marchado.

E de navio em navio, o príncipe feérico seguiu. O mesmo discurso. O mesmo pedido.

Todos eles, todos os primos deram a mesma resposta.

Vou considerar.

❧ 62 ❧

Manon estava acordada quando Dorian entrou em disparada no quarto uma hora antes do alvorecer. Ele ignorou a camisa aberta, os seios redondos e exuberantes que provara no dia anterior, ao dizer:

— Vista-se e venha comigo.

Felizmente, a bruxa obedeceu. Embora Dorian tivesse a sensação de que tinha sido em grande parte por curiosidade.

Ao chegar no aposento de Aelin, ele resolveu bater à porta — apenas para o caso de a amiga e Rowan estarem utilizando o que eram potencialmente as últimas horas juntos. No entanto, a rainha já estava acordada e vestida, e o príncipe feérico não estava à vista. Ela olhou uma vez para o rosto de Dorian e demandou:

— O que foi?

Ele não contou a nenhuma das mulheres coisa alguma conforme as levou para o compartimento de carga; os níveis superiores do navio já estavam agitados com as preparações para a batalha.

Enquanto debatiam e se preparavam no dia anterior, Dorian contemplara o aviso de Manon, depois que ela fizera seu sangue cantar de prazer. *A não ser que queira descobrir exatamente quais partes de mim são feitas de ferro da próxima vez que me tocar, eu decido essas coisas.*

Repetidamente, ele considerara o modo como as palavras tinham repuxado um canto afiado da memória. O rapaz ficara acordado a noite inteira descendo ao poço ainda vazio de magia. E quando a luz começara a mudar...

Dorian puxou o lençol do espelho de bruxa que estava cuidadosamente posicionado contra a parede. O Fecho... ou o que quer que fosse. No reflexo silencioso, as duas rainhas franziam a testa para as costas dele.

As unhas de ferro de Manon deslizaram para fora.

— Eu tomaria cuidado ao manusear isso se fosse você.

— Ouvi e agradeço pelo aviso — respondeu ele, encontrando aqueles olhos dourados no espelho. Manon não sorriu de volta. Aelin também não. Ele suspirou. — Não acho que esse espelho de bruxa tenha algum poder. Ou, na verdade, não um poder bruto, tangível. Acho que seu poder é conhecimento.

Os passos de Aelin pareciam quase silenciosos quando ela se aproximou.

— Fui informada de que o Fecho me permitiria unir as três chaves ao portão. Acha que este espelho sabe como fazer isso?

Ele simplesmente assentiu, tentando não se sentir ofendido demais pelo ceticismo que contraía o rosto da rainha.

A jovem puxou um fio solto no próprio casaco.

— Mas o que o Fecho-espelho-o-que-quer-que-seja tem a ver com a armada assomando sobre nós?

Ele tentou não revirar os olhos.

— Tem a ver com o que Deanna disse. E se o Fecho não servisse apenas para unir as chaves de volta ao portão, mas fosse uma ferramenta para controlar as chaves de modo seguro?

Aelin franziu a testa para o espelho.

— Então vou arrastar essa coisa para o deque e usá-lo para explodir a armada de Maeve com as duas chaves que temos?

Dorian respirou para se acalmar, suplicando aos deuses por paciência.

— Eu disse que acredito que o poder do espelho é conhecimento. Acho que ele *mostrará* como usar as chaves com segurança. Para que possa voltar aqui e utilizá-las sem consequências.

Um piscar lento de olhos.

— O que quer dizer com *voltar aqui*?

Manon respondeu, aproximando-se ao estudar o espelho.

— É um espelho viajante.

Dorian assentiu.

— Pense nas palavras de Deanna: *Chama e ferro, unidos, se fundem em prata para conhecer o que precisa ser encontrado. Um simples passo é tudo que será necessário.* — Ele apontou para o espelho. — Um passo em direção à prata... para *conhecer.*

A bruxa emitiu um estalo com a língua.

— E suponho que ela e eu somos chama e ferro.

Aelin cruzou os braços.

Ele lançou um olhar sarcástico para a rainha de Terrasen.

— Outras pessoas além de você *podem* solucionar coisas, sabia?

Ela o encarou com raiva.

— Não temos tempo para "e se". Muitas coisas podem dar errado.

— Você tem só um pouco de magia sobrando — replicou Dorian, gesticulando na direção do objeto. — Poderia entrar e sair do espelho antes do alvorecer. E usar o que aprender para mandar uma mensagem a Maeve sem incertezas.

— Ainda posso lutar com aço, sem os riscos e o desperdício de tempo.

— Pode impedir essa batalha antes que as perdas sejam grandes demais em qualquer dos lados. — Então acrescentou, com cautela: — Nosso tempo já acabou, Aelin.

Aqueles olhos turquesa pareciam equilibrados — se não ainda furiosos por Dorian ter descoberto a charada antes dela —, mas algo lampejou ali.

— Eu sei — afirmou Aelin. — Estava torcendo... — Ela balançou a cabeça, mais para si mesma. — Acabou meu tempo — murmurou a rainha, como se fosse uma resposta, e considerou o espelho, então Manon. Depois exalou. — Esse não era meu plano.

— Eu sei — retrucou Dorian, com um meio sorriso. — Por isso não gosta dele.

Antes que Aelin pudesse arrancar a cabeça de Dorian, Manon perguntou:

— Mas aonde o espelho nos levará?

A rainha trincou o maxilar.

— Espero que não seja para Morath.

O rapaz ficou tenso. Talvez aquele plano...

— Este símbolo pertence a nós duas — comentou a bruxa, estudando o Olho de Elena gravado no espelho. — E, se levá-la até Morath, vai precisar de alguém que conheça o caminho para sair de lá.

Passos soaram na escada que levava aos fundos do compartimento. Dorian se virou naquela direção, mas Aelin sorriu para Manon e se aproximou do espelho.

— Então vejo você do outro lado, bruxa.

A cabeça dourada de Aedion surgiu entre as caixas.

— Que droga vocês estão...

O aceno curto de Aelin parecia ser tudo de que Manon precisava. Ela colocou a mão sobre a da rainha.

Olhos dourados encontraram os de Dorian por um momento, e ele abriu a boca para dizer algo a ela, as palavras subindo de algum campo estéril no peito do rei.

Mas Aelin e Manon colocaram as mãos unidas no vidro manchado.

O grito de aviso de Aedion ecoou pelo compartimento conforme elas sumiram.

❧ 63 ❧

Elide observou o navio se preparar contra a ameaça da armada adiante — então o viu se transformar em um caos completo quando Aedion começou a vociferar abaixo.

A notícia se espalhou momentos depois. Espalhou-se, chegando ao príncipe Rowan Whitethorn no momento em que ele aterrissou no convés principal, o rosto transtornado e os olhos cheios somente de medo conforme viu Aedion irromper porta afora, com Dorian ao encalço, estampando um hematoma já feio em torno do olho. Caminhando de um lado para o outro, tomado pelo ódio, o general contou a eles sobre Aelin e Manon terem entrado no espelho — o Fecho — e sumido. Como o rei de Adarlan tinha resolvido o enigma de Deanna e enviado as duas para aquele mundo prateado a fim de lhes garantir uma chance naquela batalha.

Eles desceram para o compartimento de carga. Mas não importava como Aedion empurrasse o espelho, o objeto não se abria para ele. Não importava o quanto Rowan o vasculhasse com a própria magia, o objeto não informava aonde Aelin e Manon tinham ido. O general cuspiu no chão, parecendo querer dar outro olho roxo ao rei conforme Dorian explicava que houvera pouca escolha. Ele não parecia arrependido daquilo... até que Rowan se recusou a encará-lo.

Apenas quando se reuniram de novo no deque, com o rei e a metamorfa indo explicar ao capitão sobre a mudança de planos, Elide cuidadosamente disse a Aedion, que andava sem parar:

— O que está feito está feito. Não podemos esperar que Aelin e Manon encontrem uma forma de nos salvar.

O general parou, e a jovem tentou não se encolher diante da fúria irrefreável que ele concentrou nela.

— Quando quiser sua opinião sobre como lidar com minha rainha desaparecida, perguntarei.

Lorcan grunhiu para ele. Ainda assim, Elide ergueu a cabeça, mesmo quando o insulto atingiu algo em seu peito.

— Esperei tanto quanto você para reencontrá-la, Aedion. Não é o único que teme perdê-la de novo.

De fato, Rowan Whitethorn esfregava o rosto. Ela suspeitava que era o máximo de emoção que o príncipe feérico demonstraria.

O guerreiro abaixou as mãos enquanto os demais o observavam. Esperando... por suas ordens.

Até mesmo Aedion.

Elide se assustou quando a compreensão a atingiu. Quando procurou provas, mas não encontrou nenhuma.

— Continuamos nos preparando para batalha — declarou Rowan, a voz rouca. Ele olhou para Lorcan, então para Fenrys e Gavriel, e todo o seu comportamento mudou, os ombros se tensionaram, os olhos se tornaram severos e calculistas. — Não há chance alguma de Maeve não saber que estão aqui. Ela usará o juramento de sangue quando nos ferir mais.

Maeve. Alguma pequena parte de Elide desejou ver a rainha que conseguira comandar a concentração e a afeição incansáveis de Lorcan durante tantos séculos. E talvez dizer umas poucas e boas a ela.

Fenrys colocou a mão no cabo da espada e disse, no tom mais baixo que a jovem testemunhara até então:

— Não sei como jogar essa partida.

De fato, Gavriel parecia perdido, observando as mãos tatuadas como se a resposta estivesse ali.

Foi Lorcan quem disse:

— Se forem vistos lutando por este lado, será o fim. Ela matará os dois, ou fará com que se arrependam de outras formas.

— E quanto a *você*? — desafiou Fenrys.

Os olhos do semifeérico se voltaram para os de Elide, então retornaram para os machos.

— Para mim está acabado há meses. Agora a questão é esperar para ver o que ela fará a respeito disso.

Se o mataria. Ou o arrastaria de volta acorrentado.

O estômago de Elide se revirou, e ela evitou o anseio de pegar a mão de Lorcan, de implorar a ele que fugisse.

— Ela verá que demos um jeito de contornar a ordem de matá-lo — disse Gavriel, por fim. — Se lutar por este lado da linha não for condenação suficiente, então isso certamente será. Provavelmente já é.

— Ainda falta meia hora para o alvorecer, se quiserem tentar de novo — cantarolou Lorcan.

Elide ficou tensa. Então Fenrys comentou:

— É tudo uma armação. — A jovem prendeu a respiração, e Fenrys analisou os machos feéricos, seus companheiros. — Para nos partir, pois Maeve sabe que unidos podemos apresentar uma ameaça considerável.

— Jamais nos voltaríamos contra ela — replicou Gavriel.

— Não — concordou Fenrys. — Mas ofereceríamos essa força a outra pessoa. — E ele olhou para Rowan ao dizer: — Quando recebemos seu chamado por ajuda nesta primavera, quando nos pediu para defender Defesa Nebulosa, partimos antes que Maeve pudesse saber. Fugimos.

— Basta — grunhiu Lorcan.

Mas ele prosseguiu, encarando o olhar fixo de Rowan:

— Ao voltarmos, Maeve nos açoitou até quase a morte. Amarrou Lorcan aos mastros por dois dias e deixou que Cairn o açoitasse sempre que quisesse. Lorcan ordenou que não contássemos a você, por qualquer que fosse o motivo. Mas acho que Maeve viu o que fizemos juntos em Defesa Nebulosa, e percebeu como poderíamos ser perigosos... para *ela*.

Rowan não escondeu a devastação nos olhos ao encarar o antigo comandante; devastação que Elide sentiu ecoar no próprio coração. Lorcan suportara aquilo... e ainda permanecera leal a Maeve. A jovem roçou os dedos contra os do semifeérico. O movimento não passou despercebido pelos demais, mas sabiamente se mantiveram em silêncio. Principalmente quando Lorcan passou o polegar pelo dorso da mão da jovem em resposta.

E Elide se perguntou se Rowan também entendia que Lorcan não havia ordenado o silêncio por estratégia, mas talvez para poupá-lo da culpa. De querer retaliar contra Maeve de uma forma que certamente o feriria.

— Sabia — disse Rowan para Lorcan, com a voz rouca — que ela puniria você antes de ir a Defesa Nebulosa?

Ele encarou o príncipe feérico de volta.

— Todos sabíamos qual seria o custo.

Rowan engoliu em seco e inspirou longamente, desviando o olhar para as escadas, como se Aelin fosse surgir dali, com a salvação na mão. Mas não surgiu, e Elide rezou para que, onde quer que estivesse naquele momento, a rainha vislumbrasse o que tão desesperadamente precisavam saber. O guerreiro disse aos companheiros:

— Sabem como essa batalha deve terminar. Mesmo que nossa armada estivesse abarrotada de soldados feéricos, a vantagem ainda não estaria do nosso lado.

O céu começou a sangrar em cor-de-rosa e roxo quando o sol desceu sob ondas distantes.

— Já estivemos em desvantagem antes — declarou Gavriel simplesmente. Um olhar para Fenrys, que assentiu com seriedade. — Ficaremos até recebermos o comando contrário.

Foi para Aedion que Gavriel olhou ao dizer aquela última parte. Havia algo quase como gratidão nos olhos do general Ashryver.

Elide sentiu a atenção de Lorcan e o viu ainda a observando quando o semifeérico disse a Rowan:

— Elide vai para terra firme sob a guarda de quaisquer homens que puder ceder. Minha espada é sua apenas se fizer isso.

Ela se agitou. Mas Rowan retrucou:

— Feito.

～

Rowan os espalhou pela frota, cada um recebeu o comando de alguns navios. Ele posicionou Fenrys, Lorcan e Gavriel em navios para o centro e para a retaguarda, o mais longe possível de onde Maeve pudesse notar. Ele e Aedion assumiram as linhas de frente, com Dorian e Ansel comandando a fileira de navios logo atrás.

Lysandra já estava sob as ondas na forma de dragão marinho, esperando a ordem para danificar o casco, a proa e o leme de navios marcados para ela.

Rowan apostara que, embora as embarcações feéricas pudessem ter escudos ao redor, não teriam desperdiçado reservas valiosas de poder projetando o escudo sob a superfície. A metamorfa atacaria rápido e com força — sumindo antes que pudessem perceber quem e o que os havia destruído de baixo.

O alvorecer irrompeu, claro e forte, manchando as velas com ouro.

Rowan não se permitiu pensar em Aelin... onde quer que estivesse.

Minuto após minuto se passava, e a rainha ainda não retornara.

Um pequeno bote de carvalho se destacou da frota de Maeve e seguiu até ele. Trazia apenas três pessoas — nenhuma delas era Maeve.

O guerreiro conseguia sentir milhares de olhos de cada lado daquela faixa muito estreita de água livre entre as armadas, observando aquele barco se aproximar. Observando *o príncipe feérico*.

Um macho da companhia de Maeve se colocou de pé com um sobrenatural equilíbrio feérico conforme os remadores mantinham o bote estável.

— Sua Majestade espera sua resposta.

Rowan mergulhou para a reserva de poder esgotada, mantendo o rosto inexpressivo.

— Informe Maeve que Aelin Galathynius não está mais presente para dar uma resposta.

Um piscar de olhos foi todo o choque que o macho deixaria transparecer. As criaturas de Maeve eram muito bem treinadas, muito cientes de que seriam punidas por revelar os segredos de sua rainha.

— A princesa Aelin Galathynius é comandada a se render — declarou ele.

— A *rainha* Aelin Galathynius não está neste navio nem em nenhum outro da frota. Ela, na verdade, não está no litoral nem em nenhuma ilha próxima. Então Maeve descobrirá que veio de muito longe por nada. Deixaremos sua armada em paz se nos estender a mesma cortesia.

O macho olhou para ele com escárnio.

— Dito como covardes que sabem que estão em menor número. Dito como um traidor.

Rowan deu um pequeno sorriso em resposta.

— Vejamos o que Maeve tem a dizer agora.

O macho cuspiu na água. Mas o barco remou de volta à armada.

Por um momento, o príncipe feérico se lembrou das últimas palavras a Dorian, antes de mandá-lo para proteger a fileira de navios.

Estavam além das desculpas. Aelin voltaria ou... ele não tinha se deixado considerar a alternativa. Mas podiam ganhar o máximo de tempo possível para ela. Tentar lutar a fim de escaparem, por ela e pelo futuro daquela armada.

O rosto de Dorian revelara os mesmos pensamentos quando ele apertara a mão do guerreiro, dizendo:

— Não é algo tão difícil, não é... morrer pelos amigos.

Rowan não se incomodara em insistir que sobreviveriam àquilo. O rei fora ensinado na arte da guerra, mesmo que ainda não a tivesse praticado. Então o príncipe feérico abrira um sorriso sombrio e respondera:

— Não, não é.

As palavras ecoaram por ele de novo ao ver o bote daquele mensageiro desaparecer. Para qualquer que fosse o bem que aquilo pudesse trazer, para qualquer que fosse o tempo que pudesse garantir a eles, Rowan reforçou os escudos mais uma vez.

O sol havia nascido completamente no horizonte quando a resposta de Maeve chegou.

Não era um mensageiro em um barco longo.

Mas uma saraivada de flechas, tantas, que bloquearam a luz conforme formaram um arco pelo céu.

— *Escudo* — vociferou Rowan, não apenas para os possuidores de magia, mas também para os homens armados que ergueram os escudos amassados e surrados acima da cabeça enquanto flechas choviam através da linha.

As flechas atingiram o alvo, e a magia do feérico fraquejou sob o massacre. As pontas estavam embebidas em magia própria, levando-o a trincar os dentes contra aquilo. Em outros navios, onde o escudo era mais frágil, alguns homens gritaram.

A armada de Maeve começou a avançar lentamente em sua direção.

❧ 64 ❧

Aelin tinha um corpo que não era um corpo.

Ela só sabia disso porque naquele vazio, naquele crepúsculo nebuloso, Manon tinha um corpo. Um corpo quase transparente, como o de um fantasma, mas... uma forma, mesmo assim.

Os dentes e as unhas da bruxa reluziam à luz fraca conforme ela observava as rodopiantes névoas cinzentas.

— O que é este lugar? — O espelho as transportara para... onde quer que fosse o lugar que estavam.

— Seu palpite é tão bom quanto o meu, bruxa.

Será que o tempo tinha parado além da névoa? Será que Maeve segurara o fogo ao descobrir que Aelin não estava presente... ou atacara de qualquer modo? Ela não tinha dúvidas de que Rowan manteria posição por quanto tempo fosse possível. Não tinha dúvidas de que ele e Aedion guiariam a frota. Mas...

Se o espelho de bruxa era o Fecho que ela buscara, Aelin havia esperado que tivesse *alguma* reação imediata às duas chaves de Wyrd escondidas no casaco. Não... isso. Absolutamente *nada*.

A rainha sacou Goldryn. Na névoa, o rubi da espada reluziu; a única cor, a única luz.

— Ficamos próximas; só falamos quando necessário — aconselhou Manon.

Aelin tinha de concordar. Havia chão sólido sob as duas, mas a névoa lhes escondia os pés; escondia qualquer indício de que estavam de pé sobre terra além de um raspar fraco e quebradiço.

— Algum palpite de para qual lado vamos? — murmurou a rainha. Mas não precisaram decidir.

A névoa que pairava ficou mais escura, e Manon e Aelin se aproximaram uma da outra, costas contra costas. Noite pura avançou em torno das duas... atordoando-as.

Então... uma luz turva e fraca surgiu adiante. Não, não adiante. Aproximando-se. Os ombros ossudos da bruxa se enterraram nos de Aelin ao ficarem mais perto, formando uma parede impenetrável.

Mas a luz ondulou e se expandiu; em seguida, dentro dela, silhuetas foram surgindo. Solidificando-se.

A rainha percebeu três coisas quando a luz e a cor as envolveram, tornando-se tangíveis:

Não eram vistas ou ouvidas ou farejadas por aqueles diante de si.

E aquele era o passado. Mil anos atrás, para ser exata.

E aquela era Elena Galathynius de joelhos no vale de uma estéril montanha escura, com sangue escorrendo do nariz enquanto lágrimas cortavam a sujeira no rosto e caíam na armadura, além disso havia um sarcófago de obsidiana posicionado diante da mulher.

Por todo o sarcófago, marcas de Wyrd ardiam com fogo azul pálido. E, no centro dele... o Olho de Elena, o amuleto preso dentro da própria pedra, com o ouro pálido fosco e reluzente.

Então, como se um sopro fantasma passasse por ele, o Olho se apagou, assim como as marcas de Wyrd.

Elena estendeu a mão trêmula para girar o amuleto, rodando-o três vezes na pedra preta. O Olho clicou e caiu na mão à espera. Selando o sarcófago.

Trancando-o.

— O Fecho sempre esteve com você — murmurou Manon. — Mas então o espelho...

— Acho — sussurrou Aelin — que fomos deliberadamente enganadas sobre o que devemos recuperar.

— Por quê? — indagou a bruxa, com igual quietude.

— Acho que estejamos prestes a descobrir.

Uma lembrança; era aquilo que viam. Mas o que era tão vital que tinham sido enviadas para recuperar enquanto o maldito mundo se desfazia ao redor?

Aelin e Manon permaneceram em silêncio conforme a cena se desdobrou. Conforme a verdade, por fim a verdade, se teceu.

❧ 65 ❧

Alvorecer na Passagem Obsidiana

O Fecho havia fabricado o sarcófago da matéria da própria montanha.

Fora preciso cada brasa do poder do objeto para prender Erawan dentro da pedra, para selá-lo no interior.

Ela conseguia sentir o Rei Sombrio dormindo ali dentro. Podia ouvir os gritos de seu exército nefasto se banqueteando em carne humana no vale abaixo. Por quanto tempo continuariam lutando quando se espalhasse a notícia de que Erawan tinha caído?

Não era tola o bastante para nutrir esperanças de que os companheiros tivessem sobrevivido ao massacre. Não por tanto tempo.

De joelhos na afiada pedra preta, Elena olhou para o sarcófago de obsidiana, para os símbolos ali entalhados. Inicialmente, estavam brilhando, mas já tinham se apagado e resfriado, acomodando-se no lugar. Quando roubara o Fecho do pai tantos meses antes, ela não soubera — não entendera — a verdadeira profundidade de seu poder. Ainda não sabia por que ele o forjara. Apenas que uma vez, somente uma, o poder do Fecho poderia ser usado. E aquele poder... ah, aquele poder grandioso e destruidor... havia salvado a todos.

Gavin, estatelado e ensanguentado atrás de Elena, se agitou. O rosto estava tão destruído que ela mal discernia as feições belas e determinadas abaixo. O braço esquerdo era inútil ao lado do corpo. O preço por distrair Erawan enquanto ela libertava o poder do Fecho. Mas mesmo Gavin não soubera o que Elena estivera planejando. O que roubara e guardara durante todos aqueles meses.

Ela não se arrependia. Não quando o poupara da morte. Pior.

Gavin observou o sarcófago, o amuleto vazio e complexo do Fecho na palma da mão de Elena, a qual estava apoiada na coxa. Ele o reconheceu imediatamente, pois o vira em torno do pescoço do pai da jovem durante aquelas semanas iniciais em Orynth. A pedra azul no centro parecia drenada, apagada onde um dia faiscara com fogo interior. Mal restava uma gota de poder, se é que restava.

— O que você fez? — A voz estava rouca e falhando por gritar ao ser torturado por Erawan. Para ganhar tempo para ela, para salvarem seu povo... Elena fechou os dedos em punho em torno do Fecho.

— Ele está selado. Não pode escapar.

— O Fecho de seu pai...

— Está feito — afirmou a mulher, voltando a atenção para as 12 figuras imortais que estavam do outro lado do sarcófago naquele momento.

Gavin encarou, sibilando devido ao corpo quebrado e ao movimento súbito.

Não tinham forma. Eram apenas imagens de luz e sombra, vento e chuva, canção e memória. Cada uma individual, mas faziam parte de uma maioria, uma consciência.

Todas olhavam para o Fecho quebrado nas mãos da jovem, para a pedra apagada.

Gavin abaixou a cabeça para a rocha ensopada de sangue e desviou o olhar.

Até os ossos de Elena fraquejaram na presença das figuras, mas ela manteve o queixo elevado.

— A linhagem de nossa irmã nos traiu — declarou uma voz que era de mar e céu e tempestades.

Elena balançou a cabeça, tentando engolir em seco. E fracassando.

— Eu nos *salvei*. Impedi Erawan...

— Tola — comentou uma daquelas vozes sempre mutáveis, tanto animais quanto humanas. — *Tola* de linhagem mista. Não considerou por que seu pai o carregava, por que esperou durante todos esses anos, reunindo forças? Ele deveria usá-lo, mas para selar as três chaves de Wyrd de volta no portão e nos mandar para *casa* antes de fechar o portão para sempre. Nós e o Rei Sombrio. O Fecho foi forjado para nós, *prometido* a nós. E você o *desperdiçou*.

Elena apoiou a mão na terra para evitar oscilar.

— Meu pai carrega as chaves de Wyrd? — Ele nunca sequer *indicara*... E o Fecho... Ela acreditara que era uma simples arma. Uma arma que Brannon se *recusara* a empunhar naquela guerra sangrenta.

Eles não responderam; o silêncio era confirmação suficiente.

Um ruído baixo e partido lhe escapou da garganta, em seguida ela sussurrou:

— Desculpe.

A raiva das figuras chacoalhou os ossos de Elena, ameaçou fazer o coração parar subitamente no peito. Aquela feita de chama e luz e cinzas pareceu se segurar, pareceu pausar a ira.

Pareceu se lembrar.

Elena não vira nem falara com a mãe desde que Mala deixara o corpo para forjar o Fecho. Desde que Rhiannon Crochan a tinha ajudado a projetar a própria essência no objeto, contendo a massa do poder no pequeno espelho de bruxa disfarçado de pedra azul, para ser libertado apenas uma vez. Jamais tinham contado a Elena por quê. Nunca disseram ser algo mais que uma arma que o pai um dia precisaria desesperadamente usar.

O custo: o corpo mortal da mãe, a vida que quisera para si com Brannon e os filhos. Fazia dez anos desde então. Dez anos, e o pai de Elena jamais deixara de esperar pelo retorno de Mala, torcendo para que a visse de novo. Apenas uma vez.

Não me lembrarei de vocês, dissera Mala a todos antes de se entregar à forja do Fecho. E ali estava ela. Hesitando. Como se lembrasse.

— Mãe — sussurrou Elena, como uma súplica partida.

Mala, Portadora da Luz, desviou o olhar.

Aquela que via tudo com olhos sábios e calmos falou:

— Libertem-no. Fomos traídos por essas bestas terrenas, então vamos devolver o favor. Libertem o Rei Sombrio do caixão.

— *Não* — suplicou Elena, levantando-se. — Por favor, *por favor*. Digam o que preciso fazer para me redimir, mas, *por favor*, não o libertem. Estou implorando.

— Ele se levantará de novo um dia — disse aquele de escuridão e morte.

— Ele acordará. Você desperdiçou *nosso* Fecho em uma tarefa tola, quando poderia ter resolvido tudo, se apenas tivesse tido a paciência e a esperteza para compreender.

— Então deixem que acorde — implorou ela, com a voz falhando. — Deixem que outra pessoa herde esta guerra, alguém mais bem-preparado.

— Covarde — disse a voz de aço e escudos e flechas. — Covarde por empurrar o fardo a outro.

— Por favor! — pediu Elena. — Darei qualquer coisa a vocês. *Qualquer coisa.* Mas não isso.

Juntos, eles olharam para Gavin.

Não...

Mas foi a mãe quem disse:

— Esperamos esse tempo todo para voltar para casa. Podemos esperar um pouco mais. Vigiar este... lugar um pouco mais.

Não eram apenas deuses, mas seres de uma existência superior, diferente. Para os quais o tempo era fluido, e corpos, coisas para serem trocadas e moldadas. Que podiam existir em diversos lugares, se espalhar como redes sendo jogadas. Eram tão poderosos e amplos e eternos quanto um humano para uma mosca.

Não haviam nascido naquele mundo. Talvez tivessem ficado presos ali depois de atravessarem um portão de Wyrd. E fizeram algum acordo com o pai de Elena, com Mala, para, enfim, serem enviados de volta à casa, banindo Erawan no processo. E ela estragara tudo.

— Esperaremos. Mas deve haver um preço. E uma promessa — disse aquela de três rostos.

— Diga — pediu Elena. Se levassem Gavin, ela seguiria. Não era herdeira do trono do pai. Não importava se sairia ou não daquela passagem na montanha. Não tinha total certeza de que suportaria vê-lo de novo, não depois da arrogância e do orgulho e de seu senso de superioridade. Brannon lhe implorara que ouvisse, que esperasse. Em vez disso, ela roubara o Fecho e fugira com Gavin na noite, desesperada para salvar aquelas terras.

A de três rostos a estudou.

— A linhagem de Mala deve sangrar de novo para forjar outro Fecho. E *você* os liderará, um cordeiro para o abate, para pagar o preço dessa escolha que *você* fez de desperdiçar o poder do objeto aqui, nesta batalha insignificante. *Você* mostrará a esse descendente futuro como forjar um novo Fecho com os dons de Mala, como então usá-lo para empunhar as chaves e nos mandar para casa. Nosso acordo original ainda valerá: levaremos o Rei Sombrio conosco. Nós o destruiremos em nosso mundo, onde será apenas poeira e memória. Quando formos embora, você mostrará ao descendente como selar o portão atrás de nós, e o Fecho o manterá intacto eternamente. Ao entregar cada última gota da força vital. Como seu pai estava pronto para fazer quando chegasse a hora.

— Por favor — sussurrou Elena.

Aquela de três rostos continuou:

— Diga a Brannon do Fogo Selvagem o que aconteceu aqui; conte a ele o preço que sua linhagem um dia deverá pagar. Peça que se prepare para isso.

Ela deixou que as palavras, que a condenação, fossem absorvidas.

— Pedirei — murmurou ela.

Mas eles tinham sumido. Havia apenas um calor restante, como se um raio de luz do sol tivesse lhe acariciado a bochecha.

Gavin ergueu a cabeça.

— O que você fez? — perguntou ele de novo. — O que deu a eles?

— Você não... não ouviu?

— Apenas você — disse ele, rouco, com o rosto tão terrivelmente pálido. — Não os outros.

Elena encarou o sarcófago diante deles, a pedra preta estava enraizada na terra da passagem. Imóvel. Precisariam construir algo em torno para escondê-la, protegê-la.

— O preço será pago... mais tarde — respondeu ela.

— Me conte. — Os lábios cortados e inchados de Gavin mal conseguiam formar as palavras.

Como já havia se condenado, condenado a própria linhagem, Elena imaginou que não tinha nada a perder se mentisse. Uma vez, uma última vez.

— Erawan acordará de novo... um dia. Quando chegar a hora, ajudarei aqueles que devem enfrentá-lo.

Os olhos do guerreiro pareciam cautelosos.

— Consegue andar? — perguntou Elena, estendendo a mão para ajudá-lo a se levantar. O sol nascente projetou dourado e vermelho sobre as montanhas escuras. A mulher não teve dúvida de que o vale atrás deles estava banhado de vermelho também.

Gavin soltou o cabo de Damaris, os dedos ainda quebrados. Mas não aceitou a mão oferecida.

E não contou a ela o que detectara enquanto tocava a Espada da Verdade, quais mentiras tinha sentido e desvendado.

Jamais falaram naquilo de novo.

A princesa de Eyllwe perambulava pelo pântano de Pedra havia semanas, em busca de respostas a enigmas engendrados mil anos antes. Respostas que poderiam salvar seu reino condenado.

Chaves e portões e fechos — portais e poços e profecias. Era o que murmurava consigo mesma durante as semanas em que caminhava sozinha pelo pântano, caçando para se manter viva, lutando contra os dentes e o veneno das bestas quando necessário, lendo as estrelas por diversão.

Então quando a princesa chegou ao templo, quando ficou de pé diante do altar de pedra e do baú, leve gêmeo daquele escuro sob Morath, *ela* enfim surgiu.

— Você é Nehemia — disse ela.

A jovem se virou, o couro de caça manchado e úmido, as pontas douradas dos cabelos trançados coladas.

Um olhar de avaliação com olhos que eram velhos demais para mal terem 18 anos; olhos que tinham encarado por muito tempo a escuridão entre as estrelas e desejavam saber seus segredos.

— E você é Elena.

Elena assentiu.

— Por que veio?

A princesa de Eyllwe indicou com a cabeça elegante o baú de pedra.

— Não sou aquela chamada para abri-lo? Para descobrir como nos salvar e pagar o preço?

— Não — informou Elena, baixinho. — Não é você. Não dessa forma.

Uma contração dos lábios foi o único sinal do desgosto de Nehemia.

— Então de que forma, milady, devo sangrar?

Ela estivera observando, e esperando, e pagando pelas escolhas havia tanto tempo. Muito tempo.

E naquele momento quando a escuridão caíra... um novo sol nasceria. *Precisava* nascer.

— É a linhagem de Mala que pagará, não a sua.

As costas de Nehemia enrijeceram.

— Não respondeu a minha pergunta.

Elena desejou que pudesse conter as palavras, mantê-las trancafiadas. Mas aquele era o preço, pelo reino e por seu povo. O preço para aquele povo, aquele reino. E outros.

— No norte, dois galhos fluem de Mala. Um para a casa Havilliard, onde o príncipe com os olhos de meu parceiro possui minha magia pura e o poder bruto de deusa. O outro galho flui pela casa Galathynius, onde foi cultivado fielmente: chamas e brasas e cinzas.

— Aelin Galathynius está morta — declarou Nehemia.

— Não está. — Não, ela se assegurara disso e ainda pagava pelo que havia feito naquela noite gelada. — Está apenas escondida, esquecida por um mundo grato por ter tal poder extinto antes de amadurecer.

— Onde está ela? Como isso se liga a mim, milady?

— Você é versada na história, nos jogadores e nas apostas. Conhece as marcas de Wyrd e sabe usá-las. Leu errado os enigmas, achando que era você quem deveria vir aqui, até este lugar. Este espelho não é o Fecho... é um lago de memória. Forjado por mim, por meu pai e por Rhiannon Crochan. Forjado para que a herdeira desse fardo pudesse entender um dia. Saber tudo antes de decidir. Esse encontro também deverá ficar guardado aqui. Mas você foi chamada para que pudéssemos nos conhecer.

Aquele rosto sábio e jovem esperou.

— Vá para o norte, princesa — comandou Elena. — Vá para a casa de seu inimigo. Faça os contatos, obtenha o convite, faça o que for preciso, mas chegue à casa de seu inimigo. Lá, as duas linhagens convergirão. Já estão a caminho.

— Aelin Galathynius segue para Adarlan?

— Não Aelin. Não com esse nome nem essa coroa. Reconheça-a pelos olhos, turquesa com um núcleo dourado. Reconheça-a pela marca na testa, a marca do bastardo, a marca de Brannon. Guie-a. Ajude-a. Ela precisará de você.

— E o preço?

Elena os odiou naquele momento.

Odiou os deuses que exigiram aquilo. Odiou a si mesma. Odiou aquilo que fora pedido, todas aquelas fortes luzes...

— Não verá mais Eyllwe.

A princesa encarou as estrelas como se falassem com ela, como se a resposta estivesse escrita ali.

— Meu povo vai sobreviver? — Uma voz fina, baixa.

— Não sei.

— Então tomarei providências para isso também. Unirei os rebeldes enquanto estiver em Forte da Fenda, prepararei o continente para a guerra.

Nehemia desviou o olhar das estrelas. Elena quis cair de joelhos diante da jovem princesa, implorar seu perdão.

— Um deles precisará estar pronto para fazer o que tem de ser feito — disse Elena, apenas porque era a única forma de explicar e pedir desculpas.

Nehemia engoliu em seco.

— Então ajudarei da forma que puder. Por Erilea. E por meu povo.

❧ 66 ❧

Aedion Ashryver fora treinado para matar homens e manter uma fileira em batalha desde que tivera idade suficiente para levantar uma espada. O príncipe herdeiro, Rhoe Galathynius, começara pessoalmente o treinamento do general, fazendo-o atender a padrões que alguns poderiam ter considerado injustos, rigorosos demais para um menino.

Mas Rhoe soubera, percebeu Aedion parado na proa do navio, com os homens de Ansel de penhasco dos Arbustos armados e prontos atrás de si. Soubera mesmo então que o general serviria Aelin e que, quando exércitos estrangeiros desafiassem a Portadora do Fogo... talvez ele não enfrentasse meros mortais.

Rhoe — *Evalin* — apostara que o exército imortal, agora espalhado diante de Aedion, um dia viria ao litoral. E o casal quisera se certificar de que ele estaria pronto quando aquilo acontecesse.

— Escudos para cima — ordenou Aedion aos homens quando a segunda saraivada de flechas da armada de Maeve desceu.

O manto mágico em volta dos navios aguentava bem o suficiente, graças a Dorian Havilliard, e, embora o general ficasse feliz por qualquer derramamento de sangue evitado pelo poder do rei, depois do absurdo que tinha aprontado com Aelin e Manon, Aedion trincava os dentes a cada ondulação de cor surgida com o impacto.

— São soldados assim como vocês — continuou o general. — Não deixem que as orelhas pontudas os enganem. Eles sangram como o restante de nós. E podem morrer dos mesmos ferimentos.

Ele não se permitiu olhar para trás... para onde o pai comandava e protegia outra fileira de navios. Gavriel permanecera calado enquanto Fenrys havia informado como manter um guerreiro feérico de regeneração rápida no chão: prefira cortar músculos a desferir ferimentos profundos. Parta um tendão e deterá um imortal por tempo suficiente para matá-lo.

Mais fácil falar que fazer. Os soldados ficaram com o rosto pálido ao pensar naquilo; combate aberto, lâmina contra lâmina, contra guerreiros feéricos. Com razão.

Mas o dever de Aedion não era lembrá-los dos fatos óbvios. Seu trabalho era fazer com que estivessem dispostos a morrer, a tornar aquela briga completamente necessária. Medo poderia quebrar uma fileira mais rápido que qualquer ataque inimigo.

Rhoe — o *verdadeiro* pai de Aedion — ensinara isso a ele. E o general aprendera durante aqueles anos no norte. Aprendera lutando com lama e sangue até o joelho com a Devastação.

Ele desejou que a Devastação estivesse lá, protegendo-o, e não soldados desconhecidos dos desertos.

Mas não permitiria que o próprio medo acabasse com sua resolução.

A segunda saraivada de Maeve subiu e subiu e subiu; as flechas disparavam com mais velocidade e iam mais longe que aquelas de arcos mortais. Com melhor mira.

O escudo invisível acima ondulou em lampejos de azul e roxo conforme flechas sibilaram e deslizaram ao ricochetearem.

Já estava cedendo, pois aquelas flechas traziam a ponta embebida em magia.

Os soldados no deque se agitaram, movendo os escudos. A antecipação e o terror cresciam, turvando os sentidos de Aedion.

— Apenas um pouco de chuva, rapazes — comentou ele, com um largo sorriso. — Achei que estivessem acostumados com isso nos desertos, seus imbecis.

Alguns grunhidos... mas os escudos metálicos pararam de tremer.

O general se obrigou a rir. Obrigou-se a ser o Lobo do Norte, ansioso em derramar sangue sobre os mares do sul. Como Rhoe ensinara, como Rhoe o treinara, muito antes de Terrasen cair sob a sombra de Adarlan.

De novo não. Nunca mais; e certamente não para Maeve. Certamente não ali, sem ninguém como testemunha.

Adiante, nas linhas de frente, a magia de Rowan disparou branca em um sinal silencioso.

— Flechas preparadas — ordenou Aedion.

Arcos rangeram, flechas apontaram para cima.

Outro disparo.

— *Saraivada!* — berrou ele.

O mundo escureceu sob as flechas conforme dispararam na direção da armada de Maeve.

Uma tempestade de flechas... para distrair do verdadeiro ataque sob as ondas.

～

A água estava mais escura ali, a luz do sol em feixes finos deslizava entre os barcos de fundo grosso reunidos acima das ondas.

Outras criaturas tinham se juntado devido à comoção, dilaceradores de carne procurando refeições que certamente viriam quando as duas armadas por fim se encontrassem.

Um clarão de luz fizera Lysandra mergulhar fundo, entremeando os carniceiros que circundavam, misturando-se aos cardumes da melhor forma que podia enquanto disparava.

A metamorfa modificara seu dragão marinho. Dera membros mais longos a ele — com polegares preênseis.

Dera à cauda mais força, mais controle.

Seu pequeno projeto particular durante os longos dias da viagem. Pegar uma forma original e aperfeiçoá-la. Alterar o que os deuses haviam feito de acordo com o próprio gosto.

Lysandra chegou ao primeiro navio marcado por Rowan. Um mapa cuidadoso e preciso de onde e como atacar. Um golpe com a cauda destroçara o leme.

Os gritos a alcançaram mesmo sob as ondas, mas a metamorfa já nadava, disparando até o próximo barco assinalado.

Ela usou as garras dessa vez, segurando o leme e o arrancando de uma só vez. Depois abriu um buraco na quilha com a cauda em formato de bastão. Bastão, sem espinhos; não, os espinhos tinham ficado presos em baía da Caveira. Então Lysandra transformara a cauda em um aríete.

Flechas foram atiradas com precisão melhor que a dos soldados de inrantaria dos valg, disparando como os raios de sol para dentro da água. Ela também se preparara para isso.

Elas ricocheteavam das escamas de Seda de Aranha. Passara horas estudando o material enxertado nas asas de Abraxos para aprender a seu respeito; como transformar a própria pele naquela fibra impenetrável.

Lysandra destruiu mais um leme, depois outro. E mais outro.

Soldados feéricos gritavam em antecipação a ela. Mas os arpões que disparavam eram pesados demais, e o dragão marinho era rápido demais, mergulhava profunda e agilmente. Chicotes de magia d'água foram lançados contra ela, tentando aprisioná-la. Contudo, a metamorfa foi mais rápida que estes também.

A corte que poderia mudar o mundo, dizia ela a si mesma, repetidamente, conforme a exaustão pesava sobre o corpo, conforme seguia desarmando leme após leme, abrindo buracos naqueles selecionados navios feéricos.

A metamorfa fizera uma promessa àquela corte, àquele futuro. A Aedion. E a sua rainha. Não fracassaria com Aelin.

E se a maldita Maeve queria enfrentá-los cara a cara, se Maeve pensava em atacá-los quando estavam mais frágeis... Lysandra faria a vadia se arrepender.

～

A magia de Dorian se agitou quando a armada de Maeve, além de disparar flechas, passou ao caos total. Mas o rei manteve os escudos intactos, remendando os locais penetrados por flechas. O poder já oscilava, fora drenado rápido demais.

Fosse por algum truque da rainha feérica, ou por qualquer que fosse a magia que cobria aquelas flechas.

Ainda assim, o rapaz trincou os dentes, liberando a magia de acordo com a própria vontade, de acordo com os avisos para que segurasse, berrados por Rowan e que ecoavam pela água — amplificando-se da forma como Gavriel usara a voz em baía da Caveira.

Contudo, mesmo com o caos que tomara a armada de Maeve após a constatação de que os navios estavam cercados debaixo d'água, as fileiras da frota se estendiam infinitamente.

Aelin e Manon não tinham voltado.

Um macho feérico transtornado e em pânico letal era uma visão e tanto. Dois deles, algo quase cataclísmico.

Quando Aelin e Manon desapareceram naquele espelho, Dorian havia suspeitado de que fora apenas o rugido de Aedion que fizera com que Rowan despertasse da fúria de sangue na qual mergulhara. E apenas o ferimento latejante na bochecha de Dorian fizera com que o guerreiro se abstivesse de lhe dar um ferimento igual.

O jovem rei olhou para as linhas de frente, onde o príncipe feérico mantinha-se de pé na proa do navio, a espada e o machado em punho, além de uma aljava de flechas e o arco presos às costas, e várias facas de caça afiadas como navalhas. Ele não tinha despertado daquilo de forma alguma, percebeu Dorian.

Não, Rowan já havia descido a um nível de ira gélida que fazia a magia de Dorian tremer, mesmo com a distância entre os dois.

Ele conseguia sentir aquilo, o poder do príncipe feérico — sentia assim como sentira o de Aelin irrompendo.

O guerreiro já estava nas profundezas do reservatório de poder quando Aelin e Manon partiram. Assim que Aedion passara a concentrar aquele medo e a ira na batalha adiante, Rowan também usara a última hora a fim de mergulhar ainda mais fundo. Agora a magia fluía em torno deles, como o mar poucos metros abaixo.

Dorian seguira aquilo, apoiando-se no treinamento que recebera. Havia gelo lhe cobrindo as veias e o coração.

Aedion lhe dissera apenas uma coisa antes de partir para a própria seção da armada. O príncipe-general o olhara de cima a baixo uma vez, com os olhos Ashryver demorando-se no hematoma que causara, então falara:

— O medo é uma sentença de morte. Quando estiver lá fora, lembre-se de que não precisamos sobreviver. Apenas os danificar o suficiente para que ela, quando voltar... acabe com o resto.

Quando. Não se. Quando Aelin encontrasse seus corpos, ou o que restasse se o mar não os reivindicasse... ela poderia muito bem acabar com o mundo por ódio.

Talvez devesse. Talvez o mundo merecesse aquilo.

Talvez Manon Bico Negro a ajudasse. Talvez governassem as ruínas juntas.

Dorian desejou ter tido mais tempo para conversar com a bruxa. Para conhecê-la além do que o corpo já aprendera.

Porque mesmo com os lemes sendo desarmados... navios avançavam.

Guerreiros feéricos. Nascidos e criados para matar.

Aedion e Rowan lançaram mais uma saraivada de flechas em direção aos navios. Escudos as desintegraram antes que conseguissem atingir qualquer alvo. Aquilo não acabaria bem.

O coração de Dorian ressoava, e ele engoliu em seco quando os navios deram a volta pelos irmãos que afundavam, aproximando-se da linha demarcatória.

A magia do rei se contorceu.

Precisaria tomar cuidado com onde miraria. Precisaria fazer valer a pena.

Não confiava que o poder permaneceria concentrado se liberasse tudo de uma vez.

E Rowan dissera a ele que não o fizesse. Dissera que esperasse até que a armada estivesse realmente sobre eles. Até que cruzassem aquela linha. Até que o príncipe feérico desse a ordem para que atirassem.

Pois havia fogo — e gelo — batalhando dentro de Dorian naquele instante, implorando para ser libertado.

Ele manteve a cabeça erguida quando mais navios se aproximaram daqueles desarmados na frente, então deslizaram ao longo deles.

Dorian sabia que doeria. Sabia que doeria destruir sua magia e, então, o próprio corpo. Sabia que doeria ver os companheiros caírem, um a um.

Mesmo assim, Rowan segurava a linha de frente, não deixava que os navios se virassem para fugir.

Mais e mais perto, aqueles navios inimigos disparavam na direção das linhas de frente, empurrados por membros ondulantes de remos poderosos. Arqueiros estavam prontos para atirar, e a luz do sol refletia nas armaduras polidas dos guerreiros feéricos a bordo, famintos por uma batalha. Prontos e descansados, aperfeiçoados para massacrar.

Não haveria rendição. Maeve os destruiria apenas para punir Aelin.

Dorian falhara com eles ao enviar Manon e Aelin para longe. Naquela aposta, talvez tivesse falhado com todos eles.

Mas Rowan Whitethorn não.

Não, conforme os navios inimigos deslizavam para as posições entre os companheiros que afundavam, o rapaz viu que cada um estampava a mesma bandeira:

Uma flâmula prateada com um falcão gritando.

E ao lado, onde antes a bandeira preta de Maeve, com uma coruja empoleirada, oscilava... ela havia sido recolhida.

A bandeira preta da rainha sombria desaparecera inteiramente conforme navios feéricos ostentando a bandeira prateada da Casa de Whitethorn abriam fogo contra a própria armada.

⇥ 67 ⇤

Rowan contara a Enda sobre Aelin.

Contara ao primo sobre a mulher que amava, a rainha cujo coração queimava com fogo selvagem. Contara sobre Erawan, e a ameaça das chaves, e o desejo da própria Maeve por elas.

Então ficara de joelhos e implorara ao primo que ajudasse.

Que não abrisse fogo contra a armada de Terrasen.

E sim contra a de Maeve.

Que não acabasse com aquela única chance de paz, de impedir que a escuridão consumisse todos, tanto de Morath quanto de Maeve. Que lutasse não pela rainha que o escravizara, mas por aquela que o salvara.

Vou considerar, dissera Endymion.

Então Rowan tinha se levantado e voado até o navio de outro primo. A princesa Sellene, a prima mais jovem, de olhos espertos, ouvira. Havia deixado que ele implorasse. E, com um pequeno sorriso, ela respondera o mesmo. *Vou considerar.*

Assim Rowan fora de navio em navio. Aos primos que sabia que ouviriam.

Um ato de traição — era pelo que tinha implorado. Traição tão grande que jamais poderiam voltar para casa. As terras e os títulos seriam tomados ou destruídos.

E, quando os navios ilesos velejaram e se posicionaram ao lado daqueles que Lysandra já destruíra, conforme abriram um ataque de flechas e magia sobre as próprias forças ignorantes, Rowan rugiu para sua frota:

— *Agora, agora, agora!*

Remos bateram nas ondas, homens grunhiam ao remarem desesperadamente em direção à armada em meio ao puro caos.

Cada um dos primos atacara.

Cada um. Como se todos tivessem se encontrado e decidido arriscar a ruína juntos.

Rowan não tivera um exército próprio para dar a Aelin. Para dar a Terrasen.

Então lhe conquistara um exército. Por meio das únicas coisas que a rainha alegara querer dele.

O coração. A lealdade. A amizade.

E o príncipe feérico desejou que sua Coração de Fogo estivesse ali para ver quando a Casa de Whitethorn se chocou contra a frota de Maeve, e gelo e vento explodiram pelas ondas.

∿

Lorcan não acreditava.

Não acreditava no que via quando um terço da frota de Maeve abriu fogo contra a maioria chocada dos navios da rainha.

E sabia... sabia sem confirmar que as bandeiras oscilando naqueles navios eram prateadas.

Como quer que os tivesse convencido, quando quer que os tivesse convencido...

Whitethorn conseguira. Por ela.

Tudo aquilo por Aelin.

Rowan vociferou a ordem para que aproveitassem a vantagem, para que dividissem a armada de Maeve entre eles.

Lorcan, um pouco confuso, passou a ordem para os próprios navios.

Maeve não o permitiria. Ela limparia a linhagem Whitethorn do mapa por isso.

Mas ali estavam eles, liberando gelo e vento sobre os próprios navios, reforçados por flechas e arpões que atravessavam madeira e soldados.

Vento soprou os cabelos de Lorcan, e ele soube que Whitethorn estava empurrando a magia ao ponto máximo a fim de impulsionar os próprios navios para a batalha antes que os primos perdessem a vantagem do elemento surpresa. Tolos, todos eles.

Tolos, no entanto...

O filho de Gavriel gritava o nome de Whitethorn. Um maldito grito de vitória. Diversas e diversas vezes, os homens ecoavam o chamado.

Então a voz de Fenrys se elevou. E a de Gavriel. E a daquela rainha de cabelos vermelhos. Do rei Havilliard.

A armada disparou para a de Maeve, sol e mar e velas por toda parte, lâminas reluzindo à luz da manhã. Mesmo a subida e a descida dos remos pareciam ecoar o canto.

Para a batalha, para o derramamento de sangue, eles gritavam o nome do príncipe feérico.

Por um segundo, Lorcan se permitiu ponderar sobre aquilo — o poder da coisa que impelira Rowan a arriscar tudo. E se perguntou se talvez fosse a única força que Maeve e Erawan não veriam se aproximando.

Mas Maeve... Maeve estava naquela armada em algum lugar.

Ela retaliaria. Atacaria de volta, faria com que todos sofressem...

Rowan avançou a armada contra as linhas de frente da rainha feérica, libertando a fúria do gelo e do vento, assim como as flechas.

E onde o poder do guerreiro pausou, a magia de Dorian saltou.

Vitória improvável acabara de se tornar a sorte de um tolo. Se Whitethorn e os demais conseguissem manter a posição, e conseguissem se manter estáveis.

Lorcan se viu procurando Fenrys e Gavriel entre navios e soldados.

E percebeu que a resposta de Maeve havia chegado quando os viu, um após o outro, ficarem rígidos. Viu Fenrys dar um salto rápido e desaparecer no ar. O Lobo Branco de Doranelle imediatamente surgiu ao lado de Gavriel, fazendo homens gritarem diante da aparição repentina.

Então Fenrys segurou o braço de Gavriel, e ambos se foram de novo, os rostos contraídos. Apenas Gavriel conseguiu olhar para Lorcan antes de sumirem — os olhos pareciam arregalados em aviso. O Leão tinha apontado, depois desaparecera; eles não eram nada além de luz do sol e água do mar.

Lorcan olhou para onde Gavriel conseguira indicar, aquele pingo de desafio que provavelmente o cortara profundamente.

Seu sangue gelou.

Maeve permitia que a batalha explodisse na água porque tinha outros planos a pé. Porque sequer estava no mar.

Ela estava no litoral.

Gavriel apontara para lá. Não para a praia distante, mas para o litoral... para oeste.

Exatamente onde ele deixara Elide horas antes.

E Lorcan não se importou com a batalha, com o que tinha concordado em fazer por Whitethorn, com o que prometera ao príncipe feérico.

Fizera uma promessa a Elide primeiro.

Os soldados não foram burros o bastante para tentar impedi-lo quando ele ordenou que um deles assumisse o comando, e, em seguida, pegou um bote.

❧

Elide não conseguia ver a batalha de onde esperava, em meio às dunas de areia, a vegetação costeira farfalhando ao redor. Mas conseguia ouvir, tanto os gritos quanto os estrondos.

Ela tentou não escutar a balbúrdia da batalha, tentou, em vez disso, implorar a Anneith que guiasse os amigos. Que mantivesse Lorcan vivo e Maeve longe do guerreiro.

Mas Anneith estava por perto, pairando acima do ombro da jovem.

Veja, disse ela, como sempre dizia. *Veja, veja, veja.*

Não havia nada além de areia e água e céu azul. Nada além dos oito guardas, aos quais Lorcan ordenara que a acompanhassem, descansando nas dunas, parecendo aliviados ou contrariados por perderem a batalha que rompia nas ondas ao longo da curva da costa.

A voz assumiu um tom de urgência. *Veja, veja, veja.*

Então sumiu de vez. Não... *fugiu*.

Nuvens se acumularam, avançando do pântano. Seguindo na direção do sol que começava a subir.

Elide se levantou, escorregando um pouco na duna íngreme.

O vento açoitava e sibilava ao soprar a grama; e areia morna se tornou cinza e opaca quando aquelas nuvens passaram diante do sol. Bloqueando-o.

Algo estava chegando.

Algo ciente de que Aelin Galathynius conjurava força da luz do sol. De Mala.

A boca de Elide secou. Se Vernon a encontrasse ali... Não haveria como escapar dessa vez.

588

Os guardas nas dunas logo atrás se agitaram, reparando no estranho vento, nas nuvens. Sentindo que a iminente tempestade não tinha origem natural. Conseguiriam enfrentar os ilken por tempo suficiente até que ajuda viesse? Ou será que o tio traria mais deles dessa vez?

Mas não foi Vernon quem surgiu na praia, como se saísse de uma brisa passageira.

Não precisaria fazer nada sozinha, mas ainda havia uma escolha.

⊰ 68 ⊱

Foi pura agonia.

Pura agonia ver Nehemia, jovem, forte, sábia. Falando com Elena no pântano, em meio àquelas mesmas ruínas.

E havia a outra agonia.

Elena e Nehemia tinham se conhecido. Trabalhado juntas.

Elena fizera aqueles planos mil anos antes.

E Nehemia fora a Forte da Fenda sabendo que morreria.

Sabendo que precisaria deixar Aelin arrasada — que teria de usar a própria morte para *arrasá-la*, para que pudesse abandonar a personagem de assassina e subir ao trono.

Outra cena foi mostrada a Aelin e Manon. De uma conversa sussurrada à meia-noite nas profundezas do castelo de vidro.

Uma rainha e uma princesa encontrando-se em segredo. Como tinham feito por meses.

A rainha exigindo da princesa que pagasse o preço oferecido no pântano. Que tramasse a própria morte; que colocasse tudo aquilo em prática. Nehemia avisara a Elena que ela — que Aelin — ficaria arrasada. Pior, que cairia em um abismo de ódio e desespero tão profundo que não conseguiria sair. Não como Celaena.

Ela estivera certa.

Aelin tremia; tremia com o corpo quase invisível, tremia tanto que a pele parecia soltar dos ossos. Manon se aproximou, talvez o único conforto que a bruxa sabia oferecer: solidariedade.

Elas encararam a névoa espiralada de novo, onde as cenas — as *memórias* — se passavam.

Aelin não tinha certeza se conseguiria aguentar mais uma verdade. Mais uma revelação do quão completamente Elena vendera Dorian e ela aos deuses devido ao erro tolo que cometera, sem entender o verdadeiro propósito do Fecho, selando Erawan na tumba em vez de permitir que Brannon finalmente acabasse com aquilo — e mandasse os deuses para onde quer que chamassem de lar, arrastando o Rei Sombrio com eles.

Mandá-los para casa... usando as chaves para abrir o portão de Wyrd. E um novo Fecho para o selar para sempre.

Meu preço é inominável.

Usando *seu* poder, drenado até a última gota, *sua* vida para forjar o novo Fecho. Para empunhar o poder das chaves apenas uma vez — apenas uma vez a fim de banir a todos e selar o portão para sempre.

Memórias passaram com um lampejo.

Elena e Brannon gritando um com o outro em um quarto que Aelin não via havia dez anos: a suíte do rei no palácio de Orynth. Sua suíte... ou que teria sido sua. Um colar reluzia no pescoço de Elena, o Olho. O primeiro Fecho, que fora quebrado, o qual a mulher, naquela memória já rainha de Adarlan, parecia usar como algum tipo de lembrete da própria estupidez, da promessa aos deuses furiosos.

A discussão com o pai escalonava... até que ela lhe deu as costas. E Aelin sabia que Elena jamais retornara àquele palácio reluzente no norte.

Então a revelação sobre o tal espelho de bruxa em alguma câmara secreta de pedra, onde uma beldade de cabelos pretos, com uma coroa de estrelas, estava parada diante de Elena e Gavin, explicando como o objeto funcionava... como guardaria as memórias. Rhiannon Crochan. Manon se assustou ao vê-la, e Aelin olhou de uma para a outra.

O rosto... era o mesmo. O rosto de Manon e o de Rhiannon Crochan. As últimas rainhas Crochan — de duas eras diferentes.

Em seguida uma imagem de Brannon sozinho — a cabeça apoiada nas mãos, chorando diante de um corpo envolto em mortalha sobre um altar de pedra. A silhueta retorcida de uma idosa visível sob o tecido.

Elena, cuja graça imortal fora cedida a fim de que vivesse uma extensão de vida humana com Gavin. O pai ainda não parecia mais velho que 30 anos.

Brannon, o calor de mil forjas refletindo nos cabelos loiro-avermelhados, os dentes expostos em um grunhido ao bater um disco de metal em uma bigorna, os músculos das costas contraídos sob a pele conforme golpeava e golpeava e golpeava.

Conforme forjava o Amuleto de Orynth.

Conforme colocava uma lasca preta de pedra dentro de cada lado, então o selava, estampando o desafio em cada linha do corpo.

A seguir escrevendo a mensagem com marcas de Wyrd na parte de trás.

Uma mensagem.

Para ela.

Para sua verdadeira herdeira, caso a punição de Elena e a promessa aos deuses se concretizassem. A punição e a promessa que os tinham afastado. Que Brannon não pudera aceitar e não aceitaria. Não enquanto ainda lhe restassem forças.

Meu preço é inominável. Escrito bem ali — com marcas de Wyrd. Aquela que levava a marca de Brannon, a marca dos inomináveis, os sem nome, os nascidos bastardos... *Ela* seria o custo para acabar com isso.

A mensagem na parte de trás do Amuleto de Orynth era o único aviso que Brannon podia oferecer, o único pedido de desculpas pelo ato da filha, mesmo que contivesse dentro dele um segredo tão letal que ninguém deveria saber, que jamais poderia ser contado a ninguém.

Mas haveria pistas. Para ela. Para que terminasse o que tinham começado.

Ele construiu a tumba de Elena com as próprias mãos e entalhou as mensagens para Aelin ali também.

As charadas e as pistas. O melhor que podia oferecer para explicar a verdade enquanto mantinha as chaves escondidas do mundo, dos poderes que as usariam para governar, para destruir.

Então ele fez Mort, a aldraba da porta cujo metal lhe fora dado por Rhiannon Crochan, que acariciara a bochecha do rei antes de deixar a tumba.

A bruxa não estava presente quando Brannon escondera a lasca preta de pedra sob a joia na coroa de Elena — a segunda chave de Wyrd.

Ou quando apoiara Damaris no suporte da espada, perto do segundo sarcófago. Do rei mortal que ele odiava e que mal tolerara, tendo controlado aquele ódio apenas pelo bem da filha. Embora Gavin a tivesse levado para longe, a filha da alma de Brannon.

A última chave... ele foi até o templo de Mala.

Era onde queria mesmo acabar com aquilo desde sempre.

O fogo derretido em torno do templo era como uma canção no sangue de Brannon, um chamado. Um canto de boas-vindas.

Apenas aqueles com os dons do rei — os dons *dela* — conseguiriam chegar até ali. Mesmo as sacerdotisas não podiam acessar a ilha no coração do rio derretido. Apenas a herdeira de Brannon seria capaz de fazer aquilo. Ou quem quer que tivesse outra chave.

Então ele colocou a chave que restava sob uma pedra de pavimentação.

E entrou no rio derretido, indo ao coração em chamas da amada.

E Brannon, rei de Terrasen, Senhor do Fogo, não emergiu de novo.

Aelin não sabia por que a surpreendia poder chorar naquele corpo. Que aquele corpo tivesse lágrimas para derramar.

Mas ela as derramava por Brannon. Que sabia o que Elena prometera aos deuses... e se revoltara contra aquilo, contra passar aquele fardo para um de seus descendentes.

O rei fizera o possível por ela. Para suavizar o golpe daquela promessa, pois não conseguia mudar por completo seu curso. Para dar a Aelin uma chance de lutar.

Meu preço é inominável.

— Não entendo o que isso quer dizer — falou Manon, baixinho.

Aelin não tinha palavras para explicar. Não conseguira contar a Rowan.

Então Elena surgiu, tão real quanto elas, e encarou a luz dourada esmaecida do templo de Mala conforme a memória se dissipou.

— Desculpe — pediu ela a Aelin.

Manon enrijeceu o corpo quando a mulher se aproximou, recuando um passo, deixando o lado de Aelin.

— Era a única forma — explicou Elena. Exibia dor verdadeira nos olhos. Arrependimento.

— Foi uma escolha, ou fui selecionada apenas para poupar a preciosa linhagem de Gavin? — A voz que saiu da garganta de Aelin era áspera, cruel.

— Por que derramar sangue Havilliard, afinal de contas, quando se pode voltar aos velhos hábitos e escolher outro para carregar o fardo?

Elena se encolheu.

— Dorian não estava pronto. Você estava. A escolha que Nehemia e eu fizemos foi para nos certificarmos de que as coisas aconteceriam de acordo com os planos.

— De acordo com os planos — sussurrou a jovem. — De acordo com todas as suas maquinações para me fazer limpar a bagunça que *você começou com seu maldito roubo e sua covardia?*

— Eles queriam que eu sofresse — disse Elena. — E sofri. Sabendo que você precisaria fazer isso, carregar esse fardo... Foi uma interminável destruição de minha alma durante mil anos. Foi tão fácil dizer sim, imaginar que você seria uma estranha, alguém que não precisaria saber a verdade, apenas estar no lugar certo com o dom certo, mas... mas eu estava errada. Eu estava tão errada. — Ela ergueu as mãos diante de si, as palmas para cima. — Achei que Erawan se levantaria e que o mundo o enfrentaria. Não sabia... Não sabia que a escuridão recairia. Não sabia que sua terra sofreria. Sofreria do jeito que tentei evitar que a minha sofresse. E havia tantas vozes... tantas vozes mesmo antes de Adarlan ser conquistada. Foram aquelas vozes que me acordaram. As vozes daqueles desejando uma resposta, desejando ajuda. — Os olhos de Elena se voltaram para Manon, então de volta para Aelin. — Eram de todos os reinos, todas as raças. Humanas, bruxas, feéricas... Mas teciam uma tapeçaria de sonhos, todas implorando por uma coisa... Um mundo melhor.

"Então você nasceu. E, com aquelas chamas, era uma resposta à escuridão que se reunia. As chamas de meu pai e o poder de minha mãe, renascida por fim. E você era forte, Aelin. Tão forte e tão vulnerável. Não às ameaças externas, mas à ameaça de seu coração, ao isolamento de seu poder. Ainda assim, havia aqueles que a conheciam pelo que era, pelo que podia oferecer. Seus pais, a corte deles, seu tio-avô... E Aedion. Aedion sabia que você era a Rainha Que Foi Prometida sem saber o que isso significava, sem saber nada a seu respeito, ou sobre mim, ou o que fiz para poupar meu povo."

As palavras a atingiram como pedras.

— A Rainha Que Foi Prometida — repetiu Aelin. — Mas não para o mundo. E sim para os deuses... para as chaves.

Para pagar o preço. Para ser o sacrifício e selar o portão enfim.

A aparição de Deanna não fora apenas para dizer a ela como usar o espelho, mas para lembrá-la de que *pertencia* a eles. De que tinha uma dívida com eles.

— Não sobrevivi naquela noite no rio Florine por pura sorte, não foi? — perguntou Aelin, baixo demais.

Elena balançou a cabeça.

— Nós não...

— Não — disparou ela. — *Mostre.*

A mulher engoliu em seco. Então as névoas ficaram escuras e coloridas, e o próprio ar em torno foi envolto em gelo.

Galhos se quebrando, respiração ofegante interrompida por soluços em busca de fôlego, passos leves soando sobre arbustos espinhentos e vegetação rasteira. O cavalgar poderoso de um cavalo se aproximando...

Aelin se obrigou a ficar imóvel quando aquele familiar bosque congelado surgiu, exatamente como se lembrava. Quando *ela* apareceu, tão pequena e jovem, com a camisola branca rasgada e enlameada, os cabelos selvagens, os olhos brilhando com terror e luto tão profundos que a destruíram por completo. Desesperada para chegar ao rio barulhento adiante, à ponte...

Lá estavam as colunas e a floresta do outro lado. O santuário da criança...

Manon xingou baixinho conforme Aelin Galathynius se atirou entre as colunas da ponte, percebendo então que a ponte fora cortada... e mergulhando no rio revolto e semicongelado abaixo.

Tinha se esquecido de como a queda fora longa. De como o rio escuro era violento, das corredeiras brancas iluminadas pela lua gélida acima.

A imagem se transformou: estava escuro, e silencioso, e elas foram giradas, diversas e diversas vezes, conforme o rio a sacudia com sua ira.

— Houve tanta morte — sussurrou Elena ao observarem Aelin ser atirada e revirada e arrasada pelo rio.

O frio era esmagador.

— Tanta morte e tantas luzes se apagaram — continuou a mulher, com a voz falhando. — Você era tão pequena. E lutou... lutou tanto.

E ali estava ela, tentando se agarrar à água, chutando e se debatendo, tentando chegar à superfície, ao ar, e ela conseguia sentir os pulmões entrando em colapso, sentia a pressão se acumulando...

Então luz tremeluziu do Amuleto de Orynth que lhe pendia do pescoço, símbolos esverdeados chiavam como bolhas em torno de Aelin.

Elena se colocou de joelhos, observando o amuleto brilhar sob a água.

— Queriam que eu a levasse naquele momento. Estava com o Amuleto de Orynth, todos achavam que estava morta, e o inimigo se distraía com o massacre. Eu poderia levá-la, ajudá-la a encontrar as duas outras chaves. Eu tinha permissão de ajudar, de fazê-lo. E, depois que conseguíssemos as duas outras chaves, eu deveria forçá-la a forjar um novo Fecho. A usar cada última gota de *você* para fazer aquele Fecho, para conjurar o portão, colocar as chaves de volta, mandá-los para casa e acabar com tudo. Você tinha poder suficiente, mesmo então. Fazer isso a mataria, mas provavelmente já estava morta de qualquer modo. Aí me deixaram formar um corpo, para buscá-la.

Elena tomou fôlego e estremeceu quando uma figura mergulhou na água. Uma mulher linda, de cabelos prateados, com um vestido antigo. Ela pegou Aelin pela cintura, puxando a menina mais e mais para cima.

As duas chegaram à superfície do rio, onde estava escuro e barulhento e selvagem. A menina só conseguiu segurar o tronco para o qual Elena a empurrou, cravar as unhas na madeira ensopada, agarrando-se ali enquanto era carregada rio abaixo, para as profundezas da noite.

— Eu hesitei — sussurrou Elena. — Você se agarrou àquele tronco com toda a força. Tudo lhe fora tomado, *tudo*, e mesmo assim lutou. Não cedeu. E eles me disseram para correr, porque, mesmo então, o poder para me manter naquele corpo sólido se extinguia. Disseram para apenas pegá-la e partir, mas... hesitei. Esperei até que chegasse à margem daquele rio.

Lama e junco e árvores pairavam acima; neve ainda cobria a margem íngreme do rio.

Aelin se viu rastejar para fora da margem, um centímetro doloroso após o outro, e sentiu a lama fantasma e gelada sob as unhas, sentiu o corpo congelado e partido quando desabou na terra, estremecendo diversas vezes.

Quando o frio letal a agarrou enquanto Elena se puxava para a margem do rio ao lado da criança.

Quando Elena avançou para ela, gritando seu nome, frio e choque a tomando...

— Achei que o perigo seria se afogar — sussurrou a mulher. — Não percebi que ficar no frio por tanto tempo...

Os lábios haviam ficado azuis. Aelin observou o próprio peito pequeno subir e descer, subir...

Então parou de se mover de vez.

— Você morreu — sussurrou Elena. — Bem ali, você morreu. Tinha lutado tanto, e fracassei com você. E naquele momento não me importei por ter, de novo, fracassado com os deuses, nem com minha promessa de acertar as coisas, nem com nada disso. Só consegui pensar... — Lágrimas escorreram do rosto da mulher. — Só consegui pensar em como era injusto. Você nem mesmo tinha vivido, nem mesmo tivera uma chance... E todas aquelas pessoas, que tinham desejado e esperado por um mundo melhor... Você não estaria lá para lhes dar isso.

Pelos deuses.

— Elena — sussurrou Aelin.

A rainha de Adarlan soluçava nas mãos, mesmo enquanto sua antiga versão sacudia a pequena Aelin diversas vezes. Tentando acordar a menina, tentando reanimar o pequeno corpo que desistira.

A voz de Elena falhou.

— Eu não podia permitir aquilo. Não podia suportar. Não por causa dos deuses, mas... mas por você.

Luz acendeu a mão da mulher, em seguida o braço, então o corpo inteiro. Fogo. Elena se enroscou em Aelin, derretendo a neve ao redor com o calor, secando os cabelos encrustados em gelo.

Lábios que eram azuis se tornaram cor-de-rosa. E um peito que tinha parado de respirar se erguia novamente.

Escuridão se dissipou para a luz cinzenta do alvorecer.

— E assim eu os desafiei.

Elena apoiou Aelin entre os juncos e as rosas, avaliando o rio, o mundo.

— Eu sabia quem tinha uma propriedade perto daquele rio, tão longe de seu lar que seus pais tinham tolerado sua presença, contanto que não fosse burro o suficiente para causar problemas.

Elena, mera faísca de luz, puxou Arobynn de um sonho profundo enquanto dormia em sua antiga residência em Terrasen. Como se estivesse em transe, ele calçou as botas, com os cabelos vermelhos reluzindo à luz do alvorecer, montou o cavalo e disparou pelo bosque.

Tão jovem, o antigo mestre de Aelin. Apenas alguns anos mais velho que ela no momento.

O cavalo parou, como se uma mão invisível tivesse puxado a rédea, e o assassino observou o rio revolto, as árvores, como se procurasse algo que nem mesmo sabia que estava lá.

Mas ali estava Elena, invisível à luz do sol, agachada no junco quando os olhos de Arobynn recaíram sobre a pequena figura imunda e inconsciente na margem do rio. Ele desceu do cavalo com graciosidade felina e tirou o manto ao se colocar de joelhos na lama para sentir a respiração de Aelin.

— Eu sabia o que ele era, o que provavelmente faria com você. Que treinamento receberia. Mas era melhor que estar morta. E, se pudesse sobreviver, se pudesse crescer forte, se tivesse a chance de chegar à vida adulta, achei que talvez pudesse dar àquelas pessoas que tinham desejado e sonhado com um mundo melhor... pelo menos dar a elas uma chance. Ajudá-las antes que a dívida fosse cobrada de novo.

As mãos de Arobynn hesitaram ao reparar no Amuleto de Orynth.

Ele tirou a joia com cuidado do pescoço da menina e a colocou no bolso. Gentilmente, Arobynn a colocou nos braços e a carregou pela margem do rio, para o cavalo que o esperava.

— Você era tão jovem — repetiu Elena. — E mais que os sonhadores, mais que a dívida... Eu queria dar tempo a você. Para ao menos saber como era viver.

Com a voz rouca, Aelin indagou:

— Qual foi o preço, Elena? O que lhe fizeram por causa disso?

Ela se abraçou conforme a imagem de Arobynn montando o cavalo com Aelin nos braços se dissipou. Névoa rodopiou de novo.

— Quando estiver terminado — Elena conseguiu dizer —, eu também vou. Pelo tempo que ganhei para você, quando o jogo acabar, minha alma será derretida de volta à escuridão. Não verei Gavin ou meus filhos ou meus amigos... Irei embora. Para sempre.

— Sabia disso antes de...

— Sim. Eles me disseram, várias e várias vezes. Mas... Não consegui. Não consegui fazer aquilo.

Aelin caiu de joelhos diante da rainha, pegando o rosto manchado de lágrimas de Elena entre as mãos.

— Meu preço é inominável — disse Aelin, a voz falhando.

Elena assentiu.

— O espelho era apenas isso... um espelho. Um jeito de trazê-la aqui. Para que pudesse entender tudo que fizemos. — *Era apenas um pedaço de metal e vidro*, dissera ela quando Aelin a tinha convocado em baía da Caveira. — Mas agora está aqui e viu. Agora entende o custo. De forjar um novo Fecho, de colocar as três chaves de volta no portão...

Uma marca brilhou na testa de Aelin, aquecendo a pele. A marca do bastardo de Brannon.

A marca dos inomináveis.

— O sangue de Mala precisa ser usado... seu poder precisa ser usado. Cada gota de magia, de sangue. Você é o custo... de fazer um novo Fecho e selar as chaves no portão. Para deixar o portão de Wyrd inteiro.

— Eu sei — falou Aelin, baixinho. Ela já sabia havia um tempo.

Estava se preparando para isso da melhor forma que podia. Preparando as coisas para os demais.

— Tenho duas chaves. Se conseguir encontrar a terceira, roubá-la de Erawan... virá comigo? Me ajudará a acabar com isso de uma vez por todas? — perguntou Aelin.

Virá comigo, para que eu não esteja sozinha?

Elena assentiu, mas sussurrou:

— Desculpe.

A jovem retirou as mãos do rosto da rainha, respirando fundo e estremecendo.

— Por que não me contou... desde o início?

Aelin tinha a vaga sensação de que Manon observava em silêncio atrás delas.

— Você mal tinha saído da escravidão — explicou Elena. — Quase não conseguia se recompor, tentava tanto fingir que ainda era forte e estava inteira. Havia um limite para o quanto eu podia orientá-la, empurrá-la adiante. O espelho foi forjado e escondido para um dia lhe mostrar tudo isso. De uma forma que eu não podia contar, não quando só conseguia alguns minutos por vez.

— Por que me disse para ir a Wendlyn? Maeve é uma ameaça tão grande quanto Erawan.

Olhos azuis gélidos encararam os de Aelin por fim.

— Eu sei. Há muito tempo Maeve deseja recuperar as chaves. Meu pai acreditava que era para algo diferente de conquista. Algo mais sombrio, pior. Não sei por que ela só começou a caçá-las depois que você chegou. Mas eu a enviei a Wendlyn para que se curasse. E para que... o encontrasse. Aquele que a esperava havia tanto tempo.

O coração de Aelin se partiu.

— Rowan.

Elena assentiu.

— Ele era uma voz no vazio, um sonhador secreto e em silêncio. Assim como os companheiros. Mas o príncipe feérico, ele era...

Aelin conteve o choro.

— Eu sei. Faz um tempo que sei.

— Queria que conhecesse aquela alegria também — sussurrou ela. — Por mais breve que fosse.

— E conheci. — Foi o que a jovem conseguiu dizer. — Obrigada.

Elena cobriu o rosto ao ouvir aquelas palavras, estremecendo. Mas depois de um momento, analisou Aelin, então Manon, ainda silenciosa e observando.

— O poder do espelho de bruxa está se esvaindo; não as segurará aqui por muito mais tempo. Por favor, deixe-me mostrar o que precisa ser feito. Como acabar com isso. Não conseguirá me ver depois, mas... estarei com você. Até o fim, a cada passo, estarei com você.

Manon apenas colocou a mão na espada quando Aelin engoliu em seco e disse:

— Mostre então.

E Elena mostrou. Ao terminar, Aelin ficou em silêncio. Manon caminhava de um lado para o outro, grunhindo baixinho.

Mesmo assim, Aelin não relutou quando Elena se abaixou para lhe beijar a testa, onde aquela maldita marca estivera durante a vida inteira. Um pedaço de gado, marcado para o abatedouro.

A marca de Brannon. A marca do bastardo... o inominável.

Meu preço é inominável. Para garantir um futuro a eles, ela pagaria.

Tinha feito o máximo possível para colocar as coisas em ação, para se assegurar de que, depois que tivesse partido, ajuda ainda viria. Era a única coisa que podia dar a eles, o último presente para Terrasen. Para aqueles que amava com o coração de fogo selvagem.

Elena lhe acariciou a bochecha. Então a rainha antiga e a névoa sumiram.

Luz do sol as envolveu, ofuscando Aelin e Manon tão violentamente que as duas sibilaram e se chocaram uma contra a outra. A maresia, o quebrar de ondas próximas e o farfalhar de vegetação costeira as receberam. E mais além, distante: o clamor e os gritos de uma guerra deflagrada.

Estavam nos limites do pântano, na própria praia, enquanto a batalha estava a milhas e milhas no mar. Deviam ter viajado pelas névoas, de alguma forma...

Um riso suave e feminino rastejou pela vegetação. Aelin conhecia aquela risada.

E soube que, de alguma maneira, talvez não tivessem viajado pela névoa...

Mas tivessem sido colocadas ali. Por quaisquer que fossem as forças em ação, quaisquer que fossem os deuses assistindo.

Para que estivessem no campo arenoso diante do mar turquesa, nas dunas próximas de onde os guardas usando armaduras de penhasco dos Arbustos haviam sido assassinados e ainda sangravam. Para que estivessem de pé diante da rainha Maeve dos feéricos.

E de Elide Lochan de joelhos à frente desta... com a lâmina de um guerreiro feérico na garganta.

❧ 69 ❧

Aedion enfrentara exércitos, enfrentara a morte mais vezes do que conseguia contar, mas aquilo...

Mesmo com o que Rowan havia feito... os navios inimigos ainda os superavam em número.

A batalha naval se tornara perigosa demais, e os possuidores de magia estavam muito cientes de Lysandra para permitir que ela atacasse sob as ondas.

Então a metamorfa lutava violentamente ao lado de Aedion na forma de leopardo-fantasma, derrubando qualquer guerreiro feérico que tentasse subir a bordo do navio. Qualquer soldado que conseguisse passar pela armadura devastadora da magia de Rowan e de Dorian.

O pai de Aedion partira. Fenrys e Lorcan também. Ele vira Gavriel pela última vez no tombadilho de um dos navios sob o comando deste, uma espada em cada mão, o Leão pronto para matar. E, como se sentisse o olhar do filho, ele envolvera Aedion com uma parede de luz dourada.

O general não era burro para exigir que Gavriel retirasse esse escudo. Ainda mais quando a proteção havia encolhido mais e mais, cobrindo-o como uma segunda pele.

Minutos depois, o pai se fora; desaparecera. Mas o escudo de magia permanecera.

Esse fora o início da guinada que deram, voltando à defensiva porque estavam em menor número e o combate imortais *versus* mortais cobrava seu preço.

Aedion não tinha dúvidas de que Maeve tinha algo a ver com aquilo. Mas aquela vadia não era problema seu.

Não, seu problema era a armada em volta; o problema era o fato de que os soldados inimigos enfrentados eram altamente treinados e não caíam facilmente. O problema era que o braço que segurava a espada doía, o escudo estava cravejado de flechas e amassado e, ainda assim, mais daqueles navios se estendiam ao longe.

O general não se permitiu pensar em Aelin, em onde ela estaria. Os instintos feéricos latejaram diante do estrondo da magia de Rowan e de Dorian se elevando e, então, golpeando o flanco inimigo. Navios se partiram no rastro daquele poder; guerreiros se afogaram sob o peso das armaduras.

O próprio navio oscilou, afastando-se daquele que estavam atacando graças à torrente de poder, e Aedion usou o momento de alívio a fim de se voltar para Lysandra. Estava coberto de sangue, dos próprios ferimentos e daqueles por ele infligidos, e o vermelho se misturava ao suor da pele.

— Quero que fuja — disse ele à metamorfa.

Ela voltou a cabeça peluda na direção de Aedion, e os pálidos olhos verdes se semicerraram levemente. Sangue e vísceras lhe escorriam da mandíbula, pingando nas tábuas de madeira.

O general se fixou naquele olhar.

— Se transforme em um pássaro ou uma mariposa ou um peixe, não dou a mínima, e vá. Se estivermos prestes a cair, fuja. Isto é uma ordem.

Lysandra sibilou, como se dissesse: *Você não me dá ordens.*

— Tecnicamente sou seu superior — argumentou Aedion, descendo a espada contra o escudo a fim de livrá-lo de duas flechas cravadas ali, quando se moveram outra vez na direção de um novo navio abarrotado de guerreiros feéricos descansados. — Então fuja. Ou lhe darei uma surra no Além-mundo.

Lysandra seguiu para cima dele. Um homem inferior poderia ter recuado da aproximação de um predador daquele tamanho. Alguns dos soldados o fizeram.

Mas o general continuou onde estava enquanto ela se erguia sobre as patas traseiras, apoiando as enormes patas dianteiras nos ombros de Aedion, e aproximava o rosto felino ensanguentado do dele. Os bigodes úmidos estremeceram.

Ela se inclinou e tocou com o focinho na bochecha do general, então no pescoço.

Depois voltou trotando para o lugar dela, jorrando sangue sob as patas silenciosas.

Quando a metamorfa ousou olhar na direção do guerreiro, cuspindo sangue no deque, Aedion disse, baixinho:

— Da próxima vez faça isso na forma humana.

A cauda felpuda apenas se enroscou um pouco em resposta.

O navio oscilou novamente na direção do agressor, e a temperatura desabou, por causa de Rowan ou de Dorian ou de um dos nobres Whitethorn, Aedion não soube dizer. Tiveram sorte por Maeve ter levado uma frota cujos possuidores de magia descendiam na maioria da linhagem de Rowan.

O general se preparou, afastando os pés quando vento e gelo romperam pelas linhas inimigas. Soldados feéricos, que talvez tivessem sido comandados pelo próprio príncipe feérico, gritaram. Mas Rowan e Dorian golpearam incessantemente.

Fileira após fileira, os dois disparavam seu poder contra a frota de Maeve.

Ainda assim, mais navios passavam por eles, atacando Aedion e os demais. Ansel de penhasco dos Arbustos segurava o flanco esquerdo, e... as fileiras permaneciam no lugar. Embora a armada de Maeve os superasse em números.

O primeiro soldado feérico que passou pelo corrimão do navio seguiu direto para Lysandra.

Foi o último erro que o macho cometeu.

Ela saltou, desviando da guarda deste, e fechou o maxilar no pescoço do sujeito.

Ossos foram esmagados, e sangue jorrou.

O general pulou para a frente a fim de atacar o soldado seguinte que subiu o corrimão, atravessando os ganchos de agarramento que arquearam e caíram.

Aedion se perdeu em uma tranquilidade letal, com um olho na metamorfa, também protegida pelo escudo dourado do pai do general e derrubando soldado após soldado.

Morte chovia sobre ele.

O general não se permitiu pensar em quantos restaram. Quantos Rowan e Dorian haviam derrubado conforme as ruínas dos navios afundavam ao redor, sufocando o mar com sangue e espuma.

Então Aedion continuou matando.

E matando.

E matando.

O hálito de Dorian queimava sua garganta, a magia estava lenta, e uma dor de cabeça pulsava nas têmporas do rei, mas ele continuava liberando o poder sobre as linhas inimigas enquanto soldados lutavam e morriam a sua volta.

Tantos. Tantos guerreiros treinados, alguns escassos eram abençoados com magia — e a usavam para passar por eles.

O rapaz não ousou ver como os demais estavam se saindo. Só ouvia rugidos e grunhidos de ira, gritos de pessoas morrendo e o ranger de madeira e o estalar de cordas. Nuvens tinham se formado acima, bloqueando o sol.

A magia de Dorian cantava conforme congelava a vida dos navios, a vida dos soldados, conforme se banhava na morte. Mas ainda assim fraquejava. Ele perdera a conta de quanto tempo se passara.

Mesmo assim, eles continuavam vindo. E, mesmo assim, Manon e Aelin não retornavam.

Rowan sustentava a linha de frente, com armas inclinadas, à espera de qualquer soldado burro o suficiente para se aproximar. Mas havia soldados demais ultrapassando a magia deles. Soldados demais constantemente os sobrepujando.

Assim que o pensamento lhe ocorreu, o grito de dor de Aedion cruzou as ondas.

Um rugido de raiva o imitou. Será que ele...

O gosto acobreado de sangue cobria a boca de Dorian — o esgotamento. Outro rugido, grave e alto, partiu o mundo. Ele se preparou, reunindo a magia talvez pela última vez.

O rugido soou de novo quando uma forma poderosa disparou pelas nuvens pesadas.

Uma serpente alada. Uma serpente alada com asas reluzentes.

E atrás dela, descendo sobre a frota feérica com um prazer malicioso, mais doze voavam.

❧ 70 ❧

Lysandra conhecia aquele rugido.

E lá estava Abraxos, mergulhando das nuvens pesadas, com mais doze serpentes aladas e suas montadoras logo atrás.

Bruxas Dentes de Ferro.

— *Não atirem!* — gritou Rowan, à meia dúzia de navios de distância, para os arqueiros que apontaram as poucas flechas restantes contra a bruxa de cabelos dourados mais próxima de Abraxos, montada em uma serpente alada azul-pálida que emitia um grito de guerra.

As outras bruxas e serpentes aladas soltaram o inferno sobre os feéricos, esmagando as fileiras convergentes, cortando cordas de amarração, garantindo a eles um momento de alívio. Como sabiam quem atacar, para que lado lutar...

Abraxos e mais onze serpentes aladas se voltaram para o norte com um movimento suave, então mergulharam contra a frota inimiga em pânico. A montadora de cabelos dourados, no entanto, disparou para o navio de Lysandra, aterrissando graciosamente com a montaria azul-celeste na proa.

A bruxa usava uma faixa de couro preto trançada na testa e era linda. Sem se referir a ninguém em particular, ela demandou:

— Onde está Manon Bico Negro?

— Quem é você? — indagou Aedion, a voz rouca. Mas exibia reconhecimento nos olhos, como se lembrasse daquele dia no templo de Temis...

A bruxa sorriu, revelando dentes brancos, embora ferro reluzisse nas pontas dos dedos.

— Asterin Bico Negro, a seu serviço. — Ela verificou os navios em batalha. — Onde está Manon? Abraxos nos guiou...

— É uma longa história, mas ela está aqui — gritou o general por cima da confusão. Lysandra se aproximou devagar, avaliando a bruxa, assim como a aliança que causava o caos sobre as fileiras feéricas. — Se você e suas Treze nos salvarem, bruxa — disse Aedion —, contarei o que quiser.

Um sorriso malicioso e uma inclinação de cabeça.

— Então limparemos o campo para você.

Em seguida, Asterin e a serpente alada dispararam para cima, irrompendo entre ondas, seguindo para onde as demais lutavam.

Com a aproximação da bruxa, as serpentes aladas e as montadoras recuaram, subindo alto no ar para entrar em formação. Um martelo prestes a golpear.

E os feéricos sabiam. Começaram a projetar escudos frágeis, disparando descontroladamente na direção das criaturas, a mira descuidada devido ao pânico. Mas as bestas estavam envoltas em armaduras — armaduras eficientes e lindas.

As Treze riram do inimigo ao se chocarem contra o flanco sul.

Lysandra queria ainda ter forças para se transformar... uma última vez. Para se juntar a elas naquela gloriosa destruição.

As Treze arrebanharam os navios em pânico entre elas, destruindo-os, usando cada arma de seu arsenal; serpentes aladas, lâminas, dentes de ferro. Os que conseguiam passar por elas recebiam a piedade brutal da magia de Rowan e de Dorian. E os que passavam por aquela magia...

Lysandra encontrou o olhar salpicado de sangue de Aedion. O príncipe-general deu um sorriso daquele jeito insolente, fazendo uma excitação mais selvagem que aquela provocada pela sede de sangue disparar por ela.

— Não queremos que as bruxas nos deixem com uma imagem ruim, não é?

A metamorfa devolveu o sorriso e retornou à luta.

❦

Não havia muitos mais.

A magia de Rowan estava tensa ao ponto de se partir, o pânico era como um rugido constante no fundo de sua mente, mas o príncipe continuava atacando, continuava golpeando com as lâminas qualquer um que passasse pelo vento e pelo gelo, ou pelos golpes de puro poder descontrolado de Dorian. Fenrys, Lorcan e Gavriel tinham ido embora uma hora antes ou vidas antes, desaparecendo, sem dúvida, para onde quer que Maeve os tivesse convocado, mas a armada se mantinha firme. Quem quer que fossem os homens de Ansel de penhasco dos Arbustos, eles não se acovardavam diante de guerreiros feéricos. E não desconheciam derramamentos de sangue. Assim como os homens de Rolfe. Nenhum fugiu.

As Treze continuavam lançando destruição sobre a frota em pânico de Maeve. Asterin Bico Negro disparava comandos de uma altura muito acima, e as doze bruxas irrompiam pelas linhas inimigas com determinação feroz e inteligente. Se uma única aliança lutava daquele jeito, então um exército delas...

Rowan trincou os dentes quando os navios restantes decidiram ser mais inteligentes que os companheiros mortos e começaram a se afastar. Se Maeve tivesse dado a ordem de retirada...

Que pena. Uma pena mesmo. Ele mesmo mandaria o navio da rainha para a escuridão.

O príncipe feérico deu a Asterin um assobio agudo ao vê-la passar acima novamente, reunindo as Treze. A bruxa assobiou de volta em confirmação. As bruxas se lançaram atrás da armada em fuga.

A batalha arrefecia, ondas vermelhas cheias de escombros fluíam com a rápida maré.

Rowan deu a ordem ao capitão para que mantivesse as fileiras e lidasse com qualquer estupidez da armada de Maeve se algum navio decidisse não dar meia-volta.

Com as pernas trêmulas, os braços tremendo tanto que tinha medo de não conseguir pegar as armas de volta caso as soltasse, o guerreiro se transformou e voou alto.

Os primos se juntaram às Treze na perseguição à frota que tentava fugir. Rowan evitou a ânsia de contar. Mas... voou mais alto, procurando.

Havia apenas um barco faltando.

Um barco no qual ele velejara e lutara em outras guerras e jornadas.

O navio de guerra pessoal de Maeve, o *Rouxinol*, não estava à vista.

Não estava entre a frota em retirada que se defendia dos nobres Whitethorn e das Treze.

Não estava entre os cascos que afundavam, sangrando na água.

O sangue de Rowan esfriou. Mas ele mergulhou rápido e com determinação em direção ao navio de Aedion e de Lysandra, onde sangue cobria o deque com uma camada tão espessa que ondulou quando ele se transformou e aterrissou ali.

O general estava coberto em sangue, tanto dele quanto de outros; Lysandra vomitava um estômago cheio também. Rowan conseguiu obrigar as pernas a contornar os feéricos caídos. Ele não olhou com muita atenção para os rostos.

— Ela voltou? — perguntou Aedion, imediatamente, encolhendo-se ao colocar peso sobre a coxa. O guerreiro analisou o ferimento do irmão. Precisaria curá-lo em breve, assim que a magia se reabastecesse. Em um lugar como aquele, nem mesmo o sangue feérico conseguiria manter a infecção longe por muito tempo.

— Não sei — respondeu o príncipe.

— *Encontre-a* — grunhiu o general, tirando os olhos de Rowan apenas para observar Lysandra se transformar em humana, apenas para passar os olhos pelos ferimentos que a manchavam.

A pele de Rowan parecia tensa sobre os ossos. Tinha a sensação de que o chão estava prestes a deslizar de sob seus pés quando Dorian surgiu no corrimão do convés principal, o rosto lívido e macilento, sem dúvida depois de usar o que restava da magia para impulsionar um bote longo até eles, e disse, ofegando:

— A costa. Aelin está na costa para onde mandamos Elide... todos estão.

Isso ficava a quilômetros dali. Como tinham chegado lá?

— Como você sabe disso? — indagou Lysandra, prendendo o cabelo com dedos ensanguentados.

— Porque consigo sentir algo lá fora — explicou Dorian. — Chamas e sombras e morte. Como Lorcan e Aelin e outra pessoa. Uma pessoa antiga. Poderosa. — Rowan tentou se preparar para o que viria em seguida, mas, mesmo assim, não estava pronto para o puro terror conforme o rapaz acrescentou: — E fêmea.

Maeve as encontrara.

A batalha não visara a nenhum tipo de vitória ou conquista.

Mas uma distração. Enquanto Maeve saía escondida para obter o verdadeiro prêmio.

Jamais chegariam rápido o bastante. Se ele voasse sozinho, com a magia já esgotada até quase se partir, seria de pouca utilidade. Teriam mais chances, *Aelin* teria mais chances, se todos estivessem lá.

Rowan se virou para o horizonte atrás deles — para as serpentes aladas que destruíam o restante da frota. Remar levaria tempo de mais; sua magia estava exaurida. Mas uma serpente alada... Poderia funcionar.

⊰ 71 ⊱

A rainha dos feéricos era exatamente como Aelin se lembrava. Vestes escuras diáfanas, um lindo rosto pálido sob cabelos ônix, lábios vermelhos em um leve sorriso... Nenhuma coroa lhe adornava a cabeça, pois todos que respiravam, mesmo os mortos que dormiam, a reconheceriam pelo que era.

Sonhos e pesadelos que tomavam forma; a face escura da lua.

E ajoelhada diante de Maeve, com uma sentinela de expressão rígida segurando uma lâmina contra seu pescoço, Elide tremia. Os guardas, todos homens do exército de Ansel, provavelmente foram mortos antes que pudessem gritar em aviso. Pelo estado das armas, apenas em parte desembainhadas, não tiveram sequer a chance de lutar.

Manon ficara imóvel como a morte ao ver Elide, libertando as unhas de ferro.

Aelin forçou um meio sorriso à boca conforme empurrou o coração partido e sangrando para uma caixa bem no fundo do peito.

— Não é tão impressionante quanto Doranelle, se quer saber minha opinião, mas pelo menos um pântano reflete mesmo sua verdadeira natureza, sabia? Será um novo lar maravilhoso. Definitivamente vale o custo de vir até aqui para conquistá-lo.

Na beira da colina que levava à praia, um pequeno grupo de guerreiros feéricos os monitoravam. Machos e fêmeas, todos armados, todos desconhecidos. Um imenso navio elegante flutuava na calma baía além.

Maeve deu um leve sorriso.

— Que alegria descobrir que seu bom humor habitual não foi maculado por dias tão sombrios.

— Como poderia, quando tantos de seus lindos machos estão em minha companhia?

A rainha feérica inclinou a cabeça, deslizando a cortina pesada de cabelos escuros por um ombro. E, como se em resposta, Lorcan surgiu no limite das dunas, ofegante, de olhos desesperados e com a espada em punho. A concentração — e o horror, percebeu Aelin — estava em Elide. Na sentinela que segurava a lâmina contra o pescoço branco da jovem. Maeve deu um sorrisinho para o guerreiro, então olhou para Manon.

Com a atenção da rainha feérica em outro lugar, Lorcan se posicionou ao lado de Aelin... como se fossem, de alguma forma, aliados naquilo, como se fossem lutar costas a costas. Ela não se incomodou em falar qualquer coisa ao guerreiro. Não quando Maeve disse à bruxa:

— Conheço seu rosto.

Aquele rosto permaneceu frio e impassível.

— Solte a garota.

Uma risada baixa, rouca.

— Ah. — O estômago de Aelin se revirou quando aquela concentração antiga se voltou para Elide. — Reivindicada por rainha e bruxa e... meu braço direito, ao que parece.

Aelin ficou tensa. Percebeu que Lorcan mal respirava a seu lado.

Maeve brincou com uma mecha dos cabelos esmaecidos de Elide. A Lady de Perranth estremeceu.

— A garota que Lorcan Salvaterre me convocou para salvar.

Aquela onda de poder no dia em que a frota de Ansel se aproximara... Ela sabia que era uma convocação. Assim como ela convocara os valg para baía da Caveira. Ela se recusara a explicar imediatamente a presença de Ansel, pois queria aproveitar a surpresa, então ele convocara a armada de Maeve para enfrentar o que acreditava ser uma frota inimiga. Para salvar Elide.

— Desculpe — disse Lorcan apenas.

Aelin não sabia se o pedido era para ela ou Elide, cujos olhos se arregalavam em indignação. Mesmo assim, Aelin falou:

— Acha que eu não sabia? Que não tomei precauções?

As sobrancelhas de Lorcan se franziram. Ela deu de ombros.

Então Maeve continuou:

— Lady Elide Lochan, filha de Cal e Marion Lochan. Não é surpresa que a bruxa queira muito recuperá-la, se a linhagem dela corre em suas veias.

Manon grunhiu um aviso.

— Bem — disse Aelin à rainha feérica. — Não arrastou sua carcaça velha até aqui por nada. Então vamos logo ao que interessa. O que quer pela garota?

Aquele sorriso de víbora contraiu os lábios de Maeve outra vez.

∾

Elide tremia; cada osso, cada poro tremia de terror pela rainha imortal de pé acima da jovem, pela lâmina do guarda em seu pescoço. O restante da escolta feérica permaneceu distante; mas era para lá que Lorcan ficava olhando, o rosto tenso, o corpo quase trêmulo com ira contida.

Era aquela a rainha para quem ele dera o coração? Aquela criatura fria que olhava para o mundo com olhos impiedosos? Que matara aqueles soldados sem um pingo de hesitação?

A rainha que Lorcan convocara para *ela*. Ele trouxera Maeve para *salvar* Elide...

O fôlego da jovem pareceu afiado na garganta. O guerreiro os traíra. Traíra *Aelin* por ela...

— O que eu deveria exigir como pagamento pela garota? — ponderou Maeve, dando alguns passos na direção deles, com a graciosidade do luar. — Por que meu braço direito não me diz? Tem andado tão ocupado, Lorcan. Realmente muito ocupado nesses últimos meses.

Ao baixar a cabeça, a voz do guerreiro saiu rouca:

— Fiz isso por você, Majestade.

— Então onde está meu anel? Onde estão minhas chaves?

Um anel. Elide estava disposta a apostar que era aquele dourado no próprio dedo, que a jovem escondia sob a outra mão enquanto as fechava com força diante do corpo.

Lorcan apontou com a cabeça na direção de Aelin.

— Ela as tem. Duas chaves.

Frio percorreu Elide.

— Lorcan. — A lâmina do guarda girou no pescoço da jovem.

Aelin apenas encarou o guerreiro friamente.

Ele não olhou para Elide nem para Aelin. Sequer reconheceu a existência das duas ao prosseguir:

— Aelin tem duas chaves e provavelmente tem uma boa noção de onde Erawan esconde a terceira.

— Lorcan — suplicou a jovem. Não... não, não estava prestes a fazer aquilo, a traí-los de novo...

— *Fique quieta* — grunhiu ele.

O olhar de Maeve se voltou mais uma vez para Elide. A escuridão antiga e eterna era sufocante.

— Quanta familiaridade ao dizer o nome de Lorcan, Lady de Perranth. Quanta intimidade.

O risinho de Aelin foi o único sinal de seu aviso.

— Não tem coisas melhores a fazer que aterrorizar humanos? Liberte a garota e vamos resolver isso do modo divertido.

Chamas dançaram na ponta de seus dedos.

Não. A magia tinha sido esvaziada, ainda pairava perto do esgotamento.

Mas Aelin deu um passo à frente, esbarrando em Manon com a lateral do corpo ao passar... forçando a bruxa a recuar. Ela sorriu.

— Quer dançar, Maeve?

Então Aelin lançou um olhar lancinante por cima do ombro para a bruxa, como se dissesse: *Corra. Pegue Elide assim que a guarda de Maeve baixar e corra.*

A rainha feérica devolveu o sorriso.

— Não creio que seja uma parceira de dança adequada no momento. Não quando sua magia está quase esgotada. Acha que minha chegada dependeu apenas do chamado de Lorcan? Quem você pensa que sussurrou para Morath a respeito de sua vinda? É óbvio que os tolos não perceberam que, depois de a terem drenado com seus exércitos, eu estaria à espera. Você já estava exausta após apagar os incêndios que fiz minha armada acender para atraí-la à costa de Eyllwe. Então Lorcan ter dado sua localização exata foi conveniente e me poupou a energia de rastreá-la por conta própria.

Uma armadilha. Uma grande e maliciosa armadilha. Para drenar o poder de Aelin ao longo de dias... semanas. Mas ela ergueu uma sobrancelha.

— Trouxe uma armada inteira apenas para começar alguns incêndios?

— Trouxe uma armada para ver se você enfrentaria o desafio. O que aparentemente o príncipe Rowan fez.

Esperança subiu pelo peito de Elide, mas então Maeve disse:

— A armada foi uma precaução. Apenas para o caso de os ilken não serem o suficiente para drená-la por completo... Imaginei que algumas centenas de navios dariam um bom combustível até que eu estivesse pronta.

Sacrificar a própria frota — ou parte dela — para adquirir um prêmio... Aquilo era insanidade. A rainha estava completamente desmiolada.

— Façam algo — sibilou Elide para Lorcan e Manon. — *Façam algo.*

Nenhum deles respondeu.

As chamas ao redor dos dedos de Aelin aumentaram e lhe envolveram a mão... então o braço quando ela comentou:

— Só ouço um monte de blá-blá-blá.

Maeve olhou para a escolta, que se afastou. Puxando Elide consigo, ainda com a lâmina em seu pescoço.

— *Saia do alcance* — disse Aelin a Manon, em tom afiado.

A bruxa recuou, mas estava de olho no guarda que segurava Elide, sorvendo cada detalhe que conseguia.

— Não pode esperar vencer — declarou Maeve, como se estivessem prestes a jogar cartas.

— Pelos menos nos divertiremos até o fim — cantarolou Aelin de volta, com chamas cobrindo-a por completo.

— Ah, não tenho interesse algum em matá-la — ronronou a rainha imortal.

Então houve uma explosão.

Chamas dispararam, vermelhas e douradas; no momento em que uma muralha de escuridão foi lançada contra Aelin.

O impacto estremeceu o mundo.

Até mesmo Manon foi jogada de bunda no chão.

Mas Lorcan já se movia.

O guarda que segurava Elide cobriu os cabelos da jovem com sangue ao ter o pescoço cortado por Lorcan.

Os dois guardas atrás dele morreram com um machado no rosto, um após o outro. Elide se levantou, a perna reclamando de dor, e correu para Manon por puro instinto, mas o guerreiro a segurou pelo colarinho da túnica.

— *Tola idiota* — disparou ele, e Elide o arranhou...

— Lorcan, segure a garota — ordenou Maeve, calmamente, sem sequer olhar em sua direção. — Não tenha nenhuma ideia idiota a respeito de fugir com ela.

— O semifeérico ficou completamente imóvel, segurando-a mais forte.

Aelin e Maeve atacaram de novo.

Luz e escuridão.

Areia desceu as dunas aos tremores; as ondas avançaram.

Apenas agora; Maeve só ousara atacar agora.

Porque Aelin com a força completa...

Podia vencê-la.

Mas quase sem magia...

— Por favor — suplicou Elide a Lorcan, que a segurava com força, escravizado da ordem de Maeve, um olho nas rainhas que lutavam e o outro na escolta que não era tola o bastante para se aproximar depois de testemunhar o que ele fizera aos companheiros.

— Corra — disse o guerreiro ao ouvido da jovem. — Se quiser viver, *corra*, Elide. Me afaste, dê um jeito de contornar o comando de Maeve. Me empurre e *corra*.

Ela não faria aquilo. Preferiria morrer a fugir como uma covarde, não quando Aelin lutava por todos eles, quando...

A escuridão devorou as chamas.

E mesmo Manon encolheu o corpo conforme Aelin foi jogada para trás.

Uma parede de chamas fina como papel evitou que a escuridão atingisse o alvo. Uma parede que tremeluziu...

Ajuda. Precisavam de ajuda...

Maeve disparou o poder para a esquerda, e Aelin ergueu uma das mãos, defendendo-se com fogo.

Mas não viu o golpe à direita. Elide gritou em aviso, porém tarde demais.

Um chicote de escuridão a cortou.

Ela caiu.

E Elide imaginou que o impacto dos joelhos de Aelin Galathynius atingindo a areia talvez fosse o som mais terrível que jamais ouvira.

Maeve não desperdiçou a vantagem.

Escuridão jorrou ao chão, golpeando de novo e de novo. Aelin desviava, mas foi atingida.

Não havia nada que Elide pudesse fazer enquanto sua rainha gritava.

Enquanto o poder sombrio e antigo a atingia como um martelo sobre uma bigorna.

Elide implorou a Manon, apenas a poucos metros:

— Faça algo.

A bruxa a ignorou, estava com os olhos fixos na batalha adiante.

Aelin rastejou para trás, com sangue escorrendo da narina direita. Pingando na camisa branca.

Maeve avançou, e a escuridão rodopiou em torno da feérica, como um vento cruel.

Aelin tentou se levantar.

Tentou, mas as pernas tinham desistido. A rainha de Terrasen ofegava enquanto fogo tremeluzia ao seu redor, como brasas se extinguindo.

A rainha feérica apontou com um dedo.

Um chicote preto, mais rápido que o fogo de Aelin, disparou. Enroscou-se na garganta da jovem. Ela o agarrou, debatendo-se, os dentes expostos conforme chamas disparavam diversas vezes.

— Por que não usa as chaves, Aelin? — ronronou Maeve. — Certamente venceria dessa forma.

Use-as, implorou Elide. *Use-as.*

Mas ela não as usou.

O espiral de escuridão se enroscou no pescoço de Aelin.

Chamas irromperam e se extinguiram.

Então a escuridão se expandiu, envolvendo-a de novo e apertando com força, apertando até que ela estivesse gritando, gritando de uma forma que Elide sabia que significava dor insuportável...

Um grunhido baixo e cruel surgiu, o único aviso quando um imenso lobo saltou pela vegetação litorânea e se transformou. Fenrys.

Um segundo depois, um leão da montanha avançou por cima de uma duna, vendo a cena e se transformando também. Gavriel.

— Solte-a — grunhiu Fenrys para a rainha sombria, dando um passo. — Solte-a *agora*.

Maeve se virou, com aquela escuridão ainda segurando Aelin.

— Olhe quem finalmente chegou. Outro grupo de traidores. — Ela alisou um vinco no vestido esvoaçante. — Que esforço corajoso, Fenrys, atrasando sua chegada nesta praia ao máximo, pelo tempo quanto conseguiu ignorar meu chamado. — A rainha feérica emitiu um estalo com a língua. — Gostou de bancar o súdito leal enquanto babava na jovem Rainha do Fogo?

Como se em resposta, a escuridão apertou com força... e Aelin gritou de novo.

— *Pare* — disparou ele.

— Maeve, por favor — pediu Gavriel, expondo as palmas das mãos para ela.

617

— Maeve? — cantarolou ela. — Nada de Majestade? Será que o Leão ficou um pouco selvagem? Talvez tenha passado tempo demais com seu bastardo de linhagem mista perdido pelo mundo?

— Deixe-o fora disso — retrucou Gavriel, baixo demais.

Mas Maeve permitiu que a escuridão em torno de Aelin se abrisse.

Ela estava enroscada de lado, sangrando das duas narinas, e havia mais sangue escorrendo da boca ofegante.

Fenrys correu até ela. Uma muralha de trevas se ergueu entre os dois.

— Acho que não — cantarolou a rainha sombria.

Aelin arquejou para tomar fôlego, os olhos pareciam vítreos de dor. Olhos que deslizaram para os de Elide. A boca ensanguentada e rachada formou a palavra de novo. *Corra.*

Ela não faria isso. Não podia.

Os braços tremeram quando ela tentou se levantar. E Elide percebeu que não restava magia alguma.

Não havia nenhum fogo na rainha. Nenhuma brasa.

E a única forma de conseguir encarar aquilo, de aceitar aquilo, seria morrer lutando. Como fizera Marion.

Os fôlegos úmidos e irregulares de Aelin eram o único som acima do quebrar das ondas atrás deles. Mesmo a batalha ficara silenciosa ao longe. Terminara... ou talvez estivessem todos mortos.

Manon ainda estava de pé ali. Ainda imóvel.

— Por favor. *Por favor* — implorou Elide a ela.

Maeve sorriu para a bruxa.

— Não tenho desavenças com você, Bico Negro. Fique longe disso e está livre para ir aonde quiser.

— *Por favor* — suplicava a jovem.

Os olhos dourados de Manon estavam severos. Frios. Ela assentiu para Maeve.

— De acordo.

Algo no peito de Elide se partiu.

No entanto, do outro lado do círculo, Gavriel pediu:

— Majestade, por favor. Deixe Aelin Galathynius com a guerra dela aqui. E nos deixe voltar para casa.

— Casa? — perguntou Maeve. A parede escura entre Fenrys e Aelin desceu, mas o guerreiro não tentou atravessar. Apenas a encarou, encarou daquela forma que a própria Elide devia estar fitando. Fenrys não desviou o olhar até que Maeve dissesse a Gavriel: — Doranelle ainda é seu lar?

— Sim, Majestade — respondeu ele, com calma. — É uma honra chamá-la assim.

— Honra... — ponderou Maeve. — Sim, você e a honra caminham lado a lado, não é? Mas e quanto à honra de seu juramento, Gavriel?

— Mantive meu juramento a você.

— Eu não ordenei que executasse Lorcan ao vê-lo?

— Houve... circunstâncias que impediram que isso acontecesse. Nós tentamos.

— Mas falharam. Não devo disciplinar aqueles que estão jurados a mim e me falham?

Ele abaixou a cabeça.

— É claro... aceitaremos isso. E também aceitarei a punição que pretendia aplicar a Aelin Galathynius.

Aelin ergueu levemente a cabeça, os olhos vítreos se arregalaram. Ela tentou falar, mas as palavras lhe tinham sido tiradas, a voz ficara destruída de tanto gritar. Elide sabia qual palavra a rainha proferia. *Não*.

Não era só por ela. Elide se perguntou se o sacrifício de Gavriel não seria também pelo bem de Aedion, e não somente pelo de Aelin. Para que o filho não precisasse carregar a dor de ver sua rainha ferida...

— Aelin Galathynius — refletiu Maeve. — Tanta conversa sobre Aelin Galathynius. A Rainha Que Foi Prometida. Bem, Gavriel — um sorriso cruel —, se está tão envolvido com a corte de Aelin, por que não se junta a eles?

Fenrys ficou tenso, preparando-se para saltar diante do poder sombrio pelo amigo.

Mas então Maeve disse:

— Desfaço o juramento de sangue com você, Gavriel. Sem honra, sem boa-fé. Está dispensado de meus serviços e desprovido do título.

— Sua *vadia* — disparou Fenrys quando o fôlego de Gavriel ficou irregular.

— Majestade, por favor... — sibilou o Leão, tocando o braço com a mão conforme garras i..visíveis desenhavam duas linhas em sua pele, derramando sangue na grama. Uma marca semelhante surgiu no braço de Maeve, o sangue da rainha escorreu.

— Está feito — declarou ela, simplesmente. — Que o mundo saiba que você, um macho não tem honra nenhuma. Que traiu sua rainha por outra, por seu bastardo.

619

O guerreiro cambaleou para trás, em seguida desabou na areia, com uma das mãos sobre o peito. Fenrys grunhiu com o rosto mais lupino que feérico, mas Maeve riu baixinho.

— Ah, gostaria que eu fizesse o mesmo, não é, Fenrys? Mas qual punição seria maior para aquele que é meu traidor na própria alma que me servir para sempre?

Ele sibilou, a respiração saía irregular, e Elide se perguntou se saltaria sobre a rainha e tentaria matá-la.

Então Maeve se virou para Aelin e ordenou:

— Levante-se.

Ela tentou. O corpo lhe falhou.

Maeve emitiu um estalo com a língua, e uma invisível mão colocou a jovem de pé. A visão anuviada pela dor ficou nítida, depois se encheu de fúria gélida ao observar a rainha que se aproximava.

Uma assassina, lembrou-se Elide. Aelin era uma *assassina*, e se Maeve se aproximasse o bastante...

Mas ela não se aproximou. E aquelas mãos invisíveis cortaram as amarras dos cintos de espadas de Aelin. Goldryn caiu no chão com um ruído. Então adagas escorregaram das bainhas.

— Tantas armas — contemplou a rainha sombriamente, conforme as mãos invisíveis desarmaram Aelin com eficiência brutal. Mesmo lâminas ocultas sob roupas encontraram o caminho, cortando enquanto saíam. Sangue brotava sob a camisa e a calça da jovem. Por que estava de pé ali...

Reunindo forças. Para um último golpe. Uma última resistência.

Que a rainha acreditasse que ela estava quebrada.

— Por quê? — indagou Aelin, a voz rouca. Ganhando tempo.

Maeve tocou uma adaga caída com o dedão do pé, a lâmina estava suja com o sangue da jovem.

— Por que sequer me incomodar com você? Porque não posso deixar que se sacrifique para forjar um novo Fecho, não é mesmo? Não quando já tem o que quero. E sei há muito, muito tempo que você vai me dar o que procuro, Aelin Galathynius, e tomei precauções para garantir isso.

— O quê? — sussurrou ela.

— Ainda não entendeu? — rebateu Maeve. — Por que eu queria que sua mãe trouxesse você para mim, por que exigi tais coisas de você na última primavera?

Nenhum deles ousou se mover.

A rainha feérica riu com escárnio, um som delicado e feminino de triunfo.

— Brannon roubou as chaves de mim depois que eu as tomei dos valg. Eram minhas e ele as pegou. Então acasalou com aquela sua deusa, levando o fogo para a linhagem, certificando-se de que eu pensaria duas vezes antes de tocar sua terra, seus herdeiros. Mas todas as linhagens se extinguem. E eu sabia que viria o momento em que as chamas de Brannon se reduziriam a faíscas, e eu estaria pronta para atacar.

Aelin se apoiou contra as mãos que a mantinham erguida.

— Mas, em meu poder sombrio, vi um lampejo do futuro. Vi que o poder de Mala surgiria de novo. E que você me levaria às chaves. Apenas você, aquela para quem Brannon deixou pistas, aquela que podia encontrar todas as três chaves. E vi quem era, o que era. Vi quem amava. Vi seu parceiro.

A brisa do mar sibilando pela grama era o único som.

— Que centro de poder vocês dois seriam, você e o príncipe Rowan. E qualquer filho dessa união... — Um sorriso cruel. — Vocês poderiam governar este continente se quisessem. Mas seus filhos... seus filhos seriam poderosos o suficiente para governar todo um império que poderia varrer o mundo.

Aelin fechou os olhos. Os machos feéricos estavam balançando a cabeça devagar... incrédulos.

— Eu não sabia quando *você* nasceria, mas quando o príncipe Rowan Whitethorn veio a este mundo, quando atingiu a maioridade e se tornou o macho feérico de sangue puro mais forte de meu reino... você ainda não havia chegado. E eu sabia o que precisaria fazer. Para aprisioná-la. Para dobrá-la à minha vontade, para que entregasse as chaves sem nem pensar depois que fosse forte e treinada o bastante para adquiri-las.

Os ombros de Aelin estremeceram. Lágrimas escorreram pelos olhos fechados.

— Foi tão fácil puxar o fio psíquico certo naquele dia em que Rowan viu Lyria no mercado. Empurrá-lo para aquele outro caminho, enganar aqueles instintos. Uma leve alteração do destino.

— Pelos deuses — sussurrou Fenrys.

— Então seu parceiro foi entregue a outra — prosseguiu Maeve. — E deixei que se apaixonasse, deixei que fizesse um filho nela. E então o quebrei. Ninguém jamais perguntou como aquelas forças inimigas passaram pelo lar de Rowan na montanha.

Os joelhos de Aelin cederam completamente. Apenas as mãos invisíveis a mantinham de pé enquanto ela chorava.

— Ele aceitou o juramento de sangue sem questionar. E eu sabia que quando você nascesse, quando atingisse a maioridade... me certificaria de que seus caminhos se cruzassem, e olhariam uma vez um para o outro, e eu a teria pelo pescoço. O que quer que pedisse, você me daria. Até mesmo as chaves. Por seu parceiro, não poderia fazer menos. Quase o fez naquele dia em Doranelle.

Devagar, Aelin apoiou os pés de novo, o movimento foi tão doloroso que Elide se encolheu. Mas ela ergueu a cabeça, afastando o lábio dos dentes.

— Vou *matá-la* — grunhiu Aelin para a rainha feérica.

— Foi o que disse a Rowan depois que o conheceu, não foi? — O leve sorriso permanecia. — Eu insisti e insisti e insisti para que sua mãe a levasse para mim, para que você pudesse conhecê-lo, para que eu pudesse tê-la por fim, quando Rowan sentisse a ligação, mas ela se recusou. E sabemos como aquilo acabou para sua mãe. E durante aqueles dez anos seguintes, eu sabia que você estava viva. Em algum lugar. Mas... quando *você* veio até *mim*... quando você e seu parceiro se olharam apenas com ódio nos olhos... Admito que não tinha antecipado aquilo. Que eu havia quebrado Rowan Whitethorn tão profundamente que ele não reconheceu a própria parceira, que você estava tão destruída por sua dor que não reparou também. E, quando os sinais surgiram, o laço *carranam* afastou qualquer suspeita da parte de Rowan de que você pudesse pertencer a ele. Mas não de sua parte. Há quanto tempo sabe que ele é seu parceiro, Aelin?

A jovem não disse nada, os olhos ardiam com raiva, luto e desespero.

— Deixe-a em paz — sussurrou Elide. A mão de Lorcan sobre ela se apertou em aviso.

Maeve a ignorou.

— Bem? Quando soube?

— No templo de Temis — admitiu Aelin, olhando para Manon. — Assim que a flecha lhe perfurou o ombro. Há meses.

— E escondeu isso, sem dúvida para salvá-lo de qualquer culpa com relação a Lyria, qualquer tipo de pesar emocional... — Maeve emitiu um estalo com a língua. — Que mentirosinha nobre você é.

Aelin encarou o nada, com olhos inexpressivos.

— Eu tinha planejado para que ele estivesse aqui também — comentou a rainha sombria, franzindo a testa para o horizonte. — Afinal, permiti que vocês dois partissem naquele dia em Doranelle para que pudessem me levar até as chaves de novo. Até mesmo a deixei pensar que conseguira libertá-lo sem consequências. Nunca percebeu que eu havia *libertado* vocês. Mas... se Rowan não está aqui... Darei um jeito sem ele.

Aelin enrijeceu o corpo. Fenrys grunhiu em aviso.

Maeve deu de ombros.

— Se serve de consolo, Aelin, você teria tido mil anos com o príncipe Rowan. Até mais que isso.

O mundo ficou mais lento, e Elide conseguiu ouvir o próprio sangue rugindo nas orelhas quando a rainha imortal disse:

— A linhagem de minha irmã Mab age como esperado. Dá poderes completos, habilidades de transformação e a imortalidade dos feéricos. Você provavelmente está a cerca de cinco anos de se Estabilizar.

O rosto de Aelin se desfez. Aquilo não era uma exaustão de magia e força física, mas de espírito.

— Talvez celebremos sua Estabilização juntas — ponderou Maeve. — Pois eu com certeza não tenho planos de desperdiçar você naquele Fecho. Desperdiçar as chaves quando seu propósito é que sejam *usadas*, Aelin.

— Maeve, por favor — sussurrou Fenrys.

A rainha examinou as unhas imaculadas.

— O que acho realmente interessante é que parece que nem mesmo precisava que fosse parceira de Rowan. Nem mesmo precisava quebrá-lo. Ao menos foi um experimento fascinante de meus poderes. Mas como duvido de que vá por vontade própria, não sem tentar morrer primeiro, deixarei que tenha uma escolha.

Aelin parecia se preparar ao ver Maeve erguer uma das mãos e dizer:

— Cairn.

Os machos ficaram rígidos. Lorcan se tornou quase feral com Elide, sutilmente tentando arrastá-la para trás, tentando contornar a ordem que recebera.

Um guerreiro bonito, de cabelos castanhos, saiu do aglomerado da escolta e caminhou na direção deles. Bonito, não fosse pela crueldade sádica que cantava nos olhos azuis. Se não fosse pelas lâminas nas laterais do corpo, o chicote enroscado de um lado do quadril, o sorriso de escárnio. Elide vira aquele sorriso antes... no rosto de Vernon. Em tantos rostos em Morath.

— Permita-me apresentar o mais novo membro de minha equipe, como gosta de chamá-los. Cairn, conheça Aelin Galathynius.

O guerreiro passou para o lado de sua rainha. E o olhar que deu à rainha de Elide fez o estômago da jovem se revirar. *Sádico*; sim, era a palavra para ele, sem que Cairn sequer dissesse nada.

— Cairn — continuou Maeve — é treinado em habilidades que vocês dois têm em comum. É lógico que você teve apenas poucos anos para aprender a arte da tortura, mas... talvez ele possa ensinar algumas das coisas que aprendeu durante os séculos de prática.

Fenrys estava pálido de ira.

— Maeve, *estou implorando*...

A escuridão se chocou contra ele, empurrando-o de joelhos, forçando a cabeça do guerreiro contra a terra.

— *Basta* — sibilou Maeve.

Ela sorria de novo ao se virar para Aelin.

— Eu disse que você tem uma escolha. E tem. Ou vem voluntariamente comigo e se familiariza com Cairn, ou...

Aqueles olhos se voltaram para Lorcan. Para Elide.

E o coração de Elide parou quando Maeve falou:

— Ou levo você mesmo assim... e trago Elide Lochan conosco. Tenho certeza de que ela e Cairn se entenderão muito bem.

⊰ 72 ⊱

O corpo de Aelin doía.

Tudo doía. O sangue, a respiração, os ossos.

Não restava nenhuma magia. Não restava nada para salvá-la.

— Não — disse Lorcan, baixinho.

O simples ato de virar a cabeça lhe irradiava dor pela espinha. Mas Aelin olhou para Elide, para Lorcan, forçado a segurá-la, cujo rosto estava branco com puro terror enquanto olhava entre Cairn e Maeve e Elide. Manon fazia o mesmo; mensurava as chances, o quão rápida precisaria ser para limpar a área.

Que bom. Que bom... Manon tiraria Elide dali. A bruxa estivera esperando que Aelin agisse, sem perceber que... ela não tinha mais nada. Não restava poder para um golpe final.

E aquele poder sombrio ainda estava enroscado em torno de seus ossos, tão apertado que um movimento de agressão... um movimento... e os ossos se partiriam.

— Não a quê, Lorcan? — disse Maeve. — Elide Lochan vir conosco caso Aelin decida começar um confronto, ou minha generosa oferta de deixá-la em paz se Sua Majestade vier de boa vontade?

Um olhar para o guerreiro feérico de cabelos castanhos — Cairn — de pé ao lado de Maeve, e Aelin soubera o que ele era. Matara muitos deles ao longo dos anos. Passara tempo com Rourke Farran. O que ele faria com Elide... Lorcan também sabia o que um macho como Cairn faria com uma jovem. E sendo sancionado pela própria Maeve...

— Ela é inocente. Leve a rainha e nos deixe ir — respondeu Lorcan.

Manon até mesmo se irritou com Maeve:

— Ela pertence às Dentes de Ferro. Se não tem problemas comigo, então não tem problemas com ela. Deixe Elide Lochan fora disso.

A rainha sombria a ignorou e soltou para Lorcan:

— Ordeno que fique fora disso. Ordeno que observe sem fazer nada. Ordeno que não se mova ou fale até que eu dê permissão. A ordem se aplica a você também, Fenrys.

E Lorcan obedeceu. Assim como Fenrys. Os corpos simplesmente enrijeceram... e então nada.

Elide se virou para implorar ao guerreiro:

— Pode impedir isso, pode combater isso...

Ele nem mesmo olhou para a jovem.

Aelin sabia que Elide lutaria. Que não entenderia que Maeve estava naquele jogo havia séculos e que tinha esperado até aquele momento, até que a armadilha fosse perfeita, para tomá-la.

A rainha de Terrasen notou que Maeve sorria para ela. Tinha jogado, e apostado, e perdido.

Maeve assentia como se dissesse sim.

A questão não dita dançava nos olhos de Aelin enquanto Elide gritava com Lorcan e com Manon para que ajudassem. Mas a bruxa conhecia suas ordens. Sua tarefa.

A rainha feérica leu a pergunta no rosto de Aelin e falou:

— Terei as chaves em uma das mãos e Aelin Portadora do Fogo na outra. Precisaria quebrá-la primeiro. Matá-la ou quebrar...

Cairn sorriu.

A escolta puxava algo do bote longo que tinham remado desde o navio até a praia. As velas pretas da embarcação ao mar já se desenrolavam.

Elide encarou Maeve, que sequer olhou em sua direção.

— Por favor, por favor...

Aelin apenas assentiu para a rainha feérica. Sua aceitação e rendição.

Maeve fez uma reverência com a cabeça, triunfo dançando nos lábios vermelhos.

— Lorcan, solte-a.

As mãos do guerreiro ficaram inertes ao lado do corpo.

E, porque tinha vencido, ela até mesmo afrouxou o poder sobre os ossos de Aelin, permitindo que a jovem se virasse para Elide e dissesse:

— Vá com Manon. Ela cuidará de você.

Elide começou a chorar, afastando-se de Lorcan.

— Vou com você, vou com você...

A garota iria. A garota enfrentaria Cairn e Maeve... Mas Terrasen precisaria daquele tipo de coragem. Se fosse para sobreviver, se fosse para se refazer, Terrasen precisaria de Elide Lochan.

— Diga aos demais — sussurrou Aelin, tentando encontrar as palavras certas. — Diga aos demais que sinto muito. Diga a Lysandra que se lembre da promessa e que jamais deixarei de me sentir grata. Diga a Aedion... Diga que não é culpa dele e que... — A voz falhou. — Queria que ele pudesse ter feito o juramento, mas que Terrasen olhará para ele agora e a linha não deve se partir.

Elide assentiu, com lágrimas escorrendo pelo rosto manchado de sangue.

— E diga a Rowan...

A alma se partiu quando ela viu a caixa de ferro que a escolta carregava. Um antigo caixão de ferro. Grande o bastante para uma pessoa. Feito para ela.

— E diga a Rowan — repetiu Aelin, lutando contra o próprio choro — que sinto muito por ter mentido. Mas diga a ele que era para ganhar tempo. Até antes de hoje, eu sabia que era apenas tudo para ganhar tempo, mas ainda queria que tivéssemos tido mais. — A jovem lutou para continuar apesar da boca trêmula. — Diga a ele que precisa lutar. Ele *precisa* salvar Terrasen, e para lembrar-se dos votos que fez a mim. E diga a ele... Diga obrigada... por caminhar comigo por aquele sombrio caminho de volta à luz.

Eles abriram a tampa da caixa, tirando de dentro longas correntes pesadas.

Um dos membros da escolta entregou uma máscara de ferro ornamentada a Maeve, que examinou o objeto nas mãos.

A máscara, as correntes, a caixa... tinham sido feitas muito antes daquele momento. Séculos antes. Forjadas para conter e destruir o herdeiro de Mala.

Aelin olhou para Lorcan cujos olhos pretos estavam fixos nos dela.

E havia gratidão brilhando ali. Por poupar a jovem para quem dera o coração, soubesse o guerreiro ou não.

— Não faça isso — implorou Elide uma última vez.

Aelin sabia que não adiantaria, então disse à jovem:

— Fico feliz por termos nos reencontrado. Tenho orgulho de conhecê-la. E acho que sua mãe teria ficado orgulhosa também, Elide.

Maeve abaixou a máscara e falou para Aelin:

— De acordo com boatos, você não se curva a ninguém, Herdeira do Fogo. — Aquele sorriso viperino. — Bem, agora se curvará a mim.

Ela apontou para a areia.

A rainha de Terrasen obedeceu.

Os joelhos reclamaram ao descerem até o chão.

— Mais baixo.

Aelin deslizou o corpo até encostar a testa na areia. Mas não se permitiu sentir aquilo, não permitiu que a alma sentisse aquilo.

— Que bom.

Elide estava soluçando, suplicando sem proferir nada.

— Tire a camisa.

Aelin hesitou... percebendo o que ia acontecer.

Por que o cinto de Cairn levava um chicote.

— Tire a camisa.

Ela puxou a camisa da calça e a passou por cima da cabeça, atirando-a ao lado na areia. Então retirou o tecido flexível em torno dos seios.

— Varik, Heiron. — Dois machos feéricos se adiantaram.

Aelin não protestou quando cada um a segurou por um braço e a levantou. Eles lhe abriram os braços. A maresia beijou os seios e o umbigo expostos.

— Dez chibatadas, Cairn. Deixe que Sua Majestade experimente o que deve esperar quando chegarmos a nosso destino, se não cooperar.

— Será meu prazer, milady.

Aelin fitou o olhar cruel de Cairn, desejando que o sangue esfriasse conforme o guerreiro liberava o chicote. Conforme percorria seu corpo com os olhos e sorria. Uma tela para que pintasse com sangue e dor.

Com a máscara pendendo dos dedos, Maeve disse:

— Por que não conta o número de chibatadas para nós, Aelin?

A jovem manteve a boca fechada.

— Conte, ou recomeçaremos a cada chibatada que perder. Você decide por quanto tempo isso irá durar. A não ser que prefira que Elide Lochan as receba.

Não. Nunca.

Jamais outra pessoa que não ela. *Nunca.*

Mas ao ver Cairn caminhar devagar, saboreando cada passo, ao ver aquele chicote se arrastando pelo chão, Aelin sentiu que o corpo a traiu. E começou a tremer.

Ela conhecia a dor. Sabia qual seria a sensação, qual seria o som.

Seus sonhos ainda eram povoados por aquilo.

Sem dúvida por isso Maeve escolhera um açoite, por isso açoitara Rowan em Doranelle.

Cairn parou. Aelin percebeu que ele estudava a tatuagem em suas costas. As palavras de amor de Rowan, escritas ali no velho idioma.

O feérico riu com escárnio. Então ela o sentiu se deleitar com o fato de que destruiria aquela tatuagem.

— Comece — ordenou Maeve.

Ele inspirou.

E mesmo ao se preparar, mesmo contendo-se com força, não havia nada que pudesse prepará-la para o estalo, o ardor, a dor. Aelin não se permitiu gritar, apenas sibilou com os dentes trincados.

Um chicote empunhado por um capataz em Endovier era uma coisa.

Um empunhado por um macho feérico de puro sangue...

Sangue escorreu pela parte de trás da calça; a pele aberta urrava.

Mas a jovem sabia como se controlar. Como ceder à dor. Como aceitá-la.

— Que número foi esse, Aelin?

Ela não o faria. *Jamais* contaria para aquela *vadia* desgraçada...

— Comece de novo, Cairn — mandou Maeve.

Uma gargalhada rouca. Então o estalo e a dor, e Aelin arqueou as costas, os tendões no pescoço quase se partiram quando ela ofegou entre os dentes trincados. Os machos que a seguravam faziam força o suficiente para causar hematomas.

Maeve e Cairn esperaram.

Aelin se recusou a dizer uma palavra. A começar a contagem. Morreria antes de fazer aquilo.

— Pelos deuses, pelos deuses — soluçava Elide.

— Comece de novo — ordenou Maeve, simplesmente, acima da voz da garota.

E Cairn obedeceu.

De novo.

De novo.

De novo.

Eles recomeçaram nove vezes antes de Aelin finalmente gritar. O golpe acertara bem em cima de outro, rasgando a pele até o osso.

De novo.

De novo.

De novo.

De novo.

Cairn estava ofegante. Aelin se recusava a falar.

— Comece de novo — repetiu Maeve.

— Majestade — murmurou um dos machos que a segurava. — Talvez seja prudente adiar até mais tarde.

— Ainda tem bastante pele — disparou o torturador.

Mas o macho retrucou:

— Outros se aproximam, ainda estão longe, mas se aproximam.

Rowan.

Aelin chorou então. Tempo — tinha precisado de *tempo*...

Maeve fez um barulhinho de desprazer.

— Continuaremos mais tarde. Arrume-a.

Aelin mal conseguiu levantar a cabeça quando os machos a puxaram para cima. O movimento fez o corpo rugir com tanta dor que a escuridão a invadiu. Mas ela lutou contra aquilo, trincou os dentes e silenciosamente rugiu de volta para aquela agonia, aquela escuridão.

A alguns metros de distância, Elide caiu de joelhos como se fosse implorar até que o corpo cedesse, mas Manon a pegou.

— Vamos — disse a bruxa, puxando-a para longe, para o continente.

— Não — disparou ela, debatendo-se.

Os olhos de Lorcan se arregalaram, mas, com o comando de Maeve, ele não podia se mover; portanto, não pôde fazer nada ao ver Manon bater com o cabo de Ceifadora do Vento contra a lateral da cabeça de Elide.

A garota caiu como uma pedra. Foi só o que a bruxa precisou para jogá-la por cima de um ombro e dizer a Maeve:

— Boa sorte. — Os olhos desviaram para os de Aelin uma vez, apenas uma vez. Então ela virou o rosto.

Maeve a ignorou conforme Manon caminhou na direção do coração do pântano. O corpo de Lorcan ficou tenso.

Tenso... como se estivesse lutando contra o juramento de sangue com tudo dentro de si.

Aelin não se importava.

Os machos praticamente a arrastaram até Maeve.

Até a caixa de ferro. E as correntes. E a máscara de ferro.

Redemoinhos de fogo, pequenos sóis e brasas tinham sido desenhados na superfície escura. Um deboche do poder que deveria conter; o poder que Maeve precisara se certificar de estar totalmente esgotado antes de trancafiá--la. A única forma de conseguir trancafiá-la.

Cada centímetro que os pés eram arrastados pela areia era como uma vida; cada centímetro era como uma batida de coração. Sangue ensopava a calça de Aelin. Ela provavelmente não poderia curar os ferimentos dentro de todo aquele ferro. Não até que a própria Maeve decidisse curá-los.

Mas a rainha feérica não a deixaria morrer. Não com as chaves de Wyrd em jogo. Ainda não.

Tempo; ela se sentia grata por Elena ter lhe dado aquele tempo roubado.

Grata porque tinha conhecido todos eles, porque tinha visto alguma pequena parte do mundo, ouvira músicas belas, dançara e rira e conhecera amizade verdadeira. Grata por ter encontrado Rowan.

Ela se sentia grata.

Então Aelin Galathynius secou as lágrimas.

E não protestou quando Maeve prendeu aquela linda máscara de ferro sobre seu rosto.

⊰ 73 ⊱

Manon continuou andando.

Não ousou olhar para trás. Não ousou dar àquela rainha antiga, de olhos frios, um indício de que Aelin não possuía as chaves de Wyrd. De que ela as colocara no bolso de Manon quando esbarrara nela. Elide a odiaria por aquilo; já a odiava por aquilo.

Que aquele fosse o custo.

Um olhar de Aelin e a bruxa soubera o que precisava fazer.

Levar as chaves para longe de Maeve. Levar Elide para longe.

Tinha forjado uma caixa de ferro para conter a rainha de Terrasen.

Elide se agitou, recobrando a consciência por fim, exatamente quando estavam quase fora do alcance da audição. Ela começou a se debater, e Manon as jogou atrás de uma duna, segurando-a na nuca com tanta força que a jovem ficou imóvel ao sentir as unhas de ferro penetrando a pele.

— Silêncio — sibilou Manon, e Elide obedeceu.

Mantendo-se abaixadas, elas olharam pela vegetação. Apenas um momento — podia gastar apenas um momento para observar, para ter um vislumbre de para onde Maeve levaria a rainha de Terrasen.

Lorcan permanecia congelado como Maeve comandara. Gavriel mal estava consciente, ofegando na grama, como se romper aquele juramento de sangue tivesse sido tão grave quanto um ferimento físico.

Fenrys; os olhos de Fenrys estavam vivos com ódio enquanto ele observava Maeve e Cairn. Sangue cobria o chicote de Cairn, o qual ainda pendia da lateral do corpo do macho conforme os soldados de Maeve terminavam de prender aquela máscara no rosto de Aelin.

Então fecharam correntes de ferro em torno de seus pulsos.

Dos tornozelos.

Do pescoço.

Ninguém curou as costas destruídas, que mal passavam de um pedaço de carne ensanguentado, ao levarem Aelin para a caixa de ferro. E a fazerem se deitar sobre os ferimentos.

Então deslizaram a tampa para o lugar. E a trancaram.

Elide vomitou na grama.

Manon colocou a mão nas costas da garota quando os machos começaram a carregar a caixa pelas dunas, até o barco e o navio além deste.

— Fenrys, vá — ordenou Maeve, apontando para o navio.

Com a respiração entrecortada, mas incapaz de recusar a ordem, Fenrys seguiu. Ele olhou uma vez para a camisa branca descartada na areia. Estava manchada de sangue; borrifos do açoite.

Então Fenrys foi, atravessando ar e vento e entrando no vazio.

Sozinha com Lorcan, Maeve perguntou:

— Fez tudo isso... por mim?

O guerreiro não se moveu.

— Fale — comandou ela.

Ele expirou, estremecendo, e respondeu:

— Sim. Sim, foi tudo para você. Tudo.

Elide agarrou a vegetação costeira em punhados, e Manon se perguntou se unhas de ferro nasceriam de repente e destruiriam a vegetação, considerando a fúria no rosto da jovem. O ódio.

Maeve pisou na camisa manchada de sangue e passou a mão pela bochecha de Lorcan.

— Não tenho o que fazer — cantarolou ela — com machos arrogantes que acham que sabem mais que eu.

Ele enrijeceu o corpo.

— Majestade...

— Eu o destituo do juramento de sangue. Eu o destituo de seus bens e seus títulos e suas propriedades. Você, como Gavriel, está liberado em desonra e vergonha. Está exilado de Doranelle por sua desobediência, sua traição. Se colocar os pés em minhas terras, morrerá.

— Majestade, eu imploro...

— Vá implorar a outro. Não tenho lugar para um guerreiro em quem não posso confiar. Retiro minha ordem de morte. Acho que deixá-lo viver com essa vergonha será muito pior.

Sangue se acumulou no pulso de Lorcan, então no de Maeve. Derramando-se no chão.

O guerreiro caiu de joelhos.

— Não tenho paciência para tolos — afirmou a rainha feérica, deixando-o na areia ao sair andando.

Como se tivesse sido golpeado, igual a Gavriel, Lorcan não parecia conseguir se mover, pensar ou respirar. Mas tentou rastejar. Na direção de Maeve. O desgraçado tentou rastejar.

— Precisamos ir — murmurou Manon. Assim que Maeve verificasse onde estavam aquelas chaves... Precisavam ir.

Um rugido soou no horizonte.

Abraxos.

O coração de Manon bateu forte no peito, alegria brilhou, mas...

Elide permanecia na grama. Observando Lorcan rastejar na direção da rainha que caminhava pela praia, com o vestido preto esvoaçante.

Observando o bote remar até o navio que esperava, com aquele caixão de ferro no centro e a rainha sombria sentada ao lado, uma das mãos apoiada na tampa. Pela sanidade dela, Manon rezou para que Aelin não permanecesse acordada durante todo o tempo em que estivesse ali dentro.

E, pelo bem do mundo, a bruxa rezou para que a rainha de Terrasen pudesse sobreviver àquilo.

Ao menos para que pudesse, então, morrer por todos.

❧ 74 ❧

Havia tanto sangue.

Tinha se espalhado para onde Lorcan estava ajoelhado, reluzindo forte enquanto encharcava a areia.

Cobria a camisa, que fora descartada e esquecida ao lado dele. Até mesmo manchava os estojos das espadas e das facas dela, jogadas ao redor como ossos.

O que Maeve tinha feito...

O que Aelin tinha feito...

Havia um buraco em seu peito.

E havia tanto sangue.

Asas e rugidos, e ele ainda não conseguia erguer o rosto. Não conseguia voltar a se importar.

A voz de Elide soou pelo mundo, dizendo a alguém:

— O navio... o navio simplesmente *sumiu*; ela partiu sem perceber que nós temos as...

Gritos de alegria... gritos femininos de felicidade.

Passos ágeis e estrondosos.

Então a mão de alguém lhe agarrou o cabelo, puxando a cabeça para trás conforme uma adaga era posicionada contra o pescoço. Conforme o rosto de Rowan, calmo com uma ira letal, surgia em seu campo visual.

— Onde está Aelin?

Havia puro pânico também... puro pânico quando Whitethorn viu o sangue, as lâminas espalhadas e a camisa.

— *Onde está Aelin?*

O que fizera, o que fizera...

Dor atravessou a garganta de Lorcan, sangue morno escorreu pelo pescoço e pelo peito.

— *Onde está minha esposa?* — sibilou Rowan.

Lorcan oscilou onde estava ajoelhado.

Esposa.

Esposa.

— Pelos deuses — soluçou Elide ao entreouvir, as palavras carregando o som do coração partido do próprio Lorcan. — Pelos deuses...

E, pela primeira vez em séculos, ele chorou.

Rowan enterrou a adaga mais profundamente no pescoço do guerreiro, mesmo enquanto lágrimas deslizavam pelo rosto de Lorcan.

O que aquela mulher tinha feito...

Aelin soubera. Que Lorcan a traíra e convocara Maeve até ali. Que estava vivendo de tempo emprestado.

E se casara com Whitethorn... para que Terrasen pudesse ter um rei. Talvez tivesse agido porque sabia que Lorcan já a havia traído, que Maeve estava a caminho.

E ele não a ajudara.

A esposa de Whitethorn.

Parceira.

Aelin deixara que a açoitassem e acorrentassem, fora voluntariamente com Maeve, para que Elide não caísse nas garras de Cairn. E fora tanto um sacrifício por Elide quanto um presente para Lorcan.

Ela se curvara diante de Maeve.

Por Elide.

— Por favor — suplicou Rowan, a voz falhando conforme aquela fúria calma se partia.

— Maeve a levou — explicou Manon, aproximando-se.

De onde estava ajoelhado perto deles, recuperando-se da dissolução do juramento de sangue, Gavriel disse, com a voz rouca:

— Ela usou o juramento para nos manter longe... para evitar que ajudássemos. Até mesmo Lorcan.

Rowan, mesmo assim, não tirou a faca do pescoço do semifeérico.

Lorcan estivera errado. Estivera tão errado.

E não conseguia se arrepender completamente, não se Elide estava a salvo, mas...

Aelin se recusara a contar. Cairn lançara a totalidade da força sobre ela com aquele chicote, e ela se recusara a dar a eles a satisfação de contar.

— Onde está o navio — indagou Aedion, então xingou ao ver a camisa ensanguentada. Ele pegou Goldryn, desesperadamente limpando com o casaco as manchas de sangue do estojo.

— Sumiu — disse Elide de novo. — Apenas... *sumiu*.

Whitethorn o encarou, havia agonia e desespero nos olhos. E Lorcan sussurrou:

— Desculpe.

Rowan soltou a faca e abriu o punho que agarrava o cabelo do antigo comandante. Cambaleando, recuou um passo. Na grama próxima, Dorian se ajoelhou ao lado de Gavriel, uma luz fraca brilhou em volta deles. Curando os ferimentos dos braços. Não havia nada a ser feito pelo ferimento que Maeve lhe causara na alma, que causara a Lorcan também, ao quebrar o juramento com tanta desonra.

Manon se aproximou, as bruxas a flanqueavam. Todos cheiraram o sangue. Uma de cabelos loiros xingou baixinho.

A Líder Alada contou a eles sobre o Fecho.

Sobre Elena. Sobre o custo que os deuses exigiram dela. Exigiram de Aelin.

Mas foi Elide quem então tomou a história, recostando-se contra Lysandra, que encarava o sangue e a camisa como se fossem um cadáver, e contou a eles o que acontecera naquelas dunas. O que Aelin tinha sacrificado.

Ela contou a Rowan que ele era o parceiro de Aelin. Contou sobre Lyria. Contou a eles sobre o açoite, a máscara, e a caixa.

Quando a jovem terminou, todos estavam em silêncio. E Lorcan apenas observou conforme Aedion se voltou para Lysandra e grunhiu:

— *Você sabia.*

A metamorfa não se encolheu.

— Ela me pediu... naquele dia no barco. Para ajudá-la. Ela me contou qual era o preço de que suspeitava para banir Erawan e restaurar as chaves. O que eu precisava fazer.

— O que *você* poderia... — grunhiu Aedion.

Lysandra ergueu o queixo.

— Aelin morreria para forjar o novo Fecho e selar as chaves no portão... para banir Erawan — sussurrou Rowan. — Mas ninguém saberia. Ninguém além de nós. Não enquanto Lysandra usasse a pele de sua rainha pelo resto da vida.

Aedion passou a mão pelos cabelos empastelados de sangue.

— Mas qualquer filho com Rowan não se pareceria nada com...

O rosto da metamorfa era de súplica.

— Você consertaria isso, Aedion. Comigo.

Com os cabelos dourados, os olhos Ashryver... Se essa linhagem se multiplicasse fielmente, os filhos deles poderiam se passar por realeza. Aelin queria Rowan no trono, mas seria o primo secretamente gerando os herdeiros.

O general encolheu o corpo como se tivesse sido golpeado.

— E quando revelariam isso? Antes ou depois que eu achasse que estava levando minha maldita prima para a cama por qualquer motivo que tivessem maquinado?

— Não vou lhe pedir desculpas — falou Lysandra em voz baixa. — Eu sirvo a ela. E estou disposta a passar o resto da vida fingindo ser Aelin para que seu *sacrifício* não seja em vão...

— Vá para o inferno — disparou ele. — Pode *ir para o inferno, sua vadia mentirosa!*

O grunhido de resposta da metamorfa não foi humano.

Rowan apenas tirou Goldryn do general e caminhou na direção do mar, o vento soprando os cabelos prateados.

Lorcan ficou de pé, cambaleando de novo. Mas Elide estava ali.

E não havia nada do que ele passara a conhecer naquele rosto pálido e tenso. Nada da jovem na voz rouca que disse:

— Espero que passe o resto de sua vida miserável e imortal sofrendo. Espero que a passe sozinho. Espero que viva com arrependimento e culpa no coração e jamais encontre uma forma de superar.

Então ela seguiu para as Treze. Aquela de cabelos dourados estendeu um braço, e Elide passou por baixo, entrando em um santuário de asas e garras e dentes.

Lysandra disparou para cuidar de Gavriel, que teve o bom senso de não se encolher diante do rosto que ainda grunhia, e Lorcan olhou para Aedion e viu o jovem general o estudando.

Ódio brilhou nos olhos dele. Ódio puro.

— Mesmo antes de receber a ordem de não interferir, não fez nada para ajudá-la. Você convocou Maeve aqui. Jamais me esquecerei disso.

Depois ele seguiu para a praia... para onde Rowan estava ajoelhado na areia.

Asterin estava viva.

As Treze estavam vivas. E havia alegria no coração de Manon; alegria, percebeu ela ao olhar para aqueles rostos sorridentes e sorrir de volta.

Com todas elas de pé entre as serpentes aladas em uma duna que dava para o mar, Manon perguntou a Asterin:

— Como?

A imediata passava a mão pelo cabelo de Elide enquanto a garota chorava em seu ombro.

— As vadias de sua avó fizeram uma caçada e tanto, mas conseguimos estripá-las. Passamos o último mês a procurando. Então Abraxos nos encontrou e parecia saber onde você estava; nós o seguimos. — Ela coçou sangue seco na bochecha. — E salvamos a pele de vocês, pelo visto.

Não rápido o bastante, pensou Manon ao ver as lágrimas silenciosas de Elide, a forma como humanos e feéricos estavam parados, discutindo ou simplesmente fazendo nada.

Não rápido o bastante para impedir aquilo. Para salvar Aelin Galathynius.

— O que fazemos agora? — indagou Sorrel, encostada contra a lateral de sua serpente alada macho, enfaixando um corte no antebraço.

Todas as Treze olharam para Manon, todas esperaram.

Ela ousou perguntar:

— Ouviram o que minha avó disse antes... de tudo?

— As Sombras nos contaram — informou Asterin, os olhos dançando.

— E?

— E o quê? — grunhiu Sorrel. — Então você é metade Crochan.

— *Rainha* Crochan. — E herdeira da aparência de Rhiannon Crochan. Será que as Anciãs tinham reparado?

Asterin deu de ombros.

— Cinco séculos de Dentes de Ferros de sangue puro não conseguiram nos trazer para casa. Talvez você consiga.

Não uma filha da guerra... mas da paz.

— E vocês me seguirão? — perguntou Manon, em voz baixa. — Para fazer o que precisa ser feito antes de podermos voltar aos desertos?

Aelin Galathynius não implorara a Elena por outro destino. Pedira apenas por uma coisa, uma solicitação à antiga rainha:

Virá comigo? Pelo mesmo motivo pelo qual a líder perguntava naquele instante a elas.

Como uma, as Treze ergueram os dedos à testa. Como uma, elas os abaixaram.

A bruxa olhou na direção do mar, com um nó na garganta.

— Aelin Galathynius voluntariamente entregou a liberdade para que uma bruxa Dentes de Ferro pudesse sair livre — explicou Manon. Elide enrijeceu o corpo, afastando-se dos braços de Asterin. Ela continuou: — Temos uma dívida de vida com ela. E mais que isso... Está na hora de nos tornarmos melhores que nossas antecessoras. Somos todos filhos desta terra.

— O que vai fazer? — sussurrou Asterin, os olhos brilhando intensamente.

Manon olhou para trás delas. Para o norte.

— Vou encontrar as Crochan. E vou levantar um exército com elas. Por Aelin Galathynius. E pelo povo dela. E pelo nosso.

— Jamais confiarão em nós — disse Sorrel.

— Então precisaremos usar todo o nosso charme — retrucou Asterin. Algumas delas sorriram; algumas se moveram desconfortáveis.

Mais uma vez, Manon perguntou às Treze:

— Vocês me seguirão?

E, quando todas levaram os dedos à testa de novo, a bruxa devolveu o gesto.

Rowan e Aedion estavam sentados silenciosamente na praia. Gavriel tinha se recuperado o bastante do choque da dissolução do juramento e conversava em voz baixa com Lorcan, de pé no alto do penhasco; Lysandra se agachou sozinha, na forma de leopardo-fantasma, entre a vegetação litorânea que se agitava; e Dorian apenas... os observava do topo de uma duna.

O que Aelin tinha feito... Sobre o que tinha mentido...

Parte do sangue no chão tinha secado.

Se Aelin se fosse, se sua vida de fato fosse ser o custo caso algum dia se libertasse...

— Maeve não tem as duas chaves — disse Manon ao lado de Dorian, depois de se aproximar de fininho. A aliança continuava atrás da líder, Elide escondida entre elas. — Caso esteja preocupado.

Lorcan e Gavriel se viraram na direção deles. Assim como Lysandra.

Dorian ousou perguntar:

— Então onde estão?

— Eu as tenho — informou Manon, simplesmente. — Aelin as colocou em meu bolso.

Ah, Aelin. Aelin. Levara Maeve a tal frenesi, a deixara tão concentrada na *própria* captura que a rainha não pensou em confirmar se a jovem estava com as chaves antes de desaparecer.

Tinha sido colocada em uma situação tão cruel e impossível — e, mesmo assim, fizera valer a pena. Uma última vez, Aelin fizera valer a pena.

— Por isso não pude fazer nada a respeito — explicou a bruxa. — Para ajudá-la. Precisava parecer que não estava envolvida. Neutra. — De onde se sentava na praia abaixo, Aedion tinha se virado na direção do grupo, a audição aguçada de feérico levava cada palavra ao seu ouvido. Manon disse a todos: — Eu sinto muito. Sinto muito mesmo por não ter conseguido ajudar.

Ela levou a mão ao bolso das vestes de couro de montaria, então entregou o Amuleto de Orynth e uma lasca de pedra preta a Dorian. Ele hesitou.

— Elena disse que a linhagem de Mala pode impedir isso. O sangue corre nas casas de vocês dois.

Os olhos dourados estavam cansados... exaustos. O rapaz percebeu o que Manon pedia.

Aelin jamais planejara ver Terrasen de novo.

Ela se casara com Rowan sabendo que lhes restavam meses na melhor das hipóteses, dias, na pior. Mas daria a Terrasen um rei por direito. Para manter o território unido.

Fizera planos para todos eles; e nenhum para si.

— A busca não termina aqui — falou Dorian, baixinho.

Manon balançou a cabeça. E ele sabia que ela não falava apenas das chaves, da guerra, ao responder:

— Não, não termina.

Dorian pegou as chaves da bruxa. Elas latejaram e faiscaram, aquecendo a palma de sua mão. Uma presença estranha e terrível, mas... era tudo que havia entre eles e a destruição.

Não, a busca não terminava ali. Não estava nem perto. O rei colocou as chaves no bolso.

E a estrada que se estendeu diante dele, curvando-se para a sombra desconhecida à espreita... não o assustou.

⚜ 75 ⚜

Rowan se casara com Aelin antes do alvorecer havia quase dois dias.

Aedion e Lysandra foram as únicas testemunhas quando acordaram o capitão de olhos vermelhos, o qual os tinha casado rápida e silenciosamente e assinado um voto de sigilo.

Tiveram 15 minutos na cabine para consumar o casamento.

Aedion ainda levava os documentos formais; o capitão tinha as cópias.

Rowan ficara ajoelhado naquele trecho de praia por meia hora. Silencioso, perambulando pelos caminhos dos pensamentos tumultuosos. Aedion lhe fizera companhia, encarando o mar inexpressivamente.

Rowan soubera.

Parte dele soubera que Aelin era sua parceira. E dera as costas àquele conhecimento, diversas vezes, por respeito a Lyria, por pavor do que aquilo significaria. Ele saltara diante da jovem em baía da Caveira, sabendo bem no fundo. Sabendo que parceiros cientes do laço não suportavam ferir o outro, e que poderia ser a única força que a impulsionaria a retomar o controle de Deanna. E, mesmo quando ela havia provado que estivera certo... Rowan dera as costas àquela prova, ainda sem estar pronto, afastando aquilo da mente mesmo enquanto a reivindicava de todas as outras formas.

Aelin soubera, no entanto. Que ele era seu parceiro. E não insistira, não exigira que ele encarasse a verdade, porque o amava, e o guerreiro sabia que Aelin preferiria arrancar o próprio coração a causar dor ou inquietude a ele.

Sua Coração de Fogo.

Sua igual, sua amiga, sua amante. Sua esposa.

Sua parceira.

Aquela maldita vadia a colocara em uma caixa de ferro.

Maeve açoitara tão violentamente a parceira que Rowan poucas vezes tinha visto tanto sangue derramado como resultado. Então a acorrentara. Depois a colocara em um verdadeiro caixão de ferro, ainda sangrando, ainda ferida.

Para contê-la. Para arrasá-la. Para torturá-la.

A Coração de Fogo de Rowan, trancafiada no escuro.

Ela tentara contar a ele. Logo antes de os ilken se aproximarem.

Tentara contar que vomitara as tripas naquele dia no navio porque tinha percebido que morreria, e não porque estava grávida. Que o custo de selar o portão, de forjar um novo Fecho para fazê-lo, seria a própria vida. Sua vida imortal.

Com Goldryn ao lado, o rubi fosco sob o sol forte, ele juntou dois punhados de areia e deixou que os grãos deslizassem, deixou que o vento os carregasse para o mar.

Era tudo para ganhar tempo.

Aelin não esperava que eles fossem atrás dela.

Ela, que fora até eles, que encontrara todos eles. Arranjara para que tudo se encaixasse quando entregasse a própria vida. Quando abrisse mão de mil anos para salvá-los.

E Rowan sabia que Aelin acreditava que eles fariam a escolha certa, a escolha sábia, e que permaneceriam ali. Que liderariam os exércitos para a vitória; os exércitos que ela garantiria a eles, imaginando que não estaria lá para terminar aquilo.

Aelin não achou que o veria de novo.

Ele não aceitava aquilo.

Ele não aceitaria aquilo.

E não aceitaria que a tinha encontrado e que ela o havia encontrado, e que tinham sobrevivido a tanta tristeza e dor e desespero juntos, apenas para serem separados. Não aceitaria o destino que fora lançado a ela, não aceitaria que a vida de Aelin era o preço que se pedia por salvar aquele mundo. A vida de Aelin ou a de Dorian.

Não aceitaria por um segundo.

Passos ecoaram pela areia, e o príncipe feérico sentiu o cheiro de Lorcan antes de se incomodar em olhar. Por meio segundo, considerou matar o macho onde ele estava.

Rowan sabia que naquele dia... naquele dia, ele venceria. Algo se partira em Lorcan, e, se atacasse naquele momento, o semifeérico morreria. Talvez nem reagisse.

O rosto esculpido em granito estava severo, mas os olhos... Havia dor neles. E arrependimento.

Os demais desceram pelas dunas, a aliança da bruxa permanecendo para trás, e Aedion se levantou.

Todos encaravam Rowan enquanto ele continuava de joelhos.

A maré ia e vinha, ondulando sob o céu azul.

Ele lançou aquele laço para o mundo, projetando-o tão amplamente quanto uma rede. Disparando-o com a magia, com a alma, com o coração partido. Procurando por ela.

Lute contra isso, desejou o guerreiro para Aelin, enviando as palavras pelo laço — o laço de parceria, a qual talvez tivesse se estabelecido naquele primeiro momento em que se tornaram *carranam*, escondido sob chama e gelo e esperança de um futuro melhor. *Lute contra ela. Irei atrás de você. Mesmo que leve mil anos. Eu a encontrarei, eu a encontrarei, eu a encontrarei.*

Apenas sal e vento e água responderam.

Rowan se levantou. E se voltou devagar para eles.

Mas a atenção de todos se concentrou nos navios que velejavam do oeste... vindos do campo de batalha. Os navios de seu primo, com o que restava da frota que Ansel de penhasco dos Arbustos conquistara para eles, assim como os três navios de Rolfe.

Mas não foram essas embarcações que os fizeram parar.

Foi aquela que deu a volta pela ponta leste do continente... um bote longo. Ele se aproximava com um vento fantasma, rápido demais para ser natural.

Rowan se preparou. O formato do barco não pertencia aos das frotas reunidas. Mas o estilo lhe despertou algo na memória.

Ansel de penhasco dos Arbustos e Enda também estavam percorrendo as ondas em um bote longo que vinha de sua frota, com destino àquela praia.

Mas Rowan e os demais observaram em silêncio quando o barco estranho despontou na praia e deslizou para a areia.

Observaram os marinheiros de pele marrom puxarem a embarcação. Um jovem de ombros largos saltou agilmente para a areia, os cabelos escuros levemente cacheados soprados pela brisa do mar.

O rapaz não emitiu uma gota de medo ao caminhar até eles — nem mesmo buscou o toque reconfortante da bela espada na lateral do corpo.

— Onde está Aelin Galathynius? — perguntou o estranho um pouco sem fôlego enquanto os analisava.

E o sotaque...

— Quem é você? — disparou Rowan.

Mas o jovem tinha se aproximado o bastante para que o guerreiro pudesse ver a cor de seus olhos. Turquesa... com um núcleo dourado.

Aedion sussurrou, como se estivesse em transe:

— Galan.

Galan Ashryver, príncipe herdeiro de Wendlyn.

Os olhos do rapaz se arregalaram ao observarem o príncipe-general.

— *Aedion* — disse ele com a voz rouca, algo parecido com assombro e luto na expressão do rosto. Mas Galan os afastou, confiante e determinado, e mais uma vez perguntou: — Onde está ela?

Nenhum deles respondeu.

— O que está fazendo aqui? — indagou Aedion.

As sobrancelhas escuras se franziram.

— Imaginei que ela teria informado a você.

— Informado *o quê*? — exigiu Rowan, em tom muito baixo.

Galan levou a mão ao bolso da túnica azul desgastada, tirando de dentro uma carta amassada que parecia ter sido relida centenas de vezes. Silenciosamente, ele a entregou para Rowan.

O cheiro de Aelin ainda estava presente conforme ele desdobrou o papel. Aedion leu por cima do ombro de Rowan.

A carta para o príncipe de Wendlyn fora breve. Brutal. As letras grandes se estendiam pela página, como se Aelin tivesse cedido ao próprio temperamento esquentado:

TERRASEN SE LEMBRA DE EVALIN ASHRYVER.
E VOCÊ?
LUTEI EM DEFESA NEBULOSA POR SEU POVO.
DEVOLVA O MALDITO FAVOR.

E então coordenadas... para aquele ponto.

— Veio apenas para mim — disse Galan, em voz baixa. — Não foi para meu pai. Apenas para mim.

Para a armada que Galan controlava... furando bloqueios contra Adarlan.

— Rowan — murmurou Lysandra em aviso. Ele lhe acompanhou o olhar.

Não para onde Ansel e Enda chegavam à margem do grupo, dando um bom espaço entre eles e as Treze enquanto erguiam as sobrancelhas para Galan.

Mas para a pequena companhia de pessoas vestidas de branco que surgiu no alto das dunas atrás deles, sujas de lama e parecendo terem ido caminhando pelos próprios pântanos.

E Rowan soube.

Soube quem eram antes de sequer chegarem à praia.

Ansel de penhasco dos Arbustos empalidecera ao ver as roupas esvoaçantes e dispostas em camadas. Então, quando o homem alto no centro tirou o capuz e revelou um rosto de pele marrom e olhos verdes, ainda belo e jovem, a rainha dos desertos sussurrou:

— Ilias.

Ilias, o filho do Mestre Mudo dos Assassinos Silenciosos, olhou para Ansel boquiaberto, enrijecendo a coluna. Mas Rowan deu um passo na direção do homem, chamando sua atenção. Os olhos de Ilias se semicerraram em avaliação, analisando, como Galan fizera, todos eles em busca de uma mulher de cabelos dourados que não estava ali. Os olhos do rapaz se voltaram para o príncipe feérico, como se o tivesse marcado como o centro do grupo.

Com a voz rouca devido ao desuso, ele perguntou:

— Viemos pagar nossa dívida de vida com Celaena Sardothien, com Aelin Galathynius. Onde ela está?

— Vocês são os *sessiz suikast* — afirmou Dorian, balançando a cabeça. — Os Assassinos Silenciosos do deserto Vermelho.

Ilias assentiu e olhou para Ansel, que ainda parecia prestes a vomitar, antes de dizer a Rowan:

— Parece que minha amiga cobrou muitas dívidas além da nossa.

Como se as próprias palavras fossem um sinal, mais figuras vestidas de branco tomaram as dunas atrás deles.

Dezenas. Centenas.

Rowan se perguntou se cada assassino daquela fortaleza no deserto tinha ido honrar a dívida à jovem mulher. Uma legião letal por si só.

E Galan...

O guerreiro se virou para o príncipe herdeiro de Wendlyn.

— Quantos? — perguntou ele. — Quantos trouxe?

O rapaz apenas sorriu um pouco e apontou para o horizonte leste.

Onde velas brancas surgiam acima da linha do horizonte. Navio após navio após navio, cada um empunhando a bandeira cobalto de Wendlyn.

— Diga a Aelin Galathynius que Wendlyn jamais esqueceu Evalin Ashryver — disse Galan a ele, a Aedion. — Nem Terrasen.

O general caiu de joelhos na areia quando a armada de Wendlyn apareceu diante deles.

Prometo a você que não importa o quanto eu me afaste, não importa o custo, quando pedir minha ajuda, virei, tinha sido o que Aelin contara ao primo que havia jurado a Darrow. *Vou cobrar velhas dívidas e promessas. Para erguer um exército de assassinos e ladrões e exilados e camponeses.*

E tinha erguido. Fora sincera e realizara cada palavra do que prometera.

Rowan contou os navios que surgiam no horizonte. Contou os navios na armada deles. Somou os navios de Rolfe... e os mycenianos que este reunia no norte.

— Pelos deuses — sussurrou Dorian, conforme a armada de Wendlyn continuou se espalhando mais e mais.

Lágrimas escorreram do rosto de Aedion, que chorava em silêncio. *Onde estão nossos aliados, Aelin? Onde estão nossos exércitos?* Ela aceitara as críticas, aceitara porque ele sabia que sua prima não os queria desapontar caso fracassasse. Rowan apoiou a mão no ombro do general.

Tudo isso por Terrasen, dissera ela naquele dia em que revelara que maquinara para conseguir a fortuna de Arobynn. E Rowan sabia que cada passo que Aelin dera, cada plano e cálculo, cada segredo e aposta desesperada...

Por Terrasen. Por eles. Por um mundo melhor.

Aelin Galathynius levantara um exército não apenas para desafiar Morath... mas para agitar as estrelas.

Ela soubera que não poderia liderá-lo. Mas, mesmo assim, cumpriria a promessa a Darrow: *Juro por meu sangue, pelo nome de minha família, que não darei as costas a Terrasen como você deu as costas para mim.*

E a última peça... se Chaol Westfall e Nesryn Faliq conseguissem reunir forças do continente sul...

Aedion por fim ergueu o rosto para ele, com os olhos arregalados ao chegar à mesma conclusão.

Uma chance. A esposa e parceira lhes dera a chance de um tolo naquela guerra.

E Aelin não acreditava que eles iriam até ela.

— Galan?

Rowan ficou mortalmente imóvel quando a voz ecoou das dunas. Diante da mulher de cabelos dourados que usava a pele de sua amada.

Aedion se pôs de pé em disparada, prestes a grunhir, mas o guerreiro lhe agarrou o braço.

Conforme Lysandra, como Aelin, tal qual prometera, foi em direção a eles, com um sorriso largo.

Aquele sorriso... perfurou o coração de Rowan. Ela havia aprendido a sorrir como Aelin, aquela gota de malícia e prazer, aperfeiçoada com um fio de crueldade.

A habilidade de atuar da metamorfa, aprimorada no mesmo inferno em que Aelin aprendera a dela, era impecável enquanto falava com Galan. Enquanto falava com Ilias, abraçando-o como uma amiga há muito perdida e uma aliada aliviada.

Aedion tremia ao seu lado. Mas o mundo não podia saber.

Os aliados, assim como os inimigos, não podiam saber que o fogo imortal de Mala fora roubado. Aprisionado.

Galan disse àquela que acreditava ser sua prima:

— Para onde agora?

Lysandra olhou para ele, então para Aedion, sem um sinal de arrependimento, culpa ou dúvida no rosto.

— Vamos para o norte. Para Terrasen.

O estômago de Rowan pareceu se transformar em chumbo. Mas a metamorfa o encarou e disse, firme e casualmente:

— Príncipe... preciso que recupere algo para mim antes de se juntar a nós no norte.

Encontre-a, encontre-a, encontre-a, era o que a metamorfa parecia implorar.

Rowan assentiu, sem palavras. Lysandra lhe segurou a mão, apertou uma vez em agradecimento, uma despedida educada e pública entre uma rainha e o consorte, então se afastou.

— Venham — disse Lysandra a Galan e Ilias, gesticulando para que seguissem para onde Ansel, cujo rosto estava pálido, e Enda, com a testa franzida, esperavam. — Temos assuntos a tratar antes de partir.

Então a pequena companhia ficou mais uma vez sozinha.

As mãos de Aedion se fechavam e abriam na lateral do corpo conforme ele olhava para a metamorfa que usava a pele de Aelin, levando os aliados para a praia. Para lhes dar privacidade.

Um exército destinado a tomar Morath. A dar a eles a chance de lutar...

Areia sussurrou quando Lorcan se colocou ao lado de Rowan.

— Irei com você. Ajudarei a trazê-la de volta.

Com a voz rouca, Gavriel disse:

— Nós a encontraremos.

Aedion, por fim, desviou o olhar de Lysandra ao ouvir aquilo. Mas não disse nada ao pai, não tinha dito nada a ele desde que haviam chegado à praia.

Elide deu um passo incerto para perto e falou, com a voz tão rouca quanto à de Gavriel:

— Juntos. Iremos juntos.

Lorcan deu à Lady de Perranth um olhar de avaliação que ela fez questão de ignorar. Os olhos se iluminaram quando ele lembrou a Rowan:

— Fenrys está com ela. Saberá que estamos indo para recuperá-la, tentará deixar pistas se puder.

Se Maeve não o tivesse trancafiado. Mas o guerreiro combatera o juramento de sangue todos os dias desde que o fizera. E, se era tudo o que havia naquele momento entre Cairn e Aelin... Rowan não se permitiu pensar em Cairn. No que Maeve já o obrigara a fazer, ou no que faria com Aelin antes do fim. Não... Fenrys combateria aquilo. E a assassina combateria também.

Ela jamais deixaria de lutar.

O príncipe feérico encarou Aedion, que mais uma vez desviou a atenção de Lysandra por tempo bastante para encará-lo. O general entendeu o olhar e colocou a mão no cabo da Espada de Orynth.

— Irei para o norte. Com... ela. Para supervisionar exércitos, me certificar de que tudo esteja no lugar.

Rowan segurou o antebraço de Aedion.

— O exército precisa se manter firme. Ganhe o máximo de tempo que puder para nós, irmão.

Ele segurou o antebraço do guerreiro em resposta, com os olhos brilhando. Rowan sabia o quanto aquilo o arrasava. Mas, se o mundo acreditasse que Aelin estava voltando para o norte, então um dos generais da rainha precisaria estar ao seu lado para liderar os exércitos. E como Aedion comandava a lealdade da Devastação...

— Traga-a de volta, príncipe — disse ele, com a voz falhando. — Traga-a para casa.

Rowan encarou o irmão de volta e assentiu.

— Veremos você de novo. Todos vocês.

Ele não desperdiçou palavras persuadindo o general a perdoar a metamorfa. Não tinha total certeza do que sequer pensar do plano de Aelin e de Lysandra. Qual teria sido *seu* papel naquilo.

Dorian deu um passo adiante, mas olhou para Manon, que encarava o mar, como se pudesse ver onde quer que Maeve tivesse transportado o navio. Usando aquele poder de ocultamento que empunhara para esconder Fenrys e Gavriel em baía da Caveira, para esconder a armada dos olhos de Eyllwe.

— As bruxas voam para o norte — declarou Dorian. — E irei com elas. Para ver se posso fazer o que precisa ser feito.

— Fique conosco — sugeriu Rowan. — Encontraremos uma forma de lidar com as chaves e o Fecho e os deuses... tudo.

O rei balançou a cabeça.

— Se vai atrás de Maeve, as chaves precisam estar bem longe. Se eu puder ajudar ao fazer isso, ao encontrar a terceira... Servirei melhor dessa forma.

— Você provavelmente vai morrer — interrompeu Aedion, em tom afiado. — Vamos para o norte para derramamento de sangue e campos de batalha, seguirá para perigos muito piores que esses. Morath estará à espera.

— Rowan olhou para ele com irritação. Mas o irmão não se importava mais. Não, Aedion caminhava em um limite cruel e vulnerável no momento, e não seria preciso muita coisa para que aquele limite se tornasse letal. Principalmente quando Dorian tivera participação em separar Aelin do grupo.

O rapaz olhou mais uma vez para Manon, que lhe sorria levemente. Era um sorriso que suavizava o rosto da bruxa, que o fazia ganhar vida.

— Ele não morrerá se eu puder evitar — afirmou ela, avaliando todos eles. — Viajaremos para encontrar as Crochan, para reunir as forças que podem ter. Um exército de bruxas para combater as legiões das Dentes de Ferro.

Esperança — esperança preciosa e frágil — agitou o sangue de Rowan.

Manon apenas acenou com o queixo em despedida e subiu até o penhasco, até sua aliança.

Então o guerreiro assentiu para Dorian. Mas o homem fez uma reverência com a cabeça; não o gesto de um amigo para outro, e sim de um rei para o outro.

Consorte, ele queria dizer. Era apenas o consorte.

Mesmo que Aelin tivesse se casado para que ele tivesse direito legal de salvar Terrasen e reconstruir o reino. Para que comandasse os exércitos que a rainha dera tudo a fim de reunir para eles.

— Quando terminarmos, eu me juntarei a você em Terrasen, Aedion — prometeu o rei de Adarlan. — Para que, quando voltar, Rowan, quando vocês *dois* voltarem, tenha restado algo por que lutar.

Aedion pareceu considerar. Medir as palavras do homem e sua expressão. E então o príncipe-general deu um passo à frente e abraçou o rei. Foi rápido e firme, e Dorian se encolheu, mas aquela tensão nos olhos inexpressivos devido ao luto de Aedion tinha sido um pouco suavizada. Silenciosamente, ele olhou para Damaris, embainhada ao lado do corpo do rapaz. A lâmina do primeiro e maior rei de Adarlan. Aedion pareceu considerar sua presença, quem a levava. Por fim, assentiu, mais para si do que para qualquer um. Mas Dorian, mesmo assim, fez uma reverência com a cabeça em agradecimento.

Quando o general tinha saído, indo até os longos botes, deliberadamente contornando Lysandra-Aelin, que tentara falar com ele, Rowan perguntou ao rei:

— Confia nas bruxas?

Um aceno de cabeça.

— Deixarão duas serpentes aladas para escoltar seu navio até o limite do continente. Dali, elas se juntarão a nós de novo, e você partirá para onde quer... onde quer que precise ir.

Maeve poderia tê-la levado a qualquer lugar, desaparecido com aquele navio na outra metade do mundo.

— Obrigado — agradeceu o guerreiro.

— Não me agradeça. — Um meio sorriso. — Agradeça a Manon.

Se todos sobrevivessem àquilo, se ele recuperasse Aelin, Rowan agradeceria.

Ele abraçou Dorian, desejou que o rei ficasse bem, e o observou subir a duna até a bruxa de cabelos brancos à espera.

Lysandra já dava ordens para Galan e Ilias com relação a transportar os duzentos Assassinos Silenciosos até os navios de Wendlyn enquanto Aedion monitorava com os braços cruzados. Ansel estava em uma conversa intensa com Endymion, que não parecia saber muito bem o que fazer com a rainha de cabelos vermelhos e sorriso de lobo. Ela, no entanto, já parecia inclinada a causar o caos e a se divertir muito. Rowan desejou que tivesse mais que um momento para agradecer aos dois — para agradecer a Enda e a cada um dos primos.

Tudo estava pronto, tudo preparado para aquele empurrão desesperado até o norte. Como Aelin planejara.

Não haveria descanso, nenhuma espera. Não tinham tempo a perder.

As serpentes aladas se agitaram, batendo as asas. Dorian montou na sela atrás de Manon e envolveu a cintura da bruxa com os braços. Ela disse algo que o fez sorrir. Sorrir de verdade.

O rapaz ergueu a mão para dizer adeus, encolhendo o corpo quando Abraxos disparou ao céu.

Outras dez serpentes aladas tomaram o ar atrás deles.

A bruxa sorridente de cabelos dourados — Asterin — e outra esguia, de cabelos pretos e olhos verdes, de nome Briar, esperavam por Gavriel, Lorcan e Elide sobre as montarias. Para carregá-los até o navio que os levaria para a caçada pelo mar.

Lorcan fez menção de dar um passo na direção de Elide quando ela se aproximou da serpente alada de Asterin, mas a jovem o ignorou. Nem mesmo olhou para o macho ao segurar a mão da bruxa e ser erguida para a sela. E, embora o guerreiro escondesse bem, Rowan viu o lampejo de devastação naquelas feições endurecidas pelos séculos.

O xingamento disparado por Gavriel conforme segurou a cintura da bruxa de cabelos dourados foi o único som do desconforto ao seguirem para o céu. Apenas depois que todos estavam no ar, Rowan subiu devagar a colina arenosa, amarrando a bainha antiga de Goldryn ao cinto de facas enquanto caminhava.

A camisa manchada pelo sangue de Aelin ainda estava caída ali, logo ao lado da poça de sangue que ensopava a areia. Rowan não tinha dúvidas de que Cairn a deixara de propósito.

O príncipe se abaixou, pegou a camisa, passou os dedos pelo tecido macio.

A aliança desapareceu no horizonte; os companheiros de Rowan chegaram ao navio, e os demais se preparavam para avançar com o exército que a parceira convocara, empurrando os botes longos para a praia.

O guerreiro levou a camisa ao rosto e inspirou o cheiro de Aelin, sentindo algo se agitar dentro de si — sentindo o laço estremecer.

Ele deixou a camisa cair, deixou que o vento a levasse para o mar, bem longe daquele lugar encharcado de sangue que fedia a dor.

Eu a encontrarei.

O feérico se transformou e voou alto em um vento ágil e perverso que ele mesmo fizera; o mar reluzente se estendia à direita, o pântano era um ema- ranhado verde e cinza à esquerda. Acorrentando o vento em si, agilmente alcançando os companheiros que voavam pela costa, Rowan gravou o cheiro de Aelin na memória, gravou aquele lampejo do laço na memória.

Aquele lampejo que ele podia ter jurado que sentira em resposta, como o coração trêmulo de uma brasa.

Liberando um grito que fez o mundo tremer, o príncipe Rowan Whitethorn Galathynius, consorte da rainha de Terrasen, começou a caçada para encon- trar a esposa.

❧ AGRADECIMENTOS ❧

É sempre tão difícil resumir minha gratidão imensa pelas pessoas que não apenas trabalham tão incansavelmente para tornar este livro realidade, mas que também me fornecem apoio e amizade incondicionais. Não sei o que faria sem elas na vida, e agradeço ao universo todos os dias por essas pessoas estarem presentes.

Para meu marido, Josh: mesmo quando este mundo for um sussurro de terra esquecido em meio às estrelas, amarei você. Obrigada pelas gargalhadas nos dias em que não achei que podia sorrir, por segurar minha mão quando eu precisava de um lembrete de que era amada e por ser meu melhor amigo e porto seguro. Você é a maior alegria em minha vida, e nem mil páginas seriam suficientes para expressar o quanto amo você.

Para Annie: a esta altura, não me surpreenderia se tivesse aprendido a ler. É a outra grande alegria de minha vida, e seu amor incondicional e bagunça constante tornam um trabalho solitário algo que jamais se parece com solidão — nem por um momento. Amo você, cachorrinha.

Para Tamar Rydzinski: sou muito grata por sua sabedoria, audácia e inteligência desde a primeira vez que me ligou há tantos anos. Mas, neste ano, principalmente, me senti ainda mais agradecida por sua amizade. Obrigada por me apoiar, não importa o que aconteça. Sou muito sortuda por ter você a meu lado.

Para Cat Onder: trabalhar com você tem sido um incrível ponto alto em minha carreira. Obrigada do fundo do coração pela opinião inteligente e elucidativa, por defender meus livros e por tornar todo esse processo simplesmente muito *divertido*. Tenho um orgulho incrível de tê-la como editora e amiga.

Para Margaret Miller: obrigada por toda sua ajuda e orientação ao longo dos anos — cresci tanto como escritora por causa de você e sou muito grata por isso. Para Cassie Homer: por onde começo a agradecer por tudo o que faz? Realmente não sei como conseguiria sem sua ajuda. Você é incrível.

Para minhas equipes maravilhosas e incomparáveis da Bloomsbury pelo mundo e da CAA — Cindy Loh, Cristina Gilbert, Jon Cassir, Kathleen Farrar, Nigel Newton, Rebecca McNally, Natalie Hamilton, Sonia Palmisano, Emma Hopkin, Ian Lamb, Emma Bradshaw, Lizzy Mason, Courtney Griffin, Erica Barmash, Emily Ritter, Grace Whooley, Eshani Agrawal, Emily Klopfer, Alice Grigg, Elise Burns, Jenny Collins, Linette Kim, Beth Eller, Kerry Johnson, Kelly de Groot, Ashley Poston, Lucy Mackay-Sim, Melissa Kavonic, Diane Aronson, Donna Mark, John Candell, Nicholas Church, assim como toda a equipe de direitos estrangeiros: sou tão abençoada por trabalhar com um grupo de pessoas tão espetacular, e não consigo imaginar meus livros em melhores mãos. Obrigada, obrigada, obrigada por *tudo*.

Para meus pais: obrigada pelo amor constante e por possuírem um número realmente vergonhoso de cópias de meus livros. Para meus sogros: obrigada por cuidarem de Annie quando viajamos — e por sempre estarem ao nosso lado, não importa o que aconteça. Para minha família maravilhosa: amo todos vocês.

Para Louisse Ang, Sasha Alsberg, Vilma Gonzalez, Alice Fanchiang, Charlie Bowater, Nicola Wilksinson, Damaris Cardinali, Alexa Santiago, Rachel Domingo, Kelly Grabowski, Jessica Reigle, Jamie Miller, Laura Ashforth, Steph Brown e as Treze de Maas: muito, muito, muito obrigada por sua bondade, generosidade e amizade. Eu me sinto honrada por conhecer vocês.

E para meus leitores: obrigada pelas cartas, pelas artes, pelas tatuagens (!!), pelas músicas — obrigada por *tudo*. Não consigo nem começar a expressar o quanto isso significa para mim, ou o quanto me sinto grata. Vocês fazem todo o trabalho árduo valer a pena.

Este livro foi composto na tipografia Adobe
Caslon Pro, em corpo 11/15, e impresso em
papel off-white no Sistema Cameron da
Divisão Gráfica da Distribuidora Record.